LOUIS
CYR

Du même auteur

BIBLIOGRAPHIE

Les Arts martiaux. L'Héritage des Samouraïs, La Presse, 1975 (essai).

La Guerre olympique, Robert Laffont, 1977 (essai).

Les Gladiateurs de L'Amérique, Éditions internationales
  Alain Stanké, 1977 (essai).

Knockout inc., Éditions internationales Alain Stanké,
  coll. «10/10», 1979 (roman).

Le Dieu sauvage, Éditions Libre Expression, 1980 (récit biographique).

La Machine à tuer, Éditions Libre Expression, 1981 (essai).

Katana, le roman du Japon, Éditions Québec Amérique, 1987; coll.
  «Deux continents», série «Best-sellers», 1994; coll. «Sextant»,
  1995; Éditions Libre Expression, coll. «10/10», 2010 (roman).

Drakkar, le roman des Vikings, Éditions Québec Amérique, 1989;
  coll. «Sextant», 1995; Éditions Québec Loisirs, 1989; Éditions
  Libre Expression, coll. «10/10», 2010 (roman).

Soleil noir, le roman de la Conquête, Éditions Québec Amérique, 1991; Club
  France Loisirs, 1991; Prix du grand public, 1992; coll. «Sextant»,
  1995; Éditions Libre Expression, coll. «10/10», 2010 (roman).

L'Enfant Dragon, Éditions Libre Expression, 1994; Albin
  Michel, coll. «J'ai lu», 1995 (roman).

Black, les chaînes de Gorée, Éditions Libre Expression, 2000;
  Presses de la Cité, 2002 (Le Grand Livre du mois); Éditions
  Libre Expression, coll. «Zénith», 2003 (roman).

Louis Cyr, une épopée légendaire, Éditions Libre Expression,
  2005; réédition, 2013 (biographie).

Montferrand, tome 1, *Le prix de l'honneur*, Éditions
  Libre Expression, 2008 (roman).

Montferrand, tome 2, *Un géant sur le pont*, Éditions
  Libre Expression, 2009 (roman).

SCÉNARIOS

Highlander, the Sorcerer (v.f. *Highlander, le magicien*), 1994, prod.: États-Unis,
  Canada, Grande-Bretagne, France (réalisateur: Andy Morahan).

The North Star (v.f. : *Grand Nord*), 1995, prod.: États-Unis,
  Italie, Norvège, France (réalisateur: Nils Gaup).

Le Dernier Tunnel, 2004, prod.: Bloom films et Christal
  films, Canada (réalisateur: Érik Canuel).

PAUL OHL

LOUIS CYR

BIOGRAPHIE

Une société de Québecor Média

Catalogage avant publication de Bibliothèque et Archives nationales du Québec et Bibliothèque et Archives Canada

Ohl, Paul E

Louis Cyr
2e éd.

ISBN 978-2-7648-0872-6

1. Cyr, Louis, 1863-1912. 2. Hommes forts - Québec (Province) - Biographies. 3. Haltérophiles - Québec (Province) - Biographies. I. Titre.

CT9997.C97O44 2013   796.41092   C2013-940210-1

Édition : Monique H. Messier, Romy Snauwaert
Révision linguistique : Isabelle Lalonde
Correction d'épreuves : Emmanuel Dalmenesche
Couverture et mise en pages : Chantal Boyer
Illustration de couverture : Londres, 19 janvier 1892, triptyque Fortissimus réalisé en 2004 par le peintre Marcel Lefebvre de Saint-Antoine-de-Tilly.
Photo de l'auteur : Hélène Leclerc

FORTISSIMUS est une locution latine qui signifie « le plus fort ».
L'illustration figurative FORTISSIMUS est une marque déposée et enregistrée auprès de l'Office de la propriété intellectuelle du Canada sous le numéro TMA808448.
L'illustration de la page précédente a été créée par M. Christian Ohl en 2004.

Remerciements
Nous reconnaissons l'aide financière du gouvernement du Canada par l'entremise du Fonds du livre du Canada pour nos activités d'édition.
Nous remercions le Conseil des Arts du Canada et la Société de développement des entreprises culturelles du Québec (SODEC) du soutien accordé à notre programme de publication.
Gouvernement du Québec – Programme de crédit d'impôt pour l'édition de livres – gestion SODEC

Les Éditions Libre Expression
Groupe Librex inc.
Une société de Québecor Média
La Tourelle
1055, boul. René-Lévesque Est
Bureau 300
Montréal (Québec) H2L 4S5
Tél. : 514 849-5259
Téléc. : 514 849-1388
www.edlibreexpression.com

Dépôt légal – Bibliothèque et Archives nationales du Québec et Bibliothèque et Archives Canada, 2013

ISBN : 978-2-7648-0872-6

Distribution au Canada
Messageries ADP
2315, rue de la Province
Longueuil (Québec) J4G 1G4
Tél. : 450 640-1234
Sans frais : 1 800 771-3022
www.messageries-adp.com

Diffusion hors Canada
Interforum
Immeuble Paryseine
3, allée de la Seine
F-94854 Ivry-sur-Seine Cedex
Tél. : 33 (0)1 49 59 10 10
www.interforum.fr

« Il n'y a ni Est, ni Ouest, ni frontière
ni race, ni naissance, quand deux
hommes forts s'affrontent quoiqu'ils
viennent des deux bouts de la Terre. »

RUDYARD KIPLING

Un mot de l'auteur

Afin de souligner dignement, en cette année 2013, le 150e anniversaire de la naissance de Louis Cyr, les Éditions Libre Expression ont décidé de publier une édition spéciale, revue, corrigée et bonifiée, de la biographie de Louis Cyr parue en 2005.

En cours de relecture et de révision, il m'est apparu, hors de tout doute, que Louis Cyr incarne toujours le mythe universel de la force, porteur d'une part de mystère et de démesure. Le destin de Louis Cyr fut d'être un homme d'exception, hors du commun, plus grand que nature, à une époque où son peuple était encore en quête d'une identité.

Il faut bien qu'une légende naisse quelque part. Celle-ci nous vient par des regards et des écrits passés et s'installe à l'écart des clichés et des métaphores. Elle révèle surtout un homme qui vécut aux confins de deux cultures et dont le cheminement identitaire et les valeurs morales reflètent ses origines, son milieu, son époque. Ajoutons qu'à l'époque où vécut Louis Cyr, la démonstration de la force physique avait valeur de symbole biblique, puisqu'elle incarnait un don de

Dieu et valait à celui qui en était investi d'être l'émule du Samson de l'Ancien Testament.

Affirmer que Louis Cyr fut l'homme le plus fort du monde à une époque où le mot «sport» n'avait pas encore acquis ses lettres de noblesse, sauf dans l'esprit de quelques aristocrates européens, est déjà une conclusion forte. Prétendre qu'il doit être considéré, de nos jours, comme l'homme le plus fort de tous les temps relève de la canonisation. Pourtant, ce qu'accomplit Louis Cyr, au-delà des exagérations véhiculées par certains auteurs, n'a jamais été fait, ni avant lui, ni depuis, dans l'histoire humaine.

Il n'en faut donc guère plus pour témoigner pleinement d'un destin unique, car tel fut le parcours à la fois flamboyant et tragique de ce fils du terroir. Flamboyant, parce qu'il connut une expérience de l'être et du monde différente de celle de ses semblables; tragique, parce qu'il sacrifia sa vie sur l'autel de sa légende.

Si tant est que Louis Cyr symbolise l'incarnation de la force suprême, du moins dans l'Histoire moderne, il constitue indéniablement un fleuron glorieux du patrimoine populaire.

PAUL OHL
19 janvier 2013

Louis Cyr vu par lui-même

« Je veux qu'il soit compris que les médailles et les ceintures m'importent moins que le titre de champion des hommes forts du monde. »
LIVERPOOL, 12 NOVEMBRE 1891

Du 27 janvier au 3 février 1908, le journaliste de *La Presse* Septime Laferrière et le dessinateur Albéric Bourgeois ont rencontré Louis Cyr à son domicile de Saint-Jean-de-Matha, afin d'y recueillir le récit oral de sa vie.

Le journaliste sténographia les propos de Louis Cyr puis les transcrivit de façon qu'ils puissent être publiés. Le dessinateur s'inspira de toutes les histoires racontées par Louis Cyr pour créer une douzaine d'illustrations. L'ensemble de l'œuvre parut entre février et novembre 1908 et devint un précédent dans l'histoire du journalisme en Amérique du Nord.

En se fondant sur ces *Mémoires de l'homme le plus fort du monde*, l'auteur de la biographie de Louis Cyr a imaginé la douzaine de questions qu'il aurait posées à l'immense personnage s'il avait été en sa présence voilà plus d'un siècle. Les réponses sont toutes, mot pour mot, celles de Louis Cyr.

D'où vous est venue cette force ?
Du Créateur, qui m'a donné cette vigueur prodigieuse et à qui je dois rendre hommage. Mais je sais aussi, après avoir vécu ce que j'ai vécu, que cette force physique qui m'a tracé ma carrière est un héritage reçu de parents et d'aïeuls, tous enfants des champs. Je fais remonter mon culte de la force physique en évoquant toujours le souvenir de mes anciens, car tout est là.

Aviez-vous un premier maître, une sorte d'idole ?
Dès l'âge de six ans, ce fut le gros Trudeau, le forgeron des côtes, dont tous les anciens de Saint-Cyprien-de-Napierville se rappellent encore le nom. Son tour de force favori était de prendre son enclume de 200 livres par la bigorne, d'une seule main, et de faire ainsi le tour de sa boutique. Il arrivait aussi à arracher, seul, des ornières où elles s'étaient embourbées, les voitures que bien souvent deux chevaux ne pouvaient plus faire bouger.

Vous considérez-vous comme très fort ou le plus fort ?
À quatorze ans, je pesais 160 livres. On m'a placé une porte d'écurie sur le dos et on y a chargé quinze minots de grains,

l'équivalent d'une demi-tonne. J'ai fait 15 pieds avec cette charge sur le dos. À trente-trois ans, je pesais 335 livres. J'ai soulevé une plate-forme chargée de 4337 livres, un poids supérieur à 2 tonnes. Aucun humain n'a jamais réussi quelque chose de semblable. Sans prétention aucune, entre 1890 et 1897, j'ai rempli le livre des records de force à moi seul.

Pourquoi ce voyage en Angleterre en 1891 alors qu'on vous disait déjà l'homme le plus fort du monde?
Pour effacer le moindre doute. J'ai traversé l'Atlantique dans le but de rencontrer tout venant pour le titre de champion du monde et non pour perdre mon temps en des tours de jonglerie.

Quelles conclusions avez-vous tirées de cette tournée de quatre mois en Angleterre?
J'ai constaté combien était surfaite la réputation de tous ces prétendus hommes forts. Ils se sont tous couchés, sans exception, à l'annonce de mes défis, incluant le grand Sandow lui-même. Personnellement, j'avais la certitude que je n'atteindrais jamais les limites de ma force. J'ai pris l'engagement qu'en quittant l'Angleterre, puisque personne ne voulait relever mes défis, autant effacer les records des autres et faire en sorte que dorénavant il n'y ait qu'un seul nom dans le livre des records, le mien.

Pourquoi dites-vous «ces prétendus hommes forts»?
Ces gens affichaient des poids d'apparence énorme qu'ils manœuvraient avec facilité, mais il fallait les croire sur parole. Moi, je ne demandais pas la même foi en mes avancées. À chacune de mes représentations une balance était sur la scène et un comité de citoyens, pris au hasard, dans l'auditoire, venait aux yeux de tous peser mes haltères.

Vous considérez-vous vraiment comme le champion des hommes forts de tous les temps?
Dans le *New York Clipper* de 1897, la seule autorité reconnue en matière athlétique au monde, vous trouverez enregistrés

les 25 records du monde de force. Ces exploits sont les miens et n'ont jamais été égalés par aucun homme au monde.

Auriez-vous pu faire mieux ?
Je le crois car je n'employais jamais toute ma force dans mes exhibitions, me réservant toujours quelques livres pour augmenter mes records, si quelqu'un les avait égalés. Ce qui n'est jamais arrivé.

Être ou ne pas être canadien-français. Un dilemme pour vous, n'est-ce pas ?
Je le fus et le demeurerai toujours. C'est à Saint-Cyprien qu'on a bercé mes années d'enfance et qu'on m'a inspiré une réelle adoration pour les exploits de la force physique. Une fois connu, on a bien tenté de m'acheter pour que je réinvente l'histoire de ma vie, on a tenté à fort prix de *yankee-fier* mon nom, de faire de moi un vrai champion américain. De l'argent, tenez, gros comme cela. Je n'ai jamais accepté.

Le folklore a-t-il pris le dessus sur le « vrai » Louis Cyr ?
Dans cette vie de théâtre et de cirque, il y a eu tant de journalistes à rencontrer, d'interviews à donner, de promoteurs à combler. Le temps venait souvent à manquer, mais pas les histoires. La mienne, ils la fabriquaient de toutes pièces. On me faisait accomplir des exploits abracadabrants : 6 000, 7 000 livres sur le dos, tout cela, à eux, ne leur pesait pas au bout de la plume.

Vous étiez la tête d'affiche du plus grand cirque au monde : *Ringling Bros*. La fortune, n'est-ce pas ?
L'artiste le mieux payé d'Amérique. Voilà pour le prix de consolation. Le reste fut le *bluff* américain. Dans le cirque *Ringling* il n'en manquait pas de spectacles bien propres à nous faire prendre en pitié notre pauvre humanité. Toute une collection d'horreurs ; pauvres malheureux pour qui la nature avait été cruelle et dont la seule ressource était d'exhiber leurs affreuses difformités. Pour ma part, je n'aurais jamais songé à m'annoncer au moyen d'exploits abracada-

brants qu'on me faisait accomplir… sur les placards et les réclames! Mais j'étais payé 2 000 dollars par semaine…!

N'avez-vous pas exploité votre propre cirque?
Je ne fais pas montre d'orgueil en disant que le Cirque Louis Cyr eut une vogue aussi grande que les *shows* américains, dans nos districts ruraux. Mon cirque, très modeste au début, devint de plus en plus considérable chaque année, et chose qui n'est pas à dédaigner, fut aussi une entreprise payante, et je dois dire qu'il était très florissant lorsque le mauvais état de ma santé me força de le liquider. J'en fus contrarié, car je rêvais de faire de mon cirque une institution aussi considérable que les grands cirques américains, les horreurs en moins.

Monsieur Cyr, dans cette grande aventure que fut votre vie, quel fut votre plus grand regret?
Tout ce qui a trait à mon instruction, car, une fois lancé dans ma carrière, même une fois devenu célèbre, je compris qu'un vide restait à combler dans mon existence: j'étais ignorant! Ce fut pendant mes voyages que j'appris, petit à petit, à lire et à écrire. Pour le français, je m'acharnais à copier des pages des *Devoirs du Chrétien*. Ma femme m'encourageait dans mes efforts pour m'instruire. Quant à mon bagage d'anglais, c'était dans les journaux que j'allais le chercher. Il m'a fallu bien des années pour combler les lacunes qu'avait laissées dans mon éducation mon court séjour à l'école.

C'est ici que commence la véritable histoire de cet être phénoménal prénommé Cyprien Noé Cyr, mais que l'on connut des deux côtés de l'Atlantique sous le nom de Louis Cyr, l'homme le plus fort de tous les temps.

Première partie
Le prodige

Illustration d'Albéric Bourgeois.
LA PRESSE, 1908

CHAPITRE I

Des Acadiens errants

Jean Sire, l'ancêtre de Cyprien Noé Cyr, naquit à Saint-Éloi de Dunkerque, en Flandre française, vers 1655. Cet endroit était situé dans la plaine maritime qui s'étend entre le nord de la France et la Belgique, au bord de la mer du Nord. Difficile de dire pourquoi Jean Sire quitta sa Flandre natale en même temps que quelques pêcheurs, marchands, soldats et artisans du Perche, du Poitou, de la Bourgogne, pour venir tenter la périlleuse aventure de l'Acadie, décrite par certains comme « un pays intempéré à cause de la mer glaciale qui l'environne ».

On peut risquer deux raisons : la terrible crise de subsistance qui s'est produite en France en 1677, alors que des épidémies se sont ajoutées aux ravages de la famine ; en second lieu, le recrutement astucieux des seigneurs français de la Nouvelle-France, parmi lesquels les gouverneurs de l'Acadie. Cette offensive de recrutement fut lancée par Charles de Menou d'Aulnay, lequel, dès les années 1640, envoyait des habitants de ses terres familiales dans le Poitou à sa seigneurie acadienne, ainsi qu'en témoigne le premier recensement de l'Acadie en 1671.

Quoi qu'il en soit, lorsque l'ancêtre de Cyprien Noé Cyr débarqua en Acadie, cette colonie du bout du monde était déjà au centre du conflit qui opposait la France à l'Angleterre. Marié à Marguerite Raimbault, il eut avec elle plusieurs enfants. L'un d'eux, Louis, deuxième de la lignée, naquit vers 1690. Peu après, l'amiral anglais Phipps saccagea Port-Royal et occupa l'Acadie péninsulaire. Beaucoup de familles fondatrices, dont celle de Jean Sire, se dirigèrent alors vers Les Mines et Beaubassin, les fondations les plus éloignées de cette Acadie constituée de Port-Royal, Cobequit, Grand-Pré et Chipody.

En 1713, le traité d'Utrecht marqua le point de rupture avec une bonne partie des colonies françaises d'Amérique. L'Acadie, pour ce qui en restait, devint officiellement anglaise. La péninsule allait se nommer Nova Scotia et l'île Saint-Jean fut désignée Prince Edward Island.

Le 12 novembre 1753, Paul Sire, petit-fils de Jean Sire, fils de Louis Sire, troisième de la lignée, épousa Marguerite Daigle (on lira aussi Daigre), fille de Joseph Daigle et de Marguerite Gautrot. C'était moins de deux ans avant l'événement tragique qui allait changer l'histoire de l'Amérique.

Le vendredi 5 septembre 1755, tous les habitants mâles de la région, jusqu'aux garçons de dix ans, furent sommés de se rendre à l'église de Grand-Pré pour y entendre une communication du gouverneur.

Cinq jours plus tard, le 10 septembre, on commença à embarquer les hommes qui avaient été, jusque-là, parqués dans l'église. Beaucoup furent débarqués tout le long du littoral américain.

Plusieurs passèrent clandestinement l'isthme de Shediac, au Nouveau-Brunswick, pour se cantonner pendant des semaines, même des mois, dans les vastes forêts. Progressivement, on longea le fleuve Saint-Laurent, s'éparpillant le long des côtes à la recherche d'une communauté d'accueil et d'une nouvelle vie au Bas-Canada.

*

C'est sur le chemin de l'exil que naquit, le 4 mai 1756, Pierre-Paul Sire, quatrième de la lignée de Jean Sire. Il avait moins de deux ans lorsque sa mère mourut, le 26 février 1758 à Saint-Charles-de-Bellechasse, à l'âge de vingt-cinq ans. Son grand-père Louis, qu'il ne connut pas, était décédé l'année précédente, le 22 juin 1757, et inhumé à Québec. Il est probable qu'entre 1755 et 1757 Louis Sire ait séjourné à Saint-François-de-la-Rivière-du-Sud, au sud-ouest de Montmagny, près de la rivière du Sud, une mission fondée en 1727, avant de se retrouver à Québec, deux ans avant la bataille des plaines d'Abraham. Quant à Paul Sire, le père de Pierre-Paul, il s'était établi à Saint-Charles-de-Bellechasse, à l'est de Lévis, sur la rivière Boyer, à même les terres de Charles Couillard de Beaumont, de la seigneurie du même nom. C'est là qu'il épousa en secondes noces, le 5 mai 1758, Marie-Ursule Dubois. Dix enfants naîtront de cette seconde union, entre 1759 et 1772 : deux à Saint-Charles-de-Bellechasse, sept à Saint-François-de-la-Rivière-du-Sud et un à Québec.

Le fils, Pierre-Paul, continua sur son erre pour s'établir, vers l'âge de vingt-cinq ans, à Saint-Grégoire-le-Grand, au cœur de la seigneurie de Bécancour. L'endroit avait été fondé en 1757 par des colons acadiens exilés de Beaubassin, mais n'était toujours pas érigé en paroisse lorsque Pierre-Paul Sire s'y maria, le 28 octobre 1782, avec Françoise Pellerin, fille de Pierre Pellerin et de Marie-Françoise Morin. De cette union naquit, en 1783, Pierre Sire, cinquième descendant de Jean Sire et arrière-grand-père de Cyprien Noé. Ce Pierre Sire, « un colosse » devait se souvenir le jeune Cyprien Noé, passa ses primes années sur une terre de la seigneurie de Bécancour, avant de reprendre la route avec ses parents en direction du Haut-Richelieu, jusqu'à un endroit nommé Sainte-Marguerite-de-Blairfindie, paroisse catholique fondée en 1768 par des colons de l'Acadie et dont on avait ouvert les registres en 1789. La localité fut nommée La Cadie (ou La Petite-Cadie ou La Nouvelle-Cadie), bientôt orthographiée L'Acadie, en souvenir de leur Acadie natale. En 1791, trois générations de Sire se retrouvaient à L'Acadie : Paul, Pierre-Paul et Pierre. Le premier y fut inhumé le 15 septembre 1798, le lendemain de l'enterrement de son épouse, Marie-Ursule Dubois. Pierre-Paul Sire fut inhumé à son tour le 15 juin 1809. Ses funérailles furent célébrées dans la toute nouvelle église de Sainte-Marguerite-de-Blairfindie, fleuron de l'architecture religieuse traditionnelle du XVIIIe siècle, inaugurée le 23 décembre 1801 et enrichie en 1802 des œuvres religieuse du peintre Louis Dulongpré. C'est dans cette même église qu'avait été baptisé un an plus tôt, en 1808, Pierre Sire, sixième de la lignée de Jean Sire, dont le patronyme se changera en « Cyr » par un caprice d'écriture notariale lorsque son père, Pierre Sire, deviendra propriétaire de 58 arpents de bonne terre, en bordure de la Petite-Rivière-de-Montréal.

C'est dans ce patelin du Haut-Richelieu, dont le peuplement et l'architecture furent marqués par le Grand Dérangement acadien de 1755 et le conflit entre les Américains et la colonie britannique du Bas-Canada de 1812, que se cristallisa le destin des descendants de Jean Sire, devenus des Cyr.

CHAPITRE 2

Les patriotes de
Saint-Cyprien-de-Napierville

Les Pierre Cyr père et fils vivaient au sein d'une communauté d'Acadiens à peine remis du douloureux exil. Ils formaient un ensemble paroissial regroupé autour de la nouvelle église, d'un presbytère qui sera entièrement reconstruit en 1821 et d'un cimetière enclos.

Les Cyr, comme tous les colons cultivateurs de L'Acadie, furent les témoins du conflit de 1812, la frontière américaine de Lacolle étant à quelques kilomètres de là. Lieu stratégique, l'armée britannique avait dressé un camp à la croisée de deux routes : celle reliant Saint-Jean-L'Évangéliste (aujourd'hui Saint-Jean-sur-Richelieu) à La Prairie et celle menant de Chambly à Odelltown. Ce carrefour était au cœur de L'Acadie (Sainte-Marguerite-de-Blairfindie). Les Britanniques y érigèrent des casernes – connues comme les casernes de Blairfindie – dès 1814, des écuries pour une centaine de chevaux, un corps de garde, un puits, des logements pour officiers et soldats et le quartier d'un maréchal des logis. Cantonnement du 119e régiment des dragons légers en 1813, les casernes allaient servir jusqu'en 1827 à des soldats irlandais. D'autres ouvrages militaires, dont les blockhaus de Lacolle, témoins de la bataille du moulin de Lacolle en mars 1814, faisaient également partie du paysage local.

Ce conflit canado-américain allait influencer les habitudes du noyau acadien auquel appartenaient les Cyr puisque, au lendemain des hostilités, de nombreuses familles irlandaises catholiques et écossaises protestantes étaient venues grossir la communauté, non sans la perturber. Les uns et les autres occupaient des terres sur les rives opposées de la Petite-Rivière-de-Montréal, mais chacun défendait âprement sa langue, ses traditions, n'hésitant pas à dénoncer qui au curé, qui aux notables des seigneuries des agissements suspects ou des prétentions qui eussent pu sembler aller à l'encontre des mœurs, des enseignements religieux ou, plus simplement, de la rectitude des apparences.

*

En ce début du XIXe siècle, l'exploitation des sols était encore l'affaire du régime seigneurial, par conséquent des grands propriétaires terriens.

Dans la partie du Haut-Richelieu où s'étaient établis les Cyr, les terres étaient partagées principalement entre la seigneurie de Léry, dans laquelle se trouvait le territoire de la future paroisse de Saint-Cyprien-de-Napierville, la seigneurie de La Prairie et la baronnie de Longueuil, qui regroupait la paroisse de Sainte-Marguerite-de-Blairfindie et les concessions de L'Acadie.

C'est sous le régime de Napier Christie Burton, quatrième seigneur de Léry de 1799 à 1835, que le développement de ce territoire favorisa la création de trois villages seigneuriaux, parmi lesquels celui de Napierville. Pour ce dernier endroit, un acte de donation d'un lot fut signé pour la construction d'une église catholique. Puis il y eut l'obtention de baux pour des moulins à scie et un moulin à farine.

Mais c'est l'affaire des lieux de culte qui allait permettre l'ouverture d'une nouvelle paroisse, en l'occurrence Saint-Cyprien. Pour cela, il fallait que les futurs paroissiens fussent en mesure d'assumer les coûts de construction d'une église et d'un presbytère, de «faire vivre honorablement» un curé par le paiement de la dîme et d'entretenir les chemins, en particulier durant l'hiver. Entre 1817 et 1821, plusieurs requêtes furent adressées à l'évêque de Québec, Mgr Joseph-Octave Plessis, afin qu'il donnât son approbation à la construction d'une église et à l'inauguration d'un cimetière. Le nom de Pierre Cyr père se trouvait sur la liste des requérants de la première demande, datée du 19 juin 1817. L'affaire n'était toujours pas réglée le 8 janvier 1820, jour d'inhumation de son épouse, Marie Gamache. Le jeune Pierre n'était âgé que de douze ans.

Pendant encore trois ans, les Cyr, ainsi que toutes les familles établies des deux côtés de la Petite-Rivière-de-Montréal et près du ruisseau des Noyers, durent franchir jusqu'à 3 lieues pour se rendre à l'église de Sainte-Marguerite-de-Blairfindie. La nouvelle paroisse naîtra le 1er janvier 1823 sous l'invocation de saint Cyprien, évêque de Carthage, mort martyr, mais tous les baptêmes, mariages et sépultures continuaient de se faire à Sainte-Marguerite-de-Blairfindie, le temps de construire la chapelle-presbytère de Saint-Cyprien. À coups de contributions volontaires, il faudra encore deux ans et demi avant l'arrivée, le 29 octobre 1825, de Joseph-Édouard Morriset, premier curé de la paroisse de Saint-Cyprien, l'ouverture des registres et la première célébration religieuse.

Les Cyr père et fils s'établirent sur des terres de la deuxième concession, au sud-est de la Petite-Rivière-de-Montréal, parties de lots qu'ils partageaient avec les Grégoire et les Smith, avec, comme voisins immédiats, les Lussier, les Boivin, les Bolduc, les Hébert, les Boutin et les Surprenant.

Dans les chaumières de Saint-Cyprien, vers les années 1830, on racontait les exploits, généralement agrémentés d'une part de légende, de quatre hommes : Jean-Baptiste Grenon, de Baie-Saint-Paul, Charles-Michel de Salaberry, de Beauport, Antoine Voyer, dit le grand Voyer, de Montréal, et Joseph Montferrand, dit le grand Jos, également de Montréal. Leurs exploits avaient valeur de prodiges dans la bouche des conteurs locaux et on faisait de chacun d'eux des prototypes de la force physique, qu'on opposait à l'occupant britannique tels des héros vengeurs.

Jean-Baptiste Grenon était né à Québec en 1724. Arrivé dans la région de Baie-Saint-Paul, il se fit remarquer par sa stature et sa force. Selon les récits du coin, il avait terrassé un ours adulte, traîné à lui seul une charrette en haut d'une côte, bravé un contingent de soldats britanniques et chargé sur l'épaule des arbres de bonne taille.

Charles-Michel de Salaberry avait vu le jour le 4 juillet 1752 à Beauport. Appartenant à l'élite canadienne-française, il se distingua à la bataille de Châteauguay, dont il devint le héros. Il fut élu député de Huntingdon puis, en 1817, membre du Conseil législatif du Bas-Canada. Doté de qualités physiques extraordinaires, il aurait, selon ce qu'on racontait, lors de l'assaut du fort Saint-Jean par les Américains en 1775, soutenu un pan d'édifice, sauvant de l'écrasement plusieurs de ses hommes. On le savait également capable de terrasser d'une main les fiers-à-bras de toutes provenances.

Le grand Voyer, Antoine de son prénom, était né à Montréal le 23 mars 1782. On le disait « haut de 6 pieds 4 pouces, sec, mais fortement membré ». Le grand Voyer avait acquis sa réputation de *boulé* en rossant des soldats anglais dans différents secteurs du Vieux-Montréal, au marché qui occupait jadis la place Jacques-Cartier d'aujourd'hui et au coin des rues Saint-Laurent, Mignonne et autres. Dans les buvettes de Montréal, le nom d'Antoine Voyer était synonyme de sang-froid, de courage et de force.

L'autre colosse de 6 pieds et 4 pouces, à quelques lignes près, était le légendaire Joseph Montferrand, né à Montréal le 26 octobre 1802. Les anecdotes couraient à son sujet, vantant la force de son coup de poing, la souplesse de ses jambes, certifiant qu'il pouvait laisser la marque de ses semelles au plafond de toutes les buvettes, la puissance de ses bras grâce à laquelle il maniait des cages de madriers avec la force de vingt hommes. Mais ce qui fit de Montferrand le héros de son peuple se passa en 1829, à l'extrémité du pont qui enjambait la rivière des Outaouais. La légende parlait de plus de cent cinquante *shiners*, des orangistes, qui se seraient mis en embuscade près du pont et qu'il mit en déroute.

Si Pierre Cyr père avait entendu des récits acadiens de la bouche de son père, Pierre-Paul Sire, le jeune Pierre Cyr se fit surtout raconter les exploits des rois de la force de la défunte Nouvelle-France et il en fut profondément marqué. Tellement qu'il devint lui-même le *boulé* de Saint-Cyprien. Soixante-quinze ans plus tard, dans les mémoires qu'il dicta au journaliste de *La Presse* Septime Laferrière, Louis Cyr dira de son grand-père :

> *À notre foyer de cultivateurs, dans toute la paroisse de Saint-Cyprien, il [Pierre Cyr] s'était fait une large place. C'était un bully. Le gros Trudeau, le forgeron des côtes, dont tous les anciens, j'en suis certain, se rappellent encore le nom, était le seul qui pût lui faire face. Il mesurait six pieds un pouce, et Trudeau, lui, avait encore au moins deux pouces de plus.*

Dans ce même récit qu'il fit de son enfance, Louis Cyr qualifiera son grand-père Pierre de « batailleur ». Il se souviendra surtout que vers ses soixante-douze ans, Pierre Cyr administra une « maîtresse raclée à trois Anglais qui avaient voulu agir en matamores chez lui ». Mais Louis Cyr mentionna surtout que les « lauriers de Trudeau » empêchaient son grand-père de dormir. « Souvent il m'en parlait, en me recommandant, comme à un grand garçon, le secret absolu », évoqua Louis Cyr, ajoutant : « Le dimanche, quand il me conduisait, par la main, à la grand'messe, il me le montrait du doigt : ça c'est un homme. » Si le grand-père, Pierre Cyr, devint en quelque sorte le premier maître de Louis, Joseph Trudeau, le forgeron de Saint-Cyprien, devint son unique modèle. On parlait de lui volontiers comme de l'homme le plus fort des comtés de Saint-Jean et de Napierville, en fait de toutes les seigneuries du Haut-Richelieu.

Connu pour sa grande force et sa formidable stature qui lui valut le surnom de gros Trudeau, Joseph Trudeau devint un des plus éminents citoyens du Haut-Richelieu et un véritable héros de Napierville. Né à Saint-Mathias-de-Rouville le 26 août 1811, il s'installa comme forgeron au village de Napierville vers 1830 et devint rapidement propriétaire de quatre lots sur la Pointe-à-Trottier, du côté nord-est de la rue de l'Acadie, non loin de la terre de la chapelle-presbytère, site de la future grande église de Saint-Cyprien. Quelques années plus tard, âgé de moins de trente ans, il se mêla résolument aux activités des rébellions de 1837-1838, devenant capitaine au grand camp de Napierville et jouant un rôle prépondérant lors de la bataille d'Odelltown, le 9 novembre 1838. Plus tard, entre les années 1850 et 1860, il sera tour à tour commissaire d'école de Saint-Cyprien, septième président de la commission scolaire, et pendant quatre ans marguillier de la paroisse.

Louis Cyr racontera que son grand-père Pierre apostrophait souvent Trudeau en ces termes : « Je sais que tu es plus fort que moi, mais au coup de poing je ne te crains pas. » Il ajoutera que Trudeau « se contentait de sourire sans jamais relever le défi ». Louis Cyr dira toutefois : « Moi, alors, je n'avais d'yeux que pour Trudeau », en parlant du temps où, à la porte de l'église, il le voyait entrer, attendu que Joseph Trudeau était déjà dans la cinquantaine avancée.

*

Les temps allaient bientôt changer. Des bouleversements politiques et sociaux allaient mettre à l'épreuve toute la population du Bas-Canada, et les familles de cultivateurs de la seigneurie de Léry ne seraient pas épargnées. Entre 1820 et 1835, de grandes vagues d'immigrants, en majorité des Écossais et des Irlandais, traversèrent l'Atlantique pour venir s'établir dans la grande colonie britannique au nord des États-Unis. Avec eux arrivèrent les épidémies, de typhus d'abord, appelée « fièvre des navires », de variole ensuite, et en 1832 de choléra.

Mais, plus grave encore pour ceux qui, comme les Cyr père et fils, disposaient de moins de 100 arpents de bonne terre, l'agriculture allait être fragilisée par la saturation de l'espace cultivable causée par l'occupation presque sauvage des concessions. Rapidement, l'épuisement des sols couplé à de mauvaises conditions climatiques et à des dommages causés par nombre d'insectes aura des conséquences néfastes. À tel point qu'à partir de 1831 les récoltes, de blé par exemple, connaîtront le déclin. Les grandes fermes parvenaient à répondre à de nouvelles demandes : la nourriture pour les chevaux, l'élevage de cheptels plus imposants, la production de beurre, de fromage, entre autres. Mais les petits propriétaires terriens possédant des lots de 4 hectares et moins devenaient incapables de faire vivre convenablement une famille moyenne. La bougeotte commençait à gagner les campagnes.

Pierre Cyr et Euphrosine Girard auront treize enfants, dont le premier décédera à deux mois et le cinquième, mort nouveau-né, ne sera qu'ondoyé. Mais il n'y avait encore eu que deux naissances chez les Cyr lorsque la seigneurie de Léry subit l'onde de choc déclenchée, le 6 mars 1837, dans un débat relatif aux affaires du Canada aux Communes de Londres : les dix résolutions de Lord Russell. À Montréal, le 5 septembre 1837, furent jetées les bases d'une société qui prit le nom de Fils de la liberté. Il y eut des levées d'armes. Le Bas-Canada se divisa en patriotes, en loyalistes, en neutres et en délateurs. L'armée britannique mobilisa des troupes. En novembre, les premiers combats se déroulèrent à Saint-Denis, sur les rives du Richelieu. Il y eut les grands discours de Papineau, puis la « déclaration d'indépendance » du Dr Robert Nelson. Une société secrète, Les Frères chasseurs, fut constituée. On conçut des plans, on arma des hommes. En octobre 1838, les patriotes devaient entrer par le comté de L'Acadie et attaquer Saint-Jean. Saint-Cyprien et le village de Napierville devenaient le foyer de l'insurrection.

La base paysanne fut ébranlée. L'évêque de Montréal, Mgr Lartigue, prêcha la soumission et, donc, la presque totalité du clergé du Bas-Canada obtempéra. La rébellion fut un échec qui marqua particulièrement le Haut-Richelieu. Le Dr Robert Nelson avait proclamé l'établissement provisoire de la république du Bas-Canada depuis la place du marché, au cœur du village de Napierville, le 4 novembre 1838, devant près de mille patriotes armés. Quatre jours plus tard, ce fut la défaite de Lacolle. La répression de Colborne commença le 10 novembre. Le village de Napierville fut occupé par les troupes britanniques. Plusieurs maisons furent pillées et incendiées. Cent trente-deux citoyens de Saint-Cyprien furent identifiés comme patriotes du camp de Napierville. Un grand nombre furent exilés en Australie, d'autres perdirent le droit aux indemnités. Les conséquences furent telles, en tensions, en haine, en appauvrissement, qu'il faudra des années pour rétablir un climat social convenable. Dans certains cas, le clergé avait été jusqu'à « brandir la menace de la privation des sacrements et le refus d'enterrer en sol béni les Patriotes morts les armes à la main ».

C'est au lendemain de ce triste épisode que fut baptisé, dans la chapelle où s'était marié son père, Pierre Cyr, troisième du nom et septième de la descendance de Jean Sire, le 29 mars 1839. Durant cette même année fut publié à Londres le rapport de Lord Durham, conseillant, entre autres mesures, d'angliciser les Canadiens français. En 1840, le gouvernement britannique sanctionna l'Acte d'Union, qui décrétait l'anglais comme seule langue officielle du nouveau Canada-Uni.

CHAPITRE 3

Cyprien Noé Cyr

Le soulèvement populaire des années 1837-1838 avait eu pour conséquence, entre autres, l'introduction du régime municipal au Bas-Canada. Le 15 avril 1841, le district municipal de Saint-Jean fut créé avec pour chef-lieu le village de Saint-Jean. En vertu de cette même proclamation, la paroisse Saint-Cyprien-de-Léry fut représentée au sein de cette institution par deux conseillers. Cela dura jusqu'au 1er juillet 1845, alors que furent établies trois cent vingt et une municipalités locales dans le Bas-Canada, dont celle de la paroisse Saint-Cyprien.

Pierre Cyr, le deuxième du nom, avait quarante-sept ans lorsqu'il devint conseiller de l'administration municipale de Saint-Cyprien, alors que Julien Grégoire fut élu maire, le 30 juillet 1855, en remplacement de Loop Odell. Ce fut la seule charge publique que l'on connut en trois générations de Cyr.

Le 2 octobre 1860, Pierre Cyr, troisième du nom, épousa Philomène Berger dit Véronneau, fille de Léon Berger-Véronneau et de Catherine Lemelin, dans la grande église Saint-Cyprien du village de Napierville. Baptisée le 15 janvier 1844, Philomène Berger, âgée seulement de seize ans lors de son mariage, était la huitième d'une famille de quinze enfants, dont plusieurs étaient décédés en bas âge. Son père, Léon Berger, établi à Saint-Cyprien depuis une trentaine d'années, passait pour un propriétaire terrien assez prospère. Les trois lots qu'il possédait dans le rang du Vuide faisaient quelque 400 arpents et valaient près de 3 500 dollars. C'était un peu moins que les terres du maire Julien Grégoire, mais pratiquement quatre fois plus que le patrimoine foncier des Cyr. Le 24 décembre 1860, Pierre Cyr devint à son tour propriétaire. Quelques heures avant la messe de minuit, il se présenta devant le notaire Antoine Mérizzi et signa l'acte de propriété d'une terre que lui vendait Isaac Pinsonneault. Une partie d'un lot situé sur le chemin de Burtonville, au nord-est, « mesurant deux arpents de front par vingt-huit arpents de profondeur, avec maison, grange, étable, puits et autres bâtiments dessus construits », au nord de Pierre Palin, son premier voisin, et au sud de Narcisse Létourneau, son autre voisin.

*

Pierre Cyr était un homme peu loquace. Jusque-là, il n'avait guère franchi les limites des terres appartenant aux Cyr, son père et son grand-père, ce dernier âgé de soixante-dix-sept ans et toujours vigoureux. Établi à peine à 2 kilomètres de la ferme paternelle, Pierre Cyr et sa très jeune épouse peinaient pour payer le dû des 56 arpents dont le rendement laissait déjà à désirer. N'étant pas intéressé par la chose publique, Pierre Cyr n'entendait que ce qui se disait sur le perron de l'église, propos du curé, de quelques notables et commerçants du village de Napierville. Le monde des cultivateurs cantonnés dans les rangs et les faubourgs tournait presque exclusivement autour des réalités paroissiales. Ici et là s'ajoutaient, avec les habituelles exagérations, les récits de quelques voyageurs de passage en direction de la frontière américaine.

Le petit monde de Pierre Cyr et de Philomène Berger s'inscrivait dans une logique de fatalité. Naissances nombreuses, morts encore plus nombreuses. Du ber au cimetière, la vie tenait au recommencement quotidien d'un labeur sanctifié. La terre paternelle était sans cesse à réapprivoiser, le ventre de cette dernière ne livrant qu'une fois sur deux ce qu'on y semait à la sueur des fronts. L'alphabet, la grammaire, l'arithmétique restaient des mystères. L'école du village ou du rang semblait un mal nécessaire qu'on fréquentait peu et mal. L'adage selon lequel « les enfants des cultivateurs n'avaient pas besoin d'instruction puisque savoir lire ne rendait pas plus habile au maniement de la charrue » semblait partagé par la majorité. Le clergé voyait à tout et commandait partout, sans droit de récrimination. Hors du confessionnal, point de salut. La femme était asservie à une cause sacrée : la revanche des berceaux. « Mariées à quatorze ans, elles étaient mères à quinze, puis elles l'étaient de nouveau tous les dix-huit mois, jusqu'à l'âge de quarante-cinq ans », écrivait en ce temps Napoléon Bourassa.

À Saint-Cyprien comme dans toutes les communautés paysannes du Bas-Canada, les conséquences imminentes du trop-plein des campagnes échappaient aux cultivateurs, c'est-à-dire à près de 80 % de la population francophone. Ils ignoraient qu'en 1850 un comité spécial constitué pour cerner les problèmes agricoles avait dressé un constat affligeant et alarmant : les sols étaient épuisés par l'absence d'engrais, la faiblesse du drainage et la pratique de la jachère au détriment de techniques élaborées d'assolement et de rotation des cultures. On ne lisait pas de journaux dans les rangs ou alors on entendait, des mois plus tard, les échos de quelque événement. *La Minerve* avait sonné l'alarme dès 1846.

Le propos annonçait une crise majeure qu'allaient provoquer les à-coups de l'industrialisation et de l'urbanisation galopantes. Commencèrent alors deux exodes : un premier vers les industries de Montréal, un second, d'une ampleur catastrophique, vers la Nouvelle-Angleterre.

Pourtant, les nouvelles en provenance de Montréal étaient mauvaises. On y était encore plus pauvre que dans les campagnes. Pour la population du Haut-Richelieu, Montréal n'était donc pas la solution. Le courant du trop-plein agricole se dirigeait plus naturellement vers les États-Unis, dont la frontière était à quelques kilomètres des villages de L'Acadie, de Napierville et de Lacolle. L'exploitation forestière attirait d'abord sur une base saisonnière. Un exil temporaire qui ne cessait, d'année en année à partir de 1840, de se prolonger au point de marquer le début d'une assimilation. À l'attrait des travaux en forêt s'ajoutait celui des industries du coton, si bien qu'entre 1840 et 1860 près de soixante-dix mille Canadiens français avaient emprunté la voie du nord-est des États-Unis, vers le Maine, le New Hampshire, le Vermont, le Rhode Island, le Connecticut et le Massachusetts. Et ce n'était que le début.

*

Autour de la table, réunis en conseil de famille, trois générations de Cyr avaient discuté de la possibilité pour Pierre, le plus jeune, de « s'essayer aux États ». Ce fut le plus ancien qui trancha : un non catégorique. L'héritage acadien de la survivance n'admettait pas un déracinement, quoi qu'en disaient ceux des paroisses voisines qui avaient déjà tenté l'aventure. Le doyen des Cyr tenait à ce que l'on s'agrippât à tout prix au sol natal afin de préserver les liens familiaux et les solidarités paroissiales. Ce que firent Pierre Cyr et sa Philomène sur leurs quelques arpents de terre en bordure du chemin de Burtonville.

Le 6 septembre 1853 s'était révélé un grand jour pour les paroissiens de Saint-Cyprien. Charles-François-Calixte Morrison, qui fut tour à tour premier curé de Saint-Bernard-de-Lacolle, curé de Saint-Valentin, missionnaire à Champlain, Perry's Mills et Mooerstown dans l'État de New York, était devenu curé de Saint-Cyprien. De souche écossaise, convoité par plusieurs évêques pour s'occuper de leurs œuvres, parfaitement bilingue, le curé Morrison allait exercer une profonde influence sur ses ouailles pendant vingt-trois ans. C'est lui qui prit l'initiative d'amener les sœurs de Sainte-Anne au village de Napierville, de les loger au presbytère le temps que l'ancienne chapelle fût aménagée en couvent. C'était en septembre 1857. Quatre ans plus tard, le 27 octobre 1861, il baptisa le premier enfant de Pierre et Philomène Cyr, une fille qu'ils prénommèrent Marie Amélina.

Le 10 octobre 1863, Philomène Cyr donnait naissance à un deuxième enfant, un premier garçon. Le lendemain, le curé Morrison le baptisait des prénoms Cyprien Noé. Léon Berger, père de Philomène Cyr, et Euphrosine Girard, mère de Pierre Cyr, furent choisis comme parrain et marraine du nouveau-né. Le curé Morrison nota au registre des baptêmes de la paroisse Saint-Cyprien que les parrain et marraine ne savaient pas signer. Pierre Cyr y avait apposé une signature laborieuse à côté de celle du curé Morrison.

Dans ses *Mémoires*, Louis Cyr disait se rappeler que sa grand-mère Girard « était une toute petite femme qui aimait répéter que les cloches de la nouvelle église de Saint-Cyprien avaient été étrennées lors de mon baptême : c'était sa façon d'être fière du *gros* Louis ». Il racontait aussi : « On m'avait dit que mon premier record a été de peser dix-huit livres en venant au monde. » Une part de légende se profilait déjà.

*

Le prodige ne se révéla pas dès le berceau. Quoique bien portant, Cyprien Noé n'était qu'une bouche de plus à nourrir, alors que Pierre et Philomène Cyr continuaient de s'échiner dans les champs, la grange et l'étable. La femme autant sinon plus que le mari, car Philomène Berger-Véronneau était le prototype de la « femme forte de l'évangile » du haut de ses 5 pieds et 9 pouces et pesant presque 250 livres, « tout en bras et en cœur », devait se souvenir beaucoup plus tard Louis Cyr. « Je me souviens très bien l'avoir vue, elle, faucher à force de bras et exécuter les travaux de la ferme avec le courage et la vigueur d'un homme robuste. Quand venait le temps de la récolte, c'était elle qui recevait, dans le hangar, les sacs de grains, qu'elle soulevait sans effort au-dessus de sa tête, pour les jeter dans les bras de mon père placé au haut de l'échelle. »

La terre rendait peu et les Cyr avaient de la peine à joindre les deux bouts. Le 8 septembre 1864, alors que Cyprien Noé n'avait pas encore fait ses premiers pas, Pierre Cyr acheta, moyennant des considérations futures, un petit lot de 1 arpent de front sur 10 de profondeur, du côté ouest du chemin de Burtonville. Le 25 mars 1865 naquit une deuxième fille, Marie-Joséphine, que la mort réclama à peine six mois plus tard. Elle fut inhumée le 1er octobre de la même année. À la douleur de la perte d'un enfant succéda la joie d'une nouvelle naissance, encore une fille, qu'on baptisa Marie Malvina le 19 avril 1866. Plus tard, elle se fera parfois appeler Alphonsine.

Pierre Cyr se présenta à nouveau à l'office du notaire Antoine Mérizzi. Cette fois, c'était pour vendre les deux terres, d'une superficie totale de 66 arpents, à Narcisse Mailloux, déjà propriétaire d'un lot de la cinquième concession. La vente fut notariée le 23 novembre 1866 et Pierre Cyr reçut en acompte un montant de 350 dollars, soit l'équivalent de ce qu'il avait réussi à payer durant les six ans où il en avait été propriétaire. C'était à peine le dixième de la valeur foncière des deux lots. Le reste du montant lui sera versé, par tranches, au cours des dix années suivantes.

De propriétaire qu'il était, Pierre Cyr devint journalier. Pendant presque quatre ans, avec Philomène et leurs trois enfants en bas âge, ils furent les locataires d'une veuve de Sherrington, Mme Bourassa. Pierre Cyr recevra des gages de 80 dollars par année. Naîtront deux autres enfants, Pierre et Marie-Odile.

Ce n'était toutefois qu'une question de temps avant que l'impact des mauvaises récoltes et le manque de ressources du petit cultivateur ne viennent à bout de sa foi et de son espérance. Depuis bientôt dix ans, la Grand Trunk Railway, mieux connue sous le nom de Grand Tronc, ajoutait des milles à ses rails.

L'exode des campagnes s'accélérait, par route, mais surtout par train. «Il ne se passe guère une journée sans que l'on voie des familles entières s'embarquer pour les États-Unis», écrivait l'abbé Jean-Baptiste Chartier, agent de colonisation.

Les bouleversements du secteur agricole se répercutaient sur les petits propriétaires terriens et leurs journaliers. Il n'y avait de place et d'espoir que pour les grandes fermes, capables de moderniser leurs exploitations, d'augmenter la superficie de leurs terres, d'accroître leurs troupeaux, de se procurer un outillage et des instruments mécanisés coûteux.

Pierre Cyr et sa petite famille vivaient un futur antérieur. Dix ans après leur mariage, avec cinq enfants en bas âge, le couple revenait s'établir sur une terre ayant appartenu au patrimoine foncier des Cyr dans la deuxième concession de la 2ᵉ Grande Ligne, à la limite des paroisses Saint-Valentin et Saint-Cyprien, à environ 2 milles au sud de leur premier habitat. Une fois de plus, ils reprirent le travail du champ, à la charrue, à la pioche, à la pelle, remplis d'espérance et les goussets vides.

Au village de Napierville, cœur de la paroisse Saint-Cyprien, le dynamisme du curé Morrison marquait la communauté religieuse. Le presbytère était maintenant une construction imposante, sur deux étages, toute de briques, avec de grandes fenêtres et quatre hautes cheminées. Plusieurs mouvements de piété avaient vu le jour : la Congrégation des enfants de Marie, la Confrérie du Saint-Scapulaire, la Confrérie de la Sainte-Famille, la Confrérie du scapulaire de l'Immaculée Conception, l'Apostolat de la prière.

Ce fut avec une certaine appréhension que Pierre Cyr vit plusieurs de ses voisins louer et même vendre leurs terres pour aller tenter l'aventure en Nouvelle-Angleterre. Le conseil de famille des Cyr, le grand-père et le père, continuait de s'opposer à l'idée. D'ailleurs, une voix s'était élevée, celle du curé de Saint-Bernard-de-Lacolle, Antoine Labelle. Avouant avoir été lui-même tenté par un exil volontaire aux États-Unis, il avait plutôt pris conscience de ce qu'il appelait « un chancre qui nous dévore parce qu'elle [l'émigration] affaiblit son peuple en en diminuant le nombre sensiblement et en réduisant ceux qui partent à l'état de prolétaires en instance de colonisation ». Pour le curé Labelle, l'émigration vers les États-Unis « allait vider les paroisses rurales au Québec et compromettre jusqu'à la survie du peuple franco-catholique si l'hémorragie n'était pas stoppée ». L'imposant ecclésiastique dut renoncer à la cure de Lacolle en raison de problèmes financiers et Mgr Bourget lui confia dès lors une cure prospère, celle de Saint-Jérôme. C'est de là qu'Antoine Labelle entreprit de vaincre l'émigration en ouvrant les terres incultes du Nord, les Pays-d'en-Haut.

Dans ce nouvel ordre économique et social de la seconde moitié du XIXᵉ siècle, il semblait clair que les cultivateurs, du moins la grande majorité d'entre eux, illettrés pour la plupart, étaient laissés pour compte. Les implantations commerciales et industrielles étaient pour l'essentiel le fait des anglophones. Et cela valait pour la langue des affaires, celle des transactions et des productions, donc la langue des patrons, l'anglais, d'autant que la « technologie » était presque exclusivement d'origine britannique ou européenne. Dès lors, la langue française du peuple, déjà façonnée par les régionalismes d'origine française, les expressions acadiennes et certains emprunts à des formulations anglaises, allait subir un véritable assaut d'anglicismes, au point de faire reculer le français dans son ensemble. Les villes, Montréal et Québec, affichaient en anglais. L'élite et la bourgeoisie francophones s'évertuaient à parler en anglais. Presque tous les journaux imprimés dans le nouveau *dominion* étaient en anglais. Au fur et à mesure que le capitalisme pénétrait dans les campagnes, la langue anglaise l'accompagnait.

*

L'enfance et l'adolescence de Cyprien Noé Cyr, entre 1870 et 1878, donc de l'âge de sept ans jusqu'à quinze ans, furent marquées par les récits de l'arrière-grand-père et du grand-père Cyr, par des prouesses physiques dignes d'un prodige de la force et par quelques regrets de n'avoir pas davantage investi d'efforts dans l'abécédaire d'un M. Martin, instituteur à l'école du village.

Cyprien Noé, deuxième enfant des Cyr, mais premier garçon d'une famille qui allait compter treize naissances entre 1861 et 1883, dont dix vivants, se vit très tôt comme le

« papa des garçons », ce qui à ses yeux n'était pas une mince affaire. Sa liturgie personnelle, il la tenait de la bouche de celui qu'il appelait affectueusement « mon grand-grand-père » et, plus tard, le « vieux, vieux Pierre Cyr ». C'est ce dernier, alors âgé de soixante-dix-sept ans, qui présidait les agapes des Cyr à la table de famille. Le même qui se plaisait à raconter comment les Cyr de toute la lignée avaient fui « les persécutions des Anglais, franchi à pied le trajet jusqu'à Québec, passé les nuits sous bois, chassé les ours à coups de bâton ». La réalité fut autre, nous le savons, mais pour Cyprien Noé plus particulièrement, ces récits à saveur légendaire forgèrent son culte de la force physique, quoiqu'il avouera, une fois adulte, qu'il « pouvait y avoir, dans toutes ces histoires d'aïeuls et de trisaïeuls, bien de bonnes blagues ». Une tradition orale donc, qui allait lier l'héritage reçu de parents et d'aïeuls, tous enfants des champs, à une future carrière tracée par la force physique. « C'est de ces bons vieillards que je tiens en grande partie l'héritage de ma force », dira Louis Cyr.

C'est de la bouche du « vieux, vieux Pierre Cyr » que le petit Cyprien Noé entendit nombre d'expressions tirées du vieux français, du patois acadien, du « canayen » du Haut-Richelieu et des anglicismes d'emprunt qui avaient tour à tour façonné la parlure de cet aïeul. Des mots comme *pétaque, barley, groceries, char, chelin, fleur, teapot, achaler, bâdrer, mouiller à sciaux, la rentrée des argens, le chiard, le barda, payer une visite, le bully,* des barbarismes et néologismes à profusion allaient imprégner le *French Canadian patois* qu'utilisera, sa vie durant, Louis Cyr.

Vers l'âge de sept ans, Cyprien Noé ressemblait déjà à un adolescent bien planté. Il pesait presque 100 livres et les voisins le regardaient d'un œil plutôt incrédule. C'est à peu près à cet âge qu'il avait vu le père Berger, son grand-père maternel, porter sur ses épaules sur une distance d'un arpent une poutre qu'aucun gaillard, parmi tous ceux qui participaient à une corvée volontaire, un « bee » selon l'expression de Louis Cyr, n'était parvenu à soulever. Tout comme il avait vu Philomène, sa mère, transporter à l'étage supérieur du logis, sur quelque vingt marches, un baril de farine de 218 livres. Louis Cyr expliquera : « Depuis longtemps, ma mère s'impatientait de se heurter toujours à ces barils que mon père se contentait de planter là, au pied de l'escalier. » Il mentionnera aussi que quatre des sœurs de sa mère étaient de force et de corpulence semblables à celles de Philomène et qu'un des frères de cette dernière, Narcisse Berger, exhibera ses talents athlétiques dans le Nebraska.

En un an, Cyprien Noé avait gagné 20 livres et commençait à s'attaquer à tous les objets lourds qu'il trouvait dans les bâtiments de la petite ferme. Il avouera beaucoup plus tard que les récits des exploits de fiers-à-bras des villages des environs, qu'il entendait en passant du temps sur les genoux des vieux Cyr, près du gros poêle à fourneau, le stimulaient. « Ma hâte était toujours assez vive de m'essayer un brin, après les dissertations des vieux sur les jeunesses de leur époque. » Ce qui fit de lui un « brise-fer » aux yeux de sa mère et l'organisateur du « vacarme » au milieu des autres enfants. Sévère – Louis Cyr dira « justement sévère » –, c'est à la *hart*, sorte de corde grossière servant à attacher les fagots, que Philomène Cyr recourait pour corriger le turbulent Cyprien Noé. « Ho ! La hart ! » étaient des mots dont Louis Cyr se souvenait bien clairement, en précisant dans ses *Mémoires* : « Plus d'une fois de vigoureuses corrections vinrent me forcer à modifier le programme. » Mais si la mère semblait désespérée à la vue de ce jeune colosse turbulent, elle qui ne suffisait plus aux tâches éducatives, ménagères et agricoles avec une naissance tous les seize mois, le grand-grand-père, au contraire, encourageait les manœuvres physiques de son arrière-petit-fils. Ainsi, Cyprien Noé s'attelait au moulin à battre portatif pour le tirer hors de la grange ou encore, plus souvent qu'autrement, renversait une chaise massive dans la cuisine, y entassait des bûches, puis tirait la charge sur le plancher de bois, en y hissant parfois son jeune frère Pierre, alors âgé d'à peine trois ans. « Je tirais et tirais encore, malgré les malices de ma mère me disant pour la centième fois : mais cesse donc de forcer, vieux pécot ! » dira Louis Cyr au journaliste de *La Presse* Septime Laferrière, trente-huit ans plus tard.

Pierre Cyr, le père de Cyprien Noé, était peu communicatif. Homme de devoir, certes, mais plutôt effacé, peu porté sur les défis et les prouesses. De taille moyenne, assez robuste pour s'attaquer à la rude tâche de cultivateur, il n'avait ni la stature et le bagout du plus vieux des Cyr, ni la réputation de boulé de son propre père. À propos de lui, Louis Cyr mentionnera : « Quand il était là, c'était chez nous la timidité et la réserve toutes naturelles en présence du maître de la maison. Par bonheur, assez souvent il disparaissait pour les labours des champs, les courses vers le marché de Saint-Jean où il allait écouler les produits de la ferme. » L'absence du père s'avérait une aubaine pour Cyprien Noé puisqu'il en profitait pour organiser le remue-ménage avec la complicité, la plupart du temps, du grand-grand-père, qui voyait certainement dans ce garçon corpulent un digne successeur.

Cyprien Noé avait huit ans. Un soir d'été, son père, qui faisait le décompte des bêtes revenues à l'étable, constata qu'il manquait un veau du printemps. Sans arrière-pensée aucune, il demanda au jeune garçon de le retrouver. Cyprien Noé retrouva l'animal embourbé dans un fossé, à bonne distance de la maison. Voyant que la bête était trop affaiblie pour même remuer, Cyprien Noé l'arracha du piège de boue, la hissa sur ses épaules et prit le chemin du retour ainsi chargé. « Je franchis tout d'une traite l'arpent et demi qui me séparait de la maison où, l'un portant l'autre, nous fîmes notre entrée sensationnelle, sous les yeux de mes parents ébahis. » Ce jour-là, Philomène Cyr sut que son premier fils avait hérité d'un don exceptionnel : la force. « Ma mère, de ce jour, eut des tendresses à part pour son *gros Louis* [Louis Cyr parle ainsi de lui-même en 1908, *n.d.a.*]. J'étais devenu le favori de la maisonnée. »

*

En 1872, alors que Cyprien Noé allait avoir neuf ans, son père le fit asseoir en face de lui et passa ses doigts dans les cheveux de l'aîné des garçons, « une manière à lui de nous caresser », selon Louis Cyr. Pour avoir entendu ses parents discuter avec gravité en mentionnant souvent le nom de M. Martin, Cyprien Noé savait déjà quel serait l'objet du sermon paternel. « Il est temps que tu fasses le grand garçon. Ta mère et moi avons décidé que tu commencerais dès lundi à aller à l'école. Ta sœur aînée t'y a devancé : il faut que tu sois aussi sage qu'elle. »

En fait, Marie Amélina, l'aînée des enfants Cyr, avait commencé à fréquenter l'école des filles, située dans l'ancienne chapelle-presbytère du village et dirigée par les sœurs de Sainte-Anne, depuis presque deux ans. Rien pour impressionner Cyprien Noé, qui voyait plutôt sa liberté s'envoler. « J'allais être contraint d'aller tout banalement réciter du b.-a.ba, sous la férule du magister », confia-t-il au scribe de ses *Mémoires*. Le garçon était loin de se douter que le drame de l'analphabétisme marquait durement la province de Québec. Cette même année, la proportion d'illettrés parmi les francophones était deux fois plus élevée qu'en Nouvelle-Écosse (une partie de l'ancienne Acadie française) et presque quatre fois plus élevée que dans la province voisine, l'Ontario. Un retard qui allait menacer l'espace économique francophone pendant un demi-siècle et grossir les rangs de l'émigration vers les États-Unis.

Une école de rang, une cabane de bois plutôt, était située non loin de la ferme. Mais Pierre Cyr avait parlé de l'école du village, l'école de M. Martin, réservée aux garçons. Lorsqu'il n'y avait plus rien à faire aux champs, peu avant la première neige, c'était la coutume pour tous les fils de cultivateurs d'aller voir le « fameux » M. Martin, ou alors ce dernier rendait visite aux parents. La vue de sa mère s'activant à confectionner le complet « d'étoffe du pays qui devait être son principal ornement de rentrée scolaire » ne faisait qu'ajouter au cauchemar de Cyprien Noé.

L'école, le garçon la connaissait de vue puisqu'il passait tous les dimanches devant la grosse maison de pierre grise, grossièrement maçonnée, entourée d'une clôture basse en bois. Un seul arbre, un gros érable, se dressait en face des huit fenêtres de la façade donnant sur la rue. L'édifice, qui datait pratiquement de cinquante ans, avait servi tantôt d'école mixte, tantôt de presbytère, avant de devenir à partir de 1857 une école réservée à l'éducation des garçons.

Quant au « fameux M. Martin », il s'agissait de Gilbert Martin, originaire de La Prairie et qui avait été élève de l'école Jacques-Cartier de Montréal, par conséquent un enseignant de première qualité. Lorsque Cyprien Noé fit sa connaissance, tard à l'automne de 1872, Gilbert Martin entamait sa onzième année comme instituteur à l'école des garçons de Napierville.

La première rencontre entre M. Martin et le jeune Cyprien Noé fit disparaître toutes les appréhensions du garçon. « Monsieur Martin me reçut à bras ouverts. C'était un bien digne homme, qui ne portait pas de lunettes, qui n'avait rien du pédagogue de mes cauchemars. En dépit de sa sévérité, ses élèves l'idolâtraient. C'était lui aussi un fervent de la force physique, et aux heures de récréation, il enseignait volontiers à ses bambins ce qu'on appelait le *tir au bâton*, ou bien encore la lutte à bras-le-corps telle qu'on la pratiquait à Saint-Cyprien. Ce furent celles de ses leçons que je goûtai le plus. »

Ce que des années plus tard Louis Cyr qualifiera de « manège de son père » durera à peine trois hivers. Trois courts sermons qui disaient en substance : « Demain tu iras à l'école de monsieur Martin » et, quatre mois plus tard : « Demain tu resteras ici, on va avoir besoin de toi pour la ferme... monsieur Martin m'a dit qu'il était content de toi. » En réalité, ce que Cyprien Noé réussissait de mieux à l'école, c'était faire mordre la poussière à tous les *géants* de la classe, peu importait leur âge, et surtout, tirer au poignet avec chaque volontaire. « Je les prenais deux à la fois, les mains liées avec un mouchoir. Ce n'était pas toujours pour les *renverser*, mais ma fierté de *bully* officiel me défendait de faire moins. »

Quant à l'apprentissage de l'alphabet et de quelques notions de géographie, Louis Cyr fit le constat suivant alors qu'il avait la jeune vingtaine : « On m'avait appris que les *recordmen* venus de l'autre côté [il parlait de l'Europe, *n.d.a.*] se trouvaient être pour la plupart des élèves des universités. C'est pourquoi, une fois lancé dans la vie, je compris qu'un vide restait à combler dans mon existence : j'étais ignorant !… J'étais ignorant et je résolus de m'instruire, de refaire les heures perdues par ma faute à l'école de monsieur Martin… mes quarts d'heure auprès de lui ne furent guère assez longs, en dehors du *tir au bâton,* pour me permettre de surprendre tous les secrets de l'A-b-ab. »

Le 27 janvier 1873, on sonna le glas de l'église paroissiale de Saint-Cyprien. Toute la communauté prit le deuil. Le héros de Napierville, l'homme fort du comté, le réputé forgeron qui avait tour à tour été patriote, commissaire d'école, président de la commission scolaire et marguillier, Joseph Trudeau surnommé « le gros Trudeau », était inhumé dans le caveau de l'église. Une marque d'honneur selon une des plus anciennes traditions du christianisme. Il rejoignait les sépultures de huit anciens patriotes de 1837-1838, parmi lesquelles celle de Hubert Leblanc, dit Drossin, qu'on avait exilé en Australie durant sept ans. Pierre Cyr, le grand-père, regretta amèrement la disparition de l'homme qu'il respectait le plus. Cyprien Noé partagea sa peine.

Le 24 septembre 1874, Marie Amélina fut confirmée de la main de Mgr Édouard-Charles Fabre, évêque coadjuteur de Montréal, avec deux cent quatre-vingt-six autres adolescents de la paroisse. Cyprien Noé, qui avait commencé sa préparation grâce aux bons offices du vicaire de Saint-Cyprien, l'abbé Magloire Auclair, préférait engager ses 140 livres dans des corps à corps avec ses compagnons plutôt que d'assimiler les leçons de catéchisme. Ce ne fut que trois ans plus tard, le 25 juin 1877, qu'il reçut le sacrement de confirmation du même monseigneur, devenu depuis un an évêque de Montréal.

*

Alors qu'il avait environ douze ans, Cyprien Noé commença à être fasciné par les chevaux. Il s'émerveillait devant les fortes bêtes à l'encolure et à la croupe épaisses, les chevaux carrossiers et les chevaux de trait, aptes à tirer des charges pesant quatre fois leur poids. Il s'était familiarisé avec les boulonnais, les percherons, quelques ardennais, ainsi que des clydesdale et des shire, répandus dans les fermes de descendants écossais et irlandais. La force de la bête, Cyprien Noé l'éprouva lorsque pour la première fois il mit les mains sur les manchons de la charrue paternelle. Commença alors ce que Louis Cyr appellera beaucoup plus tard «la troisième période de mon enfance, celle de la vie aux champs».

Quand son costaud de fils eut douze ans donc, et pour la dernière fois, Pierre Cyr lui fit son petit sermon : «Demain tu resteras ici, nous avons besoin de tes bras.» «Après l'A-B-C, ce fut la charrue», résuma Louis Cyr, ajoutant que son père était tout fier de le voir, à ses douze ans, «maître de la charrue». Cette année 1875 marqua profondément Cyprien Noé : le grand-grand-père mourut début mai, à l'âge de quatre-vingt-douze ans. Le garçon ressentit un vide qu'il put difficilement combler par la suite. La mort du doyen des Cyr réduisait au silence la mémoire des temps passés, si embellie et romancée fût-elle. Ce départ privait également ment le conseil de famille des Cyr de sa voix prépondé-rante. Ne restait que le grand-père, alors âgé de soixante-sept ans, pour faire valoir les arguments de sagesse et de prudence. Le 26 juin 1876, Léon Berger, le père de Philo-mène, fut inhumé à son tour. Peu de temps après, Narcisse Berger, un des aînés de la famille, se laissa tenter par l'aven-ture de la Nouvelle-Angleterre. Une autre Berger, Angéline, mariée à Simon Marchessault, suivit son exemple. Ils allaient grossir les rangs des quelque cent soixante-quinze mille migrants canadiens-français déjà établis outre-frontière, dont près de soixante-dix mille dans le seul État du Mas-sachusetts. L'attrait de «la Marique», expression popu-laire par laquelle on désignait les États-Unis d'Amérique, devenait pratiquement irrésistible.

*

Au domicile de Philomène Cyr, son «p'tit premier gars» avait atteint quatorze ans. Il pesait plus de 160 livres et avait la stature d'un adulte robuste. De «vieux *pécot*», elle le surnommait maintenant «mon gros *pécot*». Son deuxième garçon, de cinq ans le cadet de Cyprien Noé, elle l'appelait «p'tit Pierre» en raison de sa taille. Le surnom allait lui rester. Ce Pierre Cyr, quatrième du nom en quatre générations, né le 18 février 1868, fut tour à tour le souffre-douleur, le complice, le délateur, le favori et le grand ami de son frère aîné. C'est p'tit Pierre qui assistait aux triomphes de Cyprien Noé, qui allait chez les voisins y lancer des défis et répandait la nouvelle des «exploits» de son grand frère. «Je tenais à avoir toujours Pierre à mes côtés pour assister à mes triomphes, ou même à mes défaites. Je voulais lui infuser un peu de combativité. Soupçonnai-je alors que plus tard mes leçons de bambin dussent porter leurs fruits, dans nos courses, à lui et à moi, de par le monde? » Le propos de Louis Cyr illustre bien l'amitié qui allait lier les deux hommes. Il ajoutera que sa mère ne cessait de répéter: «Tu es en train d'en faire un pareil à toi.» Quant aux corrections à la *hart*, Philomène ne dérogea pas à la tradition. Louis Cyr précisera que «Pierre, invariablement, à chacune des apostrophes de ma mère, avait dû mettre à son crédit quelques frasques méritant la correction que tant de fois j'avais goûtée moi-même».

Ce fut durant une des nombreuses absences de son père, parti au marché de Saint-Jean, que Cyprien Noé résolut de tenter son premier véritable tour de force, «celui qu'on appelait le *tour du cheval*». Louis Cyr décrivit l'exploit en ces termes: «Il s'agissait de jeter un harnais sur le dos de la bête et d'accrocher au bout un timon auquel nous nous accrochions nous-mêmes des deux mains. Les pieds appuyés alors sur le seuil de la porte de l'écurie, nous lancions au cheval le hue! traditionnel qui le faisait s'élancer de l'avant. Il s'agissait pour nous de le retenir et de le faire même fléchir sur ses quatre jarrets. » Dorénavant, le test du cheval devenait indissociable de la carrière d'homme fort du futur Louis Cyr. Il en fit son «sport favori» pendant des mois, s'attaquant à des bêtes toujours plus fortes, surtout chez les voisins, jusqu'à devenir le seul à réussir l'exploit de retenir, pendant de longs intervalles, chaque cheval.

Au printemps de 1877, Philomène Cyr donna naissance à un cinquième garçon. Il fut baptisé dans la paroisse Saint-Valentin, par un caprice de frontières paroissiales, le 2 avril 1877. Avec Napoléon, les Cyr avaient maintenant dix enfants vivants. Moins d'un an plus tard, Philomène se retrouva enceinte pour une douzième fois.

*

En 1878, la plupart des cultivateurs n'en pouvaient plus. Ils n'avaient pas les ressources pour mettre en valeur le terroir, réorienter les productions, transformer radicalement l'agriculture vivrière traditionnelle en industrie laitière. D'ailleurs, le nombre de fermes de plus de 4 hectares avait considérablement chuté, si bien qu'ils étaient exclus du réseau de beurreries et de fromageries qui se mettait en place pour répondre aux demandes du marché britannique. Jadis véritable grenier à blé du Bas-Canada, les fermes du Haut-Richelieu n'arrivaient plus à soutenir la concurrence des immenses terres à blé de l'Ouest américain. Le recul était dévastateur, puisqu'en dix ans la production des grandes cultures de blé, d'orge, d'avoine, de pois et de pommes de terre avait diminué du tiers. En ce temps de crise, ferment de la nouvelle saignée rurale, les cultivateurs aisés achetaient à profusion les exploitations de leurs voisins pour agrandir leurs champs, leurs cheptels, leurs récoltes de foin, dont la demande provenant des villes, des chantiers et des États-Unis était à la hausse.

Il n'y eut pas de conseil de famille cette fois lorsque Pierre Cyr prit la décision de partir en Nouvelle-Angleterre. Narcisse Berger, le frère de Philomène, leur avait dit que le pire des emplois dans une manufacture de textile valait bien les meilleures récoltes d'une ferme de Saint-Cyprien. L'affaire était entendue. Il ne restait à Pierre Cyr qu'à convenir avec ses voisins des conditions de location de sa terre.

À l'automne – Philomène était enceinte de presque huit mois –, Pierre Cyr se rendit une dernière fois au marché de Saint-Jean, avec un détour obligé par le moulin de

Saint-Athanase pour y faire moudre une bonne quantité de grain. Il avait décidé d'emmener Cyprien Noé avec lui, le jugeant « assez sérieux » pour faire le voyage. Louis Cyr se rappela que « ce fut une jubilation lorsque mon père me dit, un bon matin : fais-toi beau, tu viens au marché ». Sa mère, complice, avait déjà préparé ses « habits les plus neufs ».

Un grand moment pour Cyprien Noé, dont les connaissances en géographie se limitaient aux tracés des rangs menant au village, chez son grand-père ou à 1 mille de là, chez son cousin Bourgeois. Quoique, plus tard, Louis Cyr crut se souvenir qu'il avait accompagné son père à Montréal alors qu'il avait environ sept ans.

Ce fut lors de cette dernière expédition de cultivateur que Cyprien Noé mérita l'admiration de son père, qui allait, quelques années plus tard, se muer en véritable culte. Lors de l'arrêt au moulin de Saint-Athanase, Pierre Cyr entendit des habitués du coin parier sur les possibilités qu'un homme puisse « charrier douze minots de grain d'un coup » sur le dos. Or, un certain Vital Guérin, fier-à-bras et *boulé* du comté, était réputé charrier 15 minots de grain (environ 900 livres anglaises) sur le dos. Selon Louis Cyr, son père lui avait demandé s'il était capable et d'*adon* pour forcer un peu « pour me faire plaisir », ce à quoi le garçon avait répondu : « Comme de raison. » Pierre Cyr aurait alors proposé ceci : « Je vais vous amener une jeunesse qui n'a pas encore ses quinze ans et qui va vous porter ses quinze minots comme pas un seul d'entre vous autres. Y en a-t-il qui veulent parier ? » On avait proposé que si Cyprien Noé parvenait à déplacer 15 minots de grain entassés sur une porte d'écurie placée sur son dos, on donnerait le tout aux Cyr. Ce que réalisa l'adolescent en déplaçant la charge sur 15 pieds.

Sur le chemin du retour, le père et le fils furent par hasard les témoins d'une joute de force improvisée entre quelques fiers-à-bras. Il s'agissait pour eux d'essayer de soulever, par la flèche, une « voiture de Saint-Jean », sorte de véhicule monté sur une structure de fer et que seuls les cultivateurs à l'aise financièrement pouvaient se procurer. On laissait savoir à la ronde que la voiture et son contenu pesaient dans les 1 100 livres. Louis Cyr décrivit plus tard l'événement : « J'arrachai tout d'une pièce le fardeau. J'avais mis dans mon effort des énergies que je n'avais pas connues encore ; rien ne vivait plus autour de moi, je serais mort sur place plutôt que de m'avouer vaincu. Je ne réalisai même pas que j'avais réussi. »

De ce jour-là jusqu'au décès de Pierre Cyr, les rapports entre le père et Cyprien Noé changèrent du tout au tout. Il était déjà le « gros *pécot* », favori de Philomène. Il devenait maintenant un camarade pour son père, suprême honneur paternel. À la grande table du foyer, Cyprien Noé était traité en homme.

Son grand-père entendit très vite le récit peu banal des premiers exploits de son petit-fils préféré, autant dire son orgueil. « Tu es le meilleur des Cyr, continue mon jeune homme, ne prends jamais de boisson et tu iras loin », telles furent les paroles dont se souvint Louis Cyr, les dernières peut-être du septuagénaire avant le départ pour « les États ».

« Nous partons pour Lowell », avait annoncé Pierre Cyr à toute la famille, alors que Philomène était sur le point d'accoucher. Il restait quelques jours avant cette naissance, le temps de préparer le grand déménagement et de faire quelques adieux.

Le 10 octobre 1878, Cyprien Noé eut quinze ans. Le 1er novembre suivant, Philomène accoucha d'un garçon. Il fut baptisé le lendemain du prénom de Joseph. Il ne vécut que dix-neuf jours et fut inhumé dans le cimetière de Saint-Cyprien le 21 du même mois.

C'est en portant le deuil de leur douzième enfant que Pierre et Philomène Cyr, accompagnés de leurs dix enfants vivants, prirent la direction de Lowell, une communauté de l'État du Massachusetts.

CHAPITRE 4

L'homme fort du Petit Canada

Le trajet de Napierville à Saint-Jean se fit par temps froid, au cours des premiers jours de décembre 1878. Cyprien Noé connaissait maintenant cette route, faite de raccourcis cahoteux, mais il ne voyait plus les terres et les bâtiments de ferme de la même façon. Déjà peu loquace de nature, Pierre Cyr demeurait totalement muet, laissant à Philomène le soin de rassurer les petits derniers, Marie-Olive, Hermine et Napoléon, respectivement âgés de six, quatre et moins de deux ans, alors que Cyprien Noé s'occupaient des autres.

Les deux charrettes tirées par quatre chevaux mirent près de cinq heures à rallier la gare de Saint-Jean. C'était la cohue. Quelques centaines d'émigrants faisaient la file afin de se procurer des billets de train. Les uns se rendaient à Holyoke, d'autres à Lewiston, Springfield, New Haven, Saint-Albans, Biddeford, White River, plusieurs, parmi lesquels les Cyr, à Manchester, Lawrence, Lowell ou Boston. Ce fut une nuit d'attente, couchés à même les effets personnels et les paquets. Le lendemain, le départ se fit en direction de Saint-Hyacinthe, puis de Richmond et, de là, vers Portland. Au nœud ferroviaire, les choses n'étaient pas faciles. Quel train fallait-il prendre, quand, sur quelle voie ? Passupsic Rail Road, Connecticut Rail Road, Old Colony Rail Road, Northern New Hampshire Rail Road ou le Boston and Maine Rail ? Une fois entassés dans les wagons, point de retour en arrière. Ceux qui se trompaient d'itinéraire devaient passer des nuits entières dans les gares avant d'arriver, avec des jours de retard, dans une ville inconnue, encombrés de boîtes ficelées.

Ce fut ainsi, à peu de chose près, que se déroula l'arrivée des Cyr à Lowell, petite ville industrielle du Massachusetts. Après trois jours et trois nuits passés à bord des trains et dans les salles d'attente des gares, Pierre et Philomène Cyr avec leurs dix enfants devenaient une famille d'« habitants » arrivée en Nouvelle-Angleterre pour servir dans l'univers industriel américain, secoué par une seconde crise économique en dix ans.

Pierre Cyr, cultivateur de son état, ne connaissait aucun métier qui eût pu lui permettre un travail bien rémunéré en usine. Il ne pouvait qu'hériter d'un emploi parmi les moins qualifiés et les plus mal payés, comme la plupart des Canadiens français déjà sur place.

*

Pour certains, Lowell fut l'œuvre de Dieu, pour d'autres, une invention du diable. Le fait était que Lowell, petit village situé sur les rives de la Merrimack, dont les eaux, tumultueuses par endroits, traversent le New Hampshire avant d'arroser le nord du Massachusetts pour se jeter dans l'Atlantique à Newburyport, connut un essor industriel prodigieux au cours de la première partie du XIXᵉ siècle. À cette époque, un économiste français, Michel Chevalier, avait décrit Lowell ainsi : « La ville, avec ses manufactures aux façades ouvragées, ressemble à une ville d'Espagne parsemée de monastères, à la différence cependant qu'à Lowell, il n'existe point d'œuvres d'art, et que les religieuses à Lowell, plutôt que de se consacrer aux prières, passent leurs journées et leurs nuits à filer du coton. » Lowell, surnommée « la Venise d'Amérique », comptait en 1870 plus de cent vingt épiceries, neuf hôtels, une centaine de maisons de pension, quatorze pharmacies, onze banques, treize studios de photographie, soixante médecins et quinze étables à chevaux.

En ce XIXe siècle, Lowell était considérée comme le symbole de l'essor industriel américain et, plus particulièrement, comme le cœur de l'industrie textile. Avec une population de plus de cinquante mille habitants, Lowell avait quadruplé en superficie en moins de vingt ans. Elle portait, *in memoriam,* le nom de Francis Cabot Lowell, né de riches familles de négociants et d'armateurs, les Lowell de Boston et les Cabot de Salem, desquels on disait couramment : « Les Cabot ne parlent qu'aux Lowell, et les Lowell ne parlent qu'à Dieu. » Francis Cabot Lowell, passionné par tous les aspects de la production industrielle, particulièrement celle du textile, avait visité les centres industriels anglais et étudié secrètement les métiers à tisser mécaniques qui faisaient alors leur apparition. Réunissant des investisseurs de la région de Boston, il fonda, en 1812, la Boston Manufacturing Company. Devant le succès de l'entreprise, la Nouvelle-Angleterre devint le haut lieu du textile, et Lowell, à compter de 1820, le fer de lance de la production. Encore fallait-il trouver une main-d'œuvre qui ne serait pas à l'image de la dépendance et de la misère qu'évoquait le milieu infernal, sale et bruyant des villes industrielles anglaises. L'idée originale revient à un groupe d'investisseurs appelé Boston Associates. Ils firent recruter des filles de fermiers de la Nouvelle-Angleterre, leur proposèrent trois à quatre années de travail à l'usine, logées dans des pensions aux frais de l'entreprise et assurées de gages leur permettant de rentrer chez elles riches. Elles passèrent à l'histoire comme les « demoiselles de Lowell ». Elles fondèrent un des premiers syndicats de travailleurs, menèrent les premières grèves, dénoncèrent les conditions de travail inhumaines, furent les premières victimes de la répression policière. C'est toutefois grâce à ces pionnières que les régimes de travail passèrent de soixante-quatorze heures par semaine en 1840 à un peu plus de soixante heures au moment où les Cyr arrivèrent à Lowell. De guerre lasse, les employeurs se tournèrent vers une main-d'œuvre de substitution : les Irlandais, chassés de leur pays par la famine de la pomme de terre. Ceux-là occupèrent les emplois les moins qualifiés dans les pires conditions. Quelques-uns finirent par se hisser dans l'échelle sociale. Lorsque ces Irlandais, solidaires et revendicateurs, prirent à leur tour la tête de mouvements de grève, les industriels firent appel massivement aux Canadiens français. Lowell était devenue une cité industrielle dont le territoire, tel un damier, avait fini par être occupé par des ghettos ethniques. L'enjeu : une lutte quotidienne pour les emplois à l'usine et un banc à l'église.

À l'arrivée, les Cyr se fondirent dans la masse des dix mille Canadiens français entassés dans le « Petit Canada », nom par lequel on désignait le quartier des « Canayens ». La zone ressemblait à celle des Irlandais, qu'on appelait New Dublin. Une suite d'immeubles (*tenements*) surchargés d'ouvriers, insalubres, groupés au cœur de Lowell. La seule différence était l'emplacement géographique : le Petit Canada était situé sur la rive sud de la rivière Merrimack, à l'endroit où la rivière forme un angle droit, 1 kilomètre avant l'embouchure de la rivière Concord. Bordé par les canaux du Nord et de l'Ouest, le Petit Canada était délimité au nord par les rues Austin et Perkins, au sud par la longue rue Merrimack et à l'est par la rue Suffolk.

Les maisons avaient été construites sur un sol mouvant, résultat du remblayage de ce qui avait été autrefois un marais. Selon un rapport d'enquête du Bureau des statistiques du travail de l'État du Massachusetts, on avait « utilisé pour combler l'endroit des ordures ménagères, des déchets de coton et de laine, des détritus, bouteilles et poubelles, qui allaient forcément pourrir et être porteurs de maladies ».

Les édifices formaient des ensembles, séparés d'à peine quelques pieds, abritant jusqu'à trente-six familles chacun. Pour un deux-pièces, l'une utilisée comme cuisine et séjour, l'autre, sombre, comme chambre à coucher, il en coûtait 4 dollars par mois, soit le salaire de huit jours de travail d'un ouvrier de la Merrimack. À peine deux fenêtres, dont une qui ouvrait sur l'arrière des latrines. Peu d'aération et un éclairage déficient. Un cinq-pièces, comme celui des Cyr, devait loger douze personnes et était loué 8 dollars par mois. L'extérieur était jonché de débris, l'air était nauséabond et chacun devait, à son tour, transporter les déchets de toutes sortes et les excréments que d'aucuns jetaient parfois entre deux blocs. Rares étaient les édifices en pierre. La plupart étaient finis en pin, avec au mieux une finition en plâtre, sinon un recouvrement de chaux. Le rapport concluait que «l'aspect général du "Petit Canada" était très démoralisant: les gens sont entassés dans le moins d'espace possible et la délégation municipale à la santé est impuissante devant cet entassement, sauf s'il y a une épidémie».

D'évidence, l'arrivée des Cyr à Lowell se fit au pire moment des dix précédentes années. D'une part, la crise frappait de plein fouet l'industrie du textile; de l'autre, le mépris et l'hostilité des Américains envers les arrivants de toutes nationalités, mais particulièrement les Canadiens français, atteignaient leur paroxysme. Dans les faits, les salaires dans le textile avaient chuté de 40 % en cinq ans, passant de 1,25 dollar par jour à moins de 50 cents par jour, ce qui forçait les ouvriers à s'endetter dès le début de leur nouvelle vie. Pis, le travail des enfants devenait rapidement une nécessité, d'où les abus que l'on pouvait constater dans toute la Nouvelle-Angleterre. Les parents devaient oublier l'école pour leurs enfants. Plutôt, ils prenaient tous les moyens pour leur dénicher un emploi à l'usine. Une loi non écrite voulait que dès l'âge de douze ans et parfois moins, les enfants devaient renoncer à l'instruction pour participer à l'effort familial.

Pierre Cyr faisait partie des ouvriers non qualifiés qui encombraient le marché du textile à Lowell. Lui et quatre de ses enfants, Marie Amélina, Cyprien Noé, Marie Malvina et Pierre, ce dernier âgé de dix ans à peine, se présentaient le matin à la barrière, prêts à accepter les salaires les plus bas. Face à eux, les fileurs (*mule spinners*), surtout irlandais, les accusaient d'être «les Chinois de l'Est, de ne porter aucun intérêt aux institutions civiques et politiques […], de gagner autant que possible indifféremment du nombre d'heures de travail, de vivre dans le plus grand dénuement afin d'éviter le plus possible la dépense». On les qualifiait de «jaunes», de *scabs*, de *knobsticks*. Un hebdomadaire ouvrier, *The Anti-Monopolist*, fit campagne contre les Canadiens français en les traitant d'«importés de ce côté de la frontière dans le but exprès de diminuer et d'affaiblir les ressources des Américains honnêtes». Virulence de propos et hostilité non dissimulée entraînèrent nombre de bagarres entre ouvriers canadiens-français et ouvriers irlandais, à quoi s'ajoutait un conflit sur fond religieux, catholiques irlandais et canadiens-français s'enflammant au sujet de pratiques paroissiales différentes et autres querelles de clochers impliquant pasteurs irlandais et prêtres de la province de Québec animés par une idéologie missionnaire.

Pour les Cyr, c'était le pire des scénarios. Désireux de protéger les maigres salaires de l'usine, ils devaient renoncer à l'école pour leurs enfants, s'imposer toutes les privations, éviter les confrontations, ce qui impliquait de bouder les actions syndicalistes, tout en s'efforçant d'apprendre une langue qui leur était totalement étrangère. Ils empruntaient donc à l'usine des expressions et des tournures utilitaires, calquaient l'accent, altérant par la même occasion la langue du pays. S'installait dans le quotidien de la famille une sorte de «bilinguisme anglais» imposé par les impératifs de la communication entre patrons et employés à l'usine. Cette façon de faire allait façonner l'expression orale de Cyprien Noé, et marquer, sa vie durant, la structure langagière de Louis Cyr. Il utilisera plus tard des mots comme : *shake hand, banknotes, bully, factories, horse power, trucks, back lift, s'essayer, clairer, bluff, zig, scrapbook, referee, manager, chum, loafer, smart,* entre autres. Un sabir auquel les parents ne voyaient rien à redire puisqu'ils connaissaient les mêmes difficultés et se trouvaient contraints au même transfert linguistique.

*

Les chutes de Pawtucket, cascadant d'une hauteur de plus de 10 mètres, entraînaient les eaux de la rivière Merrimack sur un parcours tumultueux de près de 2 milles créant de la sorte une puissance hydromotrice de plusieurs dizaines de milliers de chevaux-vapeur. Ces mêmes eaux sillonnaient Lowell grâce à un réseau complexe de canaux et alimentaient quarante industries de textile, dix mille métiers de tissage, trois cent vingt mille fuseaux, pour dix mille travailleuses et travailleurs. Cette puissance industrielle fonctionnait plus de trois cents jours par année, six jours par semaine, seize heures par jour. Elle comptait dans son enclave de 5 kilomètres carrés les douze plus grandes manufactures de textile en Amérique : Merrimack Mills (1823), Lowell Machine Shop (1824), Hamilton Mills (1826), Lowell Mills (1829), Appleton Mills (1828), Middlesex Mills (1831), Tremont Mills (1832), Suffolk Mills (1832), Lawrence Mills (1833), Boot Mills (1830), Massachusetts Mills (1840), Prescott Mills (1846).

Pour les patrons de ces entreprises, faire travailler au maximum ces « oiseaux de passage », ainsi qu'ils qualifiaient dérisoirement les légions d'immigrants entassés à Lowell, était la seule utilisation valable qu'ils pouvaient en faire. Pour ces dirigeants, l'usine et la machine étaient le centre de toute vie locale, une sorte d'ordre moral qui ramenait l'ouvrier à une tâche rythmée, accomplie sous une supervision constante et sévère, dans un cadre d'heures fixes et d'habitudes réglées. Ainsi, la Merrimack Company, centre nerveux du conglomérat de textile de Lowell, fabriquait les turbines hydrauliques et toutes les pièces nécessaires à la production industrielle du textile, pendant que d'autres entreprises s'occupaient de la manutention des chargements de coton en provenance des plantations esclavagistes du Sud, du nettoyage, du filage, de la confection des tissus, de l'emballage, de l'expédition.

À la Sophocle, de son véritable nom la Suffolk Manufactoring Company, la loi des contremaîtres était implacable. Quiconque s'absentait, n'était-ce que pour une heure, risquait le renvoi sans appel. À l'air vicié s'ajoutait un bruit assourdissant, continu. Les blessures étaient fréquentes, les soins, déficients. Dans les ateliers, on blâmait sévèrement et on ne se gênait pas pour rudoyer les enfants. Chacun devait se soumettre à la « règle du fouet », synonyme de la ligne dure. La « sentinelle vigilante » de cette vie quotidienne était le curé de la paroisse Saint-Joseph, le père André-Marie Garin, un oblat. Il était les yeux et les oreilles de tous ces ouvriers, de toutes ces fileuses, ces domestiques, que les longues heures rendaient sourds et aveugles. Il utilisait la confession pour mater les uns, apaiser les autres, et le prône pour faire les annonces d'événements, renforcer la foi, et même commenter et interpréter les rumeurs de la ville et de ses usines.

Quelques semaines à peine de ce régime et le malheur s'abattit sur les Cyr, plus particulièrement sur Cyprien Noé. Était-ce le résultat d'un changement brutal de régime de vie? d'une altération de l'ordinaire? de l'ingestion de reliefs de repas avariés, de fruits gâtés? d'une source d'eau polluée? Si l'origine du mal ne fut jamais connue, le diagnostic ne fut pas difficile à établir. Le puissant adolescent venait de contracter la fièvre typhoïde. La maladie contagieuse était particulièrement redoutée aux États-Unis. On y évoquait fréquemment l'histoire de la ville de Jamestown en Virginie, où la fièvre typhoïde avait provoqué la mort de plus de six mille colons entre 1607 et 1624, sans compter qu'au cours de la guerre contre l'Afrique du Sud, de plus récente mémoire, les troupes britanniques avaient perdu treize mille hommes à cause de cette fièvre contre huit mille au combat.

En l'espace de quelques jours, Cyprien Noé subit les assauts d'une fièvre brutale, d'insupportables céphalées, de fortes diarrhées suivies de nausées. La déshydratation le plongea dans un état de stupeur. Au cours de la première semaine, il perdit 20 livres. Puis 32 livres durant les deux semaines suivantes. Philomène le veilla jour et nuit, priant à son chevet. De fait, il n'existait aucun remède à la fièvre typhoïde, sinon un traitement de soutien, avec comme facteur de risque supplémentaire la contamination des membres de la famille, en particulier les plus jeunes enfants.

« Pendant plusieurs jours on désespéra de mon sort : je puis me vanter d'avoir vu la mort de près. Pendant deux mois, je restai cloué sur un lit de souffrances. La robuste constitution dont la nature m'avait doué triompha toutefois du mal, mais quand sonna enfin pour moi l'heure de la convalescence, mon poids était réduit de cent soixante-cinq à quatre-vingt-dix livres », devait confier Louis Cyr à Septime Laferrière trente ans plus tard.

L'épreuve traversée, Cyprien Noé fit des progrès spectaculaires. En octobre 1879, l'année de ses seize ans, il pesait un peu plus de 200 livres, ce qu'il expliqua ainsi : « En moins de six mois, les forces et l'embonpoint m'étaient revenus. Au cours de cette convalescence, je n'en continuai pas moins toute une série d'exercices physiques, agrémentés de bains quotidiens dans la rivière Mérimac [*sic*] et de repas pantagruéliques pour lesquels mon appétit de fer me servait d'apéritif. »

Sitôt sur pied, Cyprien Noé pu réintégrer la Sophocle (Suffolk), où son père et le p'tit Pierre n'avaient pas cessé de travailler. On lui confia quatre métiers à tisser. Il fit ce qu'il put mais se rendit vite compte qu'il n'arriverait jamais à manœuvrer ces machines correctement. « Je me fusse senti plus chez nous avec des fardeaux à soulever et des copains à rencontrer pour tirer au bâton, comme autrefois […] on dut me trouver plutôt gauche à la besogne. »

Deux mois à l'usine avaient suffi pour décourager Cyprien Noé. « Cette vie de détenu eut pour résultat de provoquer chez moi de fréquentes et abondantes hémorragies », devait-il confier au représentant de *La Presse* en janvier 1908.

Il était clair que, malgré les apparences, Cyprien Noé ressentait encore les effets secondaires de la fièvre typhoïde. L'usine bruyante, sale, surchauffée, où les moindres espaces servaient à entasser le matériel hétéroclite, où les monte-charges en plus des escaliers étaient sans cesse encombrés, où les métiers à tisser formaient des rangées sans fin, où la cloche marquait les quarts de travail et rythmait le flot des ouvriers, ne lui convenait pas. Qui plus est, il souffrait d'étourdissements, ce qui l'exposait à des risques accrus d'accident. Il n'était pas rare qu'un bref moment d'inattention coûtât des doigts ou même une main à des ouvriers lors du nettoyage de machines en marche, pratique risquée mais habituelle puisque « l'ouvrier étant payé à la pièce, l'arrêt de la machine coûtait cher ». Que pouvait-il faire d'autre ? Tout apprentissage technique était long, demandait une connaissance de l'anglais et des dispositions pour l'univers mécanisé, ce qui n'était pas du goût du jeune homme. Plaire à un chef d'atelier anglophone qui passait son temps à sanctionner des ouvriers qui chiquaient et crachaient à l'occasion sur le sol n'avait rien d'attrayant, surtout qu'il avait été témoin de certaines privautés prises par des contremaîtres avec des ouvrières, d'abus de langage, et en avait été outré.

Ne supportant pas l'autorité directe ni même un système paternaliste, incapable d'hypocrisie ou de passivité, Cyprien Noé préféra louer ses services comme manœuvre sur une ferme plutôt que de se retrouver violemment stigmatisé à l'usine. Au moins, il retrouvait le grand air et les espaces ouverts qu'il avait connus au cours des quinze premières années de sa vie. Les 9,50 dollars par mois qu'il recevait à l'usine, Dan Bawdy, un bon vieil Américain dont les immenses fermes étaient situées à 5 ou 6 milles de Lowell, les lui verserait.

Arriva une confrontation fortuite entre Cyprien Noé et un taureau d'environ un an et demi. Occupé à traire les vaches, le jeune réalisa que la bête, d'un seul coup, le chargeait tête baissée, excitée sans doute par quelque farceur. « L'animal fonçait sur moi à la course, quand, évitant le choc en me jetant de côté, je parvins à le saisir par les cornes. Puis réunissant toutes mes énergies, je lui tordis le cou et le couchai sur le flanc. » C'est le compte rendu qu'en fit le journaliste Septime Laferrière en citant les propos de Louis Cyr. Ce dernier ajouta que, jusqu'à la fin des deux mois qu'il passa chez Dan Bawdy, ce fut sous le surnom de *French Devil* qu'on le désigna.

*

Ce fut le prétexte d'une légende parmi tant d'autres. Déjà du temps de sa carrière d'athlète de force, on lui prêtait des exploits invraisemblables, ce que Louis Cyr ne manquait pas de dénoncer : « On me faisait accomplir des exploits abracadabrants : six mille, sept mille livres levées sur le dos, tout cela, à eux, ne leur pesait pas au bout de la plume. » On présenta le jeune Cyprien Noé comme un enfant joufflu, aux yeux bleus et à la chevelure blonde, bouclée, entretenue avec grand soin par une mère qui avait eu, dans un demi-songe, une sorte de révélation biblique, aussi troublante que celle attribuée par le livre des Juges à la mère de Samson.

En réalité, Philomène Cyr ne se préoccupa jamais de la chevelure du jeune Cyprien Noé, pas plus qu'elle n'entrevit une quelconque mission biblique pour son fils. Louis Cyr n'en fit jamais mention. Une photographie prise quelque temps après qu'il eut contracté la fièvre typhoïde le montre les traits émaciés, les cheveux courts et bruns. Qui plus est, un règlement interdisait, même aux jeunes filles, d'arriver au travail à l'usine avec les cheveux longs. Les propos que tint Louis Cyr au sujet de sa longue chevelure confirment que la décision de les laisser pousser était reliée à des impératifs de scène, à l'exemple de Claude Grenache, qu'il tenait pour le pionnier des spectacles de force. Ce fut vers l'âge de dix-huit ans que Louis Cyr décida de laisser allonger sa chevelure. Oscar Matthes, le premier homme fort de profession que Louis Cyr rencontra, le décrivit ainsi : « *He was a young man of 19 years. He had long hair down to his shoulders and looked like a big fat kid. He weighed 320 pounds...* » Quant à ses yeux, ils n'étaient pas bleus, mais bruns. Dans un article du journal *L'Électeur* de Québec, en date de 1892, le journaliste le décrivit en ces termes : « C'est un assez joli garçon. Traits réguliers, beau front, yeux bruns ; ne portant pas de barbe et cheveux ras ; physionomie placide, bon enfant. »

Le changement de prénom, de Cyprien Noé à Louis, fit également couler beaucoup d'encre. Dans le cas de Louis Cyr, comme dans celui de nombreux émigrés canadiens-français aux prénoms imprononçables pour les anglophones, la solution consistait à en adopter un plus commode. La tradition voulant que l'on s'inspirât des prénoms des générations précédentes, celui de Louis (deuxième de la lignée de Jean Sire) était une de deux exceptions à une longue succession de Pierre. Quant à la prononciation, à un accent tonique près, elle convenait parfaitement à la phonétique anglaise.

C'est donc à Lowell, sans autre formalité, que se fit le changement et que Philomène Cyr s'habitua très vite à surnommer son fils aîné « mon gros Louis ». Autant l'on voulut donner à ce fait divers une valeur de symbole, autant l'on ignora toutes les péripéties qu'entraîna le nom de famille Cyr. On le déforma tant par la prononciation que par l'écrit. Et plus tard, les promoteurs du Canada et d'ailleurs, surtout des États-Unis, allèrent jusqu'à proposer beaucoup d'argent afin que Louis Cyr s'affublât d'un « nom bien anglo-saxon ». Louis Cyr, à chaque tentative, dira : « Encore un autre qui aurait voulu me *yankeefier*. » Dans ses *Mémoires*, il relatera sa rencontre avec un promoteur, « un grand diable de Yankee », qui lui avait dit : « Je voudrais que cela vous fît du bien de vous appeler autrement, d'un beau nom anglais ; vous seriez des nôtres, un vrai *t'champion* américain. » Louis Cyr précisera : « De l'argent, alors… tenez gros comme cela… et il m'exhibait une liasse de *banknotes*… »

*

Pendant que Louis Cyr reprenait ses forces sur la ferme de Bawdy, Pierre Cyr, le p'tit Pierre, Marie Amélina et Marie Malvina peinaient à l'usine. Dans les ateliers de tissage, la majorité des travailleuses étaient canadiennes-françaises. Les hommes, pour leur part, cardaient, rangeaient les tissus, transportaient les balles de coton, nettoyaient les cours, alors que les Américains occupaient les postes plus qualifiés, tels la menuiserie, la peinture, la teinturerie, les emplois de bureau. Les périodes de chômage étant fréquentes, selon les aléas du marché, les Canadiens français étaient le groupe ethnique le plus souvent atteint, devant les Irlandais. Ils étaient également les premiers à être licenciés sur la base de préjugés patronaux. Des enquêtes réalisées par le Bureau des statistiques du travail du Massachusetts, portant sur les conditions de vie des familles canadiennes-françaises, avaient révélé que dans les meilleures conditions d'emploi, sous-entendant que la plupart des enfants étaient à l'usine, les dépenses et les rentrées s'équilibraient, mais qu'en réalité, pour la moitié de toutes les familles, les économies étaient inférieures à 5 % de leur budget annuel. C'était, à peu de chose près, la situation de la famille de Pierre et de Philomène Cyr, cette dernière ne pouvant travailler à l'usine avec six enfants en bas âge au foyer. En fait, les économistes du temps évaluaient la dépense quotidienne par personne à 24 cents, ce qui, pour les Cyr, représentait quelque 80 dollars par mois, incluant le loyer. Or, Pierre et les quatre aînés rapportaient à peine 60 dollars dans le mois. L'argent gagné ne suffisait même pas à pourvoir à l'essentiel. Restait une charge dont on parlait peu mais qui pesait lourd dans le plateau déficitaire : la part de Dieu. Il s'agissait d'une obligation morale qu'entraînait le vécu religieux des populations des Petits Canada à l'échelle de la Nouvelle-Angleterre, étant entendu que les paroissiens, collectivement, assumaient les besoins du culte, entretenaient les édifices religieux et subvenaient aux besoins des prêtres, des religieux et des religieuses.

De retour à la Sophocle (Suffolk), Louis Cyr avait compris que ni l'entretien des métiers à tisser, ni le convoyage des balles de coton ne changeraient quoi que ce soit à la précarité de l'économie familiale. Ce fut avec un contremaître du nom de Jerry Goodwin, qui possédait quelques rudiments de français, qu'il finit par régler le dilemme, non sans avoir mis sa force à l'enjeu. La tâche consistait à empiler, en fond d'entrepôt, des caisses de coton pesant chacune entre 300 et 350 livres. « C'est du salaire qu'il me faut, je ne suis pas seul chez nous… Tenez, vous avez là quatre hommes qui travaillent à empiler les caisses de coton : donnez-moi les gages de deux d'entre eux et je les remplace à moi seul tous les deux. »

C'est ainsi que la réputation du *Frenchy* Louis Cyr s'étendit à la grandeur de l'usine et, bientôt, dans le Petit Canada. Il était celui qui saisissait l'une des extrémités d'une caisse de coton, tandis que les meilleurs hommes, irlandais pour la plupart, faisaient de leur mieux à l'autre bout. Au fil des mois, on entendit dire qu'un certain Louis Cyr parvenait, seul, à soulever et à lancer par-dessus la tête de plusieurs hommes 400 livres de bois et de coton. Au crépuscule de sa vie, Louis Cyr dira qu'il faisait tout simplement «ce que m'a permis d'accomplir la vigueur dont la bonne Providence a voulu me douer».

*

Jusqu'alors, Louis Cyr avait, de la force physique, la perception de prouesses intimement liées aux choses courantes de la vie de villageois et de cultivateur : un forgeron comme Joseph Trudeau qui maniait son enclume, des fiers-à-bras qui déplaçaient des troncs d'arbres, un certain Lamy, chef de section sur le chemin de fer du Boston and Maine, qui parvenait à soulever un rail de 35 pieds de longueur ou quelque lutteur local, s'adonnant au *collar and elbow*, qui couchait ses adversaires en un tournemain pour un modeste pari. Certes, il y avait ses propres prestations, qui consistaient à faire sortir d'une ornière, en s'arc-boutant sous la charge, des *sleighs* ou des voitures à roues, à placer seul, sur un *tour*, un rouleau d'usine de 600 livres, à relever tous les défis au bras de fer.

Mais cette vision allait changer du tout au tout lorsqu'un soir de février 1881 il franchit les portes d'un club athlétique situé rue Central, au cœur de Lowell. Pressé depuis un moment déjà par quelques compatriotes de Lowell, Louis Cyr avait finalement cédé aux instances. Il se rappela qu'«ils étaient bien trois ou quatre cents, dans la salle, qui applaudissaient à tout rompre aux exploits de Donovan». En fait, Arthur Donovan était un de ces amateurs d'haltères qui avait appris de quelques athlètes de cirque européens les trucs d'un sport encore inconnu en Amérique. De passage en Nouvelle-Angleterre, il offrait ses services aux clubs athlétiques naissants et se faisait appeler «professeur» Donovan. Doté d'un physique à la musculature évidente, Donovan, habile avec les haltères, s'était vite bâti une réputation grâce à laquelle il monnayait sa force apparente.

Comme il était de coutume de lancer des défis «sans grand risque», du point de vue de Donovan, on poussa le jeune Louis Cyr vers une massive plate-forme où étaient entassés des haltères à la douzaine. Cyr dira que ce fut un souvenir parmi les plus vivaces de sa vie. « Jamais jusque-là je n'avais eu l'occasion de faire face à un athlète de profession. Ceux que j'avais pu vaincre n'avaient comme moi que la force des muscles sans la science et l'entraînement. »

En fait, Louis Cyr voyait ces haltères de fonte, des sphères symétriquement espacées par une barre, courte ou longue, pour la première fois de sa vie. Il ne pouvait imaginer quelque manière rationnelle de les manipuler puisqu'il en ignorait la finalité. Il comprit très vite en voyant Donovan à l'œuvre, ainsi qu'il le raconte dans ses *Mémoires*.

> *La foule réunie eût plutôt voulu se moquer en me voyant paraître; Donovan, lui, se campa devant moi, les bras croisés sur la poitrine et prenant ses plus beaux airs de matamore. Il attendait mon Waterloo. Ce fut le sien qui arriva. Aucun de ses haltères ne pesait plus de cent cinquante livres, et ce fut pour moi un jeu plutôt facile que de les manier de toutes façons. Ce qui rendit ma victoire encore plus éclatante aux yeux de l'assistance, c'est que les haltères du professeur étaient truqués : d'énormes chiffres qu'on y avait peinturés laissaient croire aux badeaux [sic] qu'ils pesaient dans les deux cents ou davantage encore.*

Quoique le « professeur » Donovan ne parût pas un adversaire digne de la puissance de Louis Cyr, il n'en fut pas moins celui qui allait révéler au jeune hercule l'« art des haltères » et lui faire découvrir la « culture des jeux athlétiques ». Mais avant tout, Donovan voulut profiter un peu de la prodigieuse recrue. « Mon garçon, tu as du chemin devant toi ; viens-t'en chez nous et tu verras », furent les paroles dont se souvint Louis Cyr. Il fut aussitôt question d'argent. « Il me parla d'argent, me fit des offres alléchantes, tant et si bien que je me laissai convaincre. Je mis néanmoins comme condition que ses légers haltères, je ne les toucherai plus. » La solution vint d'un groupe du Petit Canada qui fit couler, dans une fonderie de Lowell, trois haltères : le plus lourd pesé à 197 livres, le deuxième à 185 livres et le plus léger à 156 livres. « Je les ai conservés toujours comme des reliques précieuses : ils sont pour moi comme l'illustration de tout un chapitre de ma vie», confia Louis Cyr.

L'argent vint avec ce début de notoriété. «Je les étrennais, à la salle Pagé, gagnant pour la soirée les premiers 5 dollars que m'ont donnés les muscles dont la nature m'a doué.» Quoique Louis Cyr exprimât longtemps sa reconnaissance envers Arthur Donovan, qui, quelques années plus tard, se méritera une certaine réputation comme inventeur d'une huile à laquelle on attribuait des vertus extraordinaires pour galvaniser la force, il lui devra surtout d'avoir éveillé en lui l'ambition de devenir un champion et de se créer une renommée.

Pour la très vaste majorité des Canadiens français, une telle attitude n'avait rien de commun avec l'idéologie agraire. L'idée même de la compétition, selon des règles précises et des enjeux tenant compte de performances et de records dont les résultats étaient homologués, était combattue par l'Église catholique. Selon cette dernière, un chrétien devait s'abstenir de toute œuvre servile et du jeu, surtout les jours de fête et le dimanche. De plus, tout ce qui était présenté sous l'étiquette «jeu athlétique» ou «sport», mots récents et propres à la culture anglo-saxonne, était identifié à l'aristocratie anglaise, par conséquent suspect, voire hostile du point de vue du nationalisme canadien-français.

Pour Louis Cyr, l'expérience de Lowell changeait la perspective de cette pensée traditionnelle. À Lowell, depuis la fin des années 1860, les institutions communautaires prenaient de l'expansion, ce qui ne manqua pas d'entraîner de sensibles modifications dans les comportements culturels. À tel point qu'il faudra une mobilisation des esprits pour résister à l'inévitable assimilation. Bientôt, on forma des patronages afin de protéger la jeunesse des distractions à l'américaine, tels les *saloons*, les jeux de cartes, les bagarres de rue.

À cette époque de sa vie, Louis Cyr n'avait pas encore la conscience d'une patrie et, par conséquent, ne ressentait nul besoin d'une quelconque reconstruction identitaire. L'essentiel de sa vie consistait à épauler l'effort familial de survie, tout en réalisant, par l'émergence du don de la force, qu'il n'était pas comme les autres. Pour le reste, les quelques rudiments d'anglais qu'il possédait lui suffisaient pour se débrouiller.

En avril de sa vingtième année, Marie Amélina, l'aînée des enfants Cyr, fut frappée par de fortes fièvres. Trois semaines plus tard, elle mourait. Comme le voulait la tradition, ce fut le père qui ramena le corps de sa fille en sol natal. Elle fut inhumée dans le cimetière de Saint-Cyprien le 7 mai 1881.

*

L'amour allait l'emporter sur la douleur qu'avait été, pour toute la famille Cyr, la grande perte de Marie Amélina.

Louis Cyr résuma en une courte phrase le moment le plus heureux qu'il éprouva : « C'est alors que je connus celle qui a été la chère compagne de ma vie […] ces souvenirs de mes premières amours font toujours l'un des bonheurs de mon existence. » Elle s'appelait Mélina Gilbert-Comtois, fille aînée et quatrième enfant d'Évariste Évangéliste Gilbert-Comtois et d'Odile Boucher-Desroches, de Saint-Jean-de-Matha, dans la région de Lanaudière. Elle était née le 11 février 1863, donc plus âgée que Louis de huit mois. Les Comtois étaient arrivés à Lowell presque en même temps que les Cyr. Cette famille comptait alors huit enfants vivants sur onze naissances. Il y en aura quinze au total.

Louis et Mélina s'étaient rencontrés à l'occasion d'une danse organisée par l'Union Saint-Joseph de Lowell. Cette organisation faisait partie du maillage des réseaux d'entraide et de promotion de la cause de la « nationalité française en Amérique », constitué d'associations et de sociétés diverses qu'on appelait communément la Survivance.

Sans être un fêtard, Louis Cyr avait une réputation de joyeux drille. On lui reconnaissait volontiers des qualités de danseur, et lui-même affectionnait les gigues. Un de ses tours consistait à sauter, les pieds joints et sans élan, directement sur une table. De plus, Louis Cyr avait l'oreille musicale et s'intéressait au violon, qu'il commença « à gratter modestement du temps de Lowell », selon sa propre expression.

Rencontre sans histoire entre deux jeunes gens, issus l'un comme l'autre d'une famille de cultivateurs sans ressources, attirée par les promesses d'une vie meilleure et profondément déçue du sort que leur faisait l'univers du textile.

Les Comtois étaient véritablement des « oiseaux de passage ». Rien à Lowell ne leur rappelait leur patrie absente, aussi souffraient-ils de plus en plus du mal du pays. À part deux garçons, les plus vieux des enfants, il n'y avait que des filles pour contribuer au revenu familial, autant dire les plus mal payées. Et Odile, la mère, était une fois de plus enceinte. Force leur fut de constater qu'il valait mieux traverser la frontière dans l'autre sens. Au moins retrouveraient-ils les coutumes familières des campagnes canadiennes, la messe de minuit avec les vieux refrains de Noël et la parenté.

Le départ se fit vers la mi-octobre, non sans que Louis Cyr et Mélina eussent pris l'un envers l'autre un engagement irrévocable : ils allaient se marier, tout mineurs qu'ils étaient. Les deux familles n'y trouvèrent rien à redire.

Vers la mi-décembre 1881, Louis Cyr quitta Lowell en direction de Saint-Jean-de-Matha. Pour lui, c'était le bout du monde. Les changements de train, les salles d'attente des gares ; de Lowell vers Portland, de Richmond à Saint-Hyacinthe, à La Prairie ; la traversée du fleuve Saint-Laurent sur le pont Victoria ; de là, par étapes, vers le nord en direction de Joliette, de Saint-Félix-de-Valois, finalement, par un chemin étroit, vers un village niché aux pieds des Basses-Laurentides, où les habitants étaient davantage des défricheurs que des cultivateurs.

CHAPITRE 5

Saint-Jean-de-Matha

Un document de 1882 donne une description très détaillée de la communauté que découvrait Louis Cyr et dont il deviendra, quelques années plus tard, le plus illustre des habitants. « La paroisse de Saint-Jean-de-Matha contient [...] 2 933 âmes disséminées sur une superficie de 49 700 arpents, dont à peu près les deux tiers sont en culture, et en général d'un sol fertile et productif. On y compte quatorze moulins à scie, quatre moulins à farine et un grand nombre de grands et puissants pouvoirs d'eau encore inexploités [...]. Saint-Jean-de-Matha est le débouché du grand chemin de colonisation qui se prolonge jusque dans la vallée de la Matawa et en rapporte les produits. » Le village, lui, jouissait de solides assises pouvant répondre aux besoins, tant agricoles que commerciaux. Il y avait des ateliers de menuiserie, de ferblanterie, de forge, de cordonnerie. S'y ajoutaient une tannerie, une boulangerie, plusieurs boucheries, des tailleurs, des voituriers, des selliers, des magasins généraux et un grand hôtel ; une fromagerie au cœur du village et une autre dans le rang double de Saint-Guillaume ; sept scieries, dont deux, plus considérables, directement sur la rivière

Noire. Deux notaires, dont Me Amédée Dugas, qui sera le notaire personnel de Louis Cyr pendant près de quinze ans, et deux médecins répondaient aux besoins juridiques et médicaux de la population.

Les terres d'Évariste alias Évangéliste Gilbert, dit Comtois, situées dans le premier rang Saint-Pierre, consistaient en trois lots, « tenant devant aux terres de la Seconde concession de Sainte-Louise et derrière à celles de la Seconde concession de Saint-Pierre », et une sucrerie, d'une superficie totale de quelque 100 arpents. Ces rangs avaient été défrichés vers 1850, concessions de la seigneurie de Ramezay, et ceux qui portaient le nom de Saint-Pierre, en particulier, étaient contigus à la rivière Noire, à l'endroit où cette dernière et la rivière Blanche convergent pour former un cours d'eau unique, tumultueux par endroits.

Les parents de Mélina avaient espéré un mariage printanier, mais tant la hâte du jeune couple que la venue d'un autre enfant pour les Comtois vers le mois d'avril convainquirent les uns et les autres de la nécessité d'une cérémonie sous le froid et la neige. En attendant, tradition oblige, Louis Cyr fut hébergé par un des oncles de Mélina, Louis Robitaille. Ce dernier était issu d'une des familles fondatrices de Saint-Jean-de-Matha, à l'origine des rangs de Sainte-Louise et de Sainte-Julie, dont elles furent les premières résidentes.

Ce fut Louis Robitaille qui servit de père à Louis Cyr, en l'absence des parents de ce dernier, pour la cérémonie du mariage, lequel fut célébré le 16 janvier 1882, un jour de grand froid où les « capots de chat sauvage » et les « robes de carriole » étaient de rigueur. Au registre des mariages de la paroisse, le curé J.-H. Bérard consigna qu'une « Adélina » Comtois épousa en légitime mariage un Noé-Louis Cyr et que Louis Robitaille signa comme témoin en l'absence de Pierre Cyr, le père du marié.

*

Les festivités furent brèves. Les nécessités de subsistance du jeune couple poussèrent Louis Cyr vers le travail de chantier.

On appelait l'endroit la Crique à David ; il était situé à quelques lieues au nord-ouest de Saint-Jean-de-Matha, à l'extrémité du lac Noir, sur le territoire de Saint-Damien-de-Brandon. Ici et là, il y avait des abattis, sinon les pins, les épinettes, les mélèzes s'étendaient à perte de vue, mêlés à toutes les essences de bois francs. Le travail consistait à abattre par endroits les arbres de la meilleure qualité, et ailleurs à débiter les arbres renversés et à arracher les souches et les racines soulevées. Le théâtre n'était pas différent des premiers défrichements, un demi-siècle plus tôt. De l'aube au crépuscule, les hommes se mettaient à l'abattage et aux autres tâches de bras, à la hache, à la scie, parfois à la pioche et au pic. Il fallait, entre autres, alimenter les scieries de la rivière Noire.

Dès son arrivée, Louis Cyr fit une forte impression sur le contremaître Drapeau et la trentaine de bûcherons, venus des quatre coins de Lanaudière. Rarement, sinon jamais, avaient-ils vu un tel spécimen physique. Chaussé d'épaisses bottes, Cyr mesurait presque 6 pieds et dominait la plupart de ses compagnons de travail. Mais c'est sa masse corporelle qui impressionnait davantage. En trois ans, il était passé de 160 à 250 livres (presque 125 kilos), avec des cuisses énormes et des bras de la taille d'un tronc d'arbre.

On m'avait déjà fait chez eux une réputation, aussi s'en trouva-t-il plusieurs, parmi eux, qui voulurent sans tarder tâter un peu de mes muscles. On tira au bâton, tout comme à l'école de monsieur Martin : les premiers qui tentèrent avec moi l'aventure, je les lançai par-dessus ma tête. Au poignet, je les faisais s'essayer deux et même trois en même temps, contre moi. Il faut dire, par exemple, que l'heure du repas venue, je leur faisais face avec plus de succès encore. Je mangeais comme quatre : un plein chaudron de beans ne me faisait pas peur.

Deux mois ainsi à *clairer* les chemins, à faire tomber d'énormes épinettes, à soulever des fardeaux que quatre hommes avaient peine à remuer contribuèrent à forger à Louis Cyr une réputation durable qui ne manqua pas de s'étendre dans les cantons de Lanaudière.

Mais une mauvaise nouvelle lui parvint : Mélina était malade. Menue, mesurant à peine 5 pieds et ne pesant que 100 livres, elle fut prise de faiblesses répétitives, avec comme résultat un alitement de plusieurs semaines. Louis Cyr quitta précipitamment le chantier et regagna la ferme d'Évariste Comtois.

Sitôt le printemps arrivé, il participa activement aux labeurs de la ferme de son beau-père. Mais comme Louis Cyr ne faisait jamais les choses comme un être ordinaire l'eût fait, il laissa à Saint-Jean-de-Matha la marque d'un autre exploit. Cela se passa dans le chemin de la Ligne-de-la-Feuille-d'Érable. « Il m'échut comme tâche de déplacer un billot de sept pieds de longueur mesurant un diamètre de quatre pieds à la base. Le beau-père était là qui me regardait faire ; c'était pour moi un stimulant. J'enlaçai la lourde pièce de mes deux bras et la déposai, toute droite, à côté de la route [...]. Plusieurs se sont plu, depuis que je suis ici, à me pointer du doigt *mon billot.* » Louis Cyr décrivit en ces mots ce qu'il avait accompli vingt-six ans plus tôt, ajoutant qu'on voyait encore (c'était en 1908) le « billot debout et pourrissant sur place ».

Il passa le reste de l'année 1882 à Saint-Jean-de-Matha, découvrant chaque jour davantage rangs, coteaux et vallons d'un des fleurons paroissiaux du comté de Joliette, qui s'étendaient au pied de la chaîne des Laurentides. Pour la première fois de sa vie, les labeurs de la terre eurent un sens ; creuser des fossés, aplanir un bout de chemin, ériger des clôtures, construire des ponceaux contribuaient à l'œuvre de la colonisation. Mais l'hiver venu, il se demanda à quoi il occuperait son temps et, surtout, comment il utiliserait la vigueur dont la nature l'avait doté. Il imaginait une autre vie : celle qui lui permettrait de véritablement tester sa force, selon les conseils du professeur Donovan. Les haltères du club athlétique de ce dernier lui manquaient, ainsi que son groupe d'admirateurs. Il n'eut pas à insister beaucoup pour convaincre Mélina de l'accompagner à Lowell. Elle lui fit la réponse qu'elle répétera sans cesse, chaque fois que Louis Cyr lui parlera d'entreprendre un périple ou une tournée :

« Mon bon Louis, tu le sais bien, je te suivrai partout où tu iras. »

Dès la fonte des neiges, en avril 1883, Louis Cyr et son épouse reprirent la route de la Nouvelle-Angleterre.

*

À Lowell, une surprise attendait Louis Cyr : toute sa famille avait quitté le Petit Canada pour s'en retourner à Saint-Cyprien. Il dira plus tard que ce départ l'avait rendu triste, mais qu'il savait que la nostalgie de la paroisse natale l'avait emporté sur toutes les autres considérations.

Durant cette année et demie d'absence de ce coin de Nouvelle-Angleterre, la masse docile que constituait la main-d'œuvre canadienne-française s'était transformée en une force revendicatrice. Convaincus de leur poids politique, les Canadiens français avaient appris à se servir, au même titre que les Irlandais, de l'arme de la grève. Ils s'étaient notamment dressés contre la réduction de salaires accompagnée d'une hausse de productivité.

Au cours de cette même période, la presse canadienne-française, se distinguant surtout par des opinions défendues par de fortes personnalités, avait accru son influence auprès de la classe dirigeante américaine et du patronat. Dans un discours prononcé en 1879, Ferdinand Gagnon avait tenu ces propos : « Un journal canadien aux États-Unis doit être le porte-parole de toutes les grandes idées patriotiques et religieuses ; ce doit être un véritable soldat, portant des coups à ceux qui semblent vouloir apostasier la nationalité, croyant être dignes de respect, lorsqu'ils apostasient leur titre de Canadien pour celui d'Américain. Le journal canadien doit toujours chercher à proclamer bien haut la noblesse de notre origine. » Cette presse nationaliste d'outre-frontière, dont le journaliste Ferdinand Gagnon incarnait l'âme fondatrice entre 1868 et 1886, trouva pignon sur rue dans plusieurs États américains, en particulier au Massachusetts, au Vermont, au New Hampshire, dans le Rhode Island, dans le Maine et jusqu'à New York. Plus de quarante journaux furent ainsi fondés entre 1860 et 1880. Cette presse canadienne-française jouera un rôle prépondérant dans la promotion de la carrière de Louis Cyr et contribuera grandement à répandre sa notoriété aux États-Unis.

Ce fut durant ce second séjour à Lowell, beaucoup plus court qu'il ne l'eût imaginé, que Louis Cyr entrevit la possibilité de faire carrière grâce à sa force. « C'est dans ces idées-là et avec une telle ambition que je me réveillai donc un beau matin au milieu de nos Canadiens français de Lowell », confia-t-il à Septime Laferrière, en dictant ses *Mémoires*.

Il retrouva le club athlétique de Donovan et, pour la première fois, entendit parler de trois hommes forts dont on vantait un peu partout les exploits : deux Américains, Richard Pennell et Oscar Matthes ; un Canadien français devenu pratiquement un Franco-Américain, David Michaud, surnommé « Baby » Michaud.

Richard Pennell, né en 1846, était alors âgé de trente-sept ans. Il mesurait près de 5 pieds et 10 pouces et pesait entre 175 et 185 livres. Influencé par les techniques de force européennes, il avait mis au point des levers originaux, particulièrement le dévissé à une main et les développés asymétriques, mouvements difficiles puisque chaque main soutenait une charge différente de l'autre. Le 31 janvier 1876, il avait établi un « record du monde » du dévissé, en soulevant du bras droit une charge de 201 livres et 4 onces (91,31 kilos), à New York. Une première dans l'histoire des épreuves de force.

À propos de Pennell, Louis Cyr aura ce commentaire : « On en parlait comme un grand homme ; après toutes les flatteries que m'avaient prodiguées les camarades, et les quelques petites rencontres auxquelles j'avais eu à faire face, je me surpris à me demander *pourquoi* je n'en viendrais pas à dépasser les records de ce champion. »

Oscar Matthes naquit à Lawrence, Massachusetts, le 29 septembre 1863, onze jours seulement avant la naissance de Louis Cyr. Adulte, il ne mesurera que 5 pieds, la taille de Mélina Comtois, et ne pèsera guère plus de 150 livres. Très puissant, on le surnomma *The Pocket Hercules*, soit l'Hercule de poche. Son meilleur lever connu était un dévissé à une main de 117 livres.

Enfin, David Michaud. Selon l'historien E.-Z. Massicotte, David Michaud naquit à Kamouraska le 15 juillet 1856. D'abord agriculteur dans ce coin du Bas-Saint-Laurent, il s'enrôla dans l'Armée britannique et servit comme canonnier dans la batterie B à la citadelle de Québec. Sa réputation de force grandit rapidement et on lui attribua nombre d'exploits, comme de soulever seul la partie arrière de l'affût d'un canon d'un poids égal à trois quarts de tonne ou encore de jongler avec des boulets de canon.

De l'avis de plusieurs, David Michaud alliait l'image de la musculature classique à la puissance physique. Atteignant les 6 pieds, il pesait un peu plus de 200 livres. Attiré par l'athlétisme professionnel, il quitta temporairement les rangs militaires et s'en fut rouler sa bosse en Nouvelle-Angleterre, séjournant même quelques années à Lowell et s'y mariant avec une jeune femme canadienne-française. Portant alors le nom de Baby Michaud, il donna plusieurs exhibitions de force, releva des défis de lutte et finit par se proclamer « l'homme le plus fort du Canada ».

Véritable nomade, David Michaud changeait fréquemment de domicile. Tantôt il travaillait comme manœuvre à la Merrimack Manufacturing Company, tantôt il revenait au Québec pour une autre période d'engagement militaire. Puis il retourna aux États-Unis avant de parcourir l'Ouest canadien, redevenant canonnier en Colombie-Britannique pour finalement sombrer dans l'oubli. Certes, David Michaud joua un rôle important dans la carrière de Louis Cyr, même si le tout ne dura que le temps d'une soirée à Québec. De cette rencontre Louis Cyr dira : « Je puis dire que c'est mon triomphe sur lui [David Michaud, *n.d.a.*] qui a consacré pour moi une réputation ici, au pays, réputation que la fortune favorable n'a fait toujours que grandir. » Mais les rapports entre les deux hommes se limitèrent à ce seul affrontement, dont il sera d'ailleurs question au chapitre 6.

*

En attendant que le professeur Donovan lui dénichât des occasions de faire l'étalage public de sa force, Louis Cyr partagea son temps entre l'usine et le club athlétique. Mais là comme ailleurs, les défis se faisaient rares et les haltères disponibles devenaient, de jour en jour, plus légers à manier. Du moins était-ce l'impression qu'avait Louis Cyr. « Chaque jour, je sentais mes muscles se développer et se durcir. Fier de mes premiers succès, j'étais orgueilleux comme un paon. Quand je marchais, je ne touchais plus terre ; je me sentais des épaules à soulever le ciel, si j'eusse pu l'atteindre… »

Une occasion, bien fortuite d'ailleurs, se présenta un bon dimanche après-midi. Après l'office dominical, il était de coutume pour les fiers-à-bras tant canadiens-français qu'irlandais d'aller se mesurer le plus souvent à la lutte, non pas classique mais plutôt hybride, le gagnant étant celui qui mettait l'adversaire sur le dos ; parfois à la boxe, quoique dans ce dernier cas les arrangementsétaient davantage clandestins.

Une place appelée la *Dumb* et située en dehors de Lowell était le lieu habituel de ces rendez-vous, qui attiraient généralement quelques milliers de spectateurs, la plupart étant des ouvriers des deux ethnies. Une telle rencontre de lutte entre un Canadien français nommé Dumaine et un Irlandais du nom de McCarthy, « pot de fer contre pot de fer », pour reprendre une expression coutumière de Louis Cyr, avait été arrangée en ce fameux dimanche. « J'en étais, confia Louis Cyr. Deux durs à cuire allaient se colleter et j'aimais les durs à cuire. De plus, l'enjeu était de 100 dollars, ce qui nous promettait une ardeur d'autant plus belle de la part des combattants. » Cyr précisa également qu'il était présent en compagnie d'un grand nombre de copains, parmi lesquels il nomma Samuel Charrette, de Saint-Félix-de-Valois, et Napoléon Brunelle, de Saint-Cyprien, « qui avaient quitté le Canada comme nous autres pour tenter fortune ».

Ce ne fut pas l'issue du combat de lutte qui allait être l'enjeu de ce dimanche après-midi, mais plutôt une énorme pierre en forme de colonne, plus grosse du bas que du haut, par conséquent sans véritable prise. Cette pierre n'avait été remuée que par quelques rares individus parmi les plus forts des usines locales, mais nul n'avait réussi à la soulever. On proposa le défi à Louis Cyr, quoiqu'en ce dimanche chacun portait encore le complet de circonstance, chemise et cravate comprises. Impossible pour Louis Cyr de se soustraire à l'épreuve puisque l'honneur même des Canadiens français était en cause. « Il fallait m'exécuter. Sinon j'étais déshonoré et terriblement puni de mon mouvement d'orgueil », expliquera-t-il plus tard.

Louis Cyr raconta ainsi dans ses *Mémoires* le déroulement de ce lever désormais historique.

> *On fait cercle autour de moi. Je saisis la pierre à pleines mains. Mes muscles se tendent. Je sens mon front près d'éclater. Je me plie en deux. Je constate que la pierre est rendue sur mes genoux [...]. Je me redresse. Je force, je force à me briser les bras, les jambes et tout le corps. La pierre monte, monte, à mon estomac, à mon cou, jusqu'à ce qu'elle se place sur mon épaule, comme d'elle-même. On applaudit. Je laisse tomber la pierre. C'est alors que je m'aperçus que mes vêtements étaient déchirés en plusieurs endroits et qu'une large blessure, sur mon bras gauche, saignait. Le plus beau c'est que pendant ce temps, les deux tiers de ceux qui composaient l'assemblée avaient quitté la lutte et s'étaient massés autour de moi. En sorte que je fus applaudi par plus de 4 000 habitants de Lowell.*

Restait à établir le poids réel de la pierre. Selon certains récits, on spéculait depuis des années sur cette masse rocheuse, favorisant un poids ou un autre selon qu'un Canadien français ou un Irlandais la remuait un tant soit peu. Cette fois, une partie de la population de Lowell avait été témoin d'un exploit qui défiait l'entendement. Six hommes la soulevèrent, en se servant de bâtons en guise de leviers. Puis ils la transportèrent jusqu'au magasin général tenu par Olivier Gaudette, où ils la pesèrent. On nota précisément 517 livres. Remise en place, elle demeura au même endroit vingt ans encore, jusqu'en 1903, année au cours de laquelle elle disparut. Nul homme ne parvint à la soulever.

Louis Cyr avait réalisé un exploit unique dans les annales mondiales de la force physique. Mais compte tenu du lieu et du contexte d'alors, sa performance, nettement surhumaine, avait une résonance autre qu'athlétique, l'expression de la force n'étant pas encore le propre d'un sport. Donc, pas de sport, pas de règles, pas d'homologation quelconque d'un record. D'ailleurs, l'idée même d'une culture sportive n'en était alors qu'à ses balbutiements.

Il faudra attendre en 1901 pour que les diverses formes de «lever de poids et haltères» soient ramenées à quelques mouvements codifiés et admis au programme régulier des Jeux olympiques naissants. D'ailleurs, ce n'est qu'en 1905 que naîtra la première Fédération internationale d'haltérophilie, quoique l'Autriche et l'Angleterre eussent proclamé des champions à compter de 1891 et que le mouvement olympique eût reconnu des vainqueurs en poids et haltères lors des Jeux inauguraux de 1896 et ceux de 1904.

En 1883, cette réalité sociopolitique tout européenne échappait à l'Amérique. À Lowell, bien qu'un exploit aussi éblouissant que celui qu'avait réalisé Louis Cyr eût des échos dans les communautés telles que Fall River, Lawrence, Concord, Salem, Fitchbourg, c'était bien plus les rapports de force entre les ethnies canadienne-française et irlandaise couplés à l'aggravation de la condition ouvrière, partout en Nouvelle-Angleterre, qui alimentaient le quotidien. Mais comme l'exploit de Louis Cyr coïncidait avec la recrudescence de l'hostilité des Américains à l'endroit des arrivées massives d'immigrants, autant italiens, polonais, juifs, russes, grecs que canadiens-français, lesquelles accentuaient les jugements xénophobes, les dirigeants canadiens-français du mouvement de Survivance le récupérèrent rapidement pour en faire une manifestation propre aux caractères fondamentaux de la race et de la culture françaises.

*

L'homme s'appelait Mac Sohmer et se présenta à Louis et Mélina Cyr comme un maquignon. Selon Louis Cyr, il en avait toutes les allures, « grosses bagues aux doigts et breloques énormes lui claquant sur la poitrine ». Son commerce de chevaux, il le faisait à Moncton, au Nouveau-Brunswick. Quant à ses autres intérêts, il n'en parla pas, sinon pour dire qu'il allait rendre les Cyr riches en organisant pour Louis une tournée dans les provinces maritimes, au cours de laquelle ce dernier exécuterait des tours de force en public.

D'allure, Mac Sohmer donnait l'apparence d'un homme d'affaires peu scrupuleux et truqueur, mais son discours s'avérait convaincant. Il vanta les mérites de Louis Cyr, lui fit remarquer que sa réputation s'étendait de jour en jour, lui affirma qu'il ferait salle comble partout et lui proposa d'être son *manager* et de lui verser un salaire de 25 dollars par semaine. Cela représentait le double de ce qu'il gagnait à l'usine et au club athlétique de Donovan. « Mon trouble profond me rendit incapable de discuter avec lui ce soir-là. D'ailleurs, je tenais à consulter ma femme. Le lendemain, l'engagement était conclu avec mon nommé Sohmer », raconta Louis Cyr, en se remémorant cette tranche de vie.

C'est au début de juin 1883 que le trio quitta Lowell. Presque trois jours de train avec bagages et haltères, pour enfin débarquer à Moncton. Sans le savoir, Louis Cyr foulait la terre qui, jadis, avait été l'Acadie française de ses ancêtres.

Mac Sohmer déploya au Nouveau-Brunswick ses talents de promoteur. Il fit une réclame à sensation autour d'un *Frenchman* de Lowell du nom de *Sir*, qu'on prononça bientôt en mettant l'accent tonique sur le *i*. La tournée de Louis Cyr commença à Moncton, dans les villages environnants, puis se déplaça vers Halifax, Saint-Jean, Ribouctou, entre autres. En deux mois, le jeune prodige s'était produit devant des milliers de spectateurs et avait fait le tour du Nouveau-Brunswick. On en demandait encore, surtout pour assister au fameux « tour de la charrue ». Il s'agissait pour Louis Cyr de lever une charrue au soc de bois au-dessus de sa tête, d'une seule main, par l'un des manchons. Puis, la ramenant au sol, il accrochait plusieurs chaises aux manchons, élevait cette fois la charrue par le soc avec ses deux mains, la balançait au-dessus de sa tête en la passant d'une main à l'autre, pour finalement la promener en la maintenant en équilibre sur son menton seulement. Louis Cyr commentera le tour en ces mots : « Ce fut cet exploit qui eut tant de retentissement dans les villes où je passais. C'était tout simplement du nouveau et on en faisait de l'extraordinaire. » Louis Cyr était modeste. Il maniait en outre ses haltères en les faisant paraître légers comme des plumes et en défiant quiconque de les déplacer quelque peu, ce que nul ne devait réussir. Et il y avait son allure. À l'aube de ses vingt ans, les cheveux maintenant longs, il ressemblait à un Samson moderne. Colossal était le mot, à la vue de sa poitrine énorme et de son poids qui approchait les 300 livres.

Mais en dépit des succès de foule de la tournée, l'expérience se révéla un désastre financier pour Louis Cyr et son épouse. Mac Sohmer les trompa, empocha les recettes, tout en laissant croire à Louis Cyr que les coûts d'organisation d'une telle tournée ne lui permettaient pas de lui verser le salaire prévu. En réalité, il ne paya à Cyr qu'un montant de 50 dollars pour les deux mois de tournée, soit l'équivalent de deux semaines de salaire. La situation s'aggrava d'autant plus qu'un ulcère mal soigné causa des douleurs insupportables à Louis Cyr, le contraignant à claudiquer, puis à surseoir à toute autre représentation publique.

Se rendant à l'évidence, Louis Cyr résolut de quitter Mac Sohmer, non sans lui avoir réclamé le montant d'argent nécessaire pour acquitter le prix d'un voyage de retour, par le train, jusqu'à Pointe-Lévis. Mac Sohmer se défila une dernière fois. « Je l'eusse écharpé sur place si ma femme ne m'en avait empêché. »

Le voyage de retour au Québec releva de l'odyssée. Le couple Cyr n'avait pas la trentaine de dollars que coûtaient alors les billets de train de la ligne Intercontinental entre Halifax et Pointe-Lévis. Sans compter les frais des bagages, des haltères et de la charrue. C'était un voyage de près de deux jours et deux nuits. D'abord 770 kilomètres de Halifax jusqu'à Rivière-du-Loup, puis environ 220 kilomètres de Rivière-du-Loup jusqu'à Pointe-Lévis, en face de Québec. Les trains de l'Intercontinental, en service depuis 1876, partaient de la Nouvelle-Écosse, ralliaient Moncton, au Nouveau-Brunswick, contournaient la baie des Chaleurs, longeaient la Restigouche, la Métis, remontaient la vallée de la Matapédia, traversaient les ponts de Grand-Métis, de Millstream, s'arrêtaient à Rimouski, franchissaient le pont sur piles de granit de Trois-Pistoles, en direction de Rivière-du-Loup, puis de Pointe-Lévis. Conséquence de l'article 145 de l'Acte de l'Amérique du Nord britannique de 1867, ce lien ferroviaire entre le Québec et les provinces de l'Atlantique avait été la condition *sine qua non* d'entrée dans le Canada des provinces du Nouveau-Brunswick et de la Nouvelle-Écosse.

Louis Cyr racontera: «Après avoir erré pendant quelques jours dans les environs de la gare où nous devions prendre le train, j'avisai enfin un conducteur qui m'avait déjà vu à l'œuvre. Il me reconnut lui aussi et se montra disposé à compatir à notre misère.»

Ce conducteur bon Samaritain prit l'initiative de s'occuper du barda de Louis Cyr, en ménageant suffisamment de place dans le wagon aux bagages pour y entasser le matériel de fonte et la charrue. En échange, il proposa à Louis Cyr de satisfaire la curiosité des passagers du train en se livrant à quelques tours de force. «L'aventure nous rapporta quelques écus», commenta plus tard Louis Cyr.

Un autre homme joua un rôle important dans cette aventure du retour en terre québécoise: Georges Denis. À l'été 1883, il était simple constable à Lévis. Des années plus tard, il deviendra le chef de la police et du feu de cette communauté. Georges Denis s'occupa des Cyr. Ces derniers étaient fourbus lorsqu'ils débarquèrent sur les quais de Pointe-Lévis vers huit heures et demie du soir. Au milieu de plusieurs dizaines de curieux attirés par la rumeur, le constable Denis fit un boniment et s'empressa d'en appeler au patriotisme et à la générosité de ses concitoyens. En contrepartie, Louis Cyr exécuta tout un programme de performances. Le constable Denis, passant le chapeau, recueillit la somme de 30 dollars, ce qui permit aux Cyr de s'offrir un gîte pour la nuit, un bon repas et deux passages pour poursuivre leur route jusqu'à Richmond. Louis Cyr retrouva à la fois ses moyens et sa motivation. « Ce fut pour moi une véritable résurrection. C'était la première fois depuis plus de deux mois que je m'entendais appeler en bon canadien Louis Cyr », confia-t-il au journaliste Septime Laferrière vingt-cinq ans plus tard.

En attendant, les jeunes époux n'avaient qu'une hâte : retrouver la parenté et s'offrir un répit. Peu avant son départ de Lowell, Louis Cyr avait appris que ses parents avaient quitté la région de Napierville pour aller s'installer sur une terre à Sainte-Hélène, dans le comté de Bagot. Sise dans la seigneurie de Ramezay, la paroisse avait été érigée canoniquement en 1853, avait inauguré son église en 1859 et mis en exploitation une grande fromagerie en 1877. Pour s'y rendre depuis Pointe-Lévis, il fallait prendre le train jusqu'à Richmond, dans les Cantons-de-l'Est, puis, de la gare ferroviaire de la Grand Trunk Railway, à peine construite, se rendre à Upton, une municipalité située à une quinzaine de kilomètres de Sainte-Hélène-de-Bagot, réputée pour l'exploitation d'un grand moulin à scie et à farine construit au confluent des rivières Saint-Nazaire, Blanche et Noire. Le reste du trajet devait se faire en voiture, en empruntant des « chemins qui étaient loin d'être beaux », selon Louis Cyr, jusqu'à la nouvelle terre de Pierre Cyr, située dans le rang Saint-Augustin. Il l'avait acquise le 20 août 1883 de Justinien Leduc, un cultivateur de cette région.

Louis Cyr épilogua au sujet des retrouvailles, insistant sur les larmes de joie de sa mère et sur l'air sévère de son père qui, en réalité, cherchait à dissimuler une émotion bien mal contenue.

La mère de Louis Cyr s'inquiétait particulièrement de l'épuisement apparent du couple et se demandait bien jusqu'où toutes ces frasques mèneraient son fils. Elle s'étonna du récit que fit Louis au sujet de l'emplacement des cimetières protestants, celui-ci ayant décrit la façon qu'avaient les anglophones des provinces maritimes de placer leurs sépultures dans des espaces privés à même leurs terres. C'est également au cours de cette convalescence du corps et de l'esprit que Louis Cyr décida de se remettre aux travaux des champs. Mais seulement pour le temps des récoltes.

Aussitôt les dernières charges engrangées, il conçut le projet de faire une tournée dans les petites villes et les paroisses des environs. Désormais, il savait de quoi serait fait demain. Sa vocation était trouvée.

Deuxième partie
La consécration

National Police Gazette, 25 avril 1891.

CHAPITRE 6

L'homme le plus fort du Canada

Il y avait en Louis Cyr le goût profond d'aventures picaresques pour doubler ses exceptionnelles aptitudes d'hercule forain. Il le dira lui-même en qualifiant ses itinérances d'« expéditions téméraires et folles ».

Contre toute attente, c'est à son père que Louis Cyr proposa de partir en tournée, lui demandant de surcroît d'être le gérant de l'affaire. Ce dernier lui a d'abord répondu: « Partir, comme cela, deux Canayens sans expérience, jamais ! » Une semaine plus tard, Pierre Cyr se rendait aux pressions de son fils : « Eh bien ! Essayons. »

Selon Louis Cyr, les préparatifs furent aussi courts que les moyens étaient modestes. Une simple voiture à deux roues, communément appelée *charrette à poches,* suffit à entasser les haltères, la charrue et à accommoder les deux hommes. Pendant les mois d'octobre et de novembre 1883, ils parcoururent au rythme du trot du cheval les campagnes du cœur du Québec, de la Montérégie et du Haut-Richelieu. Des paroisses qui avaient pour noms Saint-Liboire, Saint-Valérien-de-Milton, Sainte-Cécile, Roxton Pond, Saint-Paul-d'Abbotsford, Saint-Barnabé, Roxton Falls ; des communautés plus importantes, telles que Granby, Saint-Hyacinthe, Saint-Jean. Et un lieu incontournable : Saint-Cyprien-de-Napierville.

Au début, la vision de la charrette et de son étrange chargement suscita plus de curiosité que d'intérêt. Mais, en peu de temps, le personnage herculéen qui faisait montre d'une force physique exceptionnelle constitua une sensation. Le nom de Louis Cyr courut d'une paroisse à l'autre et, bientôt, la dizaine de curieux se mua en une foule nombreuse. Mais ce qui fascinait encore plus que la manipulation des haltères fut une épreuve qui allait révolutionner le monde de la force. Louis Cyr l'appelait le « tour des reins », mais plus tard, partout en Amérique et en Europe, on disait simplement le *back lift*.

Soulever une charge immense, arc-bouté sous celle-là, constituait le défi. Une vision mythique d'Atlas portant sur son dos une pierre à la taille de l'habitat terrestre. « Je m'étais fait confectionner des chevalets et une solide plate-forme, raconta Louis Cyr. Pour la première fois de ma vie j'allais tenter en public, au cours de représentations, le fameux tour des reins [*back lift*] qui a servi plus tard pour moi, vous le savez, à enregistrer bien des victoires sur de redoutables concurrents. »

Arriva ce dimanche où la charrette fit son entrée à Saint-Cyprien. « Celle-là, je ne l'eusse pas manqué pour tout au monde », nota-t-il. Il les vit tous, les anciens, ses amis de l'école de M. Martin, des émigrés en Nouvelle-Angleterre de retour comme lui et ses parents. Plus de quatre cents personnes étaient présentes à la représentation, dont le prix d'entrée était de 15 cents par tête. Le nouveau maire de Saint-Cyprien y était, Augustin Dupont père, un ancien de L'Acadie. Il venait de convaincre le conseil municipal que désormais les avis publics, les règlements et les résolutions de la municipalité seraient publiés en français seulement. Gilbert Martin y était également. Il était maintenant conseiller municipal et allait devenir, quelques mois plus tard, le dix-huitième président de la commission scolaire. L'éminent notaire Antoine Mérizzi était là aussi, au premier rang, lui qui entamait bientôt sa quarante-cinquième année de notariat au village de Napierville.

Et tous les autres : les Bourgeois, les Coupal, les Filion, les Surprenant, les Rémillard, les Bousquet, les Coache, les Leblanc, les Trudeau, fils de Joseph, les Catudal, les Palin, les Grégoire.

« Force-toi, ici, mon Louis », lui avait recommandé son père. Louis Cyr dit plus tard qu'il n'avait pas eu besoin de cet avis comme stimulant. « J'y mis tout ce que j'avais de vigueur et d'endurance : une véritable ovation fut ma récompense. Ce petit triomphe au sein des miens est resté comme l'un des plus chers de ma vie. »

C'est sur cette note heureuse que s'acheva la tournée. Le père et le fils avaient vécu une expérience qui leur permit, l'un comme l'autre, de se vouer un grand respect et de partager une amitié sincère. Louis Cyr avoua que son père « était devenu un manager passable ». Il fallait qu'il le fût puisque le périple avait rapporté, une fois les dépenses payées, plus de 500 dollars. « J'en fis cadeau de la moitié à celui qui venait d'être mon fidèle et dévoué compagnon de route », conclut Louis Cyr.

Ce dernier ne se définissait pas encore totalement, mais déjà il avait jonglé avec ce qui allait devenir l'essentiel de sa vie. Il avait inventé un début de personnage auquel il accolait une personnalité flamboyante. Et tel un magicien talentueux, il créait sur l'inspiration du moment et à partir des réactions de la foule. De ses tournées au Nouveau-Brunswick et dans une partie du Québec, Louis Cyr avait réalisé qu'en mettant en scène la force physique, il colportait une part importante d'un drame humain universel et touchait ainsi toutes les classes de la société. C'est un peu cette vision que Federico Fellini allait exprimer, presque soixante-quinze ans plus tard, à travers son chef-d'œuvre cinématographique *La Strada*, dont le personnage principal est un saltimbanque briseur de chaînes qui, malgré sa nature cruelle et brutale, est accueilli dans toutes les fêtes foraines comme un héros itinérant et un semeur de rêves.

*

Le temps des neiges signifiait pour Louis Cyr des semaines d'ennui. Il le passa vaille que vaille à Sainte-Hélène-de-Bagot. Pour les jeunes gens, l'endroit n'avait pas d'attrait particulier, sauf la compagnie de Pierre et Philomène Cyr, les sœurs et les frères de Louis. Le rang Saint-Augustin, ouvert aux quatre vents sur une plaine qui s'étendait à perte de vue, ne possédait pas le charme de Saint-Jean-de-Matha.

L'année qui venait de se terminer laissait cependant d'importants repères pour Louis Cyr : une notoriété grandissante et la possibilité de gagner sa vie avec sa force. Dans l'ensemble du Québec, 1883 fut une année charnière pour le mouvement ouvrier. Une grève n'attendait pas l'autre, ce qui mena l'Assemblée législative du Québec à élaborer un texte de loi, inspiré d'une législation ontarienne, qui allait fixer deux années plus tard une limite aux heures de travail. Au demeurant, la classe ouvrière s'était mobilisée en réaction aux exigences, sans cesse croissantes, du mouvement capitaliste de production. Les Cyr et ceux qui, comme eux, avaient connu les horaires démentiels des manufactures de textile de la Nouvelle-Angleterre s'étaient réjouis du fait que ce n'était plus la loi de la carotte et du fouet qui allait désormais imposer le carcan à la masse ouvrière.

En janvier 1884 survint un événement qui allait changer la vie de Louis Cyr. Il reçut une lettre, signée par un certain Gustave Lambert. Des années plus tard, Louis Cyr parlera du « fameux » Gus Lambert, dont la réputation était vraiment universelle, car on le connaissait comme lutteur et comme boxeur. Le Gus Lambert en question était alors propriétaire d'un lieu appelé *Lambert House*, situé au 190, rue Saint-Laurent, en face du marché portant le même nom. L'endroit était à la fois une taverne et un club athlétique connu sous le nom de *Sporting Club Lambert*.

Né en 1852 à Saint-Guillaume, une paroisse située à quelque 20 kilomètres au nord-est de Sainte-Hélène-de-Bagot, Gustave E. Lambert partit pour les États-Unis à l'âge de vingt et un ans et passa plusieurs années dans la marine américaine. L'aventure le rendit parfaitement bilingue et grand connaisseur des pratiques gymnastes ainsi que des techniques de lutte et de pugilat. Son engagement militaire terminé, vers 1880, il entreprit de relever des défis, tant à la boxe qu'à la lutte libre et gréco-romaine. À l'enjeu, des bourses et des paris, la plupart du temps dans la clandestinité puisque en 1880 aucun des trente-huit États américains ne permettait la boxe sur son territoire. Six de ses sept premiers combats de boxe, Lambert les avait livrés à New York et à Flushing Bay, dans l'État de New York, au moment où la ville de New York avait édicté un règlement faisant de la boxe professionnelle *a crime against peace*. Plus tard, Lambert allait défier ces interdits jusqu'à Montréal et à Québec, puisqu'il se produira en des circonstances controversées.

Au Canada et au Québec, les combats de boxe étaient également proscrits. En février 1881, un débat virulent avait animé la Chambre des communes d'Ottawa, à l'occasion duquel la boxe professionnelle fut clouée au pilori. À la suite de ce débat, le Parlement d'Ottawa avait adopté, le 21 mars 1881, une loi qui défendait, sous peine d'amende et de prison, toute rencontre faite pour de l'argent: un *prize fight*, selon une expression consacrée à l'époque.

C'est sur une telle toile de fond que Gus Lambert était devenu une figure connue et, à sa façon, un champion du peuple. À la fois combattant et promoteur, il avait habilement tiré les ficelles pour éviter les représailles. Considéré sous maints rapports comme un homme d'affaires assez prospère, il organisait des combats dans les municipalités limitrophes de Montréal, surtout à Sainte-Cunégonde, Saint-Henri, Lachine, Maisonneuve et Sault-au-Récollet. Utilisant des guetteurs qui épiaient les moindres mouvements de la police, jouant de son influence dans les milieux de la politique municipale, Lambert avait choisi de présenter les rencontres entre boxeurs du Québec et de l'étranger dans des granges et, parfois, dans des maisons abandonnées. Quelques années plus tard, grâce à son amitié avec le futur maire de Montréal, Raymond Préfontaine, les combats se tiendront au célèbre parc Sohmer.

Louis Cyr avait entendu parler de Gus Lambert autant que de David Michaud. Les fervents du sport professionnel alors naissant les tenaient pour les champions du Canada dans leur domaine respectif. Lorsqu'il comprit le sens de la lettre de Lambert, Louis Cyr fut interloqué. Voilà qu'une des personnalités les plus en vue de Montréal lui proposait une association assortie de conditions alléchantes, ni plus ni moins. Certes, il eut une hésitation que partagèrent d'ailleurs son père et Mélina. Mais, en même temps, il comprit assez vite qu'il n'y avait aucune comparaison à faire entre ce Gus Lambert et le Mac Sohmer de triste mémoire.

Que savait au juste Gus Lambert de Louis Cyr? Suffisamment pour imaginer ce dernier comme la future vedette de son «paradis des athlètes», ainsi qu'il nommait le *Sporting Club Lambert* et l'hôtel-taverne qu'il tenait. Comme les récits des prouesses de Louis Cyr se transmettaient de bouche à oreille jusqu'à alimenter la rumeur urbaine, Gus Lambert se considérait comme le promoteur idéal pour asseoir la renommée d'un futur grand champion. Lambert n'avait encore jamais vu Louis Cyr, mais il tenait de son frère, Joseph, le futur maire de Saint-Guillaume, une description assez fidèle de Louis Cyr, qu'il avait vu à l'œuvre à l'occasion de la récente tournée du jeune prodige de la force. De la sorte, Gus Lambert n'avait pas hésité à vanter les mérites de Cyr dans la missive qu'il lui avait adressée. Se présentant comme «le plus grand promoteur d'athlètes du monde», Lambert avait terminé sa lettre par une invitation formelle à Louis Cyr d'aller le rencontrer à son commerce de la rue Saint-Laurent. Aussitôt les célébrations de Pâques terminées, Louis Cyr prit le chemin de Montréal. C'était au printemps de 1884.

*

Le Montréal que découvrait Louis Cyr était déjà la plus grande ville industrielle du Canada, donc une société dominée par un fort clergé catholique et par les hommes d'affaires canadiens-anglais, une société hiérarchisée, fondée sur la division des classes et marquée par de nombreuses crises. Cette grande ville, constituée de vieux quartiers eux-mêmes délimités par des frontières tant sociales qu'économiques, était faite de disparités profondes laissant voir deux réalités bien distinctes : une grande masse ouvrière qui parvenait avec peine à se loger et à se nourrir et une minorité fortunée qui faisait étalage de ses biens considérables. Aux logements de fond de cour s'opposaient des résidences bourgeoises en pierre entourées de grands jardins, dans lesquelles on employait des servantes, des cuisiniers, des cochers, des majordomes, des jardiniers.

La ville de Montréal de 1884, surtout dans ses ghettos ouvriers, la *City below the Hill*, était aux prises avec de piètres conditions sanitaires. On y manquait d'aération, d'ensoleillement, de toilettes avec chasse d'eau. Dans Griffintown, à l'intérieur du quartier Sainte-Anne, en bordure du fleuve Saint-Laurent, les conditions d'hygiène étaient aggravées par le fait que, chaque printemps, l'eau envahissait le quartier. Ces inondations récurrentes augmentaient les menaces d'épidémies, parmi lesquelles le choléra et la typhoïde. Cette ville était soumise à des soubresauts constants. Par conséquent, des conflits mettaient sans cesse en opposition les Canadiens français et les Montréalais d'origine britannique, ces derniers contrôlant les milieux d'affaires.

L'électrification en était à ses débuts. On remplaçait peu à peu les réverbères à gaz par des lampes à arc. Les rues étaient en mauvais état, surtout au moment du dégel printanier. En 1884, il y avait à peine un kilomètre de rue pavée à Montréal, selon son futur maire Raymond Préfontaine, sans parler de l'entretien général des rues, des égouts et de l'aqueduc.

Pour se déplacer dans cette ville, on utilisait encore des chars sur rails tirés par des chevaux et ne passant que toutes les trente minutes. Selon E.-Z. Massicotte, « entre l'été et l'hiver, dans les demi-saisons, les chars, à cause de l'état des chemins impraticables, étaient remplacés par des omnibus à quatre roues qui allaient cahin-caha, d'une ornière à une autre ». Il faudra attendre huit ans, soit 1892, pour que la Montreal Passenger Railway Company se convertisse à l'électricité.

Montréal était une ville dont la population approchait des deux cent mille habitants, où affluaient des immigrants italiens, polonais, russes, chinois et juifs auxquels se mêlaient, par à-coups, des gens des campagnes attirés par les nombreuses usines. Au cœur de cette vaste agglomération traversée par la rue Saint-Laurent battait le cœur du *Red Light district*, dont les ravages étaient d'une telle ampleur qu'il fut nécessaire, dès 1865, de promulguer la Loi sur les maladies contagieuses. On ne comptait plus les bordels, pas plus que les «femmes de petite vertu» qui souffraient de ces maladies, encore moins le nombre de clients infectés par jour. S'ajoutaient les lupanars où l'on jouait clandestinement aux cartes, aux dés, à la roulette, et les autres commerces obscurs où l'alcool coulait à flots.

*

Coups de sifflet prolongés, longue traînée de fumée noire chargée de cendres, la «dame de fer», ainsi qu'on nommait à l'époque la locomotive, s'était engagée avec son convoi d'une quinzaine de wagons sur le pont Victoria, dont la structure et la longueur avaient étonné la reine qui lui avait donné son nom. George-Étienne Cartier lui avait fait cette réponse restée célèbre: «Quand nous, Canadiens, nous construisons un pont et que nous le dédicaçons à Votre Majesté, nous le mesurons non en pieds, mais en milles.»

C'était la première fois que Louis Cyr arrivait à Montréal par cette voie. Et selon les habitudes qu'il avait prises lors de ses premières tournées, son matériel de démonstration était à bord, surtout ses haltères. Il sema un certain émoi dès son arrivée en gare, surtout lorsque le cocher qu'il héla comprit qu'il devait, outre le colossal personnage, charger également d'énormes haltères. Il eut peur que sa voiture se brisât. «On vous la paiera, votre voiture», lui aurait dit Louis Cyr. Vingt-cinq ans plus tard, il racontait au journaliste de *La Presse*: «Le fait est qu'elle ne valait pas cher. Les rues de Montréal [d'alors] avaient encore plus mauvaise mine que celles d'aujourd'hui. La voiture en question avait bondi et rebondi dans tant de cahots qu'elle en était toute gémissante. De temps à autre, le cocher me lançait de travers un coup d'œil qui en disait long. Pour lui, avec mes longs cheveux et mes énormes haltères, j'étais le diable en personne ou quelque chose d'approchant. » Voilà Louis Cyr en face du 190 de la rue Saint-Laurent. L'endroit était bruyant, cette rue ayant été depuis cinquante ans une voie d'expansion de la population montréalaise hors des limites du Montréal d'origine. Quartier d'artisans, la rue Saint-Laurent abritait, entre autres, nombre d'ateliers de l'industrie du vêtement, tenus surtout par des Juifs d'Europe de l'Est qui affluaient depuis quelques années. C'est d'ailleurs ces ateliers qui avaient donné naissance à un régime d'exploitation des travailleuses particulièrement dur.

Ces réalités échappaient encore à Louis Cyr. Il allait toutefois les découvrir dans les semaines et les mois suivants. Mais pour l'heure, sa préoccupation était de surprendre Gus Lambert en lui réservant une entrée en scène dont ce dernier allait se souvenir longtemps. Pour marquer cette rencontre, Louis Cyr avait choisi d'entrer dans l'hôtel en tenant de la manière la plus désinvolte un haltère dans chaque main. L'entrée de Louis Cyr fut évidemment sensationnelle. L'hôtel, vers l'heure du midi, était bondé et les deux cents clients, tous des hommes, discutaient ferme de courses de chevaux, fort populaires, de crosse, de boxe et de lutte, et bien entendu de raquette, plusieurs des clients assidus du *Lambert House* étant des membres du *Montreal Snow Shoe Club*, fondé en 1843.

« Mon cocher ouvre la porte en coup de vent et je fais mon entrée, racontera Cyr. Sensationnelle, c'est le cas de le dire. La stupéfaction déjà lue sur la figure du cocher, je la revois sur cent autres. »

L'effet que produisit la vision du colosse aux longs cheveux, émule du Samson biblique, s'avançant parmi une foule compacte en tenant dans ses mains les lourds haltères, était sans précédent. On allait en faire une légende urbaine au cours des jours suivants, en servant l'histoire à toutes les sauces. Cyr se souviendra que son arrivée aussi originale qu'impromptue « avait même provoqué une bousculade vers le fond du bar où se tenait Gus Lambert, certains craignant que l'hercule n'assomm[ât] quelques clients à l'aide des haltères».

Évidemment, Gus Lambert avait tout de suite reconnu Louis Cyr, quoique ne l'ayant jamais rencontré encore, et ce dernier se doutait bien que celui qu'on entourait de la sorte ne pouvait être que Gus Lambert. «Une franche poignée de main par-dessus le comptoir, se souvint Louis Cyr, Gus m'introduisit à tout le monde. Chacun reprend son verre. On trinque à moi, à Gus, à tout le monde. Je suis le héros du jour. Les uns m'entourent, tâtent mes bras. Les autres s'essaient sur mes haltères. Le tumulte est tel que le jour même Gus ne peut me parler à part.» Ces haltères, il convient de le préciser, étaient fort probablement les deux plus lourds du trio qui lui fut offert à Lowell en 1881, celui de 197 livres et l'autre, de 185 livres. Des charges que même des hommes parmi les plus robustes étaient incapables de bouger du sol d'une main.

Les deux hommes arrivèrent très rapidement à une entente dès le lendemain, «non sans que Gus ne m'eût retourné en tout sens, pour bien s'assurer qu'il n'avait pas en main une guenille», commenta Louis Cyr. Mais l'apparence ne trompait pas. Mesurant près de 1,80 mètre, il avait une masse corporelle hors du commun, surtout par la largeur de ses épaules et la circonférence de sa poitrine. On peut en déduire qu'il pesait presque 137 kilos (300 livres), soit le double d'un homme de stature normale.

Convaincu d'avoir découvert la perle rare, Gus Lambert proposa à Louis Cyr une association profitable aux deux. Il allait s'occuper personnellement de l'entraînement du jeune homme, de l'élaboration d'un programme et de sa mise en scène, ainsi que de la réclame. Ce qui fit dire à Louis Cyr que Gus Lambert était à ses yeux «un des pionniers de l'athlétisme et de la culture physique chez les Canadiens français». Il ajoutera dans ses *Mémoires* qu'il n'eut toujours qu'à se féliciter de ses relations avec Lambert, que celui-ci fut un «vrai *sportsman*, en affaires comme partout ailleurs». Le fait était que Gus Lambert était l'aîné de onze ans de Louis Cyr et que ce dernier, au vu de la réputation de l'homme, ne pouvait alors que le considérer comme son mentor.

Sachant qu'il jouait un peu son avenir avec ce Gus Lambert, Cyr souhaita que son père se joignît à l'aventure. Le promoteur fit donc venir Pierre Cyr à Montréal, hébergea le père et le fils pendant près d'un mois et fit en sorte que le paternel s'occupât de la vente des billets de la toute première représentation publique de Louis Cyr à Montréal.

Gus Lambert avait décidé de frapper un grand coup d'entrée de jeu. Il avait choisi le *Mechanic's Hall*, un lieu réputé de Montréal, situé au 204, rue Saint-Jacques. L'endroit était doublement connu ; on y présentait depuis plusieurs années des «jeux athlétiques» fort prisés par la population, ainsi que des combats de lutte, notamment celui qui avait opposé le 9 octobre 1876 Ernest Treher, champion de France et d'Amérique, à l'Allemand William Heygster, champion d'Allemagne. Les réclames par affichage et le bouche à oreille furent tels qu'on tint cette représentation du nouveau venu Louis Cyr pour un événement extraordinaire. Un millier de personnes s'entassèrent au *Mechanic's Hall* et plusieurs centaines durent rester à la porte, faute de places. Pour cette première, Louis Cyr fit honneur à la mémoire de Claude Grenache, devenu une légende à Sainte-Hélène-de-Bagot. Il reprit plusieurs de ses exploits, non pas pour imiter le pionnier de ce genre de démonstration de force, mais pour lui rendre hommage.

Ce soir-là, Louis Cyr donna davantage dans un trompe-l'œil spectaculaire que dans une prestation plus classique de levers d'haltères. Il lança en l'air trois boulets de canon, de poids variant entre 5 et 33 livres, les laissant retomber sur ses épaules. Il demanda à trois hommes de poids moyen de se suspendre à ses cheveux, les souleva et les fit tournoyer autour de lui. Il leva d'un doigt un poids de 450 livres ; leva un homme de 160 livres au bout de son bras droit, se couchant et se relevant en le maintenant dans cette position ; prit un baril de farine par le rebord et le lança d'une seule main sur une épaule sans l'aide des genoux ; démontra sa détente en effectuant un saut de 3 pieds et 9 pouces, les pieds joints et sans élan ; et, comme point d'orgue, leva quinze hommes montés sur une plate-forme, popularisant davantage son *back lift*. La charge fut évaluée à 1 125 kilos (2 465 livres), soit l'équivalent d'une tonne impériale et demie. Du jamais vu. Chaleureusement applaudi avant même que ne débutât la représentation, ce fut une ovation qu'on lui fit à la toute fin.

Gus Lambert n'en avait pas espéré tant. Le coup d'envoi ayant été un coup de maître, Lambert prit toutes les dispositions pour que Louis Cyr se produisît à son gymnase et se montrât, chaque jour, à une clientèle toujours plus nombreuse, plus curieuse et plus enthousiaste. Bientôt les notables, parmi lesquels des avocats, des juges et nombre de politiciens, se donnèrent rendez-vous au *Lambert House*, pour finir dans le salon privé de la demeure de Gus Lambert, où ils purent à loisir côtoyer Louis Cyr et, en quelque sorte, tirer profit de sa compagnie. Certains allèrent jusqu'à se vanter qu'ils avaient « tiré au poignet » avec l'homme le plus fort de l'heure.

L'ennui fit que Louis Cyr poussa une pointe vers Sainte-Hélène, le temps d'apprendre que Mélina était probablement enceinte. Fort de sa notoriété montréalaise, Cyr résolut, avec Gus Lambert, d'organiser une autre représentation mais à son bénéfice personnel, c'est-à-dire qu'il toucherait la part du lion des recettes. Cette fois, il se produisit dans la salle MacMahon, à Sainte-Cunégonde, une municipalité limitrophe qui sera annexée à Montréal en 1904. Une fois de plus, la foule fut au rendez-vous. Quelques heures avant le spectacle, on se bousculait à l'angle des rues Delisle et Dominion. Et une fois encore on ovationna Louis Cyr, qui avait présenté le même programme qu'au *Mechanic's Hall*. Ce soir-là toutefois, un spectateur intéressé allait jouer un rôle crucial dans la jeune vie publique de Louis Cyr.

*

L'homme s'appelait Morin et il était le maire de la toute récente municipalité de Sainte-Cunégonde, sise à l'est de la rue Atwater. Entre 1876 et 1884, la municipalité, qu'on désignait aussi comme le « village Delisle », s'était transformée en un faubourg populeux. Communauté canadienne-française à grande majorité catholique, elle regroupait surtout des ouvriers. Quoiqu'en 1880 on notât le déclin de l'industrie de la tannerie, il y eut par ailleurs une série d'implantations industrielles dans ce secteur, parmi lesquelles la Thomas Davidson, la biscuiterie Luttrell, la raffinerie d'huile John MacMillan et la C.W. Williams Manufacturing Company, entreprise de machines à coudre d'origine américaine. Dans cet immense quadrilatère, où Sainte-Cunégonde et Saint-Henri partageaient un passé commun et représentaient les deux faces d'une même pièce, évoluait une population ouvrière, exploitée, pauvre, majoritairement canadienne-française, de près de 10 000 personnes.

Plus qu'ailleurs, ces communautés étaient confrontées à des conditions de logement et d'hygiène déficientes, aggravées par une forte criminalité de rue. S'y ajoutait un taux de mortalité beaucoup plus élevé qu'ailleurs dans le vaste territoire de Montréal. Dans Sainte-Cunégonde et Saint-Henri, par exemple, la mortalité était presque deux fois plus importante que dans le quartier plus bourgeois de Saint-Antoine : trente par mille habitants durant la décennie 1880-1890, contre la moitié de ce chiffre dans Saint-Antoine. Quant à la mortalité infantile, elle était responsable de 40 % de tous les décès dénombrés annuellement sur le territoire montréalais. Par conséquent, un tableau sombre : insuffisance du revenu familial, bas niveau d'éducation, conditions sanitaires déficientes, mauvaise qualité de l'eau, pénurie de médecins, apathie des milieux politiques, accroissement récurrent de la criminalité contre les personnes et les biens.

Sainte-Cunégonde était donc aux prises avec ce problème : débarrasser au plus vite les rues et les ruelles des bandits de tout acabit. L'affaire avait atteint des proportions de crise telles que l'ensemble des effectifs policiers, sous l'autorité du chef Choquette, venaient d'être congédiés. Un nouveau chef avait été nommé, Joseph Pagé, jusque-là membre de la « police du bord de l'eau » à Montréal.

Ce fut au pire de la situation que le maire Morin offrit à Louis Cyr de s'engager dans la force constabulaire de Sainte-Cunégonde, avec mandat explicite de faire le ménage dans tous les quartiers, peu importaient les moyens. Louis Cyr y mit deux conditions : le consentement de Mélina, son épouse, et le versement d'une double solde, soit 16 dollars par semaine, à quoi s'ajoutait la permission de donner, à son seul bénéfice, six représentations de tours de force par an. Ces questions réglées, Louis Cyr devint, du jour au lendemain, un membre de la « police et du feu » de Sainte-Cunégonde. « On me mit un uniforme sur le dos, on me donna un bâton en bois, comme dans toutes les petites municipalités, j'étais tenu de remplir en même temps les devoirs d'un pompier. » Dix hommes, dont le chef Pagé, pour entreprendre une lutte contre une armée de voyous qui s'étaient rendus maîtres des rues et dont les quartiers généraux étaient établis dans le fameux bois de Quesnel.

Selon Louis Cyr, les voyous se tenaient par dizaines, massés surtout à l'angle des rues Dominion et Saint-Joseph (aujourd'hui Notre-Dame), se livrant le jour à du harcèlement dans le but d'obtenir de l'argent, et le soir à des agressions brutales, surtout à l'endroit des personnes âgées. Ils poussaient l'audace jusqu'à dévaliser les conducteurs de tramways.

En quelques semaines, la présence de Louis Cyr se fit sentir et la réputation de celui-ci se répandit de telle façon que des chefs de bande se concertèrent afin de trouver un moyen de le neutraliser. Une rumeur circulait, selon laquelle les bandits s'étaient promis de lui couper les cheveux à coups de hache.

D'après des témoignages du temps, Louis Cyr utilisait sa force pour empoigner plusieurs délinquants à la fois et les lancer, à bras tendus, à des collègues, ces derniers les entassant ensuite sur les sièges des voitures de patrouille. Racontant un de ces épisodes, Louis Cyr dit : « Ce soir-là, je crois avoir établi un record, en logeant à moi seul au poste seize de ces personnages qui faisaient la terreur de Sainte-Cunégonde. Les registres officiels sont là, qui peuvent en attester. »

Cette façon de faire dura des mois. Les heures de service se révélaient interminables, six jours par semaine, ce qui ne lui laissait qu'un seul soir à passer chez lui. Sainte-Cunégonde était devenue un véritable théâtre de guerre. D'un quartier à l'autre, rue par rue, les policiers Proulx, Dion, Vermette, Rivet, Young et Beausoleil, ce dernier étant le seul représentant de l'ancien corps de police, menés par le constable Cyr, toujours prêt au devoir et le premier à «sauter dans le tas», s'évertuaient à nettoyer la municipalité de ses éléments les plus indésirables. Parmi les plus dangereux, Louis Cyr avait nommé un certain Rouge Paquette, son frère connu comme Paquette le jeune, Cliche Ranger, Chinois Laplante et trois acolytes de la bande de Paquette : La Sablière, Ouellette et Gougeon. Ces altercations, certaines plus dramatiques que d'autres, étaient heureusement entrecoupées de moments agréables. Ainsi, Louis Cyr était devenu un assidu des concours de la police de Montréal. Il raconta qu'il s'inscrivait aux épreuves de «lancer des poids lourds», très populaires parmi les Écossais et inspirées des Jeux calédoniens de vieille tradition. Il s'agissait de lancer une pierre assez lourde, le plus loin possible, sans prendre d'élan. Le jour où Louis Cyr projeta la charge à 53 pieds et 9 pouces, on le jugea *de facto* hors concours. Louis Cyr expliqua également qu'il recevait alors une somme de 50 dollars, soit l'équivalent de trois semaines de double solde de policier, chaque fois qu'il se qualifiait pour une telle épreuve.

*

L'année 1885 fut cerclée de noir. Les Cyr ne furent pas épargnés. D'allure volontaire et affichant une grande force de caractère, Mélina n'avait pas pour autant une santé à toute épreuve. En prenant fait et cause pour son mari, qui de son côté continuait d'affronter le danger en première ligne, la jeune épouse connut un accouchement qui tourna au drame. Le nouveau-né, un garçon, mourut quelques instants à peine après sa mise au monde. Le couple en fut profondément éprouvé. Sa vie durant, Louis Cyr sera affligé de la perte de cet enfant qui eût été, selon la tradition dans les foyers québécois, l'aîné légitime, puisque c'était un garçon. Ils s'en remirent toutefois à la volonté et à l'œuvre de Dieu.

Pendant cette même année, le nom de Louis Cyr parut pour la première fois dans les journaux de Montréal, notamment dans *La Patrie* et *The Gazette*. Le 15 avril 1885, sous la rubrique « Sport », on put lire un bref article annonçant une démonstration publique de Louis Cyr.

L'homme connu le plus fort de l'univers, notre Hercule canadien, donnera une soirée dans la salle du marché de Valleyfield, mercredi, le 17 du mois courant. Il montrera sa force extraordinaire tel que lever 12 hommes des plus pesants de la place, sur son dos, il lèvera un dumbell *de 210 livres à bras tendu au-dessus de sa tête, chargera un quart de fleur pesant 216 livres sur son épaule d'une seule main, plusieurs hommes se pendront à sa puissante chevelure et il les tournera avec une vitesse vertigineuse. Il exécutera aussi plusieurs autres tours de force, monsieur Cyr donnera 100 $ à n'importe quel homme de tous pays qui exécutera les mêmes tours de force.*

Monsieur Gus Lambert, champion boxeur du Canada, concourra à cette soirée. Monsieur Cyr donnera cent autres piastres à celui qui voudra se mesurer avec lui, à la boxe ou à la lutte.

L'association d'affaires des deux hommes se poursuivait donc, par-delà le travail de policier qu'exerçait Louis Cyr. Un défi semblable parut d'ailleurs dans le quotidien *The Gazette* du 24 juin 1885, avec une note précisant que Louis Cyr mesurait 5 pieds et 10 pouces, pesait 279 livres, avait une circonférence de poitrine de 55 pouces, une pointure de collet de 20 pouces et un tour de biceps, le bras détendu, de 20 pouces également. En mai 1885, un autre défi était publié dans le journal *Le Monde*.

Monsieur Cyr, notre Samson canadien, porte un défi pour n'importe quelle somme de 500 $ et au-dessus, pour lever le poids le plus lourd. Celui qui accepterait ce défi voudra bien déposer la somme au bureau du MONDE et dans 24 heures elle sera couverte. Ce défi est porté à tout l'univers.

Arriva le désormais célèbre après-midi du 23 septembre 1885. La rixe opposa des malandrins à Louis Cyr et à son compagnon, le constable Charles Proulx.

Sous le titre « L'affaire de Sainte-Cunégonde », le quotidien *La Presse* du 24 septembre 1885 rapportait ainsi les faits :

Cette après-midi monsieur le juge Dugas, accompagné de monsieur de Salaberry, employé du Greffe de la Cour de Police, s'est rendu à Sainte-Cunégonde, au domicile du gardien de la paix Proulx qui a été blessé grièvement hier, par quatre bandits.

Proulx était couché et souffrait beaucoup des blessures qu'il a reçues à la tête et dans le dos.

Le docteur Cypiot [sic] qui était présent l'examina et déclara que le blessé pouvait donner sa déposition ante mortem.

Voici le résumé de cette déclaration :

Le 23 septembre courant, vers deux heures de l'après-midi, des rapports sont venus au bureau de police que le prisonnier Dolphis Paquette était ivre et faisait du bruit, troublant la paix publique sur la rue Workman à Sainte-Cunégonde.

Je suis parti avec le constable Vermette, et sur la route, nous avons été rejoints par les constables Louis Cyr et David Young.

Nous sommes arrivés sur la rue Workman, les trois prisonniers et le nommé Wilfrid Paquette étaient ensemble sur la rue.

Dolphis Paquette était ivre, faisait du bruit, criait et troublait la paix publique. En nous apercevant, il nous a fait des pieds-de-nez et, se sauvant, il a blasphémé et disait qu'il se sacrait de la police de Sainte-Cunégonde et que pas un ne pouvait le prendre.

Le constable Cyr a couru après et l'a arrêté. J'ai empoigné Paquette pour aider Cyr qui avait reçu une pierre sur la tempe gauche.

Au moment où je saisissais Paquette, son frère, Arthur Paquette, me donna un premier coup de hache sur le côté gauche de la tête avec le taillant de la hache et me fit une blessure, en me fendant la peau jusqu'aux os. J'ai reçu un second coup de hache de la part de Wilfrid Paquette sur le côté droit de la tête et j'ai perdu connaissance. Néanmoins, je suis revenu assez tôt pour m'apercevoir que le prisonnier Wilfrid Ouellette me frappait à coups de pied dans le visage, pendant que j'étais à terre et me causait les blessures que j'ai sur la figure.

Pendant que j'étais à terre et comme j'allais me relever, Dolphis Paquette m'a frappé avec un corps dur que je crois être une barre de fer dans le dos et m'a causé la blessure dont je souffre le plus.

Je n'ai pas vu frapper le prisonnier Sablière, mais je l'ai entendu durant toute la difficulté crier : «Frappez, fessez, tuez.»

Et je requiers justice.

Les trois prisonniers Paquette, Ouellette et Sablière étaient présents à l'interrogatoire de Proulx.

Ouellette et Sablière ont été arrêtés par la police de Saint-Henri dans les circonstances suivantes :

Le chef Benoît, ayant appris hier vers trois heures ce qui venait de se passer, se douta que les bandits chercheraient à se réfugier à la côte Saint-Paul, où ils travaillaient ordinairement.

Accompagné du gardien de la paix Viau, il se rendit près du pont du Canal, et tous deux s'embusquèrent derrière des arbres. Une demi heure plus tard, ils aperçurent Ouellette et Sablière qui s'avançaient de leur côté. Ils se dirigèrent vivement de leur côté et les arrêtèrent. Le soir plusieurs personnes allèrent au poste de police de Sainte-Cunégonde et prévinrent les hommes que le principal auteur de la tentative de meurtre, Paquette, frère d'un des prisonniers, était à la côte Saint-Paul et qu'on devrait aller l'arrêter. Malheureusement on ne suivit pas ce conseil et on remit l'affaire à ce matin. Proulx souffre beaucoup des blessures qu'il a reçues. Il est très agité et on craint un transport au cerveau.

Cyr est presque complètement rétabli. Il a la joue gauche très enflée et s'il avait reçu le coup deux lignes plus haut, il est certain qu'il serait mort immédiatement.

L'édition du 25 septembre 1885 du journal *La Patrie* rendait compte de la même déposition du constable Charles Proulx, en omettant toutefois les autres détails de l'incident.

Fait inusité, Louis Cyr affirma dans ses *Mémoires* avoir dû affronter cinq hommes, ainsi qu'une charge à la hache. «Paquette le jeune s'élança alors sur moi, armé lui aussi d'une hache. J'allais à mon tour être frappé par-derrière et peut-être tué sur place, lorsque les gens qui assistaient, terrorisés, à cette scène sanglante, des fenêtres de leurs demeures, poussèrent une clameur d'effroi. Sans lâcher mon prisonnier, je me retournai. Il en était temps : l'arme meurtrière allait s'abattre sur ma tête. Je pus heureusement parer le coup à demi ; ce fut au bras droit que je fus atteint, la hache me tranchant les chairs. » Louis Cyr mentionnera également avoir été transporté à l'hôpital Notre-Dame, « où je dus passer cinq longues semaines ». Ce fait n'a pu être vérifié et il est probable que Louis Cyr ait confondu les visites qu'il a effectuées à cet hôpital avec un séjour à titre de patient. Il fut cependant sous les soins du Dr Théodule Cypihot, dont la résidence, en 1885, se trouvait au 108, rue Vinct, dans la municipalité de Sainte-Cunégonde. Ce Dr Cypihot était le directeur du Bureau d'hygiène de Sainte-Cunégonde. Plus tard, il devint gouverneur du Collège des médecins et fondateur de l'association athlétique d'amateurs Le National, ancêtre de la Palestre nationale, fer de lance de l'émergence d'une culture sportive chez les francophones.

L'affaire, quelles qu'en furent l'ampleur et la gravité véritables, avait suffi pour que Louis Cyr remette en question sa carrière de policier. D'autant plus qu'il reçut un autre avertissement : une hache lancée d'un toit lui effleura la tête quelque part rue Saint-Jacques, près de la rue Vinet. « Je voulais bien faire mon devoir coûte que coûte, je prenais même un vif plaisir à cette chasse aux bandits ; mais il fallait songer à la femme restée seule au foyer et à qui, de ce train, on eût fini par apporter un matin mon cadavre troué des balles de quelque malandrin. »

Un mois plus tard, Louis Cyr rendit l'uniforme, la plaque de contrôle et le bâton de service au chef Joseph Pagé, en concluant : « J'en ai assez de cette vie. » Le 20 décembre 1885, le chef Pagé lui remit un certificat de congé sous forme de lettre, attestant que « Louis Cyr avait été un homme honnête, sobre et industrieux dans tous ses devoirs ». Louis Cyr mentionnera qu'il a toujours conservé « bien précieusement » le petit document. « S'il me rappelle des souvenirs sanglants et des périls terribles affrontés, je revis aussi, en le lisant aujourd'hui, les heures de franche camaraderie passées avec le chef Pagé et les autres compagnons, alors que le service ne nous appelait pas sur les trottoirs de Sainte-Cunégonde. »

*

Louis Cyr étant dorénavant libre de son temps et de ses allées et venues, Gus Lambert décida de mettre son vieux plan à exécution : organiser un affrontement entre David Michaud et Louis Cyr pour savoir, une fois pour toutes, qui était l'homme le plus fort du Canada, puis, ce championnat bien en main, entreprendre une tournée à travers le Québec et l'Ontario, en espérant tirer profit de la notoriété de son protégé.

La rencontre avec David Michaud fut fixée à la grande salle Jacques-Cartier de Québec, le 17 mars 1886. L'enjeu s'éleva à 500 dollars, la totalité étant versée au vainqueur. Ce montant, faramineux pour l'époque, représentait le salaire annuel d'un ouvrier qualifié.

Cette salle Jacques-Cartier n'était pas le moindre des sites de la ville de Québec. Dans son *Vade mecum des citoyens et des touristes*, l'abbé Louis Beaudet a noté que, en 1890, l'endroit figurait parmi les monuments notoires de la Vieille Capitale. Situé à même la halle Jacques-Cartier, entre les rues Saint-Joseph et Saint-François, juste devant le couvent Notre-Dame-de-Saint-Roch, l'édifice était coiffé d'un toit en fer-blanc à quatre versants et avait une hauteur totale de 48 pieds. Quatre cheminées couvertes de fer-blanc dépassaient de plusieurs pieds la couverture. En guise d'ornementation, on retrouvait des linteaux de brique au-dessus des portes et des fenêtres et un filet de pierre de taille tout autour de la halle. La salle elle-même, là où la rencontre entre Cyr et Michaud eut lieu, avait une superficie de près de 5 000 pieds carrés et était conçue pour la tenue de grands spectacles tels que des représentations de théâtre et de danse. À l'une des extrémités, une porte cintrée d'une douzaine de pieds de haut par le double de large ouvrait sur une petite salle et constituait, par la même occasion, une sorte de grande scène. Ce vaste ensemble pouvait donc accueillir plusieurs centaines de spectateurs.

Le soir du 17 mars, Louis Cyr figurait l'étranger venu contester la réputation de l'idole des habitants de Québec. La salle Jacques-Cartier se trouvait, par conséquent, envahie par les supporteurs de David Michaud, dont la majorité était des militaires en poste à la citadelle de Québec. On chahuta avant même le début de l'affrontement. « Il se sentait, lui, au milieu des siens : à notre apparition en scène, on l'applaudit, et moi, on me siffla », se rappela Louis Cyr au moment de faire le récit de cet épisode au journaliste Septime Laferrière.

En fait, le spectacle se donna davantage dans la salle que sur la scène, avec les spectateurs de plus en plus médusés, puis mécontents, car Louis Cyr domina outrageusement la rencontre. David Michaud réussit avec peine un lever à un bras de 158 livres, alors que Louis Cyr leva aisément une charge de 218 livres du bras droit. Peu importait la technique, Cyr prenait l'avantage. Ne voulant pas humilier davantage son adversaire, Louis Cyr se contenta de lever 2 371 livres en *back lift*, soit 300 livres de plus que Michaud.

Un événement cocasse vint alors semer la confusion dans l'assistance, déjà passablement dérangée par la déconvenue de son idole. « David Michaud feignit l'ivresse, raconta Louis Cyr, et toute la salle alors de bondir sur pieds en hurlant : *Fake ! Fake !* » On échangea des coups, Gus Lambert y ajouta des invectives, ce qui valut, outre de nouvelles huées, une tentative d'envahissement de la scène, jusqu'à ce qu'une escouade de police, mandée sur les lieux, finît par ramener l'ordre.

Lorsque Louis Cyr quitta Québec le lendemain matin, il détenait le titre de champion du Canada et il était plus riche d'une somme de 500 dollars.

Le bouche à oreille eut plus d'effet que tout compte rendu dans les journaux. Il n'y eut que quelques lignes dans les journaux de Québec et dans le *Montreal Daily Star* de Montréal pour rappeler l'événement.

CHAPITRE 7

Le Samson canadien

La victoire de Louis Cyr sur David Michaud fut déterminante à plusieurs égards. Elle permit d'abord à Cyr de s'afficher publiquement comme l'homme le plus fort de son pays. Elle servit ensuite les intérêts promotionnels et commerciaux de Gus Lambert, ce dernier ayant mis sur pied un groupe de vedettes athlétiques parmi lesquelles figuraient des boxeurs, des équilibristes, des lutteurs, des acrobates, ce qui allait devenir le premier cirque ambulant du Canada. Puis elle devint, autant pour Louis Cyr que pour Gus Lambert, une importante source de revenus.

Lorsqu'il fut question d'une tournée en Ontario et dans les États américains frontaliers, Louis Cyr, fidèle à son habitude, alla chercher le consentement de Mélina. Mélina était enceinte pour la seconde fois, et l'idée d'une autre tragédie à la naissance la hantait. Aussi demanda-t-elle à Louis de ne pas s'absenter au-delà des premiers mois de la grossesse.

Louis Cyr alla plus loin. Il s'engagea auprès de son épouse à mettre fin à ses péripéties aventureuses dès son retour de tournée. Cette dernière fut d'ailleurs un grand succès. Avec les noms de Louis Cyr et de Gus Lambert comme têtes d'affiche, le cirque fit salle comble partout. Et partout Louis Cyr provoqua l'étonnement et l'enthousiasme. Après quelques représentations, on le surnommait déjà « le Samson canadien ».

La tournée fut aussi la première occasion pour Louis Cyr de s'attaquer à son analphabétisme. L'idée vint de Mélina. Elle suggéra à Louis de copier, mot à mot, sans nécessairement en comprendre le sens, des phrases entières d'un livre incontournable, véritable phénomène d'importation dans le paysage religieux et pédagogique du Québec : *Le Nouveau Traité des devoirs du chrétien envers Dieu*. Écrit en 1703 par Jean-Baptiste de La Salle, le fondateur des Frères des écoles chrétiennes, le manuel était omniprésent au Québec et servait autant à ordonner les pratiques chrétiennes sous toutes les coutures, réglant l'ordre des prières, les fréquentations, les manières de parler, de prononcer, de bâiller, de cracher, en somme toutes les questions ayant rapport à Dieu et à la religion, qu'à acquérir les bases de la lecture, de la grammaire et de l'orthographe. Un inspecteur d'école dira de ce manuel : « Il n'y a pas un élève qui ne l'ait lu et relu dix fois. » Dès 1855, le manuel était utilisé dans cent quatre-vingt-treize municipalités scolaires du Québec, tout en se retrouvant au centre de nombreuses querelles, religieuses et pédagogiques. Sa vie durant, Louis Cyr témoignera des principes religieux du manuel et en fera son code de comportement, s'inspirant notamment du premier article des pratiques chrétiennes : « Un vrai enfant de Dieu et de Marie aura souvent recours à la prière dans ses besoins, et il ne manquera jamais de faire dévotement celles du matin et du soir et d'assister à la Sainte Messe tous les jours autant que possible. »

Certes, Louis Cyr n'opéra pas de miracle durant cette tournée, quoiqu'il commençait à pouvoir lire et à comprendre les titres des journaux. Il faudra encore quelques années, d'autres tournées et le soutien indéfectible de Mélina pour qu'il arrive enfin à lire et à écrire convenablement, ainsi qu'en feront foi quelques rares pièces de correspondance retrouvées dans ses effets personnels. « J'étudiai le français et l'anglais, la lecture et l'écriture. Les *Devoirs du chrétien*, j'en vins à les traduire en assez bon *British* : tant et si bien que je fus bientôt en état d'en réciter des bouts *ad hoc* aux compagnons de route que je voulais embêter », précisa-t-il dans les *Mémoires*.

Revenu à Sainte-Cunégonde en mai 1886, Louis Cyr tint sa promesse. Il se porta acquéreur d'un édifice, au 749 de la rue Saint-Joseph, à l'angle de la rue Fulford, dans les limites de la municipalité de Sainte-Cunégonde, qu'il transforma en hôtel et en club athlétique. En peu de temps, l'endroit devint le rendez-vous de toute une jeunesse, parmi laquelle ne tardèrent pas à émerger quelques athlètes promis à un bel avenir. L'un d'eux fut Télesphore Milton, beau-frère du réputé contorsionniste Thomas Paquette, qui faisait partie de la troupe de Gus Lambert. Il devint champion boxeur de Montréal chez les poids légers, en dépit du statut d'illégalité qui frappait les rencontres de boxe. Un autre fut Horace Barré, un jeune travailleur de quatorze ans qui demeurait alors à la Côte-Saint-Paul. Né le 26 mars 1872, il était de neuf ans le cadet de Louis Cyr, dont il avait à peu près le même gabarit. Très vite, il se fit remarquer par sa force peu commune, si bien que Louis Cyr dirigea ses entraînements et, plus tard, en fit son partenaire et associé.

Ce n'étaient pas tant les talents d'administrateur et d'hôtelier que la notoriété de Louis Cyr qui firent prospérer le commerce. On venait de partout pour rencontrer l'homme fort que l'on voulait déjà l'émule de Samson. Ici et là, de courts articles dans les journaux vantaient ses mérites et faisaient état de ses mensurations. Lui-même continuait à se produire publiquement, comme à la salle MacMahon de Saint-Henri, où il faisait régulièrement salle comble, grâce à un prix d'entrée de 25 sous et des sièges réservés à 35 sous.

Ce régime dura quelques mois, le temps pour Mélina de donner naissance, le 31 janvier 1887, à une fille en excellente santé. Elle fut baptisée du prénom d'Émiliana. Elle sera l'unique enfant du couple.

Aussitôt Émiliana au monde, Mélina se plaignit à Louis des conditions dans lesquelles le couple allait devoir élever l'enfant. Sainte-Cunégonde était toujours un lieu douteux, sorte de bas-fonds réfractaire à toute morale, où la salubrité publique continuait d'inquiéter les dirigeants municipaux, en même temps que la truanderie continuait d'envahir les rues et de multiplier les rackets. Et ce n'étaient pas une quelconque ligue des bonnes mœurs ni les sermons du haut d'une chaire d'église qui allaient venir à bout des ravages.

Louis Cyr, que cette vie d'hôtelier quasi sédentaire ne séduisait guère, se laissa convaincre de partir à court terme. Mais auparavant, il lui fallait économiser une forte somme afin de mettre sa petite famille à l'abri du besoin, dans l'éventualité d'une période de vaches maigres. Il fit part à Gus Lambert de son intention de prendre seul sa destinée en main, puis il forma sa propre troupe d'athlètes tout en projetant une tournée de deux mois en Nouvelle-Angleterre. S'inquiétant par la même occasion de la situation financière de ses parents à Sainte-Hélène-de-Bagot, il leur proposa un petit commerce, une buvette comme il l'appelait, situé au 170, rue Workman, à faible distance de sa propre entreprise hôtelière. Il en fut le bailleur de fonds. Il était grand temps d'ailleurs que pareille occasion se présentât pour Pierre et Philomène Cyr. Mal remise de son treizième accouchement, celui de Joseph-Thomas, né le 9 mars 1883 alors que le couple venait de prendre possession de leur terre à Sainte-Hélène-de-Bagot, Philomène Cyr souffrait de plus en plus de son embonpoint, aggravé de crises d'asthme. Impossible pour elle de maintenir le rythme des travaux des champs et de l'étable. Ce fut le jeune Pierre, à l'aube de ses dix-neuf ans, qui prit la relève, aidé de quelques-uns de ses frères et sœurs.

Pour la seconde fois en un an, Louis Cyr prit la route des États-Unis. Ce fut à Lowell, le lieu de l'exil familial, qu'il triompha. Dans les journaux francophones du mouvement de la Survivance, on fit de lui le plus grand champion du Canada. Un journal américain le présenta comme Louis Saint-Cyr et affirma que c'était bien à Lowell qu'il était né, ce qui faisait de lui un Franco-Américain. Ce fut également à Lowell que, pour la première fois, Louis Cyr se risqua en public à l'épreuve qui allait contribuer à sa légende :

le tir des chevaux. Sanglé aux bras par des harnais, il résistait à deux lourds chevaux tirant en sens opposé. Et ce fut à Lowell qu'il porta la charge humaine qu'il soulevait « sur les reins » au-delà des 3 000 livres. Quant aux haltères, il utilisa les nouvelles masses récemment fondues, d'un poids de 245 livres, expliquant que « ceux qu'on m'avait donnés autrefois à Lowell étant devenus pour moi, avec les années et la pratique, beaucoup trop légers ».

Visitant les centres francophones de la Nouvelle-Angleterre, Louis Cyr et sa troupe allèrent de triomphe en triomphe. Celui qui, à peine sept ans plus tôt, peinait dans un entrepôt d'une manufacture de textile était maintenant reçu en champion. « Les anciens patrons vinrent me serrer la main, se plaisant à rappeler les prédictions qu'ils avaient faites autrefois à mon sujet, au temps où je travaillais à la manufacture », rappela-t-il à propos de cette tournée.

De retour avec d'intéressants bénéfices en poche, Louis Cyr combla Mélina en vendant l'hôtel. Le temps d'entasser quelques biens dans la voiture à bagages, ils prirent le train jusqu'à Joliette et, de là, le chemin bordé de grands arbres et louvoyant d'un flanc de montagne à un autre, jusqu'à Saint-Jean-de-Matha.

*

Louis Cyr et Mélina renouaient avec l'arrière-pays et semblaient vouloir prendre racine, selon une tradition longuement établie. Être de quelque part, c'était posséder un lopin de terre et remuer celle-là à la sueur de son front, ne s'arrêtant qu'à l'angélus et au coucher du soleil. Un credo que partageaient tous ceux qui ne juraient que par l'appel du curé Labelle.

Passé le temps des grandes célébrations de Noël et du Jour de l'An, Évariste alias Évangéliste Gilbert, dit Comtois, le beau-père de Louis Cyr, fit donation à ce dernier, le 9 janvier 1888, d'une terre dans le premier rang Saint-Pierre, constituée de trois parties de trois lots différents, d'une superficie totale de quelque 70 arpents.

Saint-Jean-de-Matha avait beaucoup changé depuis que Louis Cyr avait quitté le village pour retourner à Lowell, en 1883. Une nouvelle église y avait été érigée, en même temps qu'un nouveau presbytère. Un bâtiment en pierre, avec une sacristie également en pierre. L'église fut construite à 200 pieds au nord du chemin Royal donnant directement sur le rang Sainte-Louise, au cœur de la paroisse. Sa construction avait coûté 23 600 piastres et la somme fut acquittée en douze versements semestriels à l'entrepreneur François Archambault, de L'Assomption. Il en avait coûté 12 000 piastres de plus pour les travaux intérieurs du temple, notamment les peintures et les châssis coloriés. Quant à la cérémonie la plus importante, soit la bénédiction de l'église et des trois cloches, elle avait eu lieu le 14 novembre 1886 en présence de l'archevêque de Montréal, Mgr Édouard-Charles Fabre, le même qui avait confirmé Louis Cyr, alors Cyprien Noé, en l'église de Saint-Valentin neuf ans plus tôt. Les cloches étaient de taille : un poids total de 4 092 livres, un peu plus que 2 tonnes impériales, formant un magnifique et puissant carillon qui rendait les notes *fa, sol* et *la*. Une anecdote du temps, racontée par un prêtre du nom de Beauregard, voulait que Louis Cyr, impressionné par le poids des trois cloches, s'en inspirât pour éventuellement tenter de soulever cette charge en utilisant le *back lift*, technique qu'il rendit célèbre.

Parmi les autres changements, il y avait eu la nomination d'un curé pas comme les autres : Théophile-Stanislas Provost. L'homme était cultivé, riche et influent. Il possédait des terres immenses, une grande partie du mont Saint-Jean et quelques sources qui alimentaient des scieries, une propriété qui offrait une vue d'une rare beauté et se situait à 2 arpents en arrière de l'église. Sa ferme de 123 arpents était considérée comme une des meilleures et des plus productives du Québec. Un rapport du curé Provost la décrivait comme « disposant de pâturages toujours extrêmement fournis d'herbe excellente ; les légumes, les céréales, le foin surtout y produisaient les meilleures récoltes possibles. On y récoltait au-delà de trois cents bottes de foin par arpent et l'avoine y pesait quatre-vingt-seize livres le sac de deux minots ». Farouche partisan des efforts de colonisation du curé Antoine Labelle, le curé Provost se servait de son influence politique auprès du Premier ministre Honoré Mercier pour promouvoir le projet d'un chemin de fer qui relierait directement Saint-Jean-de-Matha à Saint-Jérôme, tout en se déclarant un farouche opposant à l'émigration des cultivateurs de la région vers les manufactures des États-Unis.

Mais alors que Louis Cyr s'apprêtait à établir paisiblement sa petite famille à Saint-Jean-de-Matha, à quelques arpents des eaux tumultueuses de la rivière Noire, avec une vue imprenable au nord sur des montagnes se détachant par beau temps sur le bleu du ciel, des promoteurs de la Nouvelle-Angleterre avaient d'autres idées. C'étaient des dirigeants canadiens-français en quête de moyens pour promouvoir l'identité culturelle aux États-Unis qui misaient sur la réputation du « Samson canadien » pour lier, plus étroitement encore, chaque Petit Canada. Au Massachusetts, dans le Maine, le Connecticut, le Vermont, le Rhode Island, on faisait mousser les exploits de Louis Cyr. Et par la même occasion, on créait la demande avec beaucoup de persistance, et avec l'appui de journaux comme *Le Castor* de Fall River, *L'Avenir national* de Saint-Albans, *L'Étoile* de Lowell, *La Patrie nouvelle* de Cohoes (État de New York). Même le *Boston Herald* consacra des lignes à un « Canadien français qui pourrait bien défier les hommes les plus forts de la Terre ». Concrètement, on invita Louis Cyr à réaliser une tournée qui le promènerait dans trois États, en passant par Concord, Manchester, Lowell, et de là, en profitant des soirées patriotiques organisées par le mouvement de la Survivance, à Worcester, Sturbridge, Pawtucket et Woonsocket, dans le Rhode Island.

Difficile pour Cyr de refuser l'offre, sachant que toutes ces communautés majoritairement canadiennes-françaises étaient ses points d'ancrage aux États-Unis. Certes, ces promoteurs poursuivaient un but idéologique, mais lui-même se découvrait une âme de militant, tout en sentant qu'il allait forcément, un jour, entrer dans la légende épique du vaste ensemble franco-américain.

Le projet valut à Louis Cyr une nouvelle discussion avec Mélina. Deux autres mois d'absence, alors qu'ils venaient tout juste de s'installer sur une bonne terre. Cette fois, Louis n'éluda pas la grande question : il ne serait jamais un cultivateur, trancha-t-il. Autant il aimait les grands espaces qu'offrait Saint-Jean-de-Matha, la variété des scènes champêtres, la promesse de temps splendide durant la belle saison, autant il savait qu'il ne mettrait jamais les efforts pour que ses arpents devinssent une terre de fortune. L'obligation de se consacrer chaque jour aux tâches agricoles le priverait de l'essentiel : se retrouver libre comme l'oiseau dans l'air. Et tant qu'à avoir des soucis d'affaires, il préférait qu'ils fussent liés directement à des bénéfices engendrés par le don de la force.

La tournée de Louis Cyr s'amorça en mars 1888. Les Canadiens français devant lesquels Louis Cyr se produisait n'étaient plus de simples « oiseaux de passage ». Les quelque trente-sept mille émigrés de 1860 étaient passés à plus de trois cent mille, et ils comptaient dans leurs rangs plusieurs élites ayant acquis une stature nationale. De la sorte, ils étaient parvenus à imposer leur vision des choses et à incarner la cause sacrée de la Survivance. En réalité, après quarante ans de va-et-vient entre le Québec et les États-Unis, les Canadiens français de l'exode avaient fini par former un élément solide et de grande valeur, malgré un mouvement de xénophobie à leur endroit et des articles très hostiles, tel celui du *New York Evening Post* du 22 octobre 1888, qui parlait d'une « horde d'envahisseurs industriels ». Ce que Louis Cyr constata au cours de cette tournée, c'était que l'exode avait donné naissance à une véritable classe moyenne franco-américaine qui se réclamait toujours d'une identité souche, mais qui s'imposait maintenant dans l'univers industriel américain, les épiceries, les tavernes, les saloons, les magasins de mode féminine, les entreprises de cigarettes et de cigares, tout en patronnant les manifestations à saveur nationaliste.

Portée par ce puissant réseau et les journaux franco-américains, la tournée de Louis Cyr fut un véritable triomphe. On voyait en lui le héros qui, chaque jour, rappelait qu'aux mille et une occasions de perdre en identité, langue et foi s'opposait la fierté des origines.

À la fin d'avril 1888, le printemps était déjà bien installé dans le Rhode Island. Les belles bâtisses en brique rouge de la Nouvelle-Angleterre, certaines remises à neuf, étaient parées de fleurs fraîches et les citadins profitaient des soirées chaudes pour s'adonner aux longues promenades et fréquenter les salles de spectacle. Les organisateurs d'une des représentations de Louis Cyr, sous le patronage de l'Union Saint-Jean-Baptiste de Woonsocket, venaient de recevoir un message de deuil à lui remettre dès son arrivée. Rien à voir avec la promotion de « la culture française au service de Dieu et de la Patrie ». Le télégramme annonçait la mort de Philomène Berger, la mère de Louis Cyr. Décédée le 11 avril 1888, elle avait été inhumée le 13 avril au cimetière de Sainte-Hélène-de-Bagot. Elle était âgée de quarante-quatre ans à peine.

Louis Cyr fut doublement dévasté par l'annonce de cette mort. Il avait seulement vingt-quatre ans et déjà il perdait l'être qui lui était le plus cher, son inspiration, son guide spirituel. « Je me souviens qu'à chacune de mes visites au foyer, la suprême recommandation de ma mère revenait, toujours la même : "Et surtout, mon gros Louis, n'oublie pas l'église" », se souvint à jamais Louis Cyr, en ajoutant : « Je vous avouerai que jamais il ne m'est arrivé d'avoir à soutenir un grand match sans qu'au préalable je n'eusse reçu, à quelque messe du matin, la Sainte Communion. » Plus tragique encore, il n'eut pas la grâce que tout enfant souhaite, soit d'honorer la dépouille de sa mère à l'église et au cimetière.

Revenant au Québec, il se fit un devoir d'aller aussitôt se recueillir sur la tombe de celle qui dormait éternellement à l'ombre de la grande croix du cimetière de Sainte-Hélène-de-Bagot. Il aura pour elle ces mots : « Sur la tombe de celle qui m'a légué l'héritage de mes principes religieux et celui de ma force physique je veux déposer ici le suprême hommage de mon respect et de mon affection. »

*

Le décès de Philomène Cyr eut de profondes répercussions sur la cellule familiale. Veuf à quarante-neuf ans, Pierre Cyr ne put se résoudre à continuer seul de s'occuper à la fois de sa terre de Sainte-Hélène et de la buvette de Sainte-Cunégonde. Il projeta donc de vendre la ferme le plus rapidement possible. L'aînée des filles, Marie-Alphonsine Malvina – qui était le portrait de sa mère, tout aussi imposante que forte –, prit la relève pour quelques mois. Elle était mariée depuis cinq ans à Moïse Hébert, et le couple était propriétaire du moulin à farine de la place. Ils accueillirent sous leur toit les plus jeunes enfants, en attendant que leur père réorganisât sa vie.

Pour sa part, Louis Cyr porta le deuil profond de sa mère jusqu'au cœur de l'été 1888. Mélina comprit alors qu'il n'y avait qu'un remède pour redonner à son mari le goût de la vie : les aventures d'une tournée. « Pourquoi pas le tour de la province de Québec ? » suggéra-t-elle. Louis Cyr ne se fit pas prier, mais il y mit une condition : que Mélina en soit, comme son soutien moral d'abord, sa partenaire ensuite. Une surprise les attendait : le jeune Pierre, « p'tit Pierre » comme l'appelait affectueusement Louis, se manifesta. Il venait d'avoir vingt ans, avait le goût des aventures, aucun souci du lendemain, une admiration sans bornes pour son grand frère, et surtout il démontrait une force hors du commun pour un poids léger. De même taille que Louis, il pesait à peine 170 livres, mais s'était livré à de nombreux exercices qui avaient particulièrement développé la force de ses doigts. Doté en outre d'une grande agilité et de bons réflexes, il ambitionnait de devenir un champion du pugilat. « Il avait en lui de la bonne *étoffe*, je me fis son entraîneur », expliqua Louis Cyr.

Mais avant de prendre la route pour plusieurs mois, Louis Cyr voulut s'assurer que tout allait pour le mieux dans sa famille. Il rassura son père en lui promettant que, dès son retour, il achèterait lui-même la terre de Sainte-Hélène, et ce, aux meilleures conditions. Puis il rencontra pour une des dernières fois Gustave Lambert. Ce dernier s'apprêtait à vendre son hôtel et son club athlétique afin d'aller tenter fortune, pour une énième fois, aux États-Unis. D'ailleurs, quelques mois plus tard, Gus Lambert fit parler de lui à Troy et à Cohoes, dans l'État de New York, puis à Adams, dans le Massachusetts, avant d'entreprendre un séjour de près d'un an en Irlande et en Angleterre, où des dépêches provenant de Dublin, de Shipley, de Heckmondwike, de Bootle, même de Londres, firent état de combats de boxe et de lutte auxquels il participa, victorieusement dans la plupart des cas.

Le départ de Saint-Jean-de-Matha se fit sans éclat. Une voiture chargée de l'équipement minimal, c'est-à-dire huit haltères de taille moyenne et quatre gros haltères, deux tréteaux et une plate-forme, afin de réaliser le *back lift*, et les bagages de trois personnes. Rien d'autre. D'expérience, Louis Cyr savait que le bouche à oreille opérait à merveille, surtout dans l'arrière-pays. Ce fut d'ailleurs la tâche de Pierre Cyr de propager la bonne nouvelle : Louis Cyr arrivait dans la paroisse, il était l'homme le plus fort du pays, peut-être l'homme le plus fort de la planète, et il défiait quiconque, montant substantiel en jeu, de répéter ne fût-ce qu'un seul de ses exploits. Bientôt, l'attelage de Louis Cyr fut accueilli par des rassemblements de curieux. Des gens incrédules certes, impatients de confondre cette véritable « bête de cirque », dont les longs cheveux tombaient sur les épaules. On supputait sur le secret de sa force, si bien qu'en quelques semaines le surnom de « Samson canadien » fit partie de la présentation publique qu'on faisait de Louis Cyr. D'ailleurs, la raison seule n'expliquait en rien les prodigieuses démonstrations de ce véritable démiurge de la force, que plusieurs tenaient maintenant pour l'héritier du Samson biblique. On cherchait alors du côté de ses mensurations : le volume de sa poitrine, de ses bras, surtout de ses jambes. Des anomalies selon certains. Des trucages selon d'autres, surtout lorsque Louis Cyr exécutait d'un seul bras un lever de plus de 200 livres. Or, il avait dépassé depuis belle lurette, sans même le savoir, le plus lourd lever jamais effectué par un humain. Partout, le *bully* de la place – ainsi désignait-on à la campagne celui qui, dans chaque paroisse, se prétendait le plus fort au tir au poignet ou à quelque autre épreuve, comme la marche avec des brouettes surchargées ou les soulevés de sacs de grains ou de barils – lançait un défi à Louis Cyr. Ce qui fit dire à ce dernier : « Tout le long du voyage, autant de fiers-à-bras reconnus, autant de défis pour moi. Je les acceptais bien volontiers, heureux, au fond, de constater combien profond existe chez nous le culte de la puissance physique. »

La tournée se prolongea sur presque 2 000 kilomètres, souvent en voiture, par tous les temps, parfois en train, surtout dans l'est du Québec, entre Matane et Québec. En relatant ses *Mémoires* au journaliste Septime Laferrière, Louis Cyr évoqua ces temps durs. « Bien des fois, sous la pluie tombant par torrents, nous maudissions presque notre équipée. Dans des côtes au sol détrempé, souvent je me voyais forcé de descendre de voiture et mettre l'épaule à la roue. » Il décrivit également les conditions d'hébergement auxquelles le trio fut souvent confronté. « Comme hôtels, souvent, de véritables trous. Dans un village situé non loin de Québec, je trouvai un asile dans une maison de pension, la seule de l'endroit. On nous y servit des fèves au lard dans le bassin qui devait servir en même temps à notre toilette. Et des punaises, il y en avait plein le lit. Pendant deux jours que nous passâmes à cet endroit, je ne pus ni manger ni dormir. » Quant aux lieux des représentations, Louis Cyr se produisit autant dans des salles paroissiales que sur des places de marché, et même dans des granges ouvertes aux quatre vents.

Ce fut probablement à Rivière-du-Loup que Cyr souleva pour la première fois une plate-forme chargée de plus de 3 500 livres. Lorsque Pierre Cyr distribua des placards annonçant que son frère lèverait « sur les reins » presque 4 000 livres, on cria au bluff, surtout à l'*Hôtel central*. L'incrédulité atteignit son comble lorsque Louis Cyr demanda à son frère d'annuler l'habituel programme et paria 50 dollars avec le propriétaire d'une grande ferme qu'il lèverait le moulin à battre de ce dernier, d'un poids de 3 000 livres, en y ajoutant les 600 livres de la plate-forme.

Le récit qui fut fait mentionna que le notable de Rivière-du-Loup avait demandé un prix d'entrée entre 50 cents et 1 dollar à des spectateurs privilégiés, qu'il y eut salle comble et que plusieurs curieux ne purent trouver de place dans la vaste grange. «Sans plus de formalités, j'allai me placer sous la plate-forme, à l'endroit que j'avais déjà marqué au crayon, dans l'après-midi, et une première fois je soulevai sur mes reins le lourd fardeau. Une seconde seulement, d'abord, je le tins au-dessus des chevalets, affaire de mettre mes nerfs à l'épreuve, puis, me reprenant dans un second effort, pendant près de deux minutes l'énorme machine me resta appuyée sur les reins.» Selon une légende louperivoise qui circulera plus tard, Louis Cyr offrit à l'homme de grimper sur la plate-forme, pariant 100 dollars supplémentaires qu'il lèverait une fois encore la charge, ce qu'il aurait fait, sous les applaudissements d'une foule en délire.

D'évidence, le moulin à battre n'avait pas été officiellement pesé, pas plus qu'on ne chronométra la durée de l'effort de Louis Cyr. Il semble toutefois plausible que Louis Cyr soutint ce jour-là une charge de plus de 3 000 livres pendant plusieurs secondes. Il réalisera l'exploit d'une manière officielle peu après, au collège commercial Saint-Joseph de Berthierville, au début d'octobre 1888.

L'événement de Berthierville constitua une première. Ce soir-là, devant une salle comble du collège commercial, Louis Cyr souleva une charge de 3 536 livres, sans l'aide d'aucun harnais, fut-il précisé, leva d'un seul bras au-dessus de la tête un haltère de 245 livres, le plus lourd de l'arsenal de fonte qui l'accompagnait, et souleva du majeur de la main droite une charge combinée de 527 livres. Un comité de notables avait eu pour tâche de surveiller la pesée officielle de toutes les pièces utilisées et de signer un document qui fut, par la suite, publié par le journal montréalais *The Gazette*. Peu après, le 11 octobre 1888, une semblable attestation, signée par le notaire de Louiseville, J.-F. Rivard, le député L.-A. Plante, de l'Assemblée législative du Québec, et le maire de Louisville et préfet du comté de Maskinongé, L.-H. Mineau, fut également publiée.

Le 19 novembre 1888, de retour de la plus fructueuse tournée de sa jeune carrière, Louis Cyr acheta la ferme de son père et la revendit, le même jour, à un cultivateur de

Sainte-Hélène-de-Bagot, Jacob Rémillard. Vers la même période, Pierre Cyr, le père de Louis, vendit également le petit commerce de la rue Workman, à Sainte-Cunégonde. Ne supportant pas davantage la solitude dans laquelle l'avait plongé le décès de Philomène, il épousa, le 28 février 1889 à Saint-Henri, Philomène Thibodeau, veuve d'un certain François Courcelles.

*

La petite Émiliana venait d'avoir deux ans. Trop jeune pour suivre ses parents durant les tournées, la fillette s'habitua tôt à gambader dans la maison de ses grands-parents Comtois, qu'elle tint pour ses parents autant que Louis et Mélina.

En mars 1889, le trio se retrouva en Nouvelle-Angleterre et le jeune Pierre fit ses débuts dans une démonstration de force. Il n'avait ni la réputation ni le charisme de Louis, mais il s'acquitta à merveille de ce qu'on attendait de lui. Imitant les exploits de son frère, il supportait une charge supérieure à 2 000 livres sur les reins, sans harnais, levait d'un doigt plus de 400 livres et exécutait un dévissé de près de 200 livres. Pour ce dernier lever, il utilisait probablement l'haltère de 197 livres.

Reprenant la tournée du Québec aussitôt le printemps arrivé, Louis Cyr décida d'augmenter le poids de l'haltère qu'il levait d'un seul bras. Selon les affiches placardées par Pierre, on annonçait dorénavant que Louis Cyr levait d'un bras 265 livres. Il fit d'ailleurs marquer l'haltère de ce chiffre. Or, chaque sphère était partiellement creuse et munie, aux extrémités, d'écrous amovibles. C'était par ces orifices que Louis Cyr pouvait lester l'haltère avec des granules de fer, soigneusement pesées au préalable.

Se souvenant d'un incident arrivé à Arthabaska, Louis Cyr raconta qu'un certain Bergeron cria au truquage en faisant allusion aux sphères creuses. Ce même Bergeron, un habitué du maniement des haltères, avait réussi un dévissé de 155 livres, ce qui constituait une réussite digne de mention.

Comme il ne cessait d'invectiver Louis Cyr, ce dernier l'empoigna par la ceinture et en un tournemain le balança en l'air, le tenant ainsi pendant plusieurs secondes. «Au fond, ajouta Cyr, il ne me déplaisait pas de rencontrer ainsi des incrédules: leurs longs discours me servant plutôt de réclame. »

Jusque-là, d'une tournée à l'autre, Louis Cyr se comportait tel un hercule forain, exécutant partout les mêmes numéros, offrant à quiconque, moyennant un enjeu de 500 dollars, d'égaler un seul de ses exploits. Sauf pour son affrontement avec David Michaud, il ne se préoccupait guère de techniques, de règles, voire de records. Louis Cyr ignorait encore qu'en Europe, durant la même période, on commençait à organiser des concours de levers d'haltères, particulièrement en France, en Allemagne, en Autriche et en Angleterre. Au record de l'Américain Richard Pennell, établi en 1874 pour le lever à un bras, on opposait celui de Franz Stähr, de Vienne. Ce dernier avait soulevé, en utilisant la technique du dévissé, la charge de 210 livres. Un certain Karl Rippel avait pour sa part épaulé et jeté, à deux reprises et à deux mains, un poids de 280 livres. L'exploit avait eu lieu à Vienne le 3 janvier 1888. Quant au record absolu de soulevé à un doigt, il semblait appartenir au marquis Alfred Pallavicini. Dans une épreuve entre une douzaine d'hommes forts qui aurait eu lieu dans le palais du marquis, à Vienne en septembre 1877, il aurait réussi un lever de 440 livres du majeur de sa main droite.

Pendant que s'organisaient ces rencontres, des tentatives de codification des levers, en précisant avec force détails les façons d'amener les haltères courts et longs à l'épaule, puis à bout de bras, d'une main comme de deux mains, avaient cours. En Allemagne, par exemple, on privilégiait un ensemble de sept levers, trois à un bras et quatre à deux bras. En Angleterre, en France et en Russie, les levers à un bras avaient la faveur des promoteurs, si bien que lorsque plusieurs de ces athlètes entreprirent des tournées aux États-Unis, la mode du dévissé se répandit largement. On attribuait d'ailleurs cette technique à Louis Durlacher, né à Baden, en Allemagne, en 1844, qui acquit une grande notoriété à compter de 1889 sous le pseudonyme de professeur Attila.

Presque en même temps, en France, un adepte de la gymnastique et des mouvements de force, Edmond Desbonnet, qui se fera appeler partout professeur Desbonnet, fonda la première école d'exercices athlétiques, qu'il nommait «enlèvement des poids et haltères», au fond de la cour du café *Au Mirliton*, rue Nicolas-Leblanc à Lille. Plus tard, l'école se transporta à Roubaix, pour finalement connaître un grand succès lors de son déménagement à Paris. Ce fut Edmond Desbonnet qui prescrivit tant la nomenclature des différents levers que la description des étapes d'un lever et les termes techniques qui définissaient chaque manœuvre. Ainsi, pour le dévissé, on reconnaissait une position de départ consistant à empoigner l'haltère par son milieu, d'une main ; puis il convenait d'exécuter l'épaulement en un temps avec une seule main, d'incliner le corps du côté opposé au poids en déployant le bras sans aucune secousse, de redresser le corps complètement, l'haltère au bout du bras tendu verticalement, et de conserver la position pendant cinq secondes. Or, peu d'athlètes respectaient ce code. Soit ils utilisaient des trucs de souplesse et d'adresse pour escamoter une manœuvre, soit ils recouraient au faux bras tendu en exagérant la torsion du corps, soit encore ils prenaient appui de l'autre main sur le genou, ou alors, plus fréquemment, ils épaulaient l'haltère en se servant des deux mains.

Louis Cyr n'eut jamais recours au dévissé, probablement parce que sa morphologie ne lui permettait pas d'incliner latéralement son corps. Il se contenta d'un mouvement de pure puissance, l'haltère à l'épaule, le corps bien droit, le coude appuyé sur le côté, en développant progressivement le bras sans presque fléchir le buste, hormis un léger écart latéral nécessaire à la conservation de l'équilibre. C'était un pionnier avant l'heure, et on parlera beaucoup plus tard du «lever à la manière Louis Cyr».

*

L'année 1889 marqua l'ouverture officielle du parc Sohmer, à Montréal, un endroit qui contribuera à la notoriété de Cyr pendant plus de quinze ans. Cette même année, il releva le défi de celui qui allait devenir un des hommes les plus forts du monde, Horace Barré. Finalement, un certain Eugen Sandow, le protégé du professeur Attila, se proclama l'homme le plus fort du monde à Londres en novembre 1889.

Le 1er juin 1889, le parc Sohmer ouvrit ses portes à toute la population montréalaise. C'était, à proprement parler, la plus grande entreprise de divertissement du Canada. Ce parc s'inscrivait bien dans la tradition internationale de la formule d'attractions, en combinant le café-concert, le jardin de musique et les expositions. Son fondateur et animateur, le propriétaire d'un magasin de musique Ernest Lavigne, était de loin le musicien le plus populaire de Montréal. Son talent l'avait fait séjourner en Italie, en France, en Allemagne, en Belgique et, plus tard, aux États-Unis. Le nom de Sohmer fut donné au parc en raison de la marque de piano du même nom dont le magasin de Lavigne et de Louis-Joseph Lajoie avait l'exclusivité de vente au Canada. D'ailleurs, seuls les pianos Sohmer étaient utilisés lors des concerts au parc.

Dorénavant, des dizaines de milliers de personnes allaient faire du parc Sohmer leur lieu de rendez-vous dominical. Situé dans l'est de Montréal, dans le quartier Sainte-Marie, le parc Sohmer allait profiter d'une forte augmentation de la population ouvrière de cette partie de la métropole, tout en s'inspirant des modèles de divertissements rendus immensément célèbres par l'Exposition universelle de Paris. Outre la musique populaire, le public réclamait des nouveautés telles que des feux d'artifice, des spectacles de cirque, ce qui allait en peu de temps faire du parc Sohmer un lieu comparable aux plus prestigieux endroits d'Europe et des États-Unis. Bientôt, les noms de Sohmer et de Louis Cyr allaient devenir indissociables.

L'affrontement avec le jeune Horace Barré eut lieu le samedi 12 novembre 1889 dans une salle de l'hôtel de ville de Saint-Henri. Les raisons de cette rencontre sont toujours demeurées obscures, d'autant plus que Barré n'était qu'à l'aube de ses dix-huit ans. Mais comme il était le protégé de Louis Cyr, on peut imaginer que ce dernier jugea Barré de taille à l'affronter dans une rencontre pour le championnat du Canada. On pesa les deux hommes : Barré fit osciller la balance à 226 livres et Cyr à 285 livres. Puis on procéda à la pesée des haltères, ce qui indique bien qu'on avait donné à cette confrontation un caractère officiel. Les six haltères pesaient respectivement 54 livres, 73 livres, 97 livres, 105 livres, 195 livres et 265 livres. Le compte rendu que fit le journal *La Presse* mentionna que « Barré leva le 195 facilement. Cyr prit le 265 et réussit à le lever à sa bouche, puis à son épaule et finalement au-dessus de sa tête. Barré n'osa le lever ». Les deux hommes s'affrontèrent ensuite au *back lift*. On utilisa une table recouverte de fer, d'un poids de 140 livres, sur laquelle on plaça six haltères d'un poids total de 789 livres, un baril de farine de 218 livres, tout en invitant des hommes dont les poids allaient de 144 à 218 livres à monter sur la table. Barré abandonna à 1 816 livres et Cyr se rendit à 2 378 livres, un poids qui était bien en deçà de ses moyens.

En fait, ce ne fut pas tant la performance de Louis Cyr qui donna une valeur historique à l'affrontement que la nature même de la rencontre. On la reconnut comme le premier championnat de force disputé sur le territoire de Montréal et on qualifia, pour la première fois, Louis Cyr d'athlète.

La rencontre valut également à Louis Cyr un article avec illustration dans le *Illustrated Police News* de New York. Le texte mentionnait que Cyr, âgé de vingt-six ans, pesait 323 livres, qu'il était le champion incontesté chez les leveurs d'haltères du Canada, qu'il détenait plusieurs records du monde, tant pour les levers d'haltères que pour d'autres épreuves de force, qu'il avait battu le record de l'Européen Staehr, établi à Vienne le 9 décembre 1885 et qu'on donnait à 245 livres (il était en réalité de 210 livres), qu'il levait d'un doigt deux haltères reliés par une corde, d'un poids total de 460 livres, et qu'il avait soulevé, en *back lift*, la charge de 3 962 livres à Manchester, État du New Hampshire, lors d'une récente tournée en Nouvelle-Angleterre. L'illustration qui accompagnait le texte était tirée d'une photographie truquée attribuée à John Wood, de New York. Cyr y était représenté en maillot d'athlète, les bras dégagés, cheveux longs et bouclés, moustache, tenant un immense haltère à sphères du bras droit. Pour la première fois, un public américain, en particulier de la ville de New York, pouvait voir à quoi ressemblait celui que les communautés franco-américaines de la Nouvelle-Angleterre surnommaient le « Samson canadien ».

Ce fut au tour de la Société Saint-Jean-Baptiste de Montréal de récupérer la notoriété grandissante de Louis Cyr. Informée de la place qu'avaient accordée les sociétés Saint-Jean-Baptiste de la Nouvelle-Angleterre à Louis Cyr lors de ses récentes tournées dans le Nord Est américain, l'organisation, qui avait pignon sur rue à Montréal, organisa un rassemblement pour vanter les mérites de l'homme fort, le rapprocher de la cause nationaliste qu'elle défendait et en faire en quelque sorte un porte-étendard de l'identité culturelle des Canadiens français. Moment d'autant plus opportun qu'un francophone, Jean-Louis Beaudry, venait tout juste de succéder à l'anglophone John Joseph C. Abbott comme maire de Montréal. À l'occasion de cette fête, les personnalités politiques d'origine québécoise étaient d'ailleurs aux premières loges du *Queen's Theatre*. Le Premier ministre du Québec, l'honorable Honoré Mercier, s'y trouvait, tout comme le chef de l'opposition à la Chambre des communes d'Ottawa, l'honorable Wilfrid Laurier. Ce dernier ne cachait surtout pas l'admiration qu'il vouait à Louis Cyr, en qui il voyait justement le héros qui allait succéder à Jos Montferrand, sur qui il avait jadis commis un début de biographie alors qu'il était encore un jeune journaliste. Des deux orateurs qui intervinrent ce jour-là, le premier était Joseph-Xavier Perrault. Premier Canadien français à obtenir le titre d'agronome et l'un des fondateurs de la Chambre de commerce du district de Montréal, en 1887, Perrault avait voté contre le projet de Confédération canadienne alors qu'il était député de Richelieu à la Chambre d'assemblée du Canada-Uni. Habitué de l'hôtel de Gus Lambert, Joseph-Xavier Perrault y avait rencontré Louis Cyr, comprenant dès lors que le jeune homme était promis à un brillant avenir athlétique.

Vint ensuite le discours de Laurent-Olivier David. Homme de loi et de lettres, il était le président de la Société Saint-Jean-Baptiste et le fondateur du Monument national. Ironie du destin, Laurent-Olivier David était aussi l'auteur d'une œuvre parue en 1884, *Les Patriotes de 1837-1838*, dont il avait dit que son « intention n'était pas de démontrer que les patriotes de 1837 avaient eu droit de se révolter, mais uniquement de prouver que leurs griefs étaient sérieux, leurs motifs honorables, leur patriotisme incontestable, leurs sacrifices et leur dévouement héroïques, le résultat de leurs actes utile à la liberté, à l'avenir de leur pays ». Or, il ne manqua pas l'occasion de rappeler que c'était dans la patrie de Louis Cyr, Saint-Cyprien-de-Napierville, que le Dr Robert Nelson avait proclamé la république indépendante du Canada, le 3 novembre 1838, à quelques heures de la bataille d'Odelltown, un peu plus d'un demi-siècle plus tôt. Pour témoigner des mérites de Louis Cyr, on lui remit une ceinture emblématique, portant l'inscription *Fortissimo* en lettrage embossé, sur fond de tissu bleu, blanc et rouge. Le mot, en latin, était considéré comme un superlatif et équivalait au qualificatif « très fort ». Cette même ceinture, Louis Cyr la portera au cours de toutes les rencontres athlétiques auxquelles il participera sur deux continents, de 1889 à 1906.

Le jour même ou presque, se tenait à Londres, en Angleterre, une rencontre entre deux hommes forts aux prétentions illimitées et un jeune Prussien d'à peine vingt-deux ans, récemment débarqué en Grande-Bretagne, qui allait avoir une influence déterminante sur la carrière et la vie de Louis Cyr.

Le premier de ces trois hommes était Charles-Antoine Sampson, né en Alsace-Lorraine en 1859. Très jeune, il avait combattu et avait été blessé lors du conflit franco-prussien de 1870-1871. À quinze ans, il se produisait dans un cirque, ce qui lui fit découvrir l'Amérique. Profitant de cette expérience, il mit au point plusieurs numéros d'adresse et de force grâce auxquels il devint la vedette des théâtres londoniens et, en quelque sorte, le pionnier de « l'âge d'or de la force », ainsi que l'on qualifia cette période faste qui dura jusqu'au début du XXe siècle.

Le deuxième, un dénommé Cyclops, se nommait en réalité Franz Bienkowski. Né à Tompken, en Allemagne, le 5 juillet 1862, il fut découvert par Sampson, qui avait entendu parler

Scène du quartier le Petit Canada à Lowell (Mass.), où demeuraient Louis Cyr et sa famille entre 1878 et 1881.

La première affiche mettant en vedette Louis Cyr
dans des démonstrations de force à Lowell (Mass.).
UQAM, SAGD, Fonds Louis-Cyr

2

Louis Cyr et son épouse, Mélina Comtois, dans le numéro de l'échelle mis au point pour la tournée du Nouveau-Brunswick au printemps de 1883.

Le 25 avril 1891, la *National Police Gazette* de New York consacre sa une à Louis Cyr et lance sa carrière aux États-Unis.
UQAM, SAGD, Fonds Louis-Cyr

La première illustration du *back lift* avec un fardeau humain. Louis Cyr fut le pionnier de cette épreuve de force, qu'il répétera près de deux mille fois durant sa carrière. L'illustration fut publiée dans l'édition de la *National Police Gazette* le samedi 25 avril 1891.
UQAM, SAGD, Fonds Louis-Cyr

Une paire de tréteaux ayant servi à Louis Cyr pour effectuer les soulevers dorsaux (*back lift*) entre 1895 et 1900. Chaque tréteau, en bois de chêne avec renforcement de métal et croix de Saint-André, pèse 8,5 kilos (19 livres), mesure 39 pouces de hauteur et 34,5 pouces de largeur, avec, à la base, un empattement de 15 pouces.
Musée Louis-Cyr, Saint-Jean-de-Matha
Photo : Paul Ohl

Photo de Louis Cyr prise à l'automne de 1891, quelques jours avant son départ pour l'Angleterre. Il est vêtu à l'anglaise et se fera couper les cheveux peu avant l'embarquement.

Musée Louis-Cyr, Saint-Jean-de-Matha

Gustave « Gus » Lambert, le mentor et promoteur de Louis Cyr entre 1884 et 1890. Il était originaire de Saint-Guillaume-d'Upton.
COLLECTION PIERRE-MICHEL GADOURY

Richard Kyle Fox, propriétaire de la *National Police Gazette* de New York et promoteur international de Louis Cyr. Il organisa le voyage de Cyr en Angleterre entre novembre 1891 et mars 1892.
UQAM, SAGD, FONDS LOUIS-CYR

Louis Cyr portant le maillot athlétique à l'effigie du Canada et la ceinture *FORTISSIMO*, qu'il afficha devant le public londonien le soir du 19 janvier 1892.
MUSÉE LOUIS-CYR, SAINT-JEAN-DE-MATHA

Photo de Louis Cyr, vers 1893, prise dans le studio de J. O. Champagne, situé au 8, Hurd Street à Lowell (Mass.).
COLLECTION PIERRE-MICHEL GADOURY

Une rare photo de famille, vers 1893, dans le studio de J. O. Champagne, à Lowell (Mass.). La petite Émiliana, l'enfant unique des Cyr, est âgée d'environ six ans. Louis Cyr porte la médaille commémorative offerte par la Ville de Montréal, résultat d'une souscription publique.

Musée Louis-Cyr, Saint-Jean-de-Matha

d'un phénomène qui réussissait à plier des pièces de monnaie et qui manipulait aisément des charges de 250 livres. Trapu, Cyclops pesait plus de 250 livres, avec une poitrine et des bras énormes. Sampson en fit son élève, puis son partenaire, en compagnie d'un certain Irving Montgomery.

Le troisième s'appelait Eugen Sandow, de son véritable nom Friedrich Wilhelm Müller. Il était né à Königsberg, un port de la mer Baltique, carrefour des cultures germanique et slave, le 2 avril 1867. Jeune, il découvrit l'esthétique de la statuaire antique et devint aussitôt un fanatique de la mythologie grecque, vouant un culte particulier aux héros de l'Olympe tels Hercule et Apollon. Adepte de la gymnastique acrobatique et doté d'un bagage génétique hors du commun, le futur Eugen Sandow se forgea une musculature que l'on compara à la beauté et aux lignes classiques des modèles anciens. En quête de notoriété, Sandow tenta l'aventure du côté de Bruxelles et de Paris, servant de modèle à des artistes réputés, peintres autant que sculpteurs, parmi lesquels le sculpteur flamand Joseph Maria Thomas Lambeaux, un autre sculpteur belge, Charles Van der Stappen, créateur de *Saint Michel triomphant de Satan*, le sculpteur Gustave Crauck, de Paris, et surtout le peintre américain Aubrey Hunt, membre de l'Académie royale de Londres, avantageusement connu dans les milieux artistiques de Venise, de Paris et de Londres et personnage influent de la petite communauté homosexuelle à laquelle appartenait également le célèbre auteur Oscar Wilde. Selon David Chapman, auteur d'une biographie d'Eugen Sandow, la relation dépassa vraisemblablement le strict cadre artistique, étant entendu qu'à l'ère victorienne les relations entre les artistes et leurs modèles étaient rarement définies par les seuls canons de l'esthétique et les rigueurs de la pose artistique.

La rencontre déterminante, Sandow la fit toutefois lors d'un séjour à Bruxelles, où le professeur Attila dirigeait une école de culture physique. Ce dernier rentrait de Londres, où il avait démontré les vertus de l'entraînement avec des haltères, en présence de la reine Victoria, lors des célébrations du jubilé d'or du couronnement, célébrant les cinquante ans de règne de la descendante des maisons de Mecklembourg-Strelitz, de Saxe-Cobourg et de Reuss-Eberdsdorff. Ce qui permit à Attila de rencontrer le prince de Galles, le futur roi Édouard VII, et d'obtenir ses entrées à la cour d'Angleterre. En voyant le physique parfait du jeune Prussien, Attila comprit qu'il tenait une mine d'or. Une association naquit entre les deux hommes, suivie aussitôt d'un changement de nom : le patronyme germanique disparut au profit de Sandow, plus commode et surtout plus acceptable pour les Anglais. Le reste fut l'affaire du talent inné de Sandow, combinant un don de force, un goût particulier pour les représentations, un sens aigu du spectacle et un charisme tout aussi unique.

En ce 29 octobre 1889, la rencontre entre Sampson, Cyclops et Sandow eût pu avoir lieu dans une autre ville d'Europe, en France, en Allemagne, en Belgique ou en Italie, avec le même résultat mais certainement pas avec l'effet spectaculaire et historique qu'elle eut à Londres. Parce que Londres était alors la capitale du monde, avec ses quatre millions d'habitants. C'était le haut lieu de l'Ancien Monde, par ses antécédents en matière d'Exposition universelle, sa fondation d'orchestres philharmoniques, sa tradition d'art lyrique, la magnificence de son architecture monumentale, la réputation de son *Crystal Palace*, le prestige de ses théâtres fréquentés par la royauté. Londres exprimait à la fois la puissance du plus grand empire colonial, peuplé de trois cent cinquante millions d'humains, et une monarchie constitutionnelle incarnée par la plus puissante de toutes les têtes couronnées : Victoria.

De tous les théâtres de Londres, dont certains avaient des allures de palaces, l'un des plus prestigieux était le *Royal Aquarium Hall*, situé sur Tothill Street, à proximité de l'abbaye de Westminster et des édifices du Parlement de Londres. Un vaste immeuble de brique rouge de plus de 600 pieds de long, surmonté d'un magnifique dôme de verre, commandé par la Royal Aquarium Society, conçu par un des plus réputés architectes de l'ère victorienne, A. Bedborough, et inauguré en 1876 par le duc d'Édimbourg. L'écrivain Charles Dickens lui avait consacré des lignes élogieuses dans son *Dickens's Dictionary of London* de 1879.

Il y avait eu un prélude à la soirée du 29 octobre 1889. Pendant des semaines, Charles-Antoine Sampson s'était produit au *Canterbury Theatre of Varieties*, tordant des tiges de fer, brisant des chaînes fixées autour de son thorax et, surtout, soulevant à bout de bras un immense haltère dont chaque sphère reposait sur un tonneau et dont on annonçait une charge de 2 240 livres, soit plus de 1 tonne impériale. Comme simulacre, on ne faisait mieux. Sampson, avec la complicité de son gérant, avait imaginé un stratagème par lequel on invitait plusieurs hommes, parmi les spectateurs, à tenter de soulever à l'unisson le poids ; du moins à le bouger. La chose se révéla impossible à réaliser et, pendant que le gérant commençait la présentation de l'« Homme le plus fort sur la Terre », des complices dégageaient de minuscules orifices à même chaque sphère, laissant le sable qui les remplissait s'écouler dans les tonneaux. Le moment venu, Sampson, en bon tragédien, réalisait l'« impossible » exploit. De même, en utilisant un stratagème savamment conçu, à l'aide de courroies et de poulies, parvenait-il à soulever de terre un éléphant de cirque arrimé sur une plate-forme. Le duo qu'il formait avec Cyclops connut un succès monstre, et bientôt tout Londres avait entendu parler du prodige de la force issu d'une province française annexée à l'Allemagne. On ne tarda guère à lui proposer un engagement plus lucratif au *Royal Aquarium Hall*. Les journaux parlaient de lui, annonçant qu'il mettait au défi chaque soir quiconque oserait prétendre à son titre, moyennant un enjeu de 100 livres sterling. Présent à plusieurs représentations de Sampson et de Cyclops, le professeur Attila avait vite élucidé le mystère de tant de puissance. Mais il comprenait également qu'il n'avait aucun intérêt à dénoncer la supercherie de Sampson, préférant au contraire le vaincre dans toute sa gloire.

C'est ainsi que le professeur Attila, dont la réputation n'était plus à faire dans l'aristocratie londonienne, invita Eugen Sandow au *National Sporting Club,* le joyau des cercles de sport du royaume, dont le membre le plus prestigieux était nul autre que John Sholto Douglas, huitième marquis de Queensberry, titre qu'il avait hérité en 1858. Pionnier et auteur des

Queensberry Rules for the Sport of Boxing, il avait adapté les *London Prize Ring Rules,* qu'un certain Jack Broughton avait conçues en 1743. En fait, il ne se prenait guère d'initiatives en matière de jeux sportifs à Londres sans que le marquis de Queensberry y fût invité à un titre ou un autre. Intrigué d'abord par les traits fins et le corps apollonien de Sandow, le marquis fut définitivement conquis par les prestations gymniques et musculaires que livra le protégé d'Attila devant les dirigeants du club. Mieux encore, le marquis imagina assez vite que cet Eugen Sandow, pour peu qu'on en fît un sujet anglais, trouverait rapidement le chemin de *Marlborough House,* la résidence officielle du prince de Galles, lequel était toujours en quête de personnages remarquables pour agrandir son cercle cosmopolite. En favorisant ainsi les ambitions de ce jeune Prussien encore inconnu, le marquis de Queensberry, calculateur et audacieux, servait sans risque – en plus de quelques interventions opportunes – sa propre cause auprès de la famille royale.

Le soir du 29 octobre, les dirigeants du *National Sporting Club* au grand complet occupèrent une loge à l'avant du *Royal Aquarium Hall.* Ils avaient invité le professeur Attila et Eugen Sandow à y prendre place. Selon le plan établi, lorsque Sampson lancerait son habituel défi à tout venant, le professeur Attila devait entrer en scène. La suite des événements allait servir la cause de Sandow de la manière la plus spectaculaire. Aussitôt le défi de Sampson annoncé, le professeur Attila l'interpella en disant qu'il présentait Eugen Sandow pour le relever, mais que le montant de 100 livres sterling était en fait indigne de l'enjeu, soit le titre d'« Homme le plus fort de la Terre ». Pourquoi pas 500 livres sterling ? Devant un auditoire médusé, Sampson répliqua ne pas avoir à se soumettre aux caprices d'un parfait inconnu. Le président du *National Sporting Club,* sir John Fleming, offrit le compromis suivant : Sandow affronterait le partenaire de Sampson, Cyclops, sur-le-champ. En cas de victoire, il rencontrerait Sampson quatre jours plus tard, soit le 2 novembre, au même endroit, mais pour un droit au titre et un enjeu de 500 livres sterling. L'affaire fut ainsi conclue.

Invité à monter sur scène, Eugen Sandow se présenta en tenue de soirée, plastron, cravate noire, queue-de-pie et monocle, étant entendu à l'avance qu'il retirerait ces vêtements et accessoires dès qu'il aurait salué le public et son adversaire, ce qu'il fit, révélant son corps d'athlète moulé par un maillot traditionnel. L'effet de séduction fut instantané. On l'acclama avant même qu'il n'effectuât un seul lever et on lui accorda une ovation debout lorsqu'il souleva un haltère de 220 livres au bout du bras droit, dans les règles, après avoir aisément défait Cyclops dans deux autres épreuves. Sampson n'eut d'autre choix que de verser les 100 livres sterling et d'accepter la rencontre prévue pour le 2 novembre.

La nouvelle se propagea telle une onde de choc à travers Londres. Pendant quatre jours, le *Times* et le *Daily News* donnèrent à ce qui eût été un fait divers en d'autres circonstances une allure de rencontre au sommet. Lorsqu'on annonça que le marquis de Queensberry en compagnie de Lord de Clifford seraient les juges officiels de la rencontre, la rumeur voulut aussitôt que la Chambre des Lords au complet prît fait et cause pour ce genre de spectacle. On affirma même que le prince de Galles en était passionné et que la reine Victoria y voyait une heureuse distraction. Il faut bien préciser que l'Angleterre, Londres en particulier, avait besoin d'un répit après l'affaire de Jack l'éventreur. En effet, une série de crimes horribles qui avaient eu lieu dans Whitechapel, un quartier plutôt malfamé de Londres, avait terrorisé le royaume pendant des mois.

Le Tout-Londres se bouscula aux portes du *Royal Aquarium Hall* bien avant l'ouverture, le soir du 2 novembre 1889. Et lorsque les deux adversaires se présentèrent aux cinq mille spectateurs, ces derniers n'en eurent que pour Sandow, malgré un Charles Sampson en grande tenue athlétique, le maillot bardé de médailles honorifiques. Usant d'un stratagème, Sampson imposa ses épreuves : plier des tiges de fer, rompre des chaînes à l'aide de la poitrine et des biceps, faire étalage d'endurance en répétant, nombre de fois, le même mouvement avec des haltères. Non seulement Sandow fut à la hauteur, mais il éclipsa son adversaire tant par son audace que par son indéniable puissance. Le point d'orgue de cette soirée mémorable survint lorsque Sandow déploya un mouchoir sur la scène, ramassa deux haltères d'environ 50 livres qu'il tint dans chaque main et, se plaçant pieds joints sur le mouchoir, effectua un saut périlleux arrière pour retomber en équilibre, sur le mouchoir, sans avoir lâché les deux charges. Le moment d'incrédulité passé, l'assistance se leva d'un bloc et consacra le nouveau héros de l'Angleterre. Il n'en fallut pas davantage pour convaincre les deux juges de proclamer Eugen Sandow vainqueur de la rencontre et détenteur légitime du titre d'« Homme le plus fort de la Terre ». Sampson contesta le verdict, s'en prit aux juges et à la foule, refusa de verser la somme en jeu et partit sous les huées. Beau joueur, Sandow refusera de porter l'affaire devant les tribunaux et accepta la compensation de 350 livres sterling que lui offrit la direction du *Royal Aquarium Hall*.

L'édition du lundi 4 novembre 1889 du *Times* livra un long compte rendu de l'affrontement et publia une lettre à l'éditeur signée de C.-A. Sampson, qui se proclamait toujours « le plus fort de la Terre ». Mais, pour lui, il était déjà trop tard. Avec Eugen Sandow s'ouvrait une nouvelle ère pour les démonstrations de force. La consécration ne fut d'ailleurs pas longue à venir. Le prince de Galles demanda qu'on lui procurât une photographie dédicacée de Sandow. On lui remit celle de Sandow nu, hormis une feuille de vigne masquant son sexe, prise par le célèbre photographe Van der Weyde, dont le studio se trouvait sur Regent Street. Presque en même temps, un chanteur très populaire du milieu théâtral de Londres, Alex Hurley, composa une chanson qu'il dédia à Sandow et qui connut aussitôt une grande popularité :

Up jumped Sandow like a Hercules,
Lifting up the iron bars
And breaking them with ease.

Sandow ne le savait pas encore, mais ses exploits venaient d'engager le destin de Louis Cyr.

CHAPITRE **8**

L'homme qui défiait les chevaux

Lorsque Louis et Mélina Cyr revenaient des tournées, ils avaient tous les deux bien hâte de revoir Saint-Jean-de-Matha. Là les attendaient les seuls véritables bonheurs de leur vie : la petite Émiliana et ses grands-parents, Évariste et Odile Comtois. Pour rien au monde Louis n'eût changé le panorama qui s'offrait à ses yeux chaque fois qu'il empruntait le chemin public, pavé de petites pierres, depuis la gare de Saint-Félix-de-Valois. Une douzaine de lieues séparaient les clochers des deux villages. Une route tel un couloir qui se faufilait entre deux montagnes, dont l'une, amputée depuis son sommet jusqu'à la moitié de sa hauteur, portait le nom de Montagne coupée.

On peut imaginer, par le coup d'œil, ce qui attendait le couple Cyr de retour de ses longues absences. La terre de Louis Cyr se trouvait à un peu plus d'une demi-lieue de la rue principale du village.

Le 6 juin 1890, Louis Cyr se présentait une nouvelle fois à l'étude du notaire Urbain Lippé. C'était pour avoir enfin pignon sur rue à Saint-Jean-de-Matha.

Déjà propriétaire des 70 arpents constituant la donation de son beau-père en 1888, il achetait cette fois la maison, la grange et le hangar de ce dernier, ainsi qu'une autre partie du lot d'origine, moyennant la somme de 865 piastres. Il cédait à Évariste Gilbert dit Comtois le droit pour le vendeur d'utiliser la sucrerie sa vie durant. Et pour sceller son appartenance définitive à la paroisse de Saint-Jean-de-Matha, Louis Cyr fit au notaire cette déclaration de profession et de provenance : *athlète de Saint-Jean-de-Matha.* Jusque-là, il avait toujours été identifié comme : *hôtelier de Montréal.*

Pour l'heure, l'histoire de Saint-Jean-de-Matha ressemblait à celle de toutes les paroisses du Nord. On parlait des dépenses énormes que nécessitait la colonisation, de la façon dont on prélevait l'argent de tous côtés et de bien des manières, des bras toujours plus nombreux que commandait le défrichement des terres incultes ; on parlait du travail des agents des terres, des loteries, des nouveaux départs vers les États-Unis et des éternels retours, des meilleures et des pires récoltes. On parlait surtout de chars et de chemin de fer ! Les politiciens le promettaient depuis dix ans ; la rumeur le voulait maintenant à 2 lieues. En réalité, le chemin de fer ne se rendit jamais dans le village de Louis Cyr, et ce dernier, des années plus tard, relatera avec humour un incident qui aurait pu avoir des conséquences fâcheuses. Un reporter du journal *La Presse* en rendit compte dans l'édition du 18 mai 1899, en citant Louis Cyr en ces termes :

J'étais à Saint-Jean-de-Matha, ce matin. Pour atteindre plus promptement la gare où je voulais prendre le train, pour Montréal, je fis atteler l'un de mes chevaux, auquel on n'avait pas mis la bride depuis un mois peut-être. Fringant de sa nature, il ne demandait qu'à courir. Le malheur est qu'on l'avait attelé un peu à la hâte, et qu'il y a des côtes en ce pays de mes prédilections. Je n'avais pas fait quelques arpents que le cheval, en descendant la montagne, prenait le mors aux dents et menaçait de tout briser. Pour le tranquilliser un peu, je me pendis sur les guides, de bonnes guides, certes, toutes neuves, mais pas assez fortes pour me permettre de lever le cheval de terre. L'animal fit un suprême effort de la tête en même temps qu'il faisait feu des quatre fers, les guides cassèrent et je fis une culbute, qui aurait

bien pu être ma suprême, si je n'avais gardé à ce moment toute
ma présence d'esprit…

Sous le titre « Louis Cyr à deux doigts de la mort », l'article était accompagné d'un croquis réalisé par un dessinateur de *La Presse*, qui illustrait l'aventure à partir du récit du correspondant.

Chez les Cyr, en ce printemps de 1890, trois choses occupaient le couple : prendre possession de la ferme, leur première véritable propriété ; préparer une troisième tournée du Québec avec, cette fois, des incursions plus audacieuses vers l'ouest du pays et quelques démonstrations en Nouvelle-Angleterre tard en automne ; et parfaire les habiletés de lecture et d'écriture de Louis, grâce au tutorat assidu de Mélina. « Ma femme m'encourageait dans mes efforts pour m'instruire. C'était elle qui me lisait les pages des *Devoirs du chrétien*, lentement, scandant chaque syllabe, pour me rendre plus facile la tâche, et qui ensuite m'aidait à comparer mon travail au texte original », précisera-t-il dans sa dictée des *Mémoires*.

Le nouveau périple des Cyr s'annonçait donc sans histoire, sauf pour la mise au point d'un numéro qui, pour la première fois, impliquait Mélina à titre d'artiste de scène. Devenu populaire, il fut nommé tout simplement « le numéro de l'échelle ». Ce fut *Le Franco-Canadien*, un journal de Saint-Jean d'Iberville, qui le premier rendit compte du « numéro de l'échelle » dans son édition du 14 août 1890.

M. Louis Cyr a été superbe mercredi dernier. La grande salle du marché était comble, comble au point qu'une bonne moitié de l'auditoire était debout et qu'il n'y avait pas place, croyons-nous, pour un spectateur de plus […]. Avec tout cela, M. Louis Cyr est artiste et nous en donne une preuve frappante et irrécusable lorsque son épouse arrive richement costumée sur l'estrade et monte dans une échelle de six pieds que son mari – nous ne pouvons dire sa moitié – prend lestement de ses deux mains, pose sur son menton et tient ainsi gracieusement en équilibre pendant au moins l'espace d'une minute. Il faut ensuite le voir prendre cette jolie femme de 104 livres et jouer avec elle au bout de ses bras comme avec une poupée...

L'article mentionnait que Louis Cyr « se dit l'homme le plus fort du monde ». Il décrivait également d'autres exploits réalisés par Cyr ce même soir, notamment un soulevé à un bras de 245 livres et un autre, assez inusité, consistant à « soulever d'un seul doigt l'haltère de deux cent quarante-cinq livres, relié à un autre haltère de cent cinquante et une livres à quoi s'ajoute un jeune homme de quatre-vingt-cinq livres », un total de 481 livres. Dans le même article, on annonçait qu'entre le 14 août et le 24 août 1890, l'itinéraire de Louis Cyr le conduirait à Notre-Dame-de-Stanbridge, Saint-Alexandre, Sabrevois, Saint-Valentin, Napierville et Sherrington, soit au cœur même de sa région natale. Un triomphe n'attendait plus l'autre.

*

En septembre 1890, alors que les Cyr s'apprêtaient à entreprendre la dernière étape de leur tournée annuelle, une lettre simplement adressée à Louis Cyr au bureau de poste de Saint-Jean-de-Matha modifia radicalement ses plans et l'engagea à prendre un tournant décisif dans sa vie. Louis s'y prit à plusieurs reprises avant de bien comprendre ce qu'attendait de lui le signataire de cette lettre, un certain Richard Kyle Fox. En fait, ce dernier, richissime propriétaire de la *National Police Gazette* de New York, l'invitait à se produire devant lui et un groupe de journalistes et de témoins triés sur le volet, afin de leur démontrer, hors de tout doute, le caractère unique et spectaculaire de ses tours de force. L'invitation était prévue pour le 5 décembre.

Richard Kyle Fox, né à Dublin, Irlande, en 1855, était arrivé aux États-Unis en 1874. Journaliste d'abord, il acquit très rapidement une réputation de fonceur et devint tout aussi rapidement une autorité en matière de pugilat. Son premier livre, *Famous Fights in the Prize Ring*, lui valut la notoriété. En 1876, il avait accumulé assez d'argent pour acheter la *National Police Gazette*, une modeste publication qui donnait dans les potins et scandales. En peu de temps, il en fit un hebdomadaire qui gagna la faveur de la classe ouvrière. Le tirage du journal atteignit bientôt le million d'exemplaires, puis le double vers 1890. Fox devint ensuite promoteur des grands combats de boxe de l'époque. Il aida à mettre sur pied l'affrontement entre John L. Sullivan et Paddy Ryan, à Mississippi City, le 2 février 1882. Ce fut également Fox qui soutint la présentation du combat entre le même John L. Sullivan et Jake Kilrain, le 8 juillet 1889 à Richburg, Mississippi, qui fut le dernier combat de boxe à poings nus de l'histoire. De là, Richard Kyle Fox s'intéressa à toute la gamme des exploits humains : funambulisme, épreuves d'endurance, résistance à la douleur, excentricités de toutes formes. Grâce à la qualité de son journal et surtout à l'originalité de ses illustrations, nombre de casse-cou devinrent rapidement des vedettes. On disait volontiers que la *National Police Gazette* se définissait comme la « bible des salons de barbier ». Fox avait entendu parler de cet Eugen Sandow qui, en une soirée, avait surgi de l'anonymat pour devenir la coqueluche de l'Angleterre. Il avait lu les articles à son sujet parus dans le *Sporting Life*, la bible londonienne de la vie sportive sur le Vieux Continent. Mais le nom qui l'intriguait davantage était un certain Louis Cyr, dont ses correspondants de Nouvelle-Angleterre lui avaient fait des récits tellement élogieux qu'il les tenait pour invraisemblables. D'autant plus que quelques semaines plus tôt, Richard Fox avait récompensé celui qu'il tenait pour l'homme le plus puissant du monde, John Walter Kennedy, de Charles City. Ce dernier avait réussi à soulever un poids de 1 030 livres à quelques pouces du sol, méritant ainsi une ceinture commémorative, un montant d'argent et le titre de champion du monde de la *National Police Gazette*.

« Être ou ne pas être », telle était alors pour Louis Cyr la portée de l'invitation de Richard Kyle Fox. Qui plus est, à New York, cité de toutes les rumeurs et de toutes les tentations, capitale de l'Amérique, l'égale de Paris et la rivale de Londres.

En 1890, on célébrait d'un même ton les vertus, les vices, les mystères, les misères et les crimes à New York. Pour les deux millions et demi de New-Yorkais, le cœur de la cité était Manhattan, dont une trentaine de théâtres somptueux, parmi lesquels le *Lyceum Theater,* le *Park Theater,* le *Broadway Theater,* le *Olympic Theater,* le *Tivoli,* le *Vauxhall Garden,* le *Harry Hill's Dance Hall,* le *Niblo's Garden and Theater,* s'alignaient entre City Hall Park et Union Square, le long de Broadway Avenue. Et Manhattan était le centre de tout ce qui s'écrivait sur le quotidien de l'Amérique : le *New York Times,* le *New York Herald,* l'*Evening Mirror,* le *Sun,* le *New York Tribune,* le *Courrier and Enquirer,* le *Harper's New Monthly Magazine,* le *New York Illustrated News* y avaient tous pignon sur rue. On y lisait même le *London Times.*

Lorsque Louis Cyr et Mélina arrivèrent à New York, les dirigeants de la ville se préparaient pour l'inauguration du *Pulitzer Building,* dont les 309 pieds de hauteur allaient en faire la plus haute structure au monde, dépassant de 25 pieds le faîte de la *Trinity Church,* reconnue jusque-là comme l'«empreinte de Dieu au sommet du monde».

La nouvelle que Louis Cyr se faisait annoncer auprès de Richard Kyle Fox créa une véritable commotion dans les locaux de la *National Police Gazette.* Il y avait bien sûr cet être phénoménal dont le poids corporel était maintenant de 315 livres, accompagné d'une menue femme aux traits énergiques, Mélina Cyr… «mais il y avait en plus un matériel hétéroclite fait d'haltères que personne ne pouvait manier, d'une plate-forme massive, d'une échelle de spectacle et d'un baril rempli de chaux», selon les dires de Louis Cyr.

On trouva un lieu adéquat pour la démonstration. Le moment venu, Louis Cyr se présenta devant le groupe de journalistes et de notables invités par Richard Fox. Voulant que l'affaire se déroulât dans les règles, on s'entendit pour que chaque haltère, engin ou humain que Louis Cyr utiliserait au cours de son programme fût officiellement pesé. Il fallut moins d'une heure au «Samson canadien» pour convaincre la galerie, Richard Fox en tête, qu'il était incontestablement l'homme le plus fort du monde.

Le 20 décembre 1890, Richard Kyle Fox signa lui-même l'article qui allait consacrer la réputation de Louis Cyr. Intitulé « Louis Cyr's Feats of Strength Astonish a Large Audience », le texte surnommait Cyr le « *Police Gazette* Samson » et décrivait l'incrédulité qui régnait parmi les représentants de clubs de sport et les journalistes new-yorkais invités à la démonstration. L'article donnait également un compte rendu détaillé des exploits réalisés par Louis Cyr. Le premier exploit fut de prendre d'une seule main une sphère de fonte de 102 livres, de la porter à l'épaule puis de la tenir, le bras tendu à l'horizontale. Le deuxième consista en un développé à un bras d'un haltère de 232 livres, la description insistant sur le mouvement lent et strict avec lequel la masse fut portée au bout du bras droit. En troisième lieu, Cyr exécuta un lever à un doigt, utilisant l'haltère de 232 livres lesté de celui de 102 livres, auxquels s'ajouta un homme de 150 livres, pour un total de 484 livres. S'ensuivirent le numéro d'équilibre avec Mélina grimpée dans l'échelle, celui du *back lift* de la plate-forme sur laquelle étaient entassés dix-huit hommes, en plus de l'haltère de 232 livres, un total de 3 337 livres et, en dernier lieu, l'épaulement du tonneau de chaux d'un poids de 251 livres d'une main et effectué d'un seul mouvement.

Richard Fox écrivit que cette démonstration de force fut sans contredit la plus ahurissante sinon la plus surprenante qu'il ait été donné à un public de voir, aux États-Unis et, probablement, ailleurs dans le monde, ce qui faisait de Louis Cyr l'homme le plus fort du monde, du moins jusqu'à preuve du contraire. Dans le même article, Fox précisa que Louis Cyr avait déposé, auprès de la direction de la *National Police Gazette*, la somme de 200 dollars en garantie d'une rencontre pour le titre de l'homme le plus fort du monde avec tout venant, et qu'en contrepartie l'entreprise de presse mettait en jeu un montant de 1 000 dollars, remis au vainqueur d'un affrontement pour le championnat du monde des hommes forts.

À la fin de la journée du 5 décembre 1890, Louis Cyr venait d'ouvrir une fenêtre sur le monde et la porte de la gloire.

L'année 1891 s'annonçait faste. La rencontre à New York avait provoqué une véritable onde de choc dans tous les milieux associés aux spectacles. Cyr était sollicité partout, mais surtout aux États-Unis. Les illustrations parues dans la *National Police Gazette* le montraient tel un être surnaturel, capable de tous les exploits. Une fois de plus, on l'honora à Montréal. Lors d'un court passage dans la métropole canadienne, l'*Athletic Club of Montreal* lui remit une ceinture plaquée or d'une valeur de 700 dollars et emblématique de son statut de champion. C'était le 26 janvier 1891. Trois semaines plus tard, le 16 février, il se produisait à Nashua, au New Hampshire, réalisant ce soir-là un *back lift* de 3 755 livres. Le journal local aura ce commentaire : « À lui seul il vaut le spectacle. »

L'*Evening Journal* publia une lettre de Richard Fox. Ce dernier y évoquait la grande rivalité qui existait maintenant en Angleterre, en Australie, en Allemagne et en Amérique entre Sandow, Cyclops, Hercules, Ajax, Polydor et plusieurs autres. Fox poursuivait en ces termes : « Monsieur Fox, croyant que Cyr est le Samson moderne, a décidé de mettre à l'enjeu un trophée qui symbolisera le championnat du monde des levers d'haltères et de donner cinq cents dollars à quiconque de ces champions d'Amérique, d'Angleterre, d'Allemagne ou d'Australie parviendra à égaler ou à améliorer les sept exploits de Louis Cyr. » L'énumération des performances réussies par Louis Cyr le 5 décembre 1890 complétait la lettre de Fox.

En fait, Richard Kyle Fox était devenu le maître de jeu et il allait décider de l'itinéraire de la carrière d'homme fort de Louis Cyr, au profit de ce dernier certainement, mais surtout dans les meilleurs intérêts de son entreprise, la *National Police Gazette* de New York. De tous les champions qu'il avait jusqu'alors dénichés, hormis le légendaire pugiliste John L. Sullivan, le phénomène canadien constituait sa plus belle prise. Aussi brossait-il habilement la toile de fond qui lui permettrait soit d'attirer les vedettes européennes en Amérique, ce qui semblait peu probable en raison des conditions d'engagement dont Sandow et les autres bénéficiaient dans les grands théâtres de Londres, soit d'imposer Louis Cyr à l'Angleterre.

*

L'histoire était au rendez-vous, mais en prologue seulement. Elle s'écrivit en même temps que se terminait, le 24 mars 1891, la charpente de fer de ce qui allait donner au parc Sohmer son allure définitive. Une salle immense avec une estrade en amphithéâtre de 120 pieds de large sur 30 pieds de profondeur. Au fond, une galerie pouvant recevoir mille spectateurs. Des vitres importées de Belgique, de grands escaliers, près de deux cents lumières électriques, de la place pour six mille chaises, disposées en rangées au parterre, mille à la galerie et la possibilité d'accueillir deux mille spectateurs debout. Une superficie de 21 000 pieds carrés, qui fit dire aux grands journaux montréalais que le parc Sohmer devenait le « symbole d'une culture commerciale ». On inaugura le nouveau pavillon le 13 mai 1891, et aussitôt la troisième saison battit son plein. Aux spectacles de musique dirigés par Ernest Lavigne, on ajouta de l'acrobatie, des tours d'adresse, des numéros de marionnettes vivantes appelées « marionnettes de Tissot ». On risqua des éléments de cirque avec des animaux dressés, même des démonstrations de force d'un certain Testo le Samson moderne avec mademoiselle Ouri la femme forte. Rien toutefois ne convainquit les journalistes couvrant alors les concerts et les spectacles, qu'ils qualifiaient volontiers de vaudevilles.

En juin, Louis Cyr entra en scène. Engagé pour lutter d'adresse avec Sébastien Miller, un Allemand venu tenter fortune en Amérique et dont la marque de commerce consistait à briser des pierres superposées à l'aide de ses poings, Louis Cyr proposa plutôt de se mesurer à une paire de chevaux adultes, dont le poids varierait entre 1 000 et 1 500 livres chacun. Le numéro fit sensation. Dans les journaux, on parlait de « lutte contre deux chevaux pesant 1 500 livres chacun ». Rapidement, l'événement fit le tour de Montréal pour prendre des proportions légendaires : ce n'était plus une simple lutte d'un homme contre des chevaux, mais un combat où Cyr risquait chaque fois sa vie. Des milliers de personnes se présentaient tous les soirs pour voir le Samson canadien à l'œuvre. Il n'était plus ce *Canayen* doué d'une force herculéenne, mais la nouvelle vedette de l'Amérique. D'ailleurs, il avait fait la page frontispice de la *National Police Gazette* du samedi 25 avril 1891. Une illustration couvrant la une le représentait en costume de spectacle, les cheveux cascadant jusqu'aux épaules, soulevant du majeur de la main droite une masse de fonte rectangulaire sur laquelle était inscrit le chiffre 535. Une autre illustration, tout aussi spectaculaire, le montrait debout, tenant en croix de fer deux haltères à bras tendus, l'un d'eux marqué du chiffre 160, évoquant probablement le total de la charge qu'il maintenait dans cette position. On pouvait y lire : *Cyr defeats all comers.*

On sait peu de choses sur le plus célèbre des tours de force de Louis Cyr, le tir des chevaux, sinon qu'il fut celui qui incarna tout ce qu'on pouvait imaginer d'une telle confrontation entre un homme et des bêtes de trait. Il y eut un court texte écrit de la main du Dr Gérald Aumont, son petit-fils. Ce dernier mentionna que Louis Cyr avait demandé à un sellier de lui fabriquer avec un « excellent cuir de trait » deux brassards conçus sur le modèle des colliers de chevaux, le tout se terminant par des crochets. Il cita également les frères de Louis Cyr, Pierre et Napoléon, qui furent les témoins oculaires de nombre de démonstrations :

Après avoir bien établi les paris, on attachait un ou deux chevaux à chacun des brassards. Louis Cyr s'y glissait rapidement les avant-bras jusqu'à la hauteur des coudes et s'écartait les jambes pour soutenir le choc. Sans attendre un signe du champion, les deux ou quatre cochers commandaient leurs chevaux à grands cris et à coups de fouet. Le choc était si puissant que Louis Cyr était soulevé et que le sang lui giclait du nez en abondance. On se déplaçait d'un côté ou de l'autre. La victoire était indécise. Les chevaux se reprenaient, se cabraient sous l'effort. Louis Cyr les ramenait par des jeux de coudes. Parfois, lorsqu'une bête se cambrait,

il donnait un tour de bras qui la renversait. Ces luttes se ter-
minaient généralement par la chute d'un cheval, qui tombait
d'épuisement.

Dès l'épisode du parc Sohmer, il devint impossible d'évo-
quer le nom de Louis Cyr sans y associer le tir des chevaux.
« Chacune de mes apparitions devant le public me rapportait
cent dollars, ce qui voulait dire pratiquement cent dollars par
minute », expliqua Louis Cyr dans ses *Mémoires*. Partout on
réclamait ce tour de force, et ce fut au tour de Louis Cyr de
mettre 100 dollars en jeu. « Pour cette somme, il s'en trouvait
qui m'eussent vu avec plaisir écarteler tout vif. Ils faisaient
ferrer leurs bêtes à glace et, pour comble de précaution, leur
enveloppaient les quatre sabots dans des sacs pendant qu'on
les amenait aux lieux des représentations. Parfois, dans les
campagnes, les bons cultivateurs accouraient de tous côtés
avec leurs chevaux, et c'était parmi quinze ou vingt paires de
solides animaux qu'il me fallait choisir, ce qui bien souvent
était une source de querelles. Chacun voulait que ce fussent
bien les siens les plus forts et les plus courageux. Pour cent
dollars, on fait bien des sottises… »

À Lowell, Massachusetts, un certain Alfred Bibeault défia
Louis Cyr de retenir pendant une minute ses deux chevaux
importés d'Angleterre, d'un poids combiné de 3 665 livres.
L'événement attira une foule de cinq mille personnes au
Huntingdon Hall de Lowell. La lutte fut telle qu'un des chevaux tomba, fut traîné par le second, sans toutefois que Louis
Cyr ne cédât en détachant ses bras. La *National Police Gazette*
rapporta que « le champion a finalement déclaré qu'il pourrait répéter son exploit avec quatre chevaux à la fois ».

Les propriétaires du parc Sohmer, Ernest Lavigne et Louis-
Joseph Lajoie, saisirent la balle au bond et proposèrent à
Louis Cyr une lutte contre quatre des meilleurs chevaux de la
King Express Company, une maison qui s'occupait du transport des pianos et des coffres-forts. Présenté comme une
sorte de combat ultime, l'événement sans précédent devait
durer une semaine entière, à raison d'une démonstration
par soir. La première tentative eut lieu le 19 septembre 1891.

Dans l'édition du 20 septembre du journal *La Patrie,* on pouvait lire :

> *Ce soir, Louis Cyr, le Samson canadien, donnera une exhibition de sa force au Parc Sohmer. Il ne retiendra pas les 4 chevaux, les courroies commandées n'étant pas encore prêtes, celles dont il s'est servi hier pour l'essai des 4 chevaux ont cassé. Nous annoncerons dans notre édition de demain, le soir que Cyr retiendra ces 4 chevaux.*

Le tir historique eut lieu le soir du 21 septembre 1891 devant une foule évaluée à dix mille personnes. Le journal *L'Évangéline* en fit le récit suivant :

> *Ce n'était plus de l'admiration ni de l'enthousiasme lorsque Cyr a lutté et vaincu 4 chevaux, le 21 septembre, au Parc Sohmer, à Montréal, c'était un véritable délire. Un frisson a parcouru l'auditoire lorsqu'on a vu 4 chevaux prêts à commencer et lorsqu'ils se sont mis à crier de toute leur force, fouettés par leur cocher, plusieurs des spectateurs ont failli se trouver mal devant ce spectacle effrayant. Les chevaux ont réuni toutes leurs forces, les jarrets ployés, les crampons de fer pénétrés dans le bois, ayant tenté un dernier effort. Mais en vain, Cyr est resté vainqueur [...]. Il est presqu'incroyable qu'un seul homme puisse être plus fort que 4 chevaux pesant chacun 1 200 livres et habitués aux lourdes charges : ces même 4 chevaux sont généralement employés à transporter des coffres-forts pesant plusieurs tonnes [...]. Il faut avoir la force et l'audace de Cyr pour tenter ce qu'on pourrait appeler une lutte de géants. Le spectacle est certainement unique et plus qu'extraordinaire. M. Cyr est d'origine acadienne.*

Pendant que grandissait la réputation de Louis Cyr, le propriétaire de la *National Police Gazette* avait finalement atteint son but : provoquer la curiosité et l'intérêt des promoteurs de spectacles de Londres. Dès les premiers mois de l'été 1891, il avait prévenu Louis Cyr du projet d'une tournée des principales villes d'Europe. En réalité, le projet se limitait à l'Angleterre. De son côté, Louis Cyr, ne sachant trop à qui confier

la gérance de cette tournée, eut la surprise de voir se mani-
fester l'illustre Joseph-Xavier Perrault, le même qui avait
fait son éloge lors du rassemblement organisé par la Société
Saint-Jean-Baptiste de Montréal en novembre 1889. Fondateur et membre très influent de la toute nouvelle Chambre
de commerce de Montréal, Perrault voyait dans cette aventure une occasion inespérée de promotion des intérêts commerciaux de la métropole, du Québec et du Canada. Il prit
rapidement les dispositions en vue d'une traversée de l'Atlantique nord, prévue pour la fin du mois d'octobre de 1891.

*

L'année 1891 fut déterminante pour la renommée et la
carrière d'Eugen Sandow. Le 10 décembre 1890, au *Royal
Music Hall,* dans le district de Holborn à Londres, Sandow
affronta celui que l'on considérait comme l'athlète le plus
achevé parmi les hommes forts en exercice à Londres, Henry
McCann, mieux connu comme Hercules McCann. Produit du célèbre *Birmingham Athletic Institute* du professeur
Hubbard, Hercules McCann et son frère Louis, surnommé
Samson, se produisaient sous le vocable de « *Brothers McCann* »
dans les cirques les plus réputés d'Europe, dont le *Royal
Italian Circus.*

Dans le *Morning Post* du 11 décembre, on lisait que Sandow
avait réussi un lever de 250 livres d'un seul bras et reçu un
montant de 50 livres sterling en récompense. Sandow ajouta
un lever de 198 livres du bras gauche, puis des levers de 120
et 112 livres, simultanément. En marge de la démonstration
de puissance de Sandow, Hercules McCann prétexta que
son adversaire sacrifiait la forme au résultat, expliquant à sa
manière les nombreuses fautes techniques qu'il avait relevées. Lorsque le marquis de Queensberry, à titre d'arbitre de
la rencontre, déclara le match nul, la foule hua longuement
la décision, si bien qu'il fut décidé qu'un second affrontement aurait lieu. Hercules McCann déclina l'invitation. Le
journal *Sporting Life,* une autorité en la matière en Angleterre,
consacra plusieurs articles à la controverse. Finalement, on

s'entendit pour lancer un défi à tous les hommes forts, les invitant à s'attaquer aux records de Sandow. Le professeur Atkinson du *London Athletic Institute* prit l'initiative de mettre en jeu une ceinture en or, emblématique de la suprématie mondiale des levers d'haltères. On fixa l'événement au soir du 29 janvier 1891, à l'*International Hall of the Cafe Monaco*, situé à Piccadilly Circus, un des endroits célèbres de Londres.

Le triomphe de Sandow fut complet. Ce soir-là, il fut le seul à se présenter. Il arriva sur scène en costume d'apparat, affichant quelques décorations, dont la célèbre médaille Florentine d'Italie, qui lui avait été décernée par les dirigeants de l'Athletic Club de Florence, en Italie : une étoile à six branches cerclée de lauriers avec un fond de nacre sur lequel était inscrit son nom. Il s'attaqua ensuite aux records existants. À sa deuxième tentative, il réussit un dévissé à un bras d'une charge qu'on annonça à 269 livres. Il accomplit des levers de la gauche, de la droite, de divers angles et à plusieurs reprises. S'emparant d'une sphère à poignée triangulaire de 70 ½ livres de la main droite et d'une autre de 56 livres de la main gauche, il les éleva simultanément à hauteur d'épaules, puis les fixa à bras tendus, bien à l'horizontale.

Selon le *Sporting Life*, il fallut plusieurs minutes pour que la foule revînt au calme. En lui remettant la ceinture emblématique, le professeur Atkinson déclara : « Vous avez réussi des exploits, autant de records qui résisteront au temps. En plus, vos démonstrations ont repoussé les limites de la force humaine, ce qui, en soi, est phénoménal. » Pour l'Angleterre tout entière, pour une bonne partie de l'Europe et bon nombre d'Américains, Eugen Sandow était devenu le roi de la force et, déjà, on le destinait à la légende.

*

Ce fut Louis Cyr qui prit l'initiative d'aller à la rencontre de l'illustre Anglais, puisque c'était ainsi que l'on considérait Eugen Sandow. L'inverse eût été inadmissible à l'époque ; c'eût été un affront à la couronne britannique que de quitter le sol anglais pour aller relever tout défi en provenance d'une colonie. Nul doute que la reine elle-même en eût pris ombrage, de concert avec tous les journaux de l'Angleterre.

Une expérience à nulle autre pareille pour Louis Cyr, qui ne pouvait imaginer à quoi ressemblait cette lointaine Angleterre, cœur du plus vaste empire colonial avec ses trois cents millions de loyaux sujets et avec, à sa tête, une reine dont «des dizaines de villes, de lacs, de ponts, d'immeubles et de monuments du Canada portaient [le] nom».

Pour Louis Cyr, Londres n'était qu'un nom mythique. Voilà qu'il allait découvrir une énorme capitale dont le port sur la Tamise s'étendait à lui seul sur 10 kilomètres. S'ajoutaient les neuf gares possédant chacune son grand hôtel, un cortège de tramways à impériale, d'omnibus, de bicyclettes se faufilant au milieu des chevaux et de la poussière, et quatre millions de Londoniens qui respiraient une brume charbonneuse sévissant une journée sur trois.

Les malles de Louis Cyr étaient prêtes, il avait fait ses adieux à ses proches et terminait ses dernières représentations aux États-Unis lorsque éclata la célèbre affaire : *Where is Louis Cyr ?* Ce fut le journal *Le Monde* qui s'empara de la nouvelle et qui en eut l'exclusivité entre le 15 et le 29 octobre 1891. Pourquoi *La Presse* et *La Patrie* n'en soufflèrent-elles mot ? Peut-être parce que Louis Cyr affichait ouvertement être un lecteur du *Monde* et que ce journal rappelait à ses lecteurs que Louis Cyr renouvelait fidèlement son abonnement tous les six mois.

Dans son édition du mardi 27 octobre 1891, *Le Monde* fit le récit suivant :

Une foule immense s'était rendue hier soir au Lyceum, *rue Saint-Dominique. Il y a quinze jours, Montréal se réveillait pour lire sur toutes les clôtures un défi lancé par Sandowe* [il s'agissait en réalité d'Irving Montgomery, qui s'affichait sous le nom de Sandowe en prenant la précaution d'y ajouter la lettre «e», n.d.a.] *et Cyclops, à tout vivant qui se hasarderait pour cent dollars à exécuter leurs tours de force. On ajoutait à ce défi ces mots que tout le monde a lus :* Where is Louis Cyr ? Let him come or for ever keep silent. *Ce qui, traduit en français, veut dire :*

Où est Louis Cyr ? Qu'il vienne de l'avant ou qu'il se taise à jamais.

La représentation était à son milieu, au Lyceum hier soir; les haltères, les poids, les chaînes étaient installés sur la scène et M. King, l'agent de Sandowe et Cyclops, répétait son défi à la face de tout le monde, mais personne ne l'écoutait, tous les regards étaient dirigés vers la porte.

On attendait quelque chose. Une rumeur avait circulé dans la salle. Le Samson canadien allait rencontrer ses adversaires, allait revendiquer et défendre son titre d'homme fort. En effet, M. King avait à peine lancé les dernières paroles de son défi que l'agent de Cyr, M. Labadie, se présentait sur la scène, défiant l'annonce que tout Montréal a lue et annonçait en réponse à la question : «Où est Louis Cyr ?» que l'athlète canadien était bien là, prêt à rencontrer tout le monde et à prouver que Louis Cyr est l'homme le plus fort du monde. Parler d'accueil chaleureux, enthousiaste, c'est redire l'ovation que notre Samson a reçue en se frayant un chemin jusqu'à la scène.

Ce soir-là, Cyr négocia toutes les charges de ses adversaires avec la même facilité déconcertante. Frustrés, Cyclops et Sandowe engagèrent de nombreux pourparlers, allant jusqu'à contester la manière lente et stricte avec laquelle Cyr levait les haltères, lui reprochant également un manque d'adresse et de souplesse. Il y eut donc une suite prévisible. Le lendemain soir, nouveau rendez-vous entre les trois hommes, auxquels s'ajouta Horace Barré. Le journal *Le Monde* suivait toujours l'«affaire *Where is Louis Cyr ?*».

Il n'est plus question de Sandowe, un autre jeune Canadien, bien connu pour sa force remarquable, Horace Barré, s'est chargé de lui faire son affaire. Hier matin (27 octobre 1891), Louis Cyr a fait transporter au Lyceum tout son matériel : poids, haltères, barils de ciment, etc., avec l'intention bien arrêtée de relever le défi de ses adversaires. Les nombreux amateurs qui s'intéressent à ces joutes athlétiques s'étaient donné rendez-vous au Lyceum hier soir et l'immense salle était bondée d'une foule compacte.

Le programme des variétés étant terminé, MM. Sandowe et Cyclops apparurent sur la scène et se livrèrent à leurs différents exercices de gymnastique et firent leurs derniers tours de force.

L'absence de Louis Cyr causa un certain désappointement dans l'auditoire qui applaudit loyalement les athlètes étrangers […]. Il était évident, cependant, que notre Samson canadien n'avait pas reculé au dernier moment, puisqu'il se trouvait dans la salle avec son impresario. Les représentations athlétiques de Cyclops et Sandowe étant terminées, le public appela à grands cris : Louis Cyr.

Le Samson s'exécuta de bonne grâce et monta sur la scène en compagnie de son impresario, qui expliqua en anglais et en français comment on n'avait pas pu venir à une entente avec M. King, l'impresario des athlètes étrangers.

M. King s'explique à son tour et des explications données de part et d'autre il ressort ce qui suit : Louis Cyr a offert de parier 500 $ qu'il lèverait un poids plus lourd que Cyclops. Cyr demandait que la force de chacun des concurrents fût calculée d'après le nombre de livres enlevées par chaque athlète, bref, il s'agissait de l'exercice connu sous le nom de weight-lifting, *c'est-à-dire de démontrer la force physique, et non de jeux de gymnase.*

Le défi de Louis Cyr fut décliné par Cyclops et Sandowe, attendu qu'aucun des deux hommes ne parviendrait à soulever de terre, d'une main, la charge que Louis Cyr réussirait à hisser au bout d'un bras. Il n'y eut donc pas d'affrontement. La foule hua Cyclops et Sandowe aux cris de *Put up or shut up*, de *Put the money down* et de *Too many tricks*. Puis elle ovationna Louis Cyr lorsqu'il prit la parole : « Je suis venu hier soir et j'ai fait votre ouvrage. J'ai levé vos poids et fait vos tours de force. Si vous faites avec mes poids ce que je suis capable de faire moi-même, comme j'ai fait hier soir avec les vôtres, je vous reconnaîtrai aussi fort que moi ; si vous faites mieux que moi, je vous proclamerai plus fort que moi. » Le jeudi 29 octobre 1891, le journal *Le Monde* concluait toute l'affaire en écrivant dans son édition du même soir :

Le Samson canadien est passé à nos bureaux ce matin et nous a serré la main en nous remerciant de ce que Le Monde *avait su*

lui rendre justice. Puis ouvrant son carnet, il nous a prié [sic]
de répondre à ceux qui demanderaient : «Where is Louis Cyr?»
que nous avions vu les billets de passage qu'il a pris pour l'An-
gleterre à bord du Vancouver.

L'odyssée anglaise allait commencer dès le lendemain.

CHAPITRE 9

Fortissimus : le plus fort du monde

L'idée du périple britannique venait de Richard K. Fox. Concevant bien que tout se passait en Angleterre, le propriétaire de la *National Police Gazette* joua toutes ses cartes et utilisa son influence pour présenter Louis Cyr sur les grandes scènes de Londres. C'est Fox qui régla les conditions d'engagement de Louis Cyr en Angleterre, par le truchement d'un agent théâtral, garantissant ainsi à Cyr un revenu de 300 dollars par semaine pendant vingt-huit semaines. Sachant que tous les hommes forts, authentiques et imposteurs réunis, se lançaient défi après défi par la voie des journaux londoniens, sans jamais se rencontrer, histoire de garder leur prestige intact tout en faisant courir les foules soir après soir dans les théâtres de la capitale anglaise, Richard Fox avait également prévu une mise en scène grâce à laquelle Louis Cyr s'imposerait tel le champion du monde incontestable. Rassuré par ailleurs de la présence de Joseph-Xavier Perrault à titre de gérant personnel et accompagnateur de Louis Cyr, le richissime Américain quitta New York pour Londres dès la mi-octobre. « C'est le nom de Richard K. Fox, le célèbre *sportsman* américain, propriétaire de la *Police Gazette* de New

York, que j'ai le plaisir de rappeler, car n'eût été de sa protection, je ne me serais jamais rendu de l'autre côté de l'Atlantique pour lancer des défis aux champions de l'Europe. Ce sont ses écus, et il y allait sans compter, qui m'ont appuyé là-bas, et le prestige de son nom a encore ajouté à la popularité du mien », raconta Louis Cyr dans ses *Mémoires*.

Admirateur de Louis Cyr, surtout depuis qu'il avait assisté aux récents exploits de ce dernier au parc Sohmer, Joseph-Xavier Perrault avait compris que le voyage en Angleterre servirait tant les intérêts commerciaux de Montréal et du Québec que la carrière de Louis Cyr. En fait, la grande bourgeoisie montréalaise ne comptait pas encore beaucoup de Canadiens français dans ses rangs, lacune que corrigeaient peu à peu les initiatives de la Chambre de commerce du district de Montréal, dont Perrault avait été un des fondateurs. Véritable trait d'union entre les organismes commerciaux, patriotiques, culturels et charitables, la Chambre de commerce avait ouvert ses portes à une bourgeoisie francophone, ce qui lui donnait une stature de taille et lui valut, de plus en plus, l'oreille des gouvernants. Se rapprochant davantage du cercle de prestige et d'influence, c'est-à-dire du milieu financier montréalais, Joseph-Xavier Perrault comptait sur le voyage en Angleterre pour y établir des contacts de haut rang en même temps que d'y tenter une action d'éclat. Il imagina une réclame, rédigée en anglais, dont le texte, aussi surprenant qu'original, se lisait ainsi :

CANADA FIRST
*Canada grows the best wheat, the finest cattle
and the strongest men in the world.
Free land and healthy climate
This is the place to go to*

Mêlant subtilement le mérite agricole du Canada, la qualité de son climat et le berceau des hommes forts, le projet promotionnel de Perrault fit une grande impression dans la vaste cité anglaise. Louis Cyr rapporta que les bons Cockneys s'entassaient devant d'immenses placards affichés sur les clôtures.

Ce fut également Joseph-Xavier Perrault qui prépara Louis Cyr à affronter les Anglais, et plus particulièrement les Londoniens. Renseigné sur les us et coutumes de la société britannique, Perrault s'occupa de l'éducation victorienne de Cyr, le mettant au courant des connivences habituelles de la bourgeoisie anglaise, de la tenue vestimentaire, des usages protocolaires, entre autres. Ce fut donc à regret que Louis Cyr se fit couper les cheveux ras, non sans avoir auparavant exigé qu'on le prît en photo, vêtu d'un *ulster* classique, sorte de manteau long en tweed, dont les manches sont remplacées par de larges pans d'étoffe qui tombent sur les épaules, et coiffé d'un haut-de-forme en soie. Une photo semblable fut prise peu après, mais cette fois Cyr avait une coupe de cheveux de circonstance, une canne à la main droite et le haut-de-forme dans la main gauche. Il était ainsi prêt à tenir le rôle du parfait sujet britannique et à se soumettre aux censeurs les plus exigeants de l'Empire.

Dès sa visite aux bureaux de Richard K. Fox, en compagnie de Mélina, Louis Cyr avait compris que le projet de tournée en Angleterre excluait la présence de son épouse, ce que cette dernière avait accepté de bonne grâce, d'autant plus que pour la première fois en trois ans elle allait redevenir une mère à plein temps. Toutefois, Louis Cyr insista pour que son frère Pierre, alors âgé de vingt-trois ans, fasse partie du long voyage. Ce serait donc en Angleterre que le frère cadet de Louis Cyr célébrerait son vingt-quatrième anniversaire, étant né le 18 février 1868 à Saint-Édouard-de-Napierville.

Après les adieux à Mélina et à la petite Émiliana, qui allait avoir cinq ans le 31 janvier suivant, au moment où son père passerait à la postérité au cœur de l'Empire britannique, Louis Cyr, accompagné de Pierre, prit le chemin de Québec. Une expédition à nulle autre pareille puisque, outre les bagages habituels pour un long voyage, les deux hommes emportaient avec eux le matériel nécessaire pour soutenir ou encore relever tous les défis, c'est-à-dire 852 livres de morceaux de fonte, parmi lesquels un haltère à écrous d'un poids de base de 252 livres, récemment sorti du moule de la fonderie.

On peut aisément imaginer que, durant le trajet qui mena les deux frères dans la vieille capitale, Louis Cyr fut en quelques occasions plongé dans ses pensées, à ressasser son unique ambition : être reconnu comme le champion des hommes forts du monde. Pour l'avoir entendu de la bouche même de Richard Fox, il savait aussi que ses éventuels adversaires, la plupart affublés de pseudonymes à consonance mythologique tels Samson, Hercules, Milo, Ajax, Apollo, voulaient, chacun, être reconnu comme l'unique champion du monde, fût-ce au prix de subterfuges. Mais un nom le hantait parmi tous : Eugen Sandow. Plus tard, il confiera au journaliste Septime Laferrière : « Le plus bel athlète de tous, c'était bien Sandow. Sa renommée avait traversé les mers, on en faisait un héros. Je n'irai pas jusqu'à dire que ses lauriers m'empêchaient de dormir, mais j'avouerai que c'était lui surtout que je brûlais de rencontrer. » Ce qu'ignorait encore Louis Cyr, c'est qu'Eugen Sandow avait, au cours de l'année 1891, réussit de nouveaux exploits. D'abord, le record absolu du dévissé, en soulevant de la main droite, en cinq temps, une charge de 269 livres ; du moins était-ce ce que prétendait le professeur Attila, qui certifiait l'extraordinaire performance. Ensuite, un exploit tout aussi remarquable, soit la croix de fer, consistant à soutenir, les bras à l'horizontale, une charge de 70 ½ livres de la main droite et 56 livres de la main gauche. Cette épreuve, valorisée en Europe, faisait partie des mouvements athlétiques classiques, seuls reconnus par les chefs de file d'Allemagne, d'Angleterre et de France. Promu par le professeur Edmond Desbonnet, le mouvement appelé « bras tendu » en France exigeait que le poids fût amené au bout du bras tendu horizontalement dans le prolongement de la ligne des épaules, le bras devant être en pleine extension, sans aucune flexion du coude, la main et le poids au niveau des épaules, le corps d'aplomb sur les jambes tendues et les pieds écartés au plus de 40 centimètres l'un de l'autre.

Ce fut à son arrivée à Québec, à la vue des quais et du transatlantique, que Louis Cyr comprit l'ampleur de sa mission. Il lui fallait traverser l'Atlantique au pire moment de l'année, alors que les tempêtes se succédaient. Ensuite, se confronter à une culture qui lui était étrangère, à un public sceptique, à des adversaires capables de toutes les bassesses pour protéger leurs fructueux engagements théâtraux et qui, vraisemblablement, n'auraient aucune sympathie pour ce sujet de la lointaine colonie d'Amérique venu menacer leur réputation et un gagne-pain fort lucratif. Finalement, opposer les tours de force aux tours d'adresse et d'acrobatie, pour qu'enfin soit reconnue la suprématie du plus fort, au-delà de la controverse des méthodes.

*

En cette fin d'octobre 1891, la traversée de l'Atlantique nord n'était plus, du moins en apparence, cette aventure périlleuse qu'avaient connue les voyageurs des années 1840, alors que les grands voiliers mettaient entre trente et trente-six jours pour couvrir la distance séparant Québec de Liverpool. Depuis l'ère des *steamers*, vers 1859, il suffisait de dix à treize jours pour réaliser le même trajet. Ce fut à bord du *SS Vancouver*, en compagnie de quelque deux cent cinquante autres passagers, que Louis Cyr et son frère entreprirent le voyage vers l'Angleterre. Le fleuve Saint-Laurent d'abord, jusqu'à l'île d'Anticosti, puis le golfe en direction de Halifax pour une courte escale, avant de se lancer dans l'Atlantique, au large de Terre-Neuve.

Le *SS Vancouver* était un des deux fleurons de l'Allan Line Royal Mail Steamship Company Limited, fondée par Hugh et Andrew Allan en 1854 à Montréal sous le nom de Montreal Ocean Steamship Company. Dès 1855, la douzaine de navires à vapeur transatlantiques de la compagnie quittaient le port de Québec un samedi sur deux en direction de Liverpool ou de Glasgow et, à l'inverse, un mercredi sur deux pour le retour. Battant pavillon rouge, blanc et noir, les vaisseaux de la Allan Line arboraient en outre le drapeau de la marine marchande anglaise, soit le pavillon d'Angleterre avec les armes des colonies respectives de l'Empire sur champ bleu.

Issu des chantiers maritimes Charles Connell and Co de Glasgow, en Écosse, en 1884, le *SS Vancouver* jaugeait

5141 tonneaux, soit l'équivalent de l'orgueil de la flotte, le *RMS Parisian*, dépassait les 600 pieds de la proue à la poupe et était équipé d'un système pour contrer le roulis.

À bord, les gens fraternisaient, se souviendra plus tard Louis Cyr en mentionnant des noms comme « l'avocat Girouard, monsieur le juge Cimon, les abbés Cinq-Mars de Portneuf et Dufresne, curé de Windsor Mills, sans oublier l'abbé Angus, un missionnaire qui se rendait aux îles Sandwich pour y soigner des lépreux ».

Traversée assez luxueuse si l'on tenait compte des services offerts à bord et de la générosité des menus, qui proposaient d'amples portions de porridge, d'œufs accompagnés de jambon frit, de steak de bœuf, de *mutton chops*, de côtelettes de porc, de rognons, de *yarmouth bloaters*, de pommes de terre frites et d'un assortiment de desserts.

En doublant Terre-Neuve, les passagers du *SS Vancouver* apprirent que c'était en ce lieu que le Gulf Stream s'élargissait et que la fosse atlantique atteignait les 10 000 pieds de profondeur, constituant le véritable abysse décrit par le déjà célèbre Jules Verne. On leur apprit également que c'était à la hauteur de Terre-Neuve qu'aboutissait l'extrémité du câble transatlantique construit en 1863, long de 3 400 kilomètres, d'un poids de 4 500 tonnes et posé sur toute cette distance subocéane en juillet 1866, mois au cours duquel le premier télégramme en provenance d'Irlande avait annoncé l'armistice entre la Prusse et l'Autriche. L'ère de la communication transatlantique avait débuté.

Arriva ce que tous redoutaient et que Louis Cyr dépeignit ainsi dans ses *Mémoires* :

Nous formions une petite famille à nous, et d'autant plus unie que furent plus terribles les dangers courus en route. En pleine mer, en effet, une tempête affreuse nous assaillit. Elle dura trois jours et trois nuits. On eût dit qu'un génie du mal avait concentré là toutes ses fureurs. Nous en vînmes à croire notre dernière heure venue : notre sacrifice était fait. Pendant soixante-douze heures, les flots ballottèrent ainsi notre navire désemparé, privé même de boussoles. Lorsqu'enfin nous fûmes signalés, on vint nous prendre à la remorque, et alors seulement nous pûmes considérer tout danger comme passé. Jamais on ne pourrait voir de plus près la mort. Pour moi, qui avais en tout le temps le mal de mer, on conçoit avec quelle joie je mis enfin le pied sur le sol britannique, où m'attendaient bien des surprises.

En remontant le cours du temps et des itinéraires du *SS Vancouver*, on constate que cette tempête d'une rare violence et d'une durée exceptionnellement longue a secoué le transatlantique du 7 au 9 novembre 1891.

Dans la nuit du 9 au 10 novembre, le *SS Vancouver* longea les côtes de l'île d'Anglesey, à l'extrémité nord-ouest du pays de Galles, baignée par la mer d'Irlande, puis s'engagea dans la baie de Liverpool, pour finalement accoster dans le port du Merseyside de Liverpool. Capitale portuaire de l'Empire britannique, Liverpool révélait d'abord des quais à perte de vue et des stocks de charbon laissant croire qu'on extrayait ce minerai à ciel ouvert. Docks et magasins immenses indiquaient bien que la ville était le principal entrepôt du commerce britannique et le premier port de coton au monde. Une grande partie de la production de coton des anciennes plantations esclavagistes du sud des États-Unis aboutissait sur les quais de Liverpool avant de prendre la route d'une des nombreuses manufactures textiles mécanisées. Il en était de même pour les marchandises en provenance des Indes, grâce aux fructueuses activités de l'East India Trading Company.

Ce fut cette ville, véritable symbole de la révolution industrielle, mais symbole également d'un paradis rural perdu, que Louis Cyr et son frère Pierre découvrirent en premier.

Les deux hommes eurent également la surprise d'entendre parler une langue aux accents si étranges que l'anglais leur semblait méconnaissable. En réalité, la plupart des dockers parlaient gallois, une langue minoritaire connue du cinquième environ de la population de la Grande-Bretagne. Les premiers commentaires au sujet de la formidable masse corporelle de Louis Cyr furent probablement exprimés en gaélique, avec, en épilogue, l'incontournable formule : *Croeso i Cymru* (« Bienvenue au pays de Galles »).

*

La traversée mouvementée de onze jours avait fortement éprouvé Louis Cyr, ainsi que son frère Pierre. Le mal de mer, certes, mais également une grippe qui s'était manifestée sitôt que Louis avait mis pied à terre. Les choses débutaient mal. Sous contrat avec un promoteur de Liverpool, du nom de J. T. P. Roacks, Louis Cyr n'eut d'autre choix que d'annuler les deux soirs d'engagement dans la ville portuaire. Ce fut Joseph-Xavier Perrault qui arrangea l'affaire, promettant à Roacks que Louis Cyr honorerait son contrat plus tard et que, la future notoriété aidant, il n'y perdrait pas au change. L'avenir allait lui donner raison.

Combattant les malaises de la grippe et éprouvé par un manque d'appétit, résultat d'une mer démontée, Louis Cyr se rendit toutefois de bonne grâce à une première rencontre avec l'envoyé spécial du réputé *Sporting Life* de Londres, flanqué de Joseph-Xavier Perrault, toujours aussi vigilant. Ce fut lui qui s'adressa en premier au journaliste. Il précisa que Louis avait été malade en route, qu'il éprouvait encore quelques malaises, mais qu'il entendait donner sa pleine mesure dès le samedi suivant – le 14 novembre 1891 – au *South London Music Hall*. Il mentionna également qu'ils partiraient tous les trois le jour même, par train, en direction de Londres.

Le journaliste demanda à Louis Cyr de livrer ses premières impressions, ce qu'il fit avec une franchise désarmante, et, du point de vue de la presse anglaise, d'une manière « tout à fait inhabituelle ». Dix-sept ans plus tard, en faisant le récit de ses souvenirs au représentant du journal *La Presse*, Louis Cyr prit la précaution de se munir du récit qu'avait fait le *Sporting Life*. « Tout ce qu'il demandait, c'était de se rendre le plus tôt possible dans la capitale, disant que s'il existe un champion, ce n'est nul autre que lui. » Plus loin, l'article rapportait ainsi les paroles de Louis Cyr :

Sans aucun doute, je veux qu'il soit compris que les médailles et les ceintures m'importent moins même que le titre de champion des hommes forts du monde. Je ne veux prendre part à aucun match où il ne s'agirait que de simples tours d'adresse. Pour moi, et je pense que tous diront la même chose, l'homme le plus fort doit bien être celui qui lèvera le poids mort le plus lourd. Dans ces conditions, je suis prêt à rencontrer Samson, Hercules, Sandow, Milo, ou tout autre athlète. Je n'ai pas pris la peine de partir du Canada pour venir faire du truc ici : on verra dès ma première représentation que j'entends faire des affaires et que ce sont des tours de seule force musculaire que j'accomplis.

Le départ était prévu pour midi. À la gare, Louis Cyr insista pour télégraphier au Canada afin de rassurer Mélina et les siens. La chose faite, il prit place dans son compartiment. Le journaliste le pria de lancer, depuis la gare, un défi officiel à tous les hommes forts du monde. Sans prendre la peine de consulter Perrault, ni même de réfléchir, Louis Cyr déclara au journaliste du *Sporting Life* : «Attendez à après-demain, dans la métropole, et vous verrez. Je ne veux pas faire de *bluff*, ni m'aliéner les sympathies des vrais *sportsmen*. C'est bien mon intention de provoquer tous les prétendus champions, mais je le ferai à Londres. »

Dans sa livraison du jeudi 12 novembre 1891, le *Sporting Life* de Londres rendit compte de l'arrivée en Angleterre de Louis Cyr en ces termes :

Ce n'est pas souvent, à Liverpool, qu'on se réveille pour voir tous les objets tellement enveloppés par la brume qu'on n'y puisse rien distinguer à cinquante yards devant soi. C'était pourtant bien le cas hier : matinée humide, misérablement ennuyeuse, fatigante pour tous ceux qui vivaient dans cette atmosphère vraiment londonienne. Ce fut donc une bien mauvaise fortune que rencontra l'Hercule Canadien, Louis Cyr, lorsqu'il descendit à Liverpool, pour se trouver ainsi, en quittant le vapeur Vancouver en plein climat aussi peu hospitalier [...]. Ce début du champion, tout de vraie modestie, sans manifestation à la Barnum, nous a grandement impressionnés, d'autant plus que Louis Cyr se trouvait alors au milieu de ses haltères énormes, dont la vue serait bien propre à faire reculer la pléiade de prétendus hommes forts, qui récoltent, à l'heure qu'il est, une moisson d'or dans la capitale.

De Liverpool à Manchester, et de là vers le sud, en direction de Birmingham, avec quelques arrêts dans les gares de Stoke-on-Trent, de Safford, de Cannock. L'autre moitié du trajet d'environ 450 kilomètres vit défiler Coventry, Rugby, Northampton, Luton, St. Albans. Finalement, un immense puits de lumière : Londres. Le convoi, tiré par la célèbre locomotive *Phantom*, avait fait son entrée à la gare de Euston au terme d'un voyage de près de dix heures. Avec un flegme tout britannique, on annonça aux passagers que le convoi se trouvait une demi-heure en retard, ce à quoi Louis Cyr répliqua : « Peut-être était-ce parce que les wagons portaient des poids plus lourds que d'habitude. » Le promoteur londonien de Louis Cyr, un certain George Ware, accompagné de son fils, attendait le trio à sa sortie du train. Il était accompagné d'un autre correspondant du *Sporting Life*, du nom de S. J. Richardson, dont les textes étaient repris par le journal *Privateer*. Dans l'article qu'il écrivit sur l'arrivée de Louis Cyr à Londres, le journaliste mentionna que le Canadien « portait un *ulster* serré à la taille, ce qui le faisait paraître plus petit. Néanmoins, lorsqu'on se surprenait à faire avec lui la comparaison des autres, ces derniers disparaissaient presque à côté de lui ». Le journaliste demanda à Louis Cyr comment prononcer son nom et combien pesait le plus gros des haltères. Louis Cyr répondit : « C'est une masse de 252 livres. À Liverpool, les gens du chemin de fer l'ont placé dans la balance pour en vérifier le poids, puis finalement, il a fallu les efforts de quatre d'entre eux pour le placer sur un wagonnet. » En véritable Londonien, le journaliste commenta aussitôt : « Et pourquoi n'avez-vous pas vous-même accompli cette tâche ? » Ce qui provoqua la réponse du tac au tac de Louis Cyr : « Je ne travaille que lorsqu'on me paie, et c'étaient les autres, cette fois, qui retiraient les écus. Cela m'amusait fort, d'ailleurs, de les voir s'estomaquer à soulever des joujoux aussi légers. »

La presque demi-tonne d'appareils et d'haltères avait été entassée sur le quai de la gare. On tint un bref conciliabule quant à leur transport et leur entreposage. Le promoteur

George Ware rassura les trois hommes en leur disant qu'il avait pris des dispositions afin que le tout fût placé en lieu sûr pour la nuit et transporté, tôt le matin, au *South London Music Hall*, où Louis Cyr devait faire ses débuts dans moins de deux jours. Le même George Ware annonça également à Louis Cyr qu'il lui avait trouvé un hôtel particulier dans Gower Street, tenu par une «petite veuve» qui le prendrait pour 25 dollars par semaine, une très bonne affaire, selon Ware, considérant que le colosse canadien allait engouffrer jusqu'à 3 livres de viande par repas en se permettant quelque boustifaille dans la journée.

Ce fut à cette occasion – et probablement fut-ce la seule fois qu'il se permit un ton critique durant son séjour en Angleterre – que Louis Cyr mit en doute la puissance réelle et la valeur des exploits d'Eugen Sandow. Lorsque le journaliste Richardson lui demanda: «Avez-vous entendu parler des exploits de Sandow, Samson et Hercules?», Louis Cyr répondit: «Certainement. J'ai lu avec soin chaque mot qui a été publié à leur sujet dans le *Sporting Life*. Il n'y a pas à en douter que plusieurs de ceux qui opèrent actuellement à Londres sont réellement des phénomènes, mais vous admettrez que leur force leur vient plutôt de la pratique que de la nature. Pour nombre d'entre eux, c'est affaire de gymnastique, où la force réelle ne joue qu'un rôle effacé. Ainsi, quand Sandow a établi un record en levant sa barre à sphères de deux cent cinquante livres, ce n'est pas un lever d'une main qu'il a exécuté, car il s'est servi des deux pour porter ce poids à son épaule, afin de le pousser ensuite d'une seule main au-dessus de sa tête.» Richardson lui demanda alors: «Allez-vous défier Sandow ou attendre qu'on vous défie?» Louis Cyr rétorqua: «Quant à aller me mesurer avec des gens qui font métier d'exécuter des trucs ou des tours d'acrobatie, je n'en suis plus. Ça c'est l'affaire de simple pratique et non de vigueur innée. Je me proclame l'homme le plus fort du monde, et le peuple anglais verra avant longtemps que ce n'est pas là de la vulgaire vantardise.» Et il ajouta: «Que je sois rétabli samedi et alors je tâcherai de donner à tous ces fiers-à-bras une leçon qui les fera songer.»

La remarque que Cyr avait faite au sujet de la technique trompe-l'œil de Sandow était justifiée. Dans la biographie du prodige d'origine prussienne, l'historien David L. Chapman décrivit avec précision la façon dont Sandow s'y était pris pour établir les soulevés record. Il utilisait une barre longue et non un haltère à sphères avec une barre courte. Il plaçait la barre debout, appuyée contre sa poitrine. Il la saisissait à deux mains, par le milieu, la faisait basculer sur son épaule droite tout en s'accroupissant, puis, se redressant, il assurait l'équilibre de la charge avant de procéder à la technique du dévissé classique en utilisant le bras droit.

Les dés étaient jetés, Louis Cyr se trouvait à Londres. En prenant ses quartiers dans Gower Street, il savait qu'il ne pouvait plus reculer. Mais il ne réalisait pas encore que Londres était la plus grande fenêtre ouverte sur le monde, là où se jouait, l'espace d'un soir, le destin de toute vie.

*

Tout ce que Louis Cyr avait entendu dire au sujet de Londres par Joseph-Xavier Perrault, du point de vue de la démesure et de l'étonnement, était multiplié par dix. Depuis le *Crystal Palace*, joyau de l'Exposition universelle de 1851, dont le concept architectural, à la fois gigantesque et futuriste, avait séduit la reine Victoria, jusqu'au métro londonien à traction électrique, baptisé City and South London Line, en passant par les palais royaux, les musées de la City, les ponts sur la Tamise, Westminster, Bloomsbury, Regent's Park, Hyde Park et Kensington Gardens. Autant d'endroits puisant leur source jusqu'aux tréfonds de l'Histoire, aussi loin que dans les rites païens et les légendes arthuriennes.

Londres incarnait ainsi la domination anglaise de par le monde. Elle enfermait dans son immense ventre de pierre les fruits des conquêtes anglaises et les conséquences d'épopées grandioses, accumulés depuis trois siècles. Elle affichait l'image de la grande réussite d'un rêve impérial, ce que Rudyard Kipling avait exprimé par ces mots : « Les *white Englishmen* étaient faits pour dominer ces pauvres peuples

164

privés de leurs lois. » Elle était au faîte d'un rassemblement de colonies dispersées sur cinq continents, peuplées de plus de trois cents millions de personnes parlant plus de trente langues, des centaines de dialectes, partagées entre une dizaine de religions et animées par des traditions remontant à la nuit des temps. Et c'était depuis Londres qu'une reine-impératrice exerçait un pouvoir quasi absolu sur les affaires de la moitié de l'humanité. Les mêmes fêtes impériales étaient célébrées à Londres et aux Indes ; les mêmes matchs de cricket se jouaient au All-England Cricket Club et au Bengal Club de Calcutta ; les généraux britanniques roulaient à l'aise dans des voitures de première classe, avec profondes banquettes aux appui-tête brodés, autant à Bombay qu'entre Londres et Manchester.

De la gare Euston à Gower Street, où se trouvait l'hôtel particulier où logeait Louis Cyr, il n'y avait que quelques centaines de mètres en passant par Eversholt Street, puis en traversant Euston Road, au coin de laquelle commençait Gower Street. L'endroit était, en quelque sorte, le cœur de la vie intellectuelle de Londres puisque s'y trouvaient, à quelques pâtés de maisons l'un de l'autre, l'Université de Londres et le British Museum et, le long des rues avoisinantes, autant de maisons d'édition que de librairies. Quartier aux rangées de maisons habitées par des membres de l'aristocratie, Bloomsbury affichait un mélange des styles géorgien et victorien, ainsi que des parcs superbement aménagés. L'ensemble donnait accès à trois des plus grandes gares ferroviaires de Londres : Euston, St. Pancras et King's Cross.

Au fil des jours, Louis Cyr développa un certain sentiment d'appartenance pour ce quartier réputé entre tous, situé au nord de Covent Garden et du Strand, là où la Tamise obliquait brusquement vers l'est. Il se prit d'admiration pour tous ces immeubles aux façades de brique rouge et de céramique, ces églises d'allure néo-classique aux multiples cariatides logées sous les corniches et ces jardins minutieusement aménagés et entretenus. Il apprit que le British Museum était le plus ancien musée public du monde.

An exciting time was experienced at the South London Music Hall *last night, when Louis Cyr made his real bow to an English audience. The place was full of strong men, and when Master of Ceremonies Frank Hinde invited everyone on the stage to test the weights, they swarmed there like a lot of bees.*

C'est ainsi que débutait l'article du *Sporting Life*, écrit le 15 novembre 1891 et publié dans l'édition du mardi 17 novembre 1891. Il résumait bien le contexte, l'enjeu et l'atmosphère qui régnait, le samedi 14 novembre, au *South London Music Hall* lorsque Louis Cyr fit ses débuts publics à Londres, en présence notamment d'un parterre d'hommes forts venus de tous les horizons.

Curieux, sans plus, à la suite d'un article paru dans le même *Sporting Life* au sujet d'un phénomène venu du Canada, incrédule lorsqu'il fut question d'« un homme pesant trois cents dix-huit livres, montrant une poitrine de cinquante-huit pouces et demi de circonférence, des biceps pour lesquels il faut un ruban de vingt et un pouces et demi pour en faire le tour, et des cuisses qui mesurent trente-cinq pouces et demi » (les mensurations rapportées dans le *Sporting Life* étaient officieuses, *n.d.a.*), le public présent à la première de Louis Cyr fut ébahi à la vue de sa stature. Il fut étonné lorsqu'il prit un haltère de 104 livres, l'éleva du bras droit à la hauteur de l'épaule, puis le fixa, bras tendu, à l'horizontale, position qu'il maintint pendant quelques secondes. Enfin, le public fut définitivement conquis lorsque Cyr s'attaqua, du même bras droit, à une charge de 242 livres, l'épaulant sans l'aide du genou, la développant ensuite, très lentement, au bout du bras. Le maître de cérémonie invita tous les hommes forts présents à rééditer les exploits de Cyr. Le premier, un Italien présenté comme Romulus, réussit à épauler et à développer d'un bras l'haltère de 104 livres. De son véritable nom Cosimo Molino, le Romulus en question était un petit homme d'à peine 5 pieds et 3 pouces pour 165 livres. Il faisait équipe avec un certain

Giacomo Zaffrana, également présent ce soir-là, et les deux hommes présentaient un numéro d'hommes forts sous le vocable de « Romulus et Remus ».

Lorsque Louis Cyr proposa à Romulus l'haltère le plus lourd, ce dernier hésita, fit mine de le soulever puis déclina l'invitation. Franz Welhau, un homme fort allemand et champion de lutte gréco-romaine, saisit l'haltère de la main gauche et parvint à grand-peine à le soulever de quelques pouces. Tous les autres hommes forts déclinèrent le défi. Davantage encore lorsque Louis Cyr chargea sur son épaule, sans l'aide de ses genoux et d'une seule main, un baril de ciment de près de 300 livres. Ce soir-là, ressentant encore les effets de la grippe, Louis Cyr se contenta d'un *back lift* de 2 336 livres, soit douze personnes dont les noms furent mentionnés dans l'article, y ajoutant l'haltère de 242 livres et le baril de ciment. Le compte rendu précisait que Cyr « fit paraître la charge dérisoire, se permettant même de la faire danser sur son dos pendant quelques minutes ». En conclusion, le correspondant du *Sporting Life* mentionna qu'il avait personnellement vérifié l'exactitude de toutes les charges, au fur et à mesure de la pesée officielle.

Les réactions furent immédiates, venant surtout des admirateurs d'Eugen Sandow. Dans la même édition du *Sporting Life*, on publia la lettre d'un certain Gilbert Elliot, qui se disait membre de l'Athenaeum Club et témoin des performances de Sandow et d'Hercules au *Cafe Monaco* et de celles de Louis Cyr. Tout en qualifiant le lever de Louis Cyr d'excellent, Elliot réfutait que ce dernier ait surpassé Sandow, invoquant des failles quant à la pureté du style : « Lorsque Sandow a élevé depuis le sol l'haltère de cent soixante-dix livres du bras droit, il a fait en sorte que la charge ne touchât à aucune partie de son corps avant de parvenir, du même élan, au-dessus de sa tête » (*traduction de l'auteur*). En réalité, le soir du 29 janvier 1891, Sandow avait battu le record de 170 livres attribué à Hercules McCann, l'améliorant de 9 livres, sans toutefois que les juges présents n'aient fait de commentaires particuliers au sujet du style. Comme la confrontation des méthodes faisait rage en Europe, le moindre écart de style, fût-ce une minime secousse du bras lors du déploiement de celui-ci, entraînait des hauts cris, voire des contestations. Le fait demeurait que Louis Cyr, dans le but de contrôler l'énorme charge qu'il soulevait d'un bras, n'avait d'autre choix que de l'appuyer sur le haut de la poitrine ou encore sur l'épaule, avant de la pousser à bout de bras.

La controverse fut inévitable, à la hauteur de la menace que constituait Louis Cyr pour tous ceux qui se prétendaient, aux quatre coins de Londres, les rois de la force, Sandow en tête. Mais le superbe athlète prussien se tint prudemment à l'écart le soir de la première représentation de Louis Cyr. Il en fut autrement pour Charles Sampson, déjà humilié par Sandow et maintenant poussé vers la sortie par l'arrivée spectaculaire de ce Canadien que plusieurs tenaient pour invincible. Il manifesta bruyamment auprès de la direction du *Sporting Life* et exigea une rencontre entre lui, Frank Hinde, le même qui avait fait office de maître de cérémonie au *South London Music Hall*, Louis Cyr et ses conseillers, Richard Fox et Joseph-Xavier Perrault.

Le lundi 16 novembre, Louis Cyr, accompagné de son frère Pierre et de J.-X. Perrault, se fit annoncer auprès de l'éditeur du *Sporting Life*. Les portes venaient à peine d'ouvrir. Une demi-heure plus tard, on annonça l'arrivée de Fox et de Hinde. L'attente fut longue, à tel point que tous se demandèrent si Sampson et la totalité des hommes forts d'Europe n'avaient pas décidé d'abandonner à Cyr le titre suprême et la gloire qui l'accompagnait. Il était treize heures trente lorsque Sampson fit irruption dans le bureau de l'éditeur, l'œil furibond, et lança d'un ton théâtral : « Je suis là, ainsi que l'argent du défi. » En fait, Richard Fox avait déjà fait savoir, à l'occasion de la première démonstration de Louis Cyr, qu'un pari permanent de 100 livres sterling était en jeu et en dépôt au *Sporting Life* et qu'une ceinture de champion d'une valeur de 1 000 dollars serait offerte par la *National Police Gazette* à quiconque égalerait ou battrait les levers de Louis Cyr.

Les échanges verbaux eurent lieu principalement entre Sampson et Cyr. Le premier voulut que le Canadien essayât de briser des chaînes avec sa poitrine ou encore soulevât des charges hétéroclites, attachées à son pouce, ses doigts, ses poignets. Cyr rétorqua qu'il n'était pas un saltimbanque. À son tour, il proposa à Sampson des levers d'haltères orthodoxes, le vainqueur étant celui qui lèverait les charges les plus lourdes. Sampson, déclarant s'exprimer au nom de tous les hommes forts, répliqua : «Je ne fais aucune différence entre les styles des uns et des autres. Je vous laisse libre choix d'une méthode ou d'une autre, j'accepte que l'haltère vienne en contact avec la partie de votre corps que vous voudrez, mais je vous assure que je lèverai la charge la plus lourde. » Sampson s'en prit néanmoins à la manière dont Cyr avait effectué le lever à bras tendu, prétendant là encore que le style de Sandow, malgré une différence de poids de 34 livres, était «plus pur, plus esthétique ». Il commenta également le développé à un bras de Cyr. Lorsqu'on lui demanda s'il acceptait le défi de l'haltère de 242 livres moyennant la récompense de 100 livres sterling, il prétexta une blessure au bras droit. Louis Cyr, qui en avait manifestement assez entendu, déclara qu'il avait traversé l'Atlantique dans le but de rencontrer les plus forts pour le championnat du monde et non pas pour perdre son temps en de vains arguments. Il répétait ainsi les mêmes mots qu'à son arrivée à Liverpool, une semaine plus tôt. Sampson s'en prit alors au *back lift*, en disant que Cyr profitait de son poids corporel, que nul humain ne parviendrait à lever une charge aussi astronomique et que, par conséquent, il fallait éliminer ce lever. Calmement, Louis Cyr se contenta de répondre : «Je suis disposé à effectuer tous vos levers, à la condition que vous vous engagiez, vous et tous les autres, à faire de même avec les miens. » À court d'arguments, Sampson exigea qu'on lui remît les 50 livres sterling qu'il avait confiées au *Sporting Life* en guise d'enjeu. Frank Hinde conclut : «Ceci équivaut à dire que Cyr est l'homme le plus fort. » L'article se terminait ainsi : «Cyr maintient son défi et nous n'avons toujours pas entendu parler de Sandow. Par égard pour sa réputation, il ne peut pas se permettre d'ignorer le défi de Cyr » (*traduction de l'auteur*).

Deux jours plus tard, lors de sa troisième représentation au *South London Music Hall* comble, Louis Cyr effectua un *back lift* de 3 246 livres, ce qui représentait dix-huit personnes montées sur la plate-forme de 173 livres. Le *Sporting Life* rapporta les paroles de Louis Cyr : « Quand je me serai débarrassé de cette grippe, je vais les étonner tous avec les poids que je soulèverai. »

« Sandow speaks : *The German Champion is impressed with the Canadian* », était le titre qui coiffait l'article paru dans le *Sporting Life* du mercredi 18 novembre 1891. En guise d'introduction, le journaliste écrivait que « lorsque Charles P. Sampson affirma lundi dernier qu'il représentait un athlète qui relèverait tous les défis de Louis Cyr en matière de levers d'haltères, tous les yeux se tournèrent aussitôt vers Eugen Sandow ». Il faisait ensuite le récit de la visite qu'il avait effectuée au domicile londonien de Sandow, situé dans Warwick Street, à l'est de Hyde Park et au nord du palais de Buckingham, auquel il pouvait se rendre en moins de trente minutes d'un pas rapide, en empruntant Piccadilly, Queen's Walk jusqu'à Buckingham Gate.

Le représentant du quotidien londonien décrivait Sandow comme un hôte chaleureux, soucieux de recevoir ses invités dans les meilleures conditions possibles. Ce dernier affirmait qu'il eût préféré voir les exploits en question de ses propres yeux avant de formuler ses commentaires. En réalité, il ne voulait pas manquer de respect envers le Canadien, mais plutôt se renseigner sur la valeur réelle de Louis Cyr.

À la question « Croyez-vous qu'il est véritablement aussi fort que ce qu'écrivent les journaux ? », Sandow hésita un moment, selon le journaliste, avant de répondre : « Oui, il doit être un homme très puissant pour faire ce qu'il fait, mais je ne partage pas l'opinion qu'il a exprimée à mon sujet lorsqu'il prétend que mes propres performances relèvent davantage de la gymnastique, ou encore sont des trucs [*tricks*]. Je suis d'opinion que mes démonstrations de force sont fondamentalement plus authentiques, dans leur exécution, que ce que montre le Canadien dans les siennes » (*traduction de l'auteur*). Sandow cita alors l'exploit du baril de ciment, disant qu'il était difficile d'imaginer que ce lever fût exempt de tout subterfuge ou alors qu'il tenait carrément de quelque tour de magie. Puis Sandow demanda au journaliste s'il était vrai que Richard Fox avait offert 1 000 livres sterling à quiconque égalerait les exploits de Cyr. Le journaliste répondit que Fox était prêt à garantir tout montant d'argent à titre d'enjeu d'une rencontre avec Louis Cyr. Aussitôt Sandow déclara : « Il se peut que je me présente au *South London Music Hall*; alors ne soyez pas surpris si je relève le défi de Louis Cyr. Mais avant, je dois constater par moi-même ce qu'il peut accomplir » (*traduction de l'auteur*).

Le jour même de la parution de l'entrevue avec Eugen Sandow, un autre journaliste de la *Sporting Life* se rendit au *Morley's Hotel*, où séjournait Richard Fox en compagnie de son épouse et de sa jeune fille. Surpris en plein déjeuner, le propriétaire de la *National Police Gazette* de New York consentit néanmoins à répondre aux questions de l'envoyé du journal anglais. En réalité, il était enchanté de la tournure des événements, dont il était, à quelques détails près, le principal maître d'œuvre.

La première remarque que fit Richard Fox donna le ton : « Il est étonnant de voir comment le Canadien a réussi à faire parler de lui en si peu de temps. Non seulement il a étonné tous ses interlocuteurs par l'audace de ses défis, mais il a montré aux Londoniens quelque chose d'inédit en matière de force » (*traduction de l'auteur*).

Le journaliste lui demanda s'il croyait que Louis Cyr et Eugen Sandow allaient s'affronter dans une rencontre officielle. Fox fut catégorique : « Certainement, le contraire serait inconcevable. Ils sont attirés l'un vers l'autre, comme l'est une aiguille par un aimant; mais on peut se demander lequel est l'aiguille et lequel est l'aimant. » Le journaliste insista : « Croyez-vous que leurs styles respectifs constitueront un obstacle à une telle confrontation ? » Fox se montra tout aussi catégorique : « Absolument pas. Il est clair que chacun veut s'afficher sous son meilleur jour et avec les tours avec lesquels il se sent le plus à l'aise, mais j'estime que nous parviendrons à trouver un compromis équitable. J'aurais souhaité un match triangulaire entre Hercules [McCann], Sandow et Cyr, mais j'ai cru comprendre que le manager du champion anglais avait opposé son veto à un tel affrontement. C'est dommage, car un tel championnat opposant l'Angleterre, le Canada et l'Allemagne eût constitué une attraction sans précédent. » Autre question du journaliste : « Si, en l'occurrence, Sandow et Cyr en venaient aux prises, mettrez-vous à l'enjeu l'argent et la ceinture dont vous avez fait grand état depuis l'arrivée de Cyr en Angleterre ? » Fox avait la réponse toute prête : « Mais, bien entendu ! Et vous pouvez écrire qu'il s'agira du plus beau trophée jamais offert en récompense à un champion athlétique. Les lecteurs du *Sporting Life* savent à quoi ressemblait la ceinture qui fut à l'enjeu lors du championnat du monde de la boxe entre Smith, Kilrain et Sullivan ; cette ceinture surpassera l'autre, en beauté et en valeur monétaire. Je n'ai pas de parti pris pour Louis Cyr au-delà du fait qu'il soit le détenteur de tous les records de force reconnus par la *Police Gazette*, mais au regard de ces exploits, je m'affiche comme le commanditaire du Canadien » (*traduction de l'auteur*).

Le même soir, le journaliste du *Sporting Life* se présenta au *Trocadero*, où Hercules McCann était en tête d'affiche. Lorsque le représentant du journal l'informa des propos de Richard Fox, il répondit prudemment : « Vous pouvez dire que s'il ne tient qu'à moi, je suis disposé à faire un match avec Louis Cyr, mais comme vous le savez déjà, les clauses de mon contrat avec mon manager, M. Didcot, me lient les mains. Ne serait-ce de cet embargo, j'aurais déjà rencontré le Canadien. Je comprends cependant que M. Didcot pouvait consentir à un match éventuel, mais à des conditions bien précises. Par exemple, si Cyr aura droit à son *back lift*, il faudra qu'il consente certains avantages à mon égard. Cela dit, Cyr considère-t-il son *back lift* comme un lever intégral, sans aucune assistance artificielle ? Comment qualifie-t-il alors le tabouret sur lequel il prend appui si ce n'est un moyen artificiel d'assistance ? Je fais de même pour effectuer plusieurs de mes tours qui consistent à soulever des charges immenses » (*traduction de l'auteur*).

Lorsque finalement Didcot tenta de quitter le *Trocadero* à la dérobée, le journaliste le pressa de questions. De guerre lasse, il fit cette déclaration : « Vous pouvez annoncer que pour ma part je suis prêt à relever Hercules de toute obligation contractuelle envers moi qui serait de nature à l'empêcher de rencontrer Louis Cyr. De plus, j'annonce que je suis disposé à commanditer Hercules contre le Canadien. Je serai, demain, à deux heures de l'après-midi, dans le bureau de l'éditeur du *Sporting Life*, prêt à disposer de cinq cents livres sterling comme enjeu pour un tel match » (*traduction de l'auteur*).

Le journaliste terminait l'article en mentionnant qu'il avait une fois de plus rencontré Eugen Sandow, lequel avait également annoncé qu'il serait présent, en même temps qu'Hercules, Didcot et Cyr, dans les bureaux du *Sporting Life*. Il tint ces propos sibyllins : « Je serai, demain, au *Sporting Life*, et je ferai une déclaration qui ouvrira bien grands les yeux du public anglais. C'est un grand secret que je divulguerai demain » (*traduction de l'auteur*).

La rencontre eut-elle lieu ? Probablement. Mais autant le *Sporting Life* avait, jusque-là, rapporté toutes les péripéties entourant l'arrivée de Louis Cyr à Londres, jusqu'à la controverse des styles, autant il se fit discret sur la nature et le résultat des discussions de ce vendredi 20 novembre 1891, si tant est qu'il y en eût. Dans les *Mémoires* de Louis Cyr, ce dernier confia au journaliste de *La Presse* : « Cette entrevue n'eut pas plus de résultat que la précédente [allusion à la rencontre avec Charles Sampson, *n.d.a*]. Sandow, le premier, dissipa toute idée d'un match en déclarant que sa visite n'avait d'autre but que de serrer la main à un confrère car, dit-il, ayant tous deux des engagements à remplir dans différents théâtres, il ne voyait pas comment il pourrait consacrer le temps nécessaire à un entraînement sérieux en vue d'une rencontre avec moi. Plus tard, ajoutait-il, quand je serai libre, je serai heureux de rencontrer M. Cyr dans une lutte pour le championnat. » Le professeur Attila aurait alors annoncé qu'il avait un élève sur lequel il était prêt à parier contre Cyr. Il exigeait toutefois que Cyr retranchât le *back lift* du programme et il aurait formulé ce commentaire : « Si vous ne voulez pas retrancher ce tour de force de votre programme, vous ne trouverez pas d'adversaires ; je vous l'ai vu accomplir, l'autre soir, et je suis certain qu'il n'y a pas un homme en Angleterre qui osera le tenter. »

Dix-sept ans plus tard, Louis Cyr mentionna le dépit et la frustration qu'il ressentit : « C'est alors que je commençai à constater combien était surfaite la réputation de tous ces prétendus hommes forts. La majorité se composait de jongleurs qui se payaient la tête du public avec les trucs les plus extravagants. » Au moins un incident, parmi les plus cocasses, lui avait donné raison. Se produisant à l'*Aquarium Hall* de Londres, le même Charles Sampson qui avait refusé de rencontrer Louis Cyr dans les termes que l'on sait présentait, en clôture de ses démonstrations, un numéro dans lequel il soulevait un éléphant vivant. Dans sa mise en scène, Sampson mimait soigneusement les efforts extrêmes qu'il déployait, allant jusqu'à feindre des pertes de conscience. Or, un certain soir, alors qu'il s'apprêtait à soulever le pachyderme, l'énorme bête et la plate-forme se soulevèrent d'elles-mêmes. En fait, toute la charge était reliée à un mécanisme soigneusement dissimulé sous la scène et actionné, à l'aide d'un bouton électrique, par Sampson lui-même. Ce soir-là, celui qui prétendait affronter tout un chacun, avait, d'un simple geste maladroit, signé sa sortie précipitée et honteuse de Londres. Il se fit oublier quelque temps avant de réapparaître aux États-Unis en 1893.

Il en était autrement pour Eugen Sandow. Bien conseillé par le professeur Attila, à la fois son mentor, son entraîneur et son manager, il n'allait pas compromettre son statut de grande vedette européenne en risquant une défaite certaine aux mains de Louis Cyr. Il avait des engagements à Londres, à Birmingham et à Liverpool, et ses cachets lui rapportaient plus d'un millier de livres sterling par semaine, quatre fois plus que ce que touchait Louis Cyr. À la même époque, la prestigieuse académie militaire d'Aldershot fit appel à ses services, surtout pour propager, parmi la classe des officiers britanniques, les principes d'une bonne condition physique et une culture d'entraînement corporel. Des statistiques des années 1880 révèlent que près de 50 % des candidats volontaires au service militaire dans l'armée de Sa Majesté la reine Victoria étaient rejetés pour des raisons médicales. Eugen Sandow avait accepté la charge, grâce au soutien du lieutenant-colonel Malcom Fox, inspecteur général de gymnastique pour l'armée britannique et directeur de l'entraînement physique de l'académie d'Aldershot. Dès 1894, il allait se révéler un précieux allié d'Eugen Sandow en contribuant à la diffusion d'un livre attribué à Sandow sur les méthodes d'entraînement qualifiées de « système Sandow d'entraînement physique » (*Sandow's System of Physical Training*).

La déception de Louis Cyr de ne pouvoir affronter Eugen Sandow fut à l'égal de l'envie qu'il entretenait, depuis longtemps, de se mesurer au Prussien. Lui reconnaissant tous les mérites, il eût souhaité le vaincre selon les règles de l'art. Mais il semblait évident que les défis de Louis Cyr n'allaient jamais être relevés. Au mieux, les hommes forts qui avaient quelque réputation se contentèrent d'assister aux démonstrations de Louis Cyr, de tâter ses haltères et de vérifier l'exactitude des pesées officielles.

Lancé en Angleterre à la face même d'Eugen Sandow et de tous les hommes forts qui s'identifiaient ainsi, le défi de Louis Cyr fut maintenu par ce dernier, toujours appuyé par Richard Fox, jusqu'en 1896. Sandow l'ignora, aux États-Unis comme en Angleterre, employant toujours les mêmes faux-fuyants. Il concédait de la sorte, sans même combattre, le titre de l'homme le plus fort du monde à Louis Cyr. Nul n'y trouva à redire.

Louis Cyr avait ainsi acquis, dans la grisaille londonienne de novembre 1891, la certitude de détenir la suprématie mondiale de la force. Et le peuple anglais allait, au fil des semaines, rendre hommage au nouveau roi de la force.

Dans le *Sporting Life* du mercredi 25 novembre 1891 parut une longue lettre signée d'un certain Ferdinand Lemaire, qui se présentait également comme le « roi des massues » (*The King of Clubs*). Ce dernier écrivait :

Je suis certain que la plupart des hommes forts, sinon tous, refuseront de rencontrer Cyr, parce que leur gagne-pain serait en jeu et qu'ainsi ils perdraient à la fois leur réputation et leurs sources de revenus. Cyr sera donc incapable de dénicher un adversaire digne du nom, quoique le désirant ardemment. Le mieux pour lui serait qu'un certain soir, devant un public et des juges compétents, il batte tous les records pour lesquels on a remis une ceinture de champion à Sandow et qu'il ajoute à cela ses propres levers qui pourraient également être dûment reconnus. Alors il deviendra l'incontestable Champion des hommes forts du monde et il le demeurera aussi longtemps que Sandow, Hercules ou tout autre homme n'aura pas surpassé de tels records en présence de juges d'égale compétence. Quoi qu'il dise, Sandow ne saurait alors contester l'évidence, autrement qu'en acceptant le défi de surpasser à son tour tous les records établis. Ce serait l'unique façon pour lui de reprendre une ceinture qui ne lui appartient plus (traduction de l'auteur).

*

Les événements de Londres eurent leurs échos en Amérique. Dès le 18 novembre, le quotidien *Le Monde* de Montréal publia un premier article sous le titre : « Louis Cyr, le Samson Canadien étonne Londres. » « En ce moment, pouvait-on lire, Louis Cyr est à Londres, où sa force prodigieuse fait le sujet de toutes les conversations. La malle anglaise nous apporte les détails d'une représentation donnée par Louis au *South London Palace*. Il y avait foule énorme. » La description qui fut faite des exploits de Cyr était inexacte à plus d'un égard par rapport au texte d'origine, mais néanmoins les lecteurs montréalais pouvaient suivre, en partie, les aventures londoniennes de l'homme fort. L'article concluait : « Nous sommes certain que la prophétie que Cyr nous faisait en nous serrant la main avant le départ se réalisera et que lors de son retour personne n'osera disputer à ce gros Canayen le titre d'homme le plus fort du monde. »

L'*Evansville Entreprise*, un journal de l'État du Wisconsin, reprit également les faits saillants de la démonstration donnée par Cyr au *South London Music Hall* dans la soirée du 18 novembre. L'article le présentait et comme Louis St. Cyr, dans le titre. Il était enrichi d'une illustration de Cyr, les bras croisés, les cheveux longs et vêtu de sa tenue de tournée. Le 5 décembre 1891, nouvel article dans la *National Police Gazette* de New York, illustré de deux portraits d'artiste de Louis Cyr et d'Eugen Sandow. Le texte, manifestement écrit par Richard Fox, comparait tous les hommes forts de l'époque, notamment Louis Cyr, Eugen Sandow, Cyclops, Ajax, Montgomery, Sampson, Sebastian Miller et le seul Américain du lot, J. W. Kennedy. Ce dernier avait effectué un lever à deux mains, à l'aide d'un harnais, d'une charge de 1 030 livres. À Londres, Louis Cyr venait tout juste de soulever, de la même manière, l'astronomique fardeau de 2 619 livres, soit presque 300 livres de plus que le *back lift* qu'il avait effectué lors de sa démonstration inaugurale. Le long article se terminait par cette affirmation : « Le public est déjà convaincu que Cyr est, hors de tout doute, le champion des hommes forts du monde entier » (*traduction de l'auteur*).

Le soir du 8 décembre 1891, Louis Cyr parut une dernière fois, devant une salle comble, au *South London Music Hall*, le temps étant venu pour lui d'honorer l'engagement qu'il avait pris de se produire à Liverpool. « Hier soir, Louis Cyr accomplit deux exploits que personne n'eût cru possible avant qu'il en fasse la démonstration, pouvait-on lire dans le *Sporting Life* le lendemain. De la position à genoux, il éleva un haltère de cent soixante-dix livres à six reprises consécutives, du bras droit seulement. Puis, après avoir demandé à monsieur Frank Hindle de monter sur l'haltère de deux cent quarante-deux livres, il souleva la charge combinée de la main droite à trois pieds du sol. Finalement, il réalisa un *back lift* de trois mille quatre cent cinquante-deux livres, jonglant avec cette partie de l'humanité sur son dos » (*traduction de l'auteur*). Le texte mentionnait également que Pierre Cyr avait accompagné Louis sur la scène et qu'il avait levé de terre, à quelques pouces, les deux haltères de poids inégal, à raison d'un haltère par main.

Quelques jours auparavant, rappelé par ses affaires à Montréal, Joseph-Xavier Perrault, satisfait du travail qu'il avait accompli auprès de Louis Cyr, avait repris le chemin du retour. Le 10 décembre 1891, le *Montreal Daily Star* publia les impressions de l'homme public montréalais, arrivé la veille d'une traversée de l'Atlantique aussi calme que la précédente fut mouvementée. Son premier commentaire concerna sa propre mission, qu'il qualifia de « promotionnelle ». Il parla des panneaux de « trois pieds par quatre » qui pavoisaient tout Londres : « Louis Cyr accomplit des merveilles là-bas et la façon dont nous avons affiché les couleurs du Canada a hautement satisfait l'agent général de l'Immigration du Canada et le Canadian Pacific Railway. Rien ne saurait être plus efficace que ces placards et la présence de Louis Cyr » (*traduction de l'auteur*). Parlant de Louis Cyr, il se disait certain qu'aucun homme fort ne parviendrait à le vaincre et que Cyr lui-même était absolument convaincu de sa supériorité. « Le public londonien se bouscule maintenant pour voir Louis Cyr à l'œuvre, à tel point qu'il manque de places au *South London Palace*, puisque chaque soir plus de 3 000 personnes y affluent » (*traduction de l'auteur*).

Ce même jour, Louis Cyr quittait Londres par le train qui l'y avait conduit à peine un mois plus tôt. Et, comme promis par Joseph-Xavier Perrault à M. Roacks, il retournait à Liverpool en champion.

*

Soustraire Louis Cyr aux feux de la rampe de Londres afin de mieux orchestrer un coup d'éclat, telle était la stratégie de Richard Kyle Fox. L'astucieux propriétaire de la *National Police Gazette* avait pris les dispositions nécessaires pour que Cyr revienne donc à Londres, dès la mi-janvier 1892, mais par la grande porte. Pour cela, aucun compromis n'était possible. Ce serait les grandes scènes ou rien. Or, il n'y en avait que quelques-unes pour consacrer des vedettes, et parmi celles-là l'*Alhambra*, le *Tivoli*, le *Royal Albert Hall* et le *Royal Aquarium Hall*. Ce fut le *Royal Aquarium Hall* que Richard Fox choisit comme lieu où Louis Cyr tenterait de passer à l'histoire.

En un seul soir, Louis Cyr devint la grande vedette de Liverpool. Au bout de quelques représentations, le promoteur Roacks fit face à un heureux problème : on manquait de places. Le bouche à oreille répandit les histoires les plus extravagantes au sujet d'un phénomène canadien qui avait fait reculer les hommes les plus forts du monde, dont le grand Eugen Sandow lui-même. Roacks ouvrit à Cyr les portes du *Grand Theatre* de Liverpool, l'enceinte la plus prestigieuse de la ville, et doubla son cachet afin que ce dernier acceptât de prolonger son séjour dans la cité portuaire. Louis Cyr accepta, à la condition qu'on lui accordât un congé de quelques jours à l'occasion des fêtes de Noël et du Nouvel An.

Dix représentations plus tard, toutes à guichets fermés, Louis Cyr fut consacré comme un héros populaire. Dans son édition du 2 janvier 1892, le *Liverpool Football Echo* publiait que la population du Lancashire en entier, région du nord-ouest de l'Angleterre allant de Liverpool jusqu'à l'île de Man, en passant par Manchester, Preston, Lancaster, le comté de Cumbria et Carlisle, avait choisi Louis Cyr comme le plus extraordinaire leveur d'haltères du monde : « *Louis Cyr is voted by the Lancastrians the most extraordinary weight-lifter in the world.* » Le long article, repris par le *Sporting Life* de Londres dans son édition du 6 janvier 1892, racontait avec moult détails des péripéties de la vie de Louis Cyr, relatant ses souvenirs d'enfance, son séjour dans la force constabulaire de Sainte-Cunégonde et quelques-uns de ses exploits lors de tournées à travers le Québec et les États-Unis.

La fulgurante ascension de Louis Cyr dans les rangs du vedettariat athlétique mondial et sa consécration par le public anglais n'avaient pas échappé aux dirigeants canadiens-français des États de la Nouvelle-Angleterre. Ces derniers continuaient à renforcer les structures ethniques franco-américaines et à encourager un militantisme idéologique.

Paradoxalement, cette idéologie qui voulait préserver l'« esprit français », comme l'appelaient les élites, poussait ces derniers à des tentatives de récupération identitaire, comme de faire passer un personnage connu pour un activiste de la cause, un combattant de la « mission sacrée des Francos ». Aux aguets, le journal *Le National* de Lowell, au Massachusetts, s'empressa de parler de Louis Cyr comme d'un des leurs. Dans son édition du vendredi 22 janvier 1892, le quotidien franco-américain reprit un article du *Liverpool Athletic and Dramatic News,* publié le 10 janvier précédent. On y apprenait, entre autres, que le propriétaire du journal *Le National* s'était rendu à Liverpool, à l'invitation du directeur du *Grand Theatre,* et qu'« on le pria de faire partie du panel de juges », ces derniers devant rendre compte du mérite des exploits de Louis Cyr. Le journal de Liverpool affirmait que, lors d'une de ses représentations au *Grand Theatre,* Louis Cyr avait réalisé un *back lift* de 3 547 livres, concluant : « Maintenant nous pouvons dire que M. Cyr, qui s'est fait tant applaudir à Liverpool depuis quelques jours, est l'homme le plus fort du monde ».

Dans les *Mémoires* publiés par *La Presse* en 1908, Louis Cyr ne parla aucunement de son séjour à Liverpool, sinon pour mentionner qu'il y passa quelque temps, de même qu'« à Birmingham et toutes les villes de quelque importance, affichant partout le défi de la *Police Gazette,* sans qu'il fût jamais relevé ». Toutefois, dans une entrevue qu'il accorda le matin du 22 mars 1892, alors qu'il descendait de train à Montréal, il commenta brièvement ce séjour dans la région de Liverpool. Ce fut le *Montreal Daily Witness* qui en rendit compte le soir même : « Nous avons vécu dans un épais brouillard pendant deux semaines entières, surtout durant la période de Noël, au point que j'en fus malade. Pendant tout ce temps, il faisait tellement sombre que nous passions nos journées à nous éclairer au gaz. Mais l'accueil qu'on me fit fut incroyable. Les foules accouraient. J'ai touché le salaire le plus élevé jamais payé à un athlète, de six cents dollars jusqu'à deux fois cette somme par semaine » (*traduction de l'auteur*). C'étaient des montants astronomiques, tenant compte des salaires de l'époque tant au Canada qu'aux États-Unis et en Angleterre.

Dans les manufactures de textile de la Nouvelle-Angleterre qu'avait bien connues le jeune Cyprien Noé, les salaires versés en 1892 à un ouvrier qui s'échinait soixante-dix heures par semaine étaient d'environ 400 dollars l'an, la moitié pour un adolescent entre quatorze et seize ans, tout en considérant que 70 % de ces sommes étaient consacrées au loyer et à la nourriture. De tels montants représentaient également soixante-quinze fois la double solde de constable qui avait été consentie à Louis Cyr sept ans plus tôt, alors qu'il risquait sa vie dans les quartiers malfamés de la municipalité de Sainte-Cunégonde.

Il est probable que Louis Cyr eut conscience que tout cet argent s'accumulant à son bénéfice allait faire de lui une personne très riche, au-delà de tout ce qu'il eût pu espérer à peine quelques mois auparavant. Mais à l'époque de ce passage à Liverpool, il découvrait quelque chose de bien plus exaltant : l'émerveillement des puissants, des humbles, des riches, des pauvres, à la vue de ses exploits ; en somme, un culte qui se définissait davantage chaque jour et dont lui-même illustrait les pages de ce que l'on qualifiera, un siècle plus tard, d'épopée légendaire. Cela tenait au fait que dans l'esprit populaire, tant en Europe qu'en Amérique, les épopées les plus grandioses se célébraient en Grande-Bretagne, ainsi qu'en témoignaient les légendes les plus anciennes de cette partie du monde et les grands espaces coloniaux qui envahissaient les mappemondes, rappelant les territoires occupés par l'Empire britannique.

À quelques livres près, les exploits de Louis Cyr en Angleterre ne dépassaient pas tellement ceux qu'il avait déjà réalisés en Amérique. Mais les performances frappées du sceau britannique tenaient lieu de symboles, marquant pour toujours l'imaginaire collectif. L'Angleterre, plus que toute autre contrée au monde, était affamée de légendes, surtout dans le domaine celtique, fascinée par les traces originelles des mythes les plus célèbres, dont celui de la quête du Graal, du roi Arthur et des chevaliers de la Table ronde.

*

Début janvier 1892, Richard Fox informa Louis Cyr qu'il avait conclu un engagement d'au moins deux semaines au *Royal Aquarium Hall*, mais qu'en plus il avait été sollicité pour se produire au *Royal Albert Hall*, le tout devant débuter au plus tard le vendredi 15 janvier. Il proposa à Cyr de porter l'enjeu à 1 000 livres sterling, toujours dans l'espoir qu'une des vedettes de la force se laissât enfin tenter par le défi. Mais il était déjà trop tard, car le public londonien n'en avait plus que pour Louis Cyr. Les promoteurs de spectacles, les propriétaires des deux grands théâtres et un public de toutes provenances attendaient qu'il fît l'impossible, qu'il inventât une légende. Sandow, McCann, Cyclops et Romulus demeuraient des hommes forts, crédibles, impressionnants même, surtout Sandow, mais Louis Cyr avait un autre rendez-vous : rééditer les travaux de l'Hercule mythologique, défier l'imaginaire, créer sa propre dramaturgie. Car il serait seul en scène, sans référence, sans motivation autre que de tenter de franchir le seuil extrême de ses propres limites physiques. En rentrant à Londres, Louis Cyr savait qu'il était appelé à vivre les trente jours les plus importants de sa vie. Les exploits qu'il avait réalisés jusque-là appartenaient au passé, la réputation qu'on lui avait faite nourrissait les articles des journaux et allait servir à remplir les salles ; il lui incombait d'affronter son double, les peurs, les doutes, et le pire des démons, la vanité.

Lorsque Louis Cyr parut sur la scène du *Royal Aquarium Hall* et que le public l'ovationna avant même qu'il eût tenté le moindre lever, une soudaine émotion l'étreignit. Il éprouva une affreuse sensation de vide et, durant quelques instants, l'impression que ses moyens l'abandonnaient. Pourtant, c'était dans la vaste enceinte de ce *Royal Aquarium*, situé à portée de Westminster Bridge et des Chambres du Parlement, le cœur politique de l'Empire britannique, que l'attendait son rendez-vous le plus important avec le destin.

Pour la circonstance, Louis Cyr avait revêtu un costume athlétique moulant, en deux couleurs, vert et rouge. Cette dernière couleur était celle du maillot, dont les manches courtes dégageaient ses énormes biceps. Sur son torse, bien en vue, les armoiries de la Grande-Bretagne et, en dessous, en grosses lettres brodées, le mot «CANADA». Durant ce mois d'absence de Londres, Louis Cyr avait perdu une vingtaine de livres, si bien qu'il présentait une silhouette aux reliefs musculaires plus saillants et dont la différence de volume entre la masse thoracique et la ceinture relevait davantage l'effet de largeur de ses épaules.

Pendant que le maître de cérémonie dressait la longue liste des exploits de Louis Cyr, marquant sa présentation d'effets théâtraux, ce dernier avait parcouru l'immense parterre du regard. Les premières rangées étaient occupées par des gentlemen en smoking. Plus loin, mais bien visibles, de nombreux officiers de haut rang, solennellement campés, vêtus de tuniques rouge et bleu constellées de décorations. Derrière, la somptueuse étiquette vestimentaire cédait à un habillement plus sobre : c'était le peuple ; ceux qui, faute de ne pouvoir se payer de fiacre, avaient bravé le brouillard dense et humide, franchi à pied les rues bourbeuses, pour arriver, bien avant les voitures particulières, aux guichets du *Royal Aquarium* dans l'espoir d'y dénicher un siège.

Plus sobrement, Richard Kyle Fox vint rappeler le défi de Louis Cyr, annonçant aussi que le montant de l'enjeu avait été porté à 1 000 livres sterling. Il y eut un long silence à l'annonce du montant, et probablement nombre de spectateurs durent chercher du regard un champion pour relever le gant. Mais nul n'allait risquer sa propre réputation.

Richard Fox avait prévu le scénario : aucun homme fort ne franchirait l'enceinte pour se mesurer à Louis Cyr, par conséquent ce dernier devrait créer lui-même le suspense et ainsi faire accourir les foules, jusqu'à un quelconque dénouement. Un jeu pouvant aisément durer une quinzaine de jours. De son côté, Louis Cyr avait vu les choses autrement : ce n'était pas un jeu et il voulait en finir au plus vite avec la controverse des styles. Or, la meilleure façon, selon lui, de faire taire les sceptiques était encore de les confondre. Déjà, lors des premières représentations à Londres, et surtout à l'occasion de ses deux rencontres dans les bureaux du *Sporting Life*, Louis Cyr s'était enquis des records de force en vigueur. On l'avait alors informé que cela dépendait du statut des individus en cause, puisqu'en Angleterre on faisait grand cas de la notion d'amateur. Dans ce dernier cas, on lui avait dit qu'un certain Wilhelm Türk, d'Autriche, avait été reconnu comme le champion du monde, ayant remporté les honneurs du premier championnat du monde de levers d'haltères, tenu à Londres le 28 mars 1891 sous les auspices du Österreichischer Athleten-Bund. Quant aux professionnels, on ne les reconnaissait pas comme des athlètes, mais plutôt comme des *theatrical performers,* un terme poli désignant des artistes ambulants ou même des saltimbanques (*acrobats*), catégorie à laquelle appartenaient les Sandow, Cyclops, Hercules et, bien entendu, Louis Cyr. Mais puisqu'il était question de records, on s'en était remis au prestige du marquis de Queensberry et à la notoriété du professeur Atkinson pour reconnaître la suprématie d'Eugen Sandow.

Louis Cyr avait demandé qu'on l'informât des performances record, toutes catégories confondues, donc autant pour les levers classiques, reconnus en Europe, que pour les levers non orthodoxes, tels ceux des hommes forts professionnels, les siens inclus. Il connaissait déjà ceux que revendiquait Sandow, notamment un dévissé à un bras de 269 livres, chiffre quasi mythique selon tous les observateurs, et la croix de fer avec une charge de 70 livres dans la main droite, bras tendu à l'horizontale. Il avait appris qu'un Edward Lawrence Levy, d'Angleterre, avait développé du bras droit un poids de 119 ½ livres à huit reprises, à Londres le 30 mars 1891 ; que Wilhelm Türk, l'Autrichien, avait levé à la volée, soit d'un seul mouvement du sol au-dessus de la tête, une charge de 167 ½ livres du bras droit, puis jeté à deux bras 314 ½ livres, une première mondiale, le 15 septembre 1891 ; et que le même Türk venait tout juste de réussir un développé à deux bras de 276 livres, poussant la charge à deux reprises.

Louis Cyr avait réalisé qu'il n'avait jamais tenté de lourdes charges à l'aide d'un haltère à barre longue. Il n'en connaissait pas davantage les techniques, ni pour le jeté à deux bras, ni pour le développé. On lui avait expliqué que pour le jeté, il devait enlever directement la barre de terre à hauteur des épaules et, de là, sans rétablir la posture des poignets, jeter la barre au-dessus de la tête en se fendant à volonté des jambes, pour se relever ensuite, les jambes tendues, les bras tenus à la verticale. Pour le développé, l'exécution jusqu'à l'épaulement était la même que pour le jeté, sauf que pendant le deuxième temps du lever, aucun départ en souplesse n'était permis, l'action des bras devait être lente, les pieds ne devaient pas bouger, les jambes devaient rester tendues.

Lorsque Richard Fox eut terminé son propos depuis la scène, Louis Cyr lui demanda d'annoncer à l'auditoire qu'« en dedans de cinq représentations, il aurait battu tous les records existants, quels qu'en fussent les détenteurs ». Son audace fut gratifiée d'une bruyante ovation.

Il fallut moins d'une heure à Louis Cyr pour convaincre les milliers de Londoniens présents au *Royal Aquarium Hall* qu'il entendait non seulement écrire une nouvelle page de l'histoire de la force, mais probablement réécrire le livre en entier. Le soir du 15 janvier 1892, il commença par développer 242 livres du bras droit, puis 252 livres, finalement 265 livres. Il manquait 5 livres pour surpasser la marque de Sandow, quoique ce dernier revendiquait un record réalisé à l'aide de la technique du dévissé. Il s'attaqua ensuite très lentement à la barre longue, lourde de 278 livres, qu'il développa, pratiquement sans efforts, à deux reprises. Il battait la marque de Wilhelm Türk de 2 livres, à sa toute première tentative. Se mettant ensuite à genoux, il épaula de sa seule main droite un haltère de 174 livres et le développa dix fois de suite, sans marquer de temps d'arrêt à l'épaule. Le record d'Edward Lawrence Levy était pulvérisé de la manière la plus spectaculaire et la plus périlleuse. Ce même soir, puisque le public en demandait encore, Louis Cyr offrit un *back lift* de plus de 3 000 livres. Porté par la réaction de la foule, et sans y réfléchir à deux fois, il fit annoncer qu'il s'attaquerait au record de Sandow dans trois jours, le soir du 18 janvier 1892.

Le *Sporting Life* résuma le propos de Louis Cyr en affirmant qu'il avait annoncé son intention de réaliser le plus grand exploit de force jamais tenté. Par ces quelques mots, prononcés depuis le *Royal Aquarium Hall*, Londres comprit que le défi du Canadien frappait la réputation d'Eugen Sandow en plein cœur. Ce dernier évita donc de se trouver à Londres. Le professeur Attila, pour sa part, confirma sa présence. Et quelques minutes avant le début de la représentation, on annonça qu'il se joignait au comité des juges, chargé d'évaluer et d'authentifier les prestations de Louis Cyr. Le réputé professeur et entraîneur prit donc place aux côtés d'un représentant de l'Institut athlétique de Londres, W. Bush, du duo Remus et Romulus (Giacomo Zaffrano et Cosimo Molino), des autres professionnels, Achille, Milo et les frères Spencer, d'un athlète amateur du nom de T. Pfau et d'un représentant du *Sporting Life.*

Sous la surveillance de M. Sinclair, responsable des haltères et de la pesée officielle, on lesta l'énorme haltère à sphères de granules de fer. Lorsque Sinclair annonça 270 livres, soit 1 livre de plus que le record de Sandow, Louis Cyr fit signe aux assistants, parmi lesquels se trouvait son frère Pierre, d'ajouter ce qui restait de lest. L'opération terminée, Sinclair, après quelque hésitation, lança : « 273 ¼ livres. »

Un silence de mort régnait dans l'enceinte de l'*Aquarium Hall* bondé lorsque Louis Cyr se pencha pour saisir la plus lourde charge jamais tentée d'une seule main par un être humain. Ce qui s'ensuivit se déroula en moins de trente secondes. Plutôt que de soulever l'haltère de sa seule main droite, Louis Cyr enserra la courte barre des deux mains, souleva la masse à la hauteur de ses cuisses, puis d'un élan amena le poids à l'épaule gauche pour le transférer aussitôt du côté droit. Soutenant la masse de fonte de la main droite, il la poussa lentement au-dessus de la tête, presque au bout du bras… Soudain, l'haltère se mit à basculer dans la main de Cyr, qui s'empressa aussitôt de le fixer en position, une fraction de seconde seulement avant qu'il n'en perdît le contrôle et que l'énorme charge tombât en chute libre pour s'écraser avec fracas sur la scène. Il y eut un long moment de stupeur. Les membres du comité délibérèrent quelques instants, pour finalement annoncer qu'à la « grande majorité » le comité accordait le lever et souhaitait qu'il fût consigné dans le livre des records. L'assistance se leva d'un bond alors qu'éclata une ovation monstre. Mais déjà Louis Cyr secouait la tête. Puis il conféra avec les membres du comité, insistant pour qu'on lui reconnût le record à la seule condition que le lever fût accompli sans qu'il puisse y avoir le moindre doute sur le style et la maîtrise de la charge. Or, selon Cyr lui-même, il n'avait pas maintenu l'haltère à la verticale assez longtemps pour que le lever fût légitime. Il refusa donc le record et demanda qu'on lui accordât un bref repos avant de faire une nouvelle tentative.

La deuxième tentative fut quasi réussie, mais Cyr ne parvint pas à verrouiller son coude droit alors que la charge était presque au faîte. Il y eut une troisième et dernière tentative, tout aussi infructueuse. Le *Sporting Life* du lendemain décrivit le dernier essai : « Pour la troisième fois il mania la masse de fonte et la tint entre ciel et terre jusqu'à ce qu'il semblât que son bras allait se séparer de l'attache du coude » (*traduction de l'auteur*).

L'assistance ovationna son courage. Louis Cyr répondit par une autre performance au *back lift*, soulevant pour la seconde fois depuis son arrivée en Angleterre une charge de plus de 3 500 livres. Parmi ceux qui prirent place sur la plate-forme, le *Sporting Life* mentionna le nom de Pierre Cyr. Malgré tout, Cyr était profondément déçu, mais il n'était pas abattu pour autant. Lorsque le représentant du journal londonien suggéra qu'il lui faudrait peut-être un long repos afin de se remettre de tant d'efforts vains, Louis Cyr lui répondit : « J'ai peut-être trop travaillé juste avant d'entreprendre les levers, mais je ne vous ai pas encore montré jusqu'où je peux aller ; attendez que quelqu'un relève mon défi. Ce ne sera pas l'haltère de 275 livres [*sic*] qui va m'arrêter » (*traduction de l'auteur*). Le représentant du *Sporting Life* lui demanda quand cela serait. « Je me mets à la pratique du développé dès maintenant et jusqu'à ce que je le maîtrise… disons demain soir. »

*

En ce 19 janvier 1892, Louis Cyr, âgé de vingt-huit ans et trois mois, se réfugia dans la foi et les prières, dans le sens de l'au-delà qui l'étreignit profondément au souvenir de sa défunte mère et dans ce qu'il perçut probablement de sa propre condition historique. Si une seule chose lui parut claire en cette journée, ce fut qu'à l'épreuve, si grande fût-elle, on pouvait opposer l'action créatrice de la volonté. C'était bien ce dont Louis Cyr manquait le moins.

Une fois de plus tout Londres fut au rendez-vous, mais cette fois la clameur avait cédé la place à un quasi-silence, voisin du recueillement. La légende veut que le prince de Galles et un bon nombre des pairs du royaume aient occupé les premières rangées du *Royal Aquarium Hall*. Hormis W. T. Montague, représentant du duc de Westminster, aucun autre nom associé à la famille royale ou à la noblesse anglaise ne fut évoqué dans les journaux londoniens. Louis Cyr n'en fit lui-même aucune mention.

Une fois de plus, on constitua le comité des juges : une impressionnante brochette de vingt-cinq personnalités, parmi lesquelles on nota le professeur Attila, les hommes forts professionnels Milo et Graham Simpson, le représentant du duc de Westminster, le président du conseil d'administration du *Royal Aquarium Hall*, M. Ritchie.

Louis Cyr demanda que l'on chargeât le baril de ciment à hauteur de 314 livres, soit 34 livres de plus que la meilleure performance réussie à ce jour. Puis il fit part aux membres du comité qu'il tenterait de soulever l'haltère-record dès sa première tentative, qu'il s'attaquerait au record du développé à deux mains, en dépassant la barrière des 300 livres, qu'il tenterait également d'éclipser le record de la volée à un bras de Wilhelm Türk, son propre record du *back lift* et le lever à un doigt de 528 livres qu'on attribuait à l'Allemand Hans Steyrer.

Quand les haltères et les engins eurent été pesés et les charges consignées au registre par M. Archie Sinclair, Louis Cyr se dirigea droit sur l'haltère de 273 ¼ livres. Il agrippa la barre de sa seule main droite, souleva la charge d'un mouvement fluide jusqu'à la hauteur de sa cuisse, l'épaula, assura sa prise, puis poussa lentement l'haltère au bout du bras droit, le tenant ainsi, immobile, pendant plusieurs secondes. Tous les membres du comité se levèrent en même temps que la foule pour saluer un des plus grands exploits de force de tous les temps. Ce fut, pour Louis Cyr, un premier moment de grâce.

Il s'attaqua avec la même conviction à l'haltère à grande barre. Sans que celui-ci ne touchât la moindre partie de son corps, il développa lentement, à deux bras, dans une quelconque impulsion, 301 livres au-dessus de la tête. D'un seul bras, il fit passer le baril de ciment du plancher de la scène sur son épaule, du jamais vu. Il prit ensuite l'haltère court de 104 ½ livres, le fixa à l'horizontale à l'aide de son bras droit, le maintint de la sorte pendant quelques secondes avant de le ramener, sous contrôle, à l'épaule. Puis il battit le record de Türk en soulevant à la volée, d'un seul mouvement du bras droit, du sol au-dessus de la tête, un haltère de 174 ½ livres, mouvement qu'il répéta de la main gauche avec la même aisance. Pendant que le public n'en finissait plus de l'ovationner, Louis Cyr, aidé de son frère Pierre, arrima plusieurs haltères ensemble. On annonça une charge totale de 551 livres que Louis Cyr leva du majeur de sa main droite à la hauteur du genou. Ç'en était fait de tous les records existants. Autant de moments de grâce qu'éprouva Louis Cyr en moins d'une heure et qui désormais allaient donner un sens nouveau à la définition de la force humaine. Restait le *back lift*. On procéda à la pesée successive de tous ceux qui s'entassèrent sur la plate-forme : un total de 3 635 livres. Louis Cyr souleva l'immense fardeau avec l'aisance que lui conféra cet ultime moment de grâce.

Lorsque le représentant du *Sporting Life* lui demanda après coup s'il croyait avoir atteint les limites de sa force, Louis Cyr répondit : « Absolument pas. Je vais battre d'autres records. En quittant l'Angleterre, ceux qui seront déjà dans les livres y resteront pour de nombreuses années. J'en suis venu à la conclusion que puisque personne ne veut relever mon défi, autant effacer les records des autres et faire en sorte que dorénavant il n'y ait qu'un seul nom dans le livre des records, le mien » (*traduction de l'auteur*).

*

Du *Royal Aquarium Hall* au *Royal Albert Hall*, la réputation de Louis Cyr n'avait fait que grandir. Partout dans South Kensington, où se trouvait le prestigieux édifice, on pouvait voir des affiches annonçant le nom de Louis Cyr en grosses lettres rouges et en tête du programme. Le journal *Le National*, de Lowell, au Massachusetts, rapportait que sur une des affiches on lisait : « Louis Cyr, le Monarque de tous les Hommes forts donnera cent livres sterling chaque soir à toute personne qui pourra lever ce qu'il lève. Sandow, Sampson, et tous les hommes forts sont invités. Voyez-le lever 3 000 livres, voyez-le lever d'une seule main 300 livres. »

Entre le 19 et le 30 janvier 1892, Louis Cyr devint l'homme le plus populaire de Londres. Parti du *Royal Aquarium Hall* en pleine gloire, il était arrivé au *Royal Albert Hall* tel un héros de légende. Il réédita sur la scène de ce dernier endroit son développé record du bras droit. Puis il réalisa un autre exploit : il développa du bras droit, à genoux, l'haltère de 174 livres à seize reprises. Cela ajouta au caractère mythique de la quête du Samson canadien.

« Pendant toute la semaine, une foule immense s'est pressée aux portes du *Royal Albert Music Hall*, et le propriétaire, monsieur Relf, a presque perdu la tête pour pouvoir trouver de la place pour ses nombreux clients », pouvait-on lire dans l'article du *National*. Louis Cyr n'avait plus d'autre voie que de se surpasser d'un soir à l'autre, ce qu'il fit. À tel point que le soir du 1er février 1892 il fit charger le fameux haltère jusqu'à 286 livres, une masse qu'aucun humain n'eût pu bouger du sol, même à deux mains, ne fût-ce qu'en raison du diamètre de la barre reliant les deux sphères (un diamètre de 2 pouces, soit 6 $\frac{1}{3}$ pouces de circonférence, comparée à un diamètre de 1 $\frac{1}{10}$ pouce pour une circonférence de 3 ½ pouces pour une barre du XXe siècle).

Louis Cyr hissa l'haltère à l'épaule, puis commença le développé. Aux trois quarts du parcours, il perdit la maîtrise de la charge et la reçut en pleine poitrine. Un médecin aussitôt mandé constata une fracture du sternum. Très souffrant, il fut bandé sur tout le thorax et on lui prescrivit un long repos. Le journal *Le National* termina l'article ainsi : « Nous faisons des vœux pour qù'il recouvre bientôt cette force qui en fait l'orgueil de sa race. »

La convalescence dura une douzaine de jours. Dès le samedi 13 février, il retourna au *Royal Aquarium Hall*. Son vaste public était au rendez-vous, d'autant plus qu'on avait annoncé à grand renfort d'affiches que Louis Cyr s'attaquerait à d'autres records de force. Mais, ce soir-là, l'état de grâce ne l'habitait pas. Il répéta quelques-uns de ses tours, sans plus. Sans doute avait-il surestimé sa force ou alors sous-estimé la gravité de la blessure. Un article paru dans l'*Evening News and Post* du lundi 15 février relata que « seule la réclame que l'on fit autour des records que battrait Louis Cyr avait attiré une telle foule, puisque durant la soirée rien de tel ne se produisit, sauf pour quelques moments excitants ».

Quelques jours plus tard, Louis Cyr quitta Londres en direction de Birmingham. Il s'y produisit à guichets fermés pendant au moins une dizaine de jours, ainsi qu'en témoignait un article publié dans le *Birmingham Daily Mail* du 5 mars 1892. On y fit grand cas des mensurations de Louis Cyr, notamment de la circonférence de sa poitrine, près de 60 pouces, de ses mollets que l'on prétendait mesurer 24 pouces et de son avant-bras de plus de 19 pouces. L'article mentionnait également que Louis Cyr ne buvait jamais d'alcool, mangeait du porridge accompagné de lait en énormes quantités chaque matin et était friand de toutes les soupes. Le texte rapportait en outre qu'il « ne se couchait jamais avant une heure du matin, se levait à huit heures pour prendre son petit déjeuner pour retourner immédiatement au lit et dormir jusqu'à une heure de l'après-midi », ajoutant que Cyr insistait sur l'importance d'un long sommeil. L'article fit une surprenante révélation en indiquant qu'avant son arrivée en Angleterre, Louis Cyr ne s'était pratiquement jamais entraîné, mais qu'« à la recommandation d'Eugen Sandow, qui pourtant était un adversaire de Louis Cyr, ce dernier s'entraînait maintenant jusqu'à trois quarts d'heure par jour avec des haltères très légers ». Le texte se terminait par l'annonce que « Louis Cyr quitterait l'Angleterre d'ici quelques jours et qu'il emporterait sûrement une véritable fortune avec lui » (*traduction de l'auteur*).

Le départ était prévu depuis Liverpool pour le 9 mars. Mais avant cette dernière étape, Louis Cyr se rendit à Rugby, une petite communauté située à deux heures de train à peine de Birmingham, sur la route de Coventry. C'était au sud des Midlands, une région connue pour ses châteaux, ses manoirs, ses vestiges de l'occupation romaine, ses pâturages à moutons.

Ce fut donc de Rugby que Louis Cyr envoya un télégramme pour prévenir sa famille qu'il embarquerait le mercredi 9 mars et prévoyait arriver au Canada entre douze et quatorze jours plus tard. Dans sa livraison du jeudi 17 mars 1892, *L'Étoile du Nord* rendit compte que son « propriétaire avait reçu la communication depuis Derby, Angleterre, dans laquelle notre Hercule Canadien lui annonce qu'il est appelé au Canada le plus tôt possible pour affaires importantes ». Le même article soulignait : « Sa tournée en Angleterre l'a rendu célèbre par tout l'univers et le titre de champion des hommes forts ne lui est plus contesté par aucun. »

Comme prévu, le *SS Numidian* quitta Liverpool durant la matinée du mercredi 9 mars 1892 à destination de Halifax. Le navire, quoique d'un tonnage inférieur à celui du *SS Vancouver*, était néanmoins réputé pour sa vitesse de croisière et sa ponctualité. Commandé par le capitaine A. MacNicol, le *SS Numidian* entra au port de Halifax dans la soirée du 19 mars, au terme d'une traversée sans histoire.

Parti en quête de notoriété, Louis Cyr revenait dans son pays, riche et célèbre. Il avait passé exactement cent dix-sept jours en Angleterre, le temps d'y être proclamé l'homme le plus fort du monde et d'y être couronné, par forfait de tous les prétendants, le champion des hommes forts du monde entier, ainsi que le voulait la formule consacrée.

*

Pour extraordinaire qu'il fût, l'épisode en sol anglais se termina d'une manière banale, ainsi qu'en rendit compte le

Montreal Daily Witness dans son édition du 22 mars 1892. Comble de l'ironie, ce fut un journal anglophone qui, de tous les journaux montréalais, souligna le retour du champion. «Louis Cyr, l'homme le plus fort du monde, était de retour ce matin, après un séjour de cinq mois à Londres. Montréal devrait être fière de lui, mais lorsque le train entra en gare, seul son ancien manager, M. Alphonse J. Labatte, et quelques amis intimes l'attendaient. Peut-être était-ce dû au fait que le train avait du retard ou encore que personne n'avait été averti de la date exacte du retour de Cyr. Mais ceci ne sembla pas le moindrement déranger Louis Cyr. Ce dernier a perdu son allure de Samson aux longs cheveux. Le changement lui va très bien » (*traduction de l'auteur*). L'article précisait que Louis Cyr avait perdu 33 livres durant son séjour en Angleterre et qu'« il pesait deux cent soixante-dix-huit livres avec ses habits sur le dos». Louis Cyr déclara qu'il y avait une possibilité qu'il retournât en Angleterre, mais « seulement afin d'y établir de nouveaux records. Cela fait, je vais ensuite prendre ma retraite et céder ma place à un homme fort qui, je l'espère, sera quelqu'un de Montréal» (*traduction de l'auteur*).

Au même moment, en France, le baron Pierre de Coubertin entendait, une fois pour toutes, imposer ses idées d'un sport moderne à la face des nations du monde. Il préparait le rétablissement des Jeux olympiques. Pour ce faire, il prononça un mot qui allait, pour le siècle à venir, creuser un fossé entre deux mondes. Ce mot, «amateurisme», allait susciter un débat que quelques aristocrates auront vite endigué. Aussi fut-il décidé que seuls les amateurs, au sens noble et aristocratique du terme, auraient accès à ces Jeux olympiques.

La route de l'olympisme se fermait à jamais pour Louis Cyr. Quoiqu'il se proclamât athlète, les dirigeants du sport ne le considérèrent jamais autrement que comme professionnel, usant même de moindres qualificatifs. Louis Cyr eût pu représenter le Canada lors des premiers Jeux olympiques de l'ère moderne, tenus à Athènes en 1896, soit quatre ans après son passage historique en Angleterre. Le destin voulut que ce fût l'Anglais Lanceston Elliott qui remportât l'épreuve du jeté à un bras, avec un lever de 156 livres, soit 117 livres de moins que le record établi par Louis Cyr. Quant au jeté à deux bras, ce fut le Danois Jensen qui fut victorieux, grâce à un lever de 245 livres. Louis Cyr levait 30 livres de plus de son seul bras droit. En 1904, les vainqueurs furent l'Américain Osthoff et le Grec Kakousis. On les oublia vite, autant qu'on oublia l'haltérophilie jusqu'en 1920.

Le 22 mars 1892, alors qu'il quittait la gare de Montréal pour Saint-Jean-de-Matha, une nouvelle vie commençait pour Louis Cyr.

CHAPITRE 10

La fuite de Sandow

Louis Cyr avait annoncé son intention ferme de s'accorder un long répit, « six mois au moins », avait-il lancé depuis le quai de la gare. Ce fut en fait un peu moins de huit jours, le temps de brèves retrouvailles familiales à Saint-Jean-de-Matha. Et le reste de la famille Cyr, pouvait-on se demander ?

Pierre Cyr, le père, ne s'était jamais remis du décès prématuré de Philomène. Un mois à peine après le décès de cette dernière, en avril 1888, le veuf avait comparu devant le notaire Louis Omer Dauray, du village d'Upton dans le district de Saint-Hyacinthe, afin d'y faire nommer les tuteurs des sept enfants encore mineurs, quatre garçons et trois filles. En présence de sept personnes, cousins paternels et connaissances de Sainte-Hélène-de-Bagot et d'Upton, il fut lui-même désigné comme tuteur, alors que Calixte Smith, un cousin paternel et cultivateur du rang Saint-Augustin, fut nommé subrogé tuteur. Le 28 février 1889, sa ferme de Sainte-Hélène ainsi que sa buvette de Sainte-Cunégonde vendues, Pierre Cyr épousa, à Saint-Henri, Philomène Thibodeau, elle-même veuve d'un François Courcelles. Quant à Pierre Cyr, le fils, il épousa à Saint-Hugues, le 29 avril 1889, Adéline Bélanger.

Il venait d'atteindre la majorité. En 1892, il restait toujours quatre enfants d'âge mineur, tous placés dans ce coin du cœur du Québec.

Louis Cyr n'eut guère le temps de rendre visite aux uns et aux autres. Il avait partagé la peine de son père lors du décès de Philomène et constaté par la suite les ravages de la solitude. Il comprit donc la décision de celui-ci lorsqu'il décida de se remarier l'année suivante. Mais dès lors, les rencontres entre le père et son illustre fils, dont il avait pourtant si étroitement partagé les premiers moments de gloire, se firent de plus en plus rares. Et il en fut ainsi jusqu'au décès de Pierre Cyr.

Pendant les quelques jours qu'il partagea avec Mélina et la petite Émiliana, qui venait d'avoir cinq ans le 31 janvier, Louis Cyr se consacra à ses deux passe-temps : « gratter le violon », selon sa propre expression, et classer les articles de journaux le concernant. Il découpait ces derniers de façon méticuleuse, tel un archiviste, en utilisant un grand livre de comptes, probablement un de ceux dont il se servait alors qu'il était propriétaire de l'hôtel de la rue Notre-Dame. Cette pratique, à laquelle l'avaient initié Gus Lambert et par la suite Joseph-Xavier Perrault, permit à Louis Cyr de constituer un véritable fonds d'archives de plus de quatre cents articles, s'échelonnant entre 1885 et 1912. Le journaliste Septime Laferrière, qui a interviewé Cyr en janvier 1908 et dont la relation sténographiée servit à la publication des *Mémoires* dans le journal *La Presse*, a précisé que pour « raconter sa vie par le menu aux deux représentants de *La Presse* – le second étant le dessinateur Albéric Bourgeois – monsieur Cyr nous avait reçus pièces justificatives en mains ».

Louis Cyr n'eut pas à attendre bien longtemps que vinssent les propositions. Elles arrivèrent de toutes les villes du Québec et d'une quinzaine d'États américains. Mais on le réclamait surtout à Montréal, où tous les lieux d'amusement, d'attractions, tous les théâtres lui offraient leur tête d'affiche.

Alors qu'il hésitait, malgré toutes les raisons que lui donnait Mélina en faveur d'une vie plus sédentaire, Louis Cyr reçut par le courrier un article qui avait été publié dans le journal *Le National* de Lowell, au Massachusetts, le 9 mars précédent, le jour même de son départ d'Angleterre. En lisant le titre, il comprit que c'était un clin d'œil du destin. Le texte reprenait un article du *Derby Telegraph* du 23 février, alors que Louis Cyr se produisait au *Corn Exchange* de l'endroit, et s'intitulait : « Une étude comparative de Cyr et Sandow. » On pouvait lire : « Sandow et ses admirateurs disputeraient probablement l'authenticité de quelques-unes de ces prétentions mais, si nous pouvons accepter les assurances de plusieurs des principaux journaux du sport, il n'y a pas lieu de douter que le Teuton musculeux a été surpassé par Louis Cyr, l'être extraordinaire qui a paru, sous les auspices de M. De Larue Lloyd, au *Corn Exchange*, hier soir. » Quoique flatteur à première vue, l'article laissait planer quelque doute encore sur cette suprématie incontestée que recherchait Louis Cyr. Il comprit que sa quête n'était pas terminée et qu'au lieu de s'enorgueillir de son passé récent en le monnayant dans un théâtre montréalais, il devait rapidement reprendre les routes de l'Amérique, en espérant croiser celle qu'entreprenait au même moment Eugen Sandow.

Mais cela étant, Louis Cyr ne pouvait ignorer toutes ces invitations lui venant de promoteurs montréalais influents, envers lesquels il avait une dette de reconnaissance. Parmi ceux-là, Ernest Lavigne et Louis-Joseph Lajoie, les propriétaires du parc Sohmer, auxquels s'était joint le personnage politique le plus influent et le plus actif sur la scène municipale depuis dix ans, M. Raymond Préfontaine. Ce dernier était pour beaucoup dans l'ère de changement que connaissait Montréal, surtout en matière de travaux publics. Raymond Lafontaine était, entre autres, un fervent admirateur de Louis Cyr.

Prétextant un contrat ferme le liant toujours à Richard Kyle Fox en tant que champion de la *National Police Gazette* et champion des hommes forts du monde entier, Louis Cyr remit à plus tard l'engagement que lui proposaient les trois hommes. Il leur donna pour preuve la carte d'affaires qui le présentait comme « *The New York Police Gazette Champion* », affichant d'un côté le défi permanent de 1 000 livres sterling que garantissait Fox et, de l'autre, deux adresses : l'une, permanente, indiquant le 44 Gladstone Street, London Road, London ; l'autre, son adresse américaine, au 288 Merrimack Street, Lowell, Mass., USA. La première adresse était celle du promoteur londonien Ware, un associé de Richard Fox.

Néanmoins, Louis Cyr accepta deux invitations : à Québec, à la salle Jacques-Cartier, à l'endroit même où six ans plus tôt il avait vaincu David Michaud pour le titre de l'homme le plus fort du Canada, et au théâtre *Lyceum*, rue Saint-Dominique à Montréal, afin d'y retrouver son premier public.

La ville de Québec fit honneur au champion lorsque celui-ci apparut sur la scène de la salle Jacques-Cartier, les mercredi 30 et jeudi 31 mars. En réalité, Louis Cyr fit peu pour se mériter tant d'ovations, lui qu'on siffla et chahuta lorsqu'il défit Michaud en 1886. Quelques mouvements avec des haltères courts et un *back lift* d'une plate-forme sur laquelle avaient pris place quatorze personnes que l'on omit de peser. Une charge qui était donc inférieure à 3 000 livres. Pourtant *L'Électeur*, le journal du matin de la Vieille Capitale, publia une longue interview de Louis Cyr le lundi suivant, 4 avril, le jour de son passage au *Lyceum*. Le texte rappelait que Louis Cyr « est revenu d'Europe, laissant derrière lui la réputation d'un athlète sans égal, et précédé au pays du bruit de ses exploits. Il a été proclamé l'homme le plus fort du monde, et peut-être, suivant certains *sportsmen*, de son siècle ». C'était la première fois qu'une telle opinion était publiée, même si la *National Police Gazette* n'avait jamais ménagé les qualificatifs les plus dithyrambiques alors que Fox avait pris en main les intérêts de Louis Cyr. Ce dernier révéla dans l'interview : « Dans toutes les représentations que j'ai données à Londres et ailleurs, je n'employais jamais toute ma force, afin d'engager quelques-uns des champions qu'on vantait tant à venir se mesurer avec moi. Je tenais à montrer là-bas ce qu'un bon Canadien est capable de faire. Mais personne ne s'est présenté. Pour qu'on vît bien que j'étais Canadien, je portais le nom de mon pays, en grosses lettres d'or, bien voyantes, sur la poitrine. » Le journaliste de

L'Électeur lui demanda quel accueil lui avait été fait à sa première apparition sur scène, ce à quoi Louis Cyr répondit : « On m'a fait un accueil assez froid au premier abord. Mais il y avait une foule énorme. Quand mon *lecturer* m'a présenté à l'assistance et a dit que j'étais Canadien français, personne n'a donné le moindre signe d'approbation ou de sympathie. Au contraire, quelques spectateurs ont poussé des exclamations malveillantes. Mais à peine l'impresario eut-il ajouté que j'étais sujet anglais, *british subject,* oh ! Monsieur, cela a eu un effet électrique. Ç'a été une explosion d'acclamations, des tonnerres d'applaudissements. La glace était rompue. Je remportai le plus grand succès. Et le lendemain les journaux de Londres parlaient du *Canadian Champion* dans les termes les plus flatteurs. » Cette révélation dévoilait un aspect de son séjour en Angleterre que la presse londonienne avait volontairement occulté, du moins pouvait-on le croire. Louis Cyr rendit aussi hommage à deux hommes : « Ceux qui ont le plus contribué à établir ma réputation de champion des hommes forts du monde sont M. J.-X. Perrault, de Montréal, et le fameux Richard K. Fox de New York, qui est mon *backer,* comme on dit en terme de métier. » L'article esquissait également un portrait physique de l'homme : « Louis Cyr n'est pas d'une stature extraordinaire, comme doivent naturellement le supposer ceux qui ne l'ont pas vu. Sa grandeur est de cinq pieds et dix pouces et demi. Ses vastes épaules sont légèrement voûtées, on dirait comme par l'habitude de lever les énormes poids que l'on connaît. » Le journaliste terminait l'article en décrivant, sur le vif, le déroulement du *back lift* que Cyr avait effectué.

> *Au centre de la scène se trouvait une grande table soutenue par deux chevalets. Il fait monter quatorze hommes dessus, dont quelques-uns très pesants, puis se place au-dessous, courbé et les bras appuyés sur un banc. Malgré ses formes puissantes, la disposition entre l'athlète et l'énorme fardeau était si frappante qu'il ne semblait pas humainement possible même de remuer la table.*
>
> *Tous les spectateurs faisaient silence, le cou tendu, haletants. On eût pu entendre voler une mouche. Cyr chercha d'abord le*

centre de la table… puis une tension des muscles, un tour de reins
et elle est enlevée des chevalets sur lesquels elle retombe avec bruit.
Et les applaudissements éclatent avec une frénésie indescriptible.

Cette description du *back lift* s'avérait être la première narration, relatée par un témoin oculaire, de ce désormais célèbre tour de force.

À peine de retour à Montréal, ce fut au tour du *Lyceum* d'accueillir le champion. Et une fois encore, ce fut la presse anglophone qui donna le compte rendu détaillé de la démonstration de Louis Cyr, même si le public était constitué en grande partie de travailleurs francophones et de représentants de la bourgeoisie canadienne-française.

L'endroit était comble, rapporta le *Montreal Daily Star* du lendemain. Louis Cyr fut traité en grande vedette. La direction du *Lyceum* avait prévu une première partie au programme, au cours de laquelle on offrit au public des prestations d'Horace Barré et Alphonse Labatte, présentés tous les deux comme des élèves de Louis Cyr. Puis un certain Dinelle, que Louis Cyr avait vu à l'œuvre à Québec, étonna l'assistance par ses processus de contorsionniste.

Le maître de cérémonie commença ensuite la longue énumération des exploits réalisés par Louis Cyr en Angleterre, provoquant des salves d'applaudissements qui se transformèrent en une ovation telle que nul n'entendit les dernières paroles du présentateur. Elle atteignit son paroxysme lorsque Louis Cyr fit son apparition, accompagné de Mélina. Le champion avait revêtu son maillot marqué du mot « CANADA », et Mélina portait son costume de scène. D'entrée de jeu, Louis Cyr et Mélina présentèrent le numéro d'équilibre : cette dernière, montée dans la courte échelle, fut hissée à la hauteur des épaules, puis tenue en équilibre sur le menton de son mari. Puis Louis Cyr offrit à son public un tour de force inédit : à genoux, il prit un haltère de 104 livres de la main droite et un autre de 80 livres de la main gauche. Les épaulant simultanément, il poussa le premier, lentement, jusqu'à la complète extension du bras droit, le maintenant ainsi à l'horizontale. Du bras gauche, il développa le second haltère à une vingtaine de reprises, sans interruption. Il enchaîna en réalisant un développé du bras droit avec l'haltère de 252 livres, puis des volées successives du bras droit et du bras gauche avec la même charge de 161 livres, suivies de l'épaulement en un seul mouvement du bras droit d'un baril de ciment d'un poids de 288 livres. Après un court répit, le maître de cérémonie annonça que Cyr établirait un autre record du monde. Le colosse de Saint-Jean-de-Matha prit un haltère de 88 livres et le fixa au bout de son bras gauche tendu à l'horizontale. C'était le double du meilleur lever de la sorte, alors que du bras droit Cyr battait de 30 livres déjà le record de Sandow. Le clou de la soirée, toujours le même, fut le *back lift*. Louis Cyr avait demandé qu'au moins quinze hommes prissent place sur la plate-forme ; douze acceptèrent finalement d'y aller. La charge fut annoncée à 2 512 livres. Ne voulant pas décevoir le public, Louis Cyr souleva le fardeau à trois reprises, le gardant sur son dos pendant plusieurs secondes à chaque soulevé.

Dans l'entrevue avec le journaliste du *Star* après sa dernière performance, Louis Cyr déclara qu'il avait « fait parvenir une lettre à Richard Fox, demandant à ce dernier de prendre toutes les dispositions nécessaires pour que son défi soit une fois de plus rendu public, ajoutant que lui-même était disposé à doubler le montant de l'enjeu, surtout s'il s'agissait d'une compétition officielle avec Eugen Sandow ».

Il y eut cependant des notes discordantes dès le lendemain. Une première parut dans *Le Monde*. Sans même commenter la prestation athlétique de Louis Cyr, le quotidien montréalais s'en prit davantage à la qualité du spectacle lui-même. « Si comme on l'annonce, Louis Cyr tient l'affiche au *Lyceum* toute la semaine, nous lui conseillons d'ajouter quelques actes de genre, danse, chant, pour varier le spectacle qui a été un peu languissant hier soir. Après l'ébahissement qu'on éprouve à voir le Samson jouer avec des haltères de 300 livres, on a besoin de quelque chose de plus léger. »

Le texte du quotidien anglophone *The Gazette* avait un ton de gravité. On reprocha carrément à Louis Cyr d'avoir omis de faire peser officiellement les haltères avec lesquels il « prétendit avoir établi des records du monde ». On lui reprocha également de « n'avoir pas fait les efforts pour rééditer, devant un public montréalais, le record presque mythique du développé à un bras de deux cent soixante-treize livres et quart ». Puis une attaque jugée sournoise : « *He simply kisses his hand and the world is his* » (« Il n'a qu'à se baiser la main et le monde est à ses pieds », *traduction de l'auteur*).

Se présentant comme le gérant de Louis Cyr, M. Alphonse J. Labatte envoya une lettre vitriolique à l'éditeur du journal *The Gazette*, que ce dernier fit publier dès le vendredi suivant. Dans le texte, M. Labatte reprochait au journal de faire deux poids deux mesures. « Lorsque des étrangers arrivent au Canada, se produisent dans nos théâtres, se réclamant d'être les hommes les plus forts du monde sans même avoir la moindre réputation, vous ne dites rien, vous n'exigez pas de pesée officielle. Ils ne sont pas des Canadiens, pas besoin de vérifier quoi que ce soit. Mais voilà qu'arrive Louis Cyr, un Canadien, un citoyen de Montréal, champion du monde entier. Ses records paraissent même dans le *New York Clipper*. Il établit un autre record du monde à Montréal et voilà que l'auteur de votre article, qui ne s'y connaît absolument pas en la matière, trouve à redire sur la légitimité de ce record. Ces lignes sont insultantes, mais nous savons tous que la réputation de Louis Cyr est telle qu'elle fera contrepoids au propos de ce seul homme » (*traduction de l'auteur*).

Louis Cyr, qui n'avait rien d'un polémiste, n'aimait toutefois pas que l'on mît en doute les charges qu'il soulevait, surtout qu'avant lui nul champion n'avait pris la peine d'exiger que l'on pesât les haltères ou les engins. Mais il avait appris de Richard Fox que, une fois consacré par le public, le vedettariat qui s'ensuivait comportait une part d'inconvénients, ce qui sous-entendait une grande part d'exagérations. Dans ses entretiens avec le journaliste Septime Laferrière, Louis Cyr nota ce fait en expliquant qu'on avait fabriqué à son sujet des « histoires de toutes pièces », qu'on l'avait fait naître, par exemple, à « St John Debreville », qu'un journal de Butte Mine, dans l'État du Montana, avait écrit : « Entre les mains de Cyr, Corbett ou Fitzsimmons [des champions du monde de boxe, *n.d.a.*] seraient brisés comme des roseaux et les gladiateurs de l'ancienne Rome, à ses côtés, ne seraient que de faibles enfants. » Tout cela l'amusait le plus souvent, sauf lorsqu'il s'agissait de sa réputation, autant dire de son intégrité.

La courte polémique ne dérangea pas outre mesure Louis Cyr. Il était porté par la vague de fond provoquée par ses exploits d'Angleterre. Une fois encore, la Société Saint-Jean-Baptiste voulut célébrer ses victoires en leur donnant une portée nationaliste. Mais les autorités municipales ne l'entendaient pas de la même façon, parole de Raymond Préfontaine. Opportuniste, ce dernier proposa que l'on célébrât le triomphe de Cyr au parc Sohmer. Quoique les parties parussent de bonne foi, il semblait que l'hommage bien légitime que l'on voulait rendre au champion des hommes forts du monde ne plaisait pas à tous, du moins quant aux façons de faire. Le clergé de Montréal d'abord, étant donné le litige qui l'opposait aux dirigeants du parc Sohmer. Ensuite, les proches du maire de Montréal récemment élu, James McShane. Là encore, on alléguait que la place que prendraient Raymond Préfontaine et ses associés du parc Sohmer, le chef d'orchestre Lavigne et le commerçant d'instruments de musique Lajoie, reléguerait McShane dans l'ombre. Les suppositions se révélèrent fondées.

Quant à James McShane, quoique solidement implanté dans le quartier ouvrier de Sainte-Anne dont il était l'échevin depuis bientôt vingt ans, on l'identifiait au milieu irlandais dont il était issu et dont il portait fièrement les couleurs, à la fois comme président de la St. Patrick Society et membre du Club Shamrock. Député libéral en même temps qu'échevin montréalais, il avait été démis de cette charge alors que, ministre dans le cabinet d'Honoré Mercier, il avait été reconnu coupable d'avoir fait voter des morts lors de l'élection précédente. Cette faute n'empêcha pas l'ancien commerçant de bestiaux, exportateur de viande et agent de change à la Bourse de Montréal, de devenir maire de Montréal, en vertu de la tradition d'alternance qui prévalait pour l'élection à la mairie de la métropole. Soucieux de redorer son blason, McShane n'avait pas hésité à s'attribuer les mérites du tramway électrique, de l'éclairage des rues et du déneigement des grandes artères de la ville, au détriment de l'œuvre véritable de Raymond Préfontaine et des ambitions de ce dernier.

Sagement, Louis Cyr recourut une fois de plus à un emploi du temps qui n'allait lui laisser aucune place pour des mondanités ou des hommages avant la fin de l'été. Les uns et les autres en prirent bonne note, mais ce n'était en fait que partie remise.

*

On crut que le champion des hommes forts était quelque part aux États-Unis alors qu'en réalité il s'était réfugié à Saint-Jean-de-Matha. Et pour la première fois depuis presque deux ans, Cyr put jouir à volonté de son coin de pays. De chez lui, dans le rang Saint-Pierre jouxtant celui de la rivière Blanche, la vue n'avait pour limites que l'horizon du levant et, à l'opposé, les sommets coiffés de conifères. Il ne se passa pas une journée de ce mois de mai 1892 sans qu'il arpentât le chemin menant, quelques arpents plus au nord, à la rivière tumultueuse qui fournissait l'eau aux scieries locales. Pas plus qu'il ne se passa un seul dimanche sans qu'il assistât à la grand-messe, en compagnie de Mélina, d'Émiliana et de la belle-famille Comtois.

Conteur, Louis Cyr l'a toujours été. Il perpétuait la tradition familiale de l'arrière-grand-père et du grand-père Cyr. Pourtant, c'est des autres que Louis Cyr parlait le plus, bien plus que de ses propres exploits. De Grenache et de Montferrand, bien entendu, mais du forgeron Joseph Trudeau surtout, son idole de jeunesse. Cela se passait à la sortie de la messe du dimanche, sur le parvis de l'église, ou alors dans la boutique du forgeron, lieu de prédilection des défis de bras de fer.

Quoique invaincu à cet exercice auquel il s'était surtout adonné durant sa jeunesse, à Napierville, à Saint-Valentin, jusqu'à Douglas Corner, Louis Cyr avait pris l'habitude de décliner tous les défis qu'on lui lançait dès qu'il arrivait dans un lieu public. D'ailleurs, la plupart des «boulés» qui se présentaient à lui pour l'inciter au bras de fer se prétendaient investis d'un «don pour le poignet». S'il se laissa tenter, ce fut dans l'intimité de son propre foyer, en compagnie de ses plus proches amis. Un témoignage connu fut celui d'un des hommes les plus forts de Saint-Jean-de-Matha vers la fin de ce XIXᵉ siècle, un certain Romulus Tessier. Ce dernier raconta qu'il était assis à la table en face de Louis Cyr, dans sa maison du rang Saint-Pierre, et que l'instant d'après il se trouva allongé sur la table, au milieu des soupes renversées et des éclats de rire.

Durant ce mois de grâce que Louis Cyr passa auprès des siens, un journal hebdomadaire de Montréal, qui se voulait «journal archi-comique» et duquel on disait avec une ironie tout appropriée qu'il «courait les villes et les campagnes», publia plusieurs articles mettant en vedette un Louis Cyr redresseur de torts. On le caricatura tantôt revêtu de son maillot d'athlète à l'effigie du drapeau britannique, soulevant de chaque bras quelques financiers véreux, tantôt attelé à une charrette dans laquelle on avait entassé, pêle-mêle, une trentaine d'hommes. «Cyr est un homme fort, la meilleure preuve c'est que, pour s'exercer et s'entraîner, il *traîne* en ce moment une charrette remplie de *boodlers* et ça pèse lourd, pouvait-on lire dans une des éditions du journal *Le Loup-Garou*. Le gros Cyr a dû traverser tous les lacs à la nage, et passer dans les ravins, les ponts étant trop faibles pour passer dessus. »

Vers la fin de mai, Alphonse Labatte, qui se présentait toujours comme le gérant de Louis Cyr, une des rares personnes en compagnie de Joseph-Xavier Perrault à savoir où le joindre, transmit à celui-ci plusieurs invitations provenant d'associations canadiennes-françaises d'Ontario et du Manitoba. Dans le cas de cette dernière province, la ferveur avec laquelle les organisateurs francophones réclamaient Louis Cyr suscita sa sympathie immédiate.

Il accepta le rendez-vous qu'on lui proposait et, par la même occasion, ceux de Hamilton et de Toronto, en Ontario.

Ce fut au début du mois de juillet 1892 que Louis Cyr se rendit à la gare Dalhousie de Montréal, avec ses bagages et près de 1 000 livres d'haltères et d'équipements hybrides, qu'il fit consigner dans un des wagons de fret. À huit heures du soir, le *Transcontinental* du Canadian Pacific Railway quitta le quai.

À Saint-Boniface, on le présenta à la fois comme le Samson canadien et comme l'homme le plus fort du monde. Six soirs par semaine et deux fois le dimanche, il donna des représentations au parc des Ormes. L'endroit était rempli et les gens de Saint-Boniface en redemandaient. Si la presse anglophone passa la venue de Louis Cyr sous silence, le journal francophone *Le Manitoba* ne priva pas ses lecteurs d'éloges à l'endroit de celui qui « accomplit des tours de force extraordinaire ». Dans les faits, Louis Cyr ne déploya pas tous ses moyens. Il se contenta de lever, soir après soir, l'haltère de 252 livres de son bras droit, d'effectuer les volées successives, d'un bras et de l'autre, avec 162 livres, de manipuler, tels des jouets, des haltères de 125 livres, pour terminer son spectacle avec un *back lift* utilisant une plate-forme de 271 livres sur laquelle prenaient place, d'une fois à l'autre, entre douze et seize personnes, mais sans jamais dépasser un total de 3 000 livres. Et invariablement, le journal terminait par ces mots : « Il faut le voir pour le croire. »

Durant ce séjour dans l'antichambre de l'Ouest canadien, Louis Cyr put réaliser, ne fût-ce que brièvement, l'ampleur des obstacles auxquels se heurtait cette minorité francophone pour préserver son identité canadienne-française, comme il lui apparut clairement que les chefs de file canadiens-anglais n'encourageraient aucunement l'usage du français hors du Québec. Les visions entre les peuples fondateurs du Canada étaient manifestement divergentes. Il se rappela qu'un de ses fervents admirateurs, l'avocat d'Arthabaska devenu chef de l'opposition à la Chambre des communes, un certain Wilfrid Laurier, avait déjà dit que « la Confédération est la tombe de la race française et la ruine du Bas Canada », du moins étaient-ce les propos que lui avait attribués Joseph-Xavier Perrault. De là cette lutte pour la survivance, semblable à celle dont il avait été constamment témoin au sein des communautés franco-américaines de la Nouvelle-Angleterre, et ce sentiment de solidarité culturelle qui s'exprimait à son égard, jusqu'à vouloir en faire un champion de la cause.

*

Durant la longue absence de Louis Cyr, un comité avait été mis sur pied à Montréal afin de saluer le «héros national» à sa juste valeur. Il fut constitué, officiellement, de trois personnes: Alphonse J. Labatte, qui se présentait toujours comme le gérant de Louis Cyr, J. W. Donahue, à titre de vice-président, et W. Garbutt, qui agissait comme secrétaire. Ils examinèrent quelques scénarios et les proposèrent, l'un après l'autre, à tous ceux qui avaient un intérêt pour une telle initiative. Il fallut un mois de jeux de coulisses et de marchandage avant que les autorités municipales, les dirigeants de la Société Saint-Jean-Baptiste et des commerçants influents auprès de la Chambre de commerce de Montréal finissent par s'entendre: une souscription avec signature d'un registre, un cadeau de la ville de Montréal au nom des citoyens et une ceinture aux couleurs emblématiques blanc et bleu de la part de la Société Saint-Jean-Baptiste. Ainsi que le voulait la tradition, le maire de Montréal, James McShane, signa le premier le registre et fit don d'un montant de 5 dollars, dûment consigné.

La souscription eut un succès inespéré. Le comité décida donc, avec le consentement du maire de Montréal, de faire frapper une médaille commémorative soulignant au moins un des exploits de Louis Cyr. Une fois de plus, le sujet se heurta à des considérations politiques. On convint finalement d'un concept honorant autant le Canada et l'Angleterre que les États-Unis, tout en affichant le nom de Louis Cyr, le titre qu'on lui attribuait et son célèbre développé du bras droit de 273 ¼ livres. La médaille allait être en quatre parties: en haut, l'emblème du Canada, le castor, avec le nom de Louis Cyr; dessous, l'aigle américain et la mention «l'homme le plus fort du monde» suivis de l'emblème de l'Angleterre, le lion et la licorne, marqué de la devise « Honny soit qui mal y pense », celle-là même de l'ordre de la Jarretière, créé en 1347 par Édouard III, couronnant la croix de l'Ordre représentant Saint-Georges terrassant le dragon ; enfin, en médaillon, l'effigie de Louis Cyr tenant l'haltère au bout du bras droit, avec, en toile de fond, les continents de la planète. D'une longueur de 7 pouces, la médaille commémorative allait être en or massif et serait remise à Louis Cyr, lors d'une cérémonie publique, par le maire McShane lui-même.

L'esquisse de la médaille fut dévoilée, en exclusivité, par le *Montreal Daily Witness* dans son édition du samedi 6 août 1892. On y révéla notamment que le registre des signatures, par conséquent des donateurs, serait remis en main propre à Louis Cyr, accompagné d'une bourse substantielle, et que l'événement était prévu pour le mercredi suivant.

Le 10 août 1892, des milliers de Montréalais se rendirent au parc du Mont-Royal pour y entendre discourir nombre de personnalités, parmi lesquelles le maire James McShane et Joseph-Xavier Perrault, qui fut présenté comme celui qui avait découvert Louis Cyr. On applaudit les uns et les autres et on ovationna Louis Cyr lorsqu'il exhiba la médaille dont on l'honorait. Mais une surprise l'attendait.

Il fallut trois hommes pour placer, à la vue de tous, une imposante pièce recouverte d'un drap. Ce fut le maire McShane qui dévoila l'objet, qu'il présenta à Louis Cyr « au nom des citoyens de Montréal reconnaissants ». C'était une énorme berçante, d'un poids compris entre 150 et 175 livres. Le meuble était une œuvre originale d'ébénistes montréalais, tant par ses proportions démesurées que par ses composantes agrémentées de parties tournées. Il était en chêne, essence dure considérée comme le bois noble et réputée pour sa résistance et la beauté de son grain. Son fini fumé, un peu plus sombre que la couleur dorée d'origine du chêne, faisait ressortir les veinures caractéristiques de ce bois. Le modèle s'inspirait de la lignée des meubles en chêne québécois, dont plusieurs, notamment les tables de salle à manger, étaient portés par de lourds pieds tournés cannelés, et il suivait la mode *Arts and Crafts* qui, depuis quelques années, « emportait à elle seule toute l'Amérique de la Belle Époque ». Haute de presque 4 ½ pieds, la berçante arborait un siège d'une largeur de 3 pieds et d'une profondeur de 2 pieds, et chaque colonne de soutien mesurait 1 ½ pied de circonférence. Il n'en fallut pas davantage pour que la mode de la « berçante jumbo Louis Cyr » fût lancée.

*

On eût pu croire qu'après avoir porté Louis Cyr en triomphe, Montréal, à défaut du Canada ou même du Québec tout entier, l'eût érigé en modèle. Mais de quoi ? Alors qu'en France, inspiré par l'œuvre d'Arnold et du collège de Rugby, le baron Pierre de Coubertin lançait la révolution du sport en introduisant ses pratiques dans le régime des établissements scolaires, au Québec on admettait difficilement les activités physiques, voire les jeux athlétiques, sans leur opposer aussitôt les périls moraux et les désordres faciles qu'ils engendraient. C'était le discours de l'Église qui donnait le ton, en dénonçant sans nuance ce « sport moderne qui a marqué la dégénérescence et la décadence de la véritable éducation physique ». Consciemment ou non, on pointait du doigt Louis Cyr comme celui d'où venait l'exemple.

Clivages et tensions entouraient les activités du parc Sohmer et ceux que l'on présentait comme les grandes attractions de ce lieu, Louis Cyr en tête. L'ironie était à son comble ; Cyr était connu pour sa dévotion, sa tempérance, et voilà qu'on en faisait une autre bête de foire, un obstacle à la propagation des bonnes mœurs.

Plus tard, lorsque Louis Cyr promènera son propre cirque à travers le Québec, une partie du clergé continuera de dénoncer « l'exhibitionnisme et la curiosité publique associés à l'argent » que suggéraient les démonstrations foraines. Évoquant le fait dans les *Mémoires*, il dira :

C'étaient certains curés de paroisses qui me faisaient, ou plutôt qui me préparaient la guerre, défendant aux fidèles, sous menace de peines sévères, d'assister à nos représentations. […] Dans un

village situé non loin de Québec, où le prêtre, du haut de la chaire,
avait ainsi fulminé contre moi, le maire et les notables de la place
furent les seuls à se présenter à nos tentes. Le spectacle eut lieu
quand même, tout comme s'il y eût foule nombreuse.

Il était évident que Louis Cyr ne voulait pas être mis à l'épreuve par toute une hiérarchie ecclésiastique dans son propre pays, déjà que certains lui reprochaient de tirer le meilleur parti d'une identité ethnique qui empruntait parfois au fait canadien-français, parfois à l'appartenance franco-américaine.

Louis Cyr avait parlé de retraite à court terme, un an tout au plus, après son séjour et ses succès en Angleterre, mais jamais il n'eût été possible pour cet homme de rentrer dans ses terres, à Saint-Jean-de-Matha. Non pas qu'il n'aimât pas ce joyau de Lanaudière, mais ç'eût été se priver de cette vie aventureuse à laquelle il tenait profondément. Aussi fut-ce sans la moindre surprise que Pierre, son frère cadet, le vit franchir le seuil de la ferme que ce dernier venait d'acquérir à Sainte-Hélène-de-Bagot. Ce jour-là, le rêve du jeune Pierre devint réalité, sans même qu'il y eut un conseil de famille. En quelques mots, Louis lui exposa son projet, auquel Pierre se rallia d'un simple « oui », aussi catégorique qu'enthousiaste. Les *Cyr Brothers* venaient de naître. Trois semaines plus tard, les deux frères prirent la route de Lowell, au Massachusetts.

L'aventure allait durer jusqu'au printemps de 1896, quatre années durant lesquelles, sauf en de rares occasions, Louis Cyr disparut du Québec. L'occasion fut belle pour les nationalistes intraitables de s'indigner, ici et là, de cette apparente défection. Quelques-uns allèrent jusqu'à dire de Louis Cyr qu'il était devenu le symbole éloquent de l'assimilation et de cette « génération d'immigrants pour qui le français n'est plus une langue maternelle ». Louis Cyr, lui, sans jamais verser dans la confrontation, continua d'opposer une fin de non-recevoir aux promoteurs américains et aux propriétaires de cirques qui lui proposèrent d'angliciser son nom, ou même de s'inventer une enfance tout américaine, ce que les rumeurs secrètement entretenues ne cessèrent de véhiculer, à quelque endroit que se trouvât le phénomène canadien-français.

*

Louis Cyr, consacré en Angleterre, devait maintenant triompher en Amérique, c'est-à-dire aux États-Unis, s'il voulait légitimer son titre d'homme le plus fort du monde. Cela, il devait l'accomplir à l'intérieur des cercles franco-américains, en acceptant, chemin faisant, qu'on le traitât de « *Canuck* », de « *Frenchy* » ou encore qu'on publiât qu'il rompait le cou d'un ours ou qu'il soulevait un éléphant. Ce fut avec une certaine amertume qu'il reconnut plus tard dans ses *Mémoires* avoir fait un tel choix. « Oh ! Le *bluff* américain ; comme il trouvera bien toujours des gogos à qui parler ! Il m'a toutefois fallu, malgré que cela me répugnât profondément, en faire aussi ma part […]. Pour être plus exact, disons plutôt que je me suis contenté de laisser faire. Car jamais je n'aurais moi-même songé à m'annoncer au moyen des exploits abracadabrants qu'on me faisait accomplir […]. Au fond, je ne m'en suis pas mal trouvé, et, comme les patrons étaient contents, j'aurais eu tort de protester. »

Cette quête américaine s'amorçait, tout comme la précédente en Angleterre, sous les auspices de Richard Fox et de la *National Police Gazette* de New York. Les mêmes défis, un montant de 500 dollars en jeu, la ceinture emblématique et, de temps à autre, une lettre ouverte signée de Louis Cyr. Un élément nouveau vint s'ajouter en septembre 1892, coïncidant avec l'entrée en scène des *Cyr Brothers* à Lowell : Pierre Cyr, présenté comme le champion poids moyen des hommes forts, y allait également d'un enjeu de 100 dollars, promis à quiconque du même âge parviendrait à égaler ou à battre un de ses levers. En fait, on présentait Pierre Cyr comme la « merveille de dix-neuf ans », presque l'émule de son frère Louis. Or, Pierre était déjà âgé de vingt-quatre ans, marié et père de deux enfants. En 1896, on continuera d'afficher sur les réclames que Pierre Cyr n'était âgé que de vingt ans.

Mais qui étaient les hommes forts capables d'affronter Louis Cyr? Et à quels records Louis Cyr pouvait-il encore s'attaquer, puisque apparemment il les avait tous battus, du moins ceux qui avaient été validés soit par des autorités anglaises, soit par le *New York Clipper*? D'abord, il fallait séparer les imposteurs des authentiques athlètes. Or, les premiers étaient beaucoup plus nombreux que les autres; une bonne centaine de ceux-là se produisaient dans des cirques et des théâtres de second ordre. Les autres, moins d'une quarantaine, étaient majoritairement des Allemands et des Autrichiens, et le tiers, des Français. Restaient deux Américains, deux Suédois, un Italien, un Polonais, un Russe, un Luxembourgeois et un Anglais. Établi sur un relevé effectué par l'historien David Webster au sujet des hommes forts ayant eu quelque notoriété entre 1820 et 1950, le profil moyen d'un adversaire potentiel de Louis Cyr était celui d'un homme âgé de vingt-huit ans et d'un poids corporel de 200 livres. Parmi les plus méritants, en 1892, il y avait Apollon, de son vrai nom Louis Uni, de France, pesant 280 livres, Wilhelm Türk, d'Autriche, d'un poids de 265 livres, Henry Holtgrewe, d'origine allemande, à 275 livres, John Grün, du Luxembourg, à presque 250 livres, et d'autres moins connus mais capables de levers remarquables, tels Victor Salvator, de Belgique, George Stranglemeir, d'Allemagne, Franz Stähr, d'Autriche, John Walter Kennedy, des États-Unis, et Emil Boudgoust, de France. Mais en tête de liste se retrouvait l'unique Eugen Sandow, dont d'aucuns alléguaient que sa réputation était surfaite.

Même si Louis Cyr espérait toujours que Richard Fox arriverait à organiser un véritable championnat pour la suprématie mondiale de la force, ce dernier avait d'autres intentions, tenant davantage compte des profits escomptés d'une publicité tapageuse. En réalité, chacun revendiquait à sa guise tel ou tel exploit, usurpant à l'occasion le titre de l'homme le plus fort du monde sans que l'on contestât l'affirmation. Si bien que l'on entendit qu'untel levait un éléphant et qu'un autre se promenait avec un orchestre entier sur le dos. De Louis Cyr, on objecta qu'au poids corporel de 318 livres, il détenait un avantage indu sur tout adversaire qui l'eût confronté. Aussi annonçait-on plus d'une cinquantaine d'exploits comme étant des records, la plupart décrits comme des prestations d'endurance, par exemple un développé du bras droit à 8 431 reprises avec une charge de 10 livres. La situation devint à ce point absurde que le marquis Luigi Monticelli-Obizzi, celui-là même qui sera l'instigateur d'une fédération internationale d'haltérophilie, écrivit : « Une fois pour toutes, cette absurdité de valoriser des exercices d'endurance et de les traiter comme des épreuves de force devrait être dénoncée et sanctionnée. Le titre de champion ne devrait jamais être remis à celui qui soulève une certaine charge le plus grand nombre de fois, mais à celui qui soulèvera la plus lourde charge à une seule reprise. » Mais, pour quelques années encore, ces propos allaient demeurer lettre morte.

Restait Eugen Sandow. Quoiqu'il eût reculé devant Louis Cyr à Londres, sa réputation demeurait quasi intacte, à tel point qu'elle portait toujours ombrage à celle du colosse canadien. On continuait à faire grand cas de sa beauté plastique et de ses aptitudes acrobatiques. On tenait pour unique au monde son exploit de tenir devant lui un haltère de 125 livres et de sauter, par-dessus la barre, à pieds joints. Ou encore d'effectuer un saut périlleux arrière avec des haltères de 35 ou 50 livres dans chaque main. Et voilà que sa venue en Amérique était annoncée à grand renfort de publicité. Louis Cyr l'apprit d'une dépêche que lui fit parvenir à Lowell Richard Fox, ce dernier l'ayant lui-même appris de l'homme que la plupart des propriétaires de théâtres et de cirques d'Amérique tenaient pour le « plus grand promoteur du monde », un « véritable génie de la publicité », un « mystificateur et un illusionniste » selon certains, Florenz Ziegfeld. La nouvelle ne put que réjouir Louis Cyr, qui voyait finalement poindre l'occasion rêvée de faire taire ceux qui entretenaient toujours un doute sur le fait qu'il s'affichât comme l'homme le plus fort du monde. Dans les *Mémoires*, Cyr confia : « J'avais d'autant plus grande hâte de revoir l'Amérique que j'y savais rencontrer Sandow. » Autant cette nouvelle au sujet de Sandow décupla les ardeurs de Louis Cyr, autant une autre nouvelle, bien triste celle-là, le plongea dans un grand désarroi. À tel point qu'il annula les premières représentations des *Cyr Brothers* à Lowell.

Ainsi qu'il l'avait toujours fait lors de ses passages dans cette ville qui avait été témoin de ses premiers exploits, Louis Cyr rendait visite au professeur Donovan, l'aidant par la même occasion à « pousser son petit commerce d'huile ». De ces visites, Louis Cyr dira : « J'étais fier de lui donner ainsi l'occasion de rentrer dans ses fonds, car il était mon ami intime. » Or, au lendemain de la plus récente visite de Louis Cyr, le professeur Donovan, se sentant devenir soudainement fou, alla se livrer à la police de l'endroit. C'était un dimanche soir et la première représentation des *Cyr Brothers* était prévue pour le lundi. Informé de l'incident, Louis Cyr offrit aussitôt son aide. Mais il était déjà trop tard, la démence ayant définitivement privé Donovan de sa raison.

*

Hanté par la triste fin annoncée de l'homme qui lui avait ouvert, douze ans auparavant, la porte de la gloire, Louis Cyr se remit néanmoins à la tâche. Pendant la première quinzaine d'octobre 1892, il se produisit au *Huntington Hall* de Lowell, en compagnie de son frère. Mais le cœur n'y était pas, ce que le public sentit dès le premier soir. Le Samson canadien se contentait de quelques tours de force modestes, bien en deçà de ses aptitudes surhumaines. Ce fut plutôt le « jeune Peter Cyr » qui étonna un public déçu des prestations de son aîné. Avec son poids corporel annoncé de 168 livres, Pierre Cyr parvint à hisser au bout de son bras droit un haltère de presque 200 livres, soit plus que son propre poids, à soulever de terre d'un seul doigt une charge combinée supérieure à 400 livres et à jeter, à deux bras, un haltère à barre longue de 234 livres. D'un soir à l'autre, on annonçait que « Peter Cyr » allait s'attaquer à des records de force ou encore vaincre tout venant de son âge, ce qui lui permit de s'afficher comme le « champion des hommes forts poids moyen du monde ». Mais les mérites de Pierre Cyr n'excitaient nullement le public de Lowell. C'était un Louis Cyr au meilleur de sa forme, c'est-à-dire l'homme le plus fort du monde, que l'on attendait et qui tardait à se montrer sous ce jour. Si bien qu'après la première semaine de représentations, l'assistance diminua sensiblement.

Était-ce une coïncidence ou un nouveau clin d'œil du destin ? Nul ne le sut. Mais voilà qu'un défi fut lancé à Louis Cyr par nul autre que James Walter Kennedy, s'affichant comme le « professeur » Kennedy de New York. Quoique défiant plus directement Cyr, il s'adressait par la même occasion à la « colonie d'hommes forts tout entière », nommant au passage Sandow, Cyclops, Sampson, Milo, Jefferson et August Johnson.

L'homme en question était connu, surtout de Richard Fox, puisqu'en janvier 1890 ce dernier l'avait gratifié d'une ceinture emblématique pour avoir levé de terre, à deux mains, avec l'aide de courroies, l'énorme charge de 1 205 livres. On le connaissait également pour ses fréquentations douteuses, notamment le maire de Chinatown, « Chuck » Conners, « Nigger Mike » Slater, propriétaire d'un bar qui présentait des combats de boxe à poings nus, et pour son ambition bien téméraire de vouloir combattre, à poings nus, le champion du monde John L. Sullivan. Ce « professeur » Kennedy annonçait que, le 25 avril 1892, il avait soulevé d'une main un homme de 245 livres assis dans une chaise, tenant un haltère de 25 livres, et l'avait déposé sur une plate-forme à 18 pouces du sol. Il ajoutait que, le 19 avril 1892, il avait épaulé un haltère de 100 livres et l'avait développé du bras droit à trente reprises.

Il n'en fallut pas davantage pour tirer Louis Cyr de son atonie. Il pria Richard Fox de transmettre à James Walter Kennedy sa réponse : il relevait le défi et proposait que la rencontre ait lieu au *Huntington Hall* de Lowell. Il en profita pour rappeler à Fox qu'il était toujours prêt à « se rencontrer avec Sandow, ou avec n'importe quel homme qui voudrait accepter le défi de mille dollars lancé par M. Richard Kyle Fox lui-même », ajoutant qu'il mettait aussi en jeu la ceinture en or qu'il « porte si fièrement aujourd'hui ». Toute cette commotion ressemblait étrangement à l'affaire *Where is Louis Cyr ?*, qui avait été lancée par le quotidien montréalais *Le Monde* en octobre 1891, quelques jours avant le départ de Cyr pour l'Angleterre. Une controverse orchestrée par Richard Fox, qui avait permis au théâtre *Lyceum* de faire des affaires d'or.

Comme par enchantement, le *Huntington Hall* afficha complet durant la quinzaine qui précéda la rencontre entre Cyr et Kennedy, annoncée pour le lundi 14 novembre 1892. Ce soir-là, James Walter Kennedy abdiqua, comme tant d'autres avant lui, préférant sauvegarder sa petite réputation acquise de bien étrange façon. On chahuta longtemps, même lorsqu'un audacieux funambule du nom d'Arthur Leroux risqua sa vie et que quelques comédiens et acrobates y allèrent de belles prestations. Pierre Cyr se surpassa en soulevant de terre l'haltère de 273 ¼ livres et un autre de 196 livres, pour les transporter sur une distance de quelques pieds. On chahutait encore lorsque Louis Cyr se montra enfin. Mais ce fut l'affaire de quelques instants. Avec aisance, Cyr épaula à deux mains un haltère de 235 livres auquel se suspendit son frère. D'un mouvement lent, sans fléchir les jambes ni arquer le dos, il poussa la charge combinée de 403 livres à bout de bras. Déjà on applaudissait. Le temps de faire monter dix-neuf hommes sur la plate-forme de 271 livres, Louis Cyr s'arc-bouta sous le fardeau d'un élan, souleva une masse combinée de 3 301 livres, exploit qu'il n'avait pas accompli depuis des mois. L'ovation qu'on lui fit lui confirma que le peuple acclamait l'homme le plus fort du monde.

*

Louis Cyr connut le court bonheur d'un Noël à Saint-Jean-de-Matha. Pendant une bonne heure, il reçut des témoignages d'admiration et les bons vœux de ses concitoyens, sur le parvis même de l'église, dans la froidure et la blancheur de la sainte nuit. Et pour la énième fois, les notables

216

de la paroisse lui firent part que bientôt le sifflet de la locomotive serait entendu, en fait dès la prochaine élection. Les
plus sceptiques soulignèrent que cette question du chemin
de fer entre Saint-Félix-de-Valois et Saint-Jean-de-Matha était
maintenant vieille de dix ans, puisqu'en 1882 elle avait été
l'objet d'une autre promesse électorale.

Mais alors que le curé Provost distribuait les bénédictions,
Louis Cyr pensait déjà à son départ prochain, toujours vers
les États-Unis. Les offres avaient afflué, principalement de
la part de promoteurs franco-américains. Mais cette fois,
de grandes villes comme New York, Boston, Saint Louis et
Chicago étaient sur les rangs. Des rumeurs l'envoyaient
même comme tête d'affiche dans les plus grands cirques du
monde. Pour l'heure, Louis Cyr avait une autre préoccupation, presque une hantise : en finir avec Eugen Sandow.
Que cela frôlât l'obsession, il n'en demeurait pas moins que
Louis Cyr était animé d'un sentiment noble : concourir dans
les règles, sans restrictions quant au nombre d'épreuves, en
admettant toutefois le principe fondamental selon lequel le
vainqueur serait déterminé par la somme totale des livres
soulevées. Cette façon de faire permettrait d'annoncer une
lutte absolue, de décréter une suprématie historique dans le
domaine de la force physique.

Mais cette vision chevaleresque allait se révéler une utopie,
les prétentions d'Eugen Sandow logeant aux antipodes de
l'idéal auquel rêvait Louis Cyr. D'une certaine façon, les
États-Unis n'étaient pas assez grands pour que deux phénomènes tels que Louis Cyr et Eugen Sandow puissent y tenir,
ensemble, le haut de l'affiche. D'une part, le Samson canadien était reconnu, de bon droit, comme l'homme le plus
fort du monde. De l'autre, Sandow survolait le monde théâtral, se montrant sous des dehors spectaculaires et se voulant l'« homme parfait ». On eut tôt fait de le surnommer
« Sandow le magnifique », l'entourage de ce dernier ayant fait
tant et si bien qu'on oublia vite, en Europe particulièrement,
sa défection devant Louis Cyr, à Londres et ailleurs en Angleterre. On avait surtout allégué un horaire si chargé qu'il était
devenu impossible d'organiser une véritable rencontre entre

les deux hommes, assortie de règles qui ne puissent désavantager Sandow, le plus léger des deux athlètes. Puis une propagande tapageuse permit à Sandow, doué d'un sens théâtral à nul autre pareil, d'exhiber la ceinture de championnat légitimement acquise à l'issue de ses victoires aux dépens de Charles Sampson et d'Hercules McCann, la voulant pour preuve de son statut de « roi des hommes forts du monde ».

Dans les faits, aucun des exploits de Sandow, si méritoires furent-ils au regard de ceux que l'on attribua à des hommes forts se produisant en Europe et en Amérique, ne put être comparé au moindre des exploits de Louis Cyr. Et Sandow, en homme intelligent et bien avisé, le savait pertinemment. Au mieux disposait-il d'un leurre : proposer à ses adversaires des prestations acrobatiques combinées à la manipulation d'haltères de faible poids. Et comme ces mouvements ressortissaient davantage au vaudeville, il ne lui restait que son spectaculaire dévissé à un bras, lever que Louis Cyr avait éclipsé le 19 janvier 1892 au *Royal Aquarium Hall* de Londres.

Si Louis Cyr ne disposait que de peu de ressources pour organiser ses tournées, au mieux d'un manager qui avait pignon sur rue à Lowell, Eugen Sandow put compter, dès le début de l'année 1893, sur un véritable consortium d'imprésarios et de directeurs artistiques de grande réputation. Parmi ceux-là, trois hommes jouèrent des rôles prépondérants. Le premier, Henry S. Abbey, était un des propriétaires de la firme Abbey, Scheffel and Grau, imprésarios de vaudeville de New York. Ce fut Abbey, informé par ses pisteurs en Europe de la réputation de Sandow sur le Vieux Continent, qui fit venir celui-ci aux États-Unis.

Le deuxième, Rudolf Aronson, était le directeur du *Casino Theater* de New York et un allié commercial d'Abbey. Connu pour son flair et son opportunisme, Aronson avait réussi à amener à New York des compositeurs aussi prestigieux que Johann Strauss et Camille Saint-Saëns. Tirant profit de sa réputation, Aronson exhiba Sandow dans la comédie musicale *Adonis*, alors à l'affiche au *Casino Theater*, puis, jouant d'influence, obtint que le *New York Herald*, le *New York World* et le *Harper's Weekly* commettent autant d'articles élogieux au sujet du « Magnifique ». Il n'en fallut guère plus pour que Sandow devînt la coqueluche de New York et qu'on le payât entre 600 et 1 000 dollars par semaine en échange de quelques démonstrations d'acrobatie, de force et de contrôle musculaire, présentées sitôt le rideau tombé sur le dernier acte de l'opérette.

Le troisième homme, Florenz Ziegfeld, était réputé pour son audace et son génie publicitaire, que certains qualifiaient de machiavélique. Ziegfeld comprit, dès qu'il vit Eugen Sandow sur la scène du *Casino Theater* de New York, qu'il venait de découvrir la perle rare. En moins de vingt-quatre heures, il fit à Sandow une offre que celui-ci ne put refuser : 10 % des recettes brutes du *Trocadero* par soir de représentation. Quant aux imprésarios Abbey et Aronson, il leur racheta le contrat de Sandow, leur promettant de surcroît quelque redevance sur les éventuels profits du *Trocadero*.

Dès lors, Ziegfeld ne recula devant aucune manœuvre de propagande ni aucune extravagance pour façonner un Eugen Sandow à l'image d'un être quasi mythique. Il inonda de réclames la ville de Chicago. Sur l'une d'elles on pouvait lire : « Sandow incarne l'histoire. Semblable à un géant descendu de l'Olympe, il est la réincarnation du Colosse de Rhodes. »

En six semaines, entre le 1er août et le 15 septembre 1893, le *Trocadero* fit 30 000 dollars de profits nets. Selon Ziegfeld lui-même, Eugen Sandow encaissa plus de 10 000 dollars, résultat de sa quote-part des recettes de trente représentations. C'était plus que ce que tout autre artiste de l'époque, quels que fussent son domaine et sa notoriété, avait été payé.

Mais alors que le phénomène Sandow faisait courir les foules de Chicago et contribuait à la célébrité et à la prospérité du *Trocadero*, une série d'articles dans des journaux de New York, parmi lesquels le prestigieux *New York Times*, fit mention de péripéties moins glorieuses au sujet de la vie privée de Sandow et de certaines performances douteuses. Entre autres révélations, les New-Yorkais apprirent que Sandow avait eu des aventures « arrangées » avec des courtisanes telles que Caroline Otéro, connue comme la « Belle

Otéro », qui avait déjà partagé la couche du roi Léopold de Belgique, du prince Albert de Monaco et du prince Édouard et futur roi d'Angleterre ; Émilienne des Lançons, dont le Tout-Paris connaissait la vie scandaleuse ; et Sarah F. Swift, la reine des variétés qui se produisait sous le pseudonyme de « Lurline la reine des eaux ». Ce fut cette dernière qui révéla la supercherie à laquelle avait consenti Sandow à l'occasion de sa rencontre de Londres avec Charles Sampson : les chaînes qu'il avait réussi à rompre en gonflant son torse avaient été truquées. Miss Swift admit en outre que Sandow lui avait remis un montant d'argent dans le but d'acheter son silence, avouant par le fait même une opération de chantage. Les propos de la jeune femme furent confirmés par le professeur Attila, ce dernier agissant vraisemblablement par vengeance envers Sandow, qui avait floué son mentor et gérant au profit des imprésarios américains. Attila en rajouta, révélant que Sandow avait esquivé depuis plus d'un an une rencontre-défi avec le dénommé Romulus, devenu depuis un certain soir de janvier 1892 son nouveau protégé. Et comme si ces accusations dévastatrices ne suffisaient pas à faire chuter de son piédestal l'émule des dieux antiques, un article du *New York World* révéla la double orientation sexuelle de Sandow, après que le correspondant du journal eut visité ce dernier dans l'appartement qu'il occupait sur la 38ᵉ Rue Ouest et partageait avec Martinus Sieveking, un pianiste hollandais avec qui il avait cohabité pendant longtemps en Belgique et aux Pays-Bas. On pouvait lire : « Mr Sieveking, qui est un musicien très accompli et de grande réputation, pratique de sept à huit heures par jour, assis à un grand piano de concert. Il joue malgré une température torride, se permettant d'être torse nu. Pendant qu'il s'exécute, Sandow s'assoit près de lui, s'inspire de sa musique et exhibe ses muscles. Il aime autant la musique de Sieveking que ce dernier aime voir Sandow révéler sa musculature. Les deux sont très attirés l'un vers l'autre. » Cela s'ajoutait aux rumeurs qui avaient couru en Europe au sujet de liaisons homosexuelles de Sandow avec des artistes pour lesquels il avait servi de modèle, notamment le peintre américain E. Aubrey Hunt.

Le génie de Ziegfeld vint, une fois de plus, à la rescousse. Ce qui aurait dû ruiner la réputation d'Eugen Sandow contribua au contraire à provoquer la curiosité d'un public conquis par l'image que remodelait sans cesse l'imprésario. Il ne se passait plus une journée sans qu'on parlât de Sandow dans les journaux de Chicago. Ziegfeld obtint qu'une critique d'art réputée du *Chicago Daily News* signât quelques articles élogieux à propos de Sandow. Il réorganisa le scénario des démonstrations de Sandow, en incorporant Martinus Sieveking au piano accompagnant son ami. Puis il fit annoncer, au début de chaque spectacle, que toute femme bourgeoise qui ferait don d'un montant de 300 dollars à une œuvre de charité de Chicago se verrait accorder le privilège d'une rencontre intime avec Eugen Sandow, dans la loge de ce dernier, occasion unique pour la gent féminine de «tâter à volonté les muscles du grand Sandow». L'opération connut un tel succès que la loge de ce dernier fut prise d'assaut soir après soir. Finalement, Ziegfeld convainquit Sandow de modifier son costume de scène. Jusque-là, le phénomène prussien entrait en scène vêtu d'un maillot de corps moulant bleu et rose. Sandow troqua cet ensemble trop conservateur pour un simple sous-vêtement à taille basse. L'effet fut instantané. Dans les jours qui suivirent, on s'arracha les photos de Sandow. Celles-ci le représentaient presque nu, hormis une feuille de vigne, dans des poses très suggestives quoique artistiques. Nul n'y trouva à redire puisque le *Trocadero* refusait maintenant des dizaines de personnes à chaque représentation.

Ziegfeld veillait au grain. Les défis lancés à Sandow, l'un par Sebastian Miller, que Louis Cyr avait défait quelques années auparavant, l'autre par Charles Sampson, qui voulait une revanche, furent vite réduits au silence.

Louis Cyr ne sut jamais toutes ces vérités au sujet d'Eugen Sandow. En 1893, il croyait encore que son destin était lié à celui de l'autre et que, une fois la rencontre survenue, deux hommes forts seraient haussés au rang de mythes. Mû par son inflexible obstination autant que par un culte du devoir qui avait, à ses yeux, la valeur d'une éthique qu'il croyait indispensable à tout athlète digne de ce nom, Louis Cyr était prêt à tout pour donner matière à ce qu'il considérait comme l'ultime confrontation entre deux êtres d'exception. Ce fut sur cet enjeu qu'il se trompait. Le genre d'aventure qu'il menait face à la société d'alors ne comptait plus pour Eugen Sandow. Ce dernier se contentait de meubler l'imaginaire de son public et de tirer de ce vaste simulacre tous les bénéfices d'une consécration savamment orchestrée. Louis Cyr, qui n'avait cure des formes artistiques, cherchait au contraire à démontrer que le triomphe de la force passait par ce qu'il avait de plus pur, de plus rigoureux, de plus absolu. Seule comptait à ses yeux l'épreuve de vérité. Or, cette dernière s'était, depuis longtemps déjà, perdue dans le dédale des supercheries.

*

Les *Cyr Brothers* étaient devenus la *Cyr Brothers Specialty Company*. Au duo s'étaient joints, pour toute l'année 1893, un jeune contorsionniste qui se faisait appeler Lolo, les frères Leroux, acrobates et funambules, une femme équilibriste et deux comédiens de burlesque, James McCluskey et Joe McLaughlin. À l'occasion, Mélina se rendait à Lowell en compagnie de la petite Émiliana, qui venait d'avoir six ans. Troquant ses robes longues contre le costume de scène, elle ne se faisait pas prier pour refaire, avec son mari, le numéro de l'échelle. On la présentait sous le nom de « Minnie Cyr », la consonance étant plus anglophone et l'allusion à sa petite taille, évidente.

Lors d'une représentation à Lowell, devenu maintenant le domicile d'adoption de Louis Cyr, un certain William Couture se montra un spectateur intéressé. Il se disait franco-américain, originaire de Lisbon, dans le Maine. Ayant vu Pierre Cyr à l'œuvre, ce William Couture échangea des commentaires avec les promoteurs de Louis Cyr. Lors de l'entracte, on annonça que « monsieur William Couture avait fait honneur à la race canadienne-française, puisqu'il avait donné des séances à Boston la semaine dernière et a démontré là qu'il avait du sang canadien dans les veines ». Le journal *Le National* de Lowell mentionna que « ce monsieur se dit l'homme le plus fort du monde pour son poids. Il ne pèse que 150 livres et lève au bout du bras, dit-il, le poids de 225 livres ». Incrédule, Louis Cyr demanda à rencontrer William Couture immédiatement après le spectacle. Ce dernier lui répéta ses allégations, mais refusa de soulever l'haltère que lui offrit de lever Louis Cyr. Toutefois, Couture s'avéra un manipulateur d'haltères d'une rare dextérité et d'une grande endurance, si bien que Louis Cyr l'intégra dans sa petite troupe. Dans les *Mémoires*, il lui rendra un hommage excédant de beaucoup les mérites véritables de cet athlète de petit format : « Lorsque je le connus, il demeurait à Lisbon, dans l'État du Maine. Les adversaires qu'il a vaincus ne se comptent pas. Tous les journaux de nos voisins lui ont décerné des éloges bien mérités. » On parla certes, ici et là, dans des entrefilets, d'un William Couture, mais sans jamais l'affubler d'un quelconque titre. Mais il connut son moment de gloire puisque le 11 février 1892, à Bath, dans l'État du Maine, Couture épaula et jeta, à deux mains, un haltère de 110 livres à vingt-sept reprises, ce qui battait le record de Romulus (Cosimo Molino), établi le même mois à Londres, qui était de 109 livres à vingt-deux reprises.

Durant toute l'année 1893, Louis Cyr et son petit groupe d'artistes de scène passèrent autant de temps dans les compartiments de train que dans les salles communautaires des Petits Canadas du Michigan et de New York. Sa physionomie avait changé : un visage plus ovale, une calvitie plus prononcée, une barbiche parsemée de quelques poils grisonnants, un corps encore plus lourd, à plus de 320 livres, avec une ceinture d'une rondeur accentuée.

Dix-huit mois après son retour d'Angleterre, Louis Cyr avait donc ajouté presque 45 livres à son corps déjà colossal, ce qui l'affublait d'un poids équivalent à celui de deux hommes robustes.

Au demeurant, la frustration et l'ennui que lui causait la monotonie des spectacles poussaient Louis Cyr à la gloutonnerie. Déjà consommateur de grandes quantités de viande, à quoi il ajoutait plusieurs portions de pommes de terre, de pain et de soupe, Louis Cyr ingurgita bientôt jusqu'à 12 livres de viande par jour, une quantité gargantuesque pour toute époque, équivalant à 7 000 calories par jour.

Les représentations se succédaient sans que Louis Cyr y trouvât quelque satisfaction autre que de voir son cadet, Pierre, réaliser de remarquables prestations. Mais le spectacle des deux hommes n'avait plus rien d'innovateur ; les numéros étaient sans surprise. Les levers de Pierre Cyr étaient les mêmes que ceux de Louis, à l'exception des charges. Si bien que d'une ville à l'autre, les articles des journaux répétaient inlassablement les mêmes banalités, à quelques exagérations près. Il y eut de rares écrits rappelant que Louis Cyr était le plus grand phénomène de la force et qu'il devait être, incontestablement, le champion de tous les hommes forts. Ici et là, on étalait ses mensurations, parmi lesquelles des invraisemblances au sujet de son tour de poitrine, qu'on supposait dépasser les 65 pouces, et surtout de son tour de mollet, qu'on annonçait à 28 pouces. Plus vraisemblablement, le tour de taille de Louis Cyr, que ce dernier avait réussi à maintenir entre 43 et 46 pouces depuis 1886, atteignit 52 pouces en 1894.

Un Louis Cyr devenu lent, trop lourd, dont le passé fabuleux, pourtant tout récent encore, sombrait déjà dans l'oubli. Il n'y avait plus de fascination pour des exploits qui, faute d'être réédités, s'apparentaient de nouveau à une légende. Il n'y avait plus d'images fulgurantes permettant de réveiller l'enthousiasme d'une foule, d'entraîner cette dernière dans le grand courant d'une odyssée, dans le champ infini de ces rares exploits qui laisseront l'impression d'avoir été accomplis hors du temps et d'un lieu. Cela étant, la tentation fut grande cette fois de jouer au transfuge. Puisqu'on lui reprochait d'avoir un nom français, ce qui, selon d'influents promoteurs, ne faisait « pas assez champion ni américain », autant devenir un « *Yankee* » et réinventer l'histoire de sa vie. Mais si ce démon le tourmenta pendant plusieurs mois, la fierté de la race, enracinée au cœur même de Cyr, l'emporta.

La *Cyr Brothers Specialty Company* sillonnait l'État de l'Illinois, s'arrêtant tantôt à Dauville, Urbana, Champaign, tantôt à Maltoon, Charleston, jusqu'à de petites communautés, à peine un point sur une carte, comme Tentopolis ou encore Rome, à quelques kilomètres de Peoria, sur les berges de la rivière Illinois.

Ce fut dans ce lieu au nom prédestiné qu'un promoteur demanda tout de go à Louis Cyr s'il accepterait de tirer contre deux chevaux de trait, propriétés d'un fermier local, étant entendu qu'il devrait se livrer à cette lutte au terme de ses autres démonstrations. Ce fut l'étincelle, autant pour lui que pour le public, qui raviva la flamme. L'inévitable se produisit le soir même : le spectacle de la démesure ressuscita la ferveur. Côte à côte, l'homme transfiguré et les bêtes se prêtèrent à un tableau à la fois vivant et surréaliste, symbole de fantaisie, d'étrangeté et de drame. Dans un article paru dans le *Rome Daily Sentinel*, on put lire :

> *La plus spectaculaire démonstration de Louis Cyr, unique du genre, fut sa lutte contre deux chevaux. Il se tint au centre de la scène et on amena les chevaux, un de chaque côté, que l'on fixa par une sangle de cuir à chacun de ses bras. Cyr croisa ses bras sur sa poitrine et on fit tirer les chevaux, dans les directions opposées. Ils déployèrent leurs meilleurs efforts, mais en vain. Impossible de rompre l'emprise de Cyr. Ce fut d'abord un cheval qui entraîna l'homme et l'autre bête, puis l'inverse. Mais aucune des deux bêtes ne réussit à faire lâcher prise au Samson moderne. Louis Cyr est littéralement parlant plus fort qu'un cheval… en fait, il est plus fort que deux chevaux. Nous ne pouvons décrire cette lutte avec les mots appropriés, il faut le voir. La foule est pratiquement devenue hystérique à un certain moment de la lutte* (traduction de l'auteur).

Si le tir des chevaux qu'effectua Louis Cyr au *Washington Street Opera House* de Rome, dans l'Illinois, lui permit de renaître tel le phénix, l'événement fut également historique : c'était la première fois que Louis Cyr se prêtait à cette épreuve peu orthodoxe aux États-Unis.

Dès lors, la rumeur autant que la légende se répandirent dans les campagnes du Nord-Est américain. Louis Cyr lançait un défi permanent à tous les « chevaux tireurs », selon sa propre expression, pour autant que le pari fût couvert par un montant équivalent à celui en jeu, soit 100 dollars pour chaque lutte, dont la durée, sauf entente contraire, ne devait pas excéder une minute.

Plusieurs y trouvèrent l'occasion rêvée pour faire parader des bêtes qu'ils voulaient évidemment de race. Dans cette région des États-Unis, peuplée par une majorité d'immigrants européens, écossais, irlandais, hollandais et allemands, les grandes fermes possédaient nombre de clydesdale, de shire, de suffolk, tous des chevaux de trait de haute taille, aux extrémités fortes et d'un poids pouvant atteindre les 1 600 livres. Il était bien connu que toutes ces bêtes disposaient d'une force de traction allant jusqu'à trois fois leur propre poids. Un shire, par exemple, parvenait à tirer au pas une charge de 5 tonnes en terrain plat.

Ce furent ces formidables chevaux qu'affronta Louis Cyr à une centaine de reprises durant les années 1893 et 1894. Et d'un spectacle à l'autre, d'une lutte à l'autre, le public le soutint avec une ferveur qui se transformait, chaque fois, en frénésie. De ces moments exceptionnels, Louis Cyr dira dans ses *Mémoires* : « De tous les tours de force de mon programme ordinaire, celui qui consistait pour moi à retenir deux chevaux tirant l'un contre l'autre restait bien toujours aux yeux des spectateurs comme le plus extraordinaire. »

Cyr restant invaincu au fil de tous ces affrontements, il finit par circuler autant d'anecdotes qu'il y eut de témoins. Même les réclames montrèrent Louis Cyr, imperturbable, retenant des bêtes monstrueuses. Ces spectacles firent grand bruit et, bientôt, des chevaux primés lors de foires agricoles furent associés à Louis Cyr.

Quels que furent les motifs des uns et des autres, le *Marquette Times* titra que la « *Cyr Brothers Specialty Company* fut gratifiée d'une immense ovation », expliquant aussi qu'à partir de sept heures du soir et jusqu'à huit heures et quart, il y avait un flot constant de spectateurs aux guichets, alors que

« la gigantesque silhouette de Louis Cyr se tenait à l'entrée afin de les saluer personnellement » (*traduction de l'auteur*). L'article soulignait enfin que le *Times* de Londres ne parlait autrement de Louis Cyr qu'en le qualifiant de « Samson moderne ».

De tous les hommes forts du passé et de son époque, Louis Cyr fut le seul à avoir fait de cette lutte périlleuse entre un humain et des chevaux une épreuve quasi athlétique. Il s'agissait en vérité de beaucoup plus : d'une lutte sauvage provoquant à coup sûr chez les spectateurs une fascination pour un drame anticipé, tout comme un sentiment de rare privilège qu'éprouvaient celles et ceux qui voyaient un être surhumain toucher au mythe. C'était l'état d'esprit des spectateurs de Marquette qui virent Louis Cyr résister aux efforts d'une paire de chevaux d'un poids combiné de 2 800 livres.

*

Une fois encore, ce fut Eugen Sandow qui servit d'aiguillon à Louis Cyr. Le fantasque Prussien, qui se voulait plus anglais qu'un pair du royaume, avait été mis sous contrat, grâce à Ziegfeld, par le *Koster and Bial's Music Hall* de New York. Dorénavant, il se produisait en grande finale, avec décors et jeux de lumière. On parlait de sa force, certes, mais surtout de ses formes corporelles, que l'on comparait à la statuaire de la Grèce antique. Grâce à Florenz Ziegfeld, New York avait passé l'éponge sur le lot d'histoires peu reluisantes qui avaient passablement terni l'image de « surhomme » de Sandow. Si bien qu'au bout de quelques semaines les journaux, dont la plupart avaient pignon sur rue dans Manhattan, avaient fait volte-face. Les uns après les autres, le *New York Dramatic Mirror,* le *New York Times,* le *Harper's Weekly* consacrèrent des articles élogieux à la « réincarnation d'un gladiateur de Rome », ou encore à l'« émule de l'Hercule Farnèse ». Profitant de cet engouement, Ziegfeld confia Sandow au célèbre photographe new-yorkais Napoleon Sarony. L'affaire connut un succès monstre : on vendit les cartes postales de Sandow depuis Union Square jusque dans les boutiques de cigares.

Trente-cinq sous pour les formats réguliers, jusqu'à 5 dollars pour des cartes agrandies.

Ziegfeld réussit un autre coup de maître. Il arrangea une rencontre, qui allait s'avérer historique, entre Eugen Sandow et Thomas Alva Edison, l'inventeur de la lampe à filament de carbone, du phonographe et de la lampe à incandescence qui devait, plus tard, porter son nom. La rencontre eut lieu dans le studio-laboratoire d'Edison, à West Orange, dans l'État du New Jersey, en février 1894, et l'inventeur en profita pour filmer « Sandow en mouvement, à l'aide du tout nouveau procédé celluloïd, mis au point par George Eastman ». Le 10 mars 1894, l'*Orange Chronicle* du New Jersey rendit compte de l'événement, mentionnant que Sandow avait qualifié Edison de « plus grand homme de son époque ». Une fois encore, Sandow enflamma l'imagination du public de New York, si bien que tous les *Kinetoscopic Parlors*, installés dans les grands halls des théâtres populaires et grâce auxquels les spectateurs voyaient des photos d'artistes, montrèrent pour la première fois un spécimen de la race humaine se déplaçant, maniant des haltères et posant de face, de dos et de profil en faisant saillir ses muscles.

Pendant ce temps, en Angleterre, l'écrivain Graeme Mercer Adam fut mis à contribution afin de rédiger un livre, enrichi de centaines d'illustrations, de croquis et de photos, mettant en vedette Eugen Sandow. Il y travailla jour et nuit afin que l'ouvrage intitulé *Sandow's System of Physical Training* soit en vente à New York le plus rapidement possible. Les éditions s'envolèrent l'une après l'autre et le public en redemanda. L'ouvrage devint un succès international et le nom de Sandow fut à la mode pendant les vingt-cinq années suivantes, des États-Unis jusqu'en Australie. Et tandis que s'écoulaient les livres après chacune des représentations de Sandow au *Koster and Bial's Music Hall*, Ziegfeld répandit le nom de la « merveille » dans les grandes entreprises manufacturières de produits à base de malt et de chocolat. La même année, on vit des réclames de Johann Hoff's Malt Extract avec Sandow soutenant un cheval au bout de son bras droit et un texte qui disait: « Le secret de ma force est une digestion parfaite. J'utilise le produit d'origine Johann Hoff's Malt Extract et je trouve qu'il m'aide grandement à assimiler toute nourriture » (*traduction de l'auteur*). Un autre produit, le Sandow's Health and Strength Cocoa, fit également son apparition sur les tablettes des magasins de distribution de denrées alimentaires.

Ziegfeld lança finalement une audacieuse campagne de séduction de la gent féminine new-yorkaise, véritable défi aux mœurs de l'époque, avec la complicité de Richard Kyle Fox lui-même et de sa *National Police Gazette*. La publication fit scandale lors de la parution de l'édition du samedi 27 janvier 1894. On y voyait, étalée à la une, une illustration de Sandow, torse nu, le bras droit fléchi afin de faire saillir le biceps que touche avec admiration une jeune dame portant chapeau, robe de soirée et gants. Titre et sous-titres mentionnaient : « Les femmes idolâtrent Sandow. L'homme fort exhibe son corps à de belles femmes lors de réceptions privées » (*traduction de l'auteur*). En même temps paraissaient des publications populaires illustrées, vendues 5 sous dans les rues de New York, d'un héros portant le nom d'« Eugen Sandow, l'Homme le plus fort de la terre ». Présentées sous forme de bandes dessinées, elles annonçaient « la vie trépidante et les aventures du plus fameux de tous les athlètes », pendant que l'illustration montrait Eugen Sandow luttant avec un lion.

Rien ne manquait à cette théâtralité tout américaine, savamment conçue et orchestrée par Florenz Ziegfeld. Le phénomène Eugen Sandow parut aussi vrai dans cette vaste mise en scène que dans la réalité. L'homme se proclamait tantôt « l'Homme le plus fort du monde », tantôt « l'Homme le plus parfait du monde », à la grande joie de ses légions d'admiratrices.

En 1894, Eugen Sandow était devenu l'homme le plus convoité des promoteurs américains. Plus qu'une vedette, on l'associait à la réincarnation de quelque divinité d'une époque lointaine. Ce n'était plus de l'athlète que l'on parlait, ni même de l'homme le plus fort du monde, car chacun savait, particulièrement Ziegfeld et Sandow, qu'ils avaient tout à perdre s'ils s'engageaient sur ce terrain. On parlait simplement du « plus grand athlète de l'histoire ».

Louis Cyr, toutefois, ne l'entendit pas ainsi. Non qu'il enviât les succès de Sandow à New York, mais il en voulait plutôt à Fox, jusque-là le gardien du titre de l'homme le plus fort du monde et de l'enjeu qui y était attaché, de jouer sur deux tableaux au seul profit du tirage de sa publication aux feuillets roses. Cyr avait pris connaissance de la publication montrant un Sandow étalant ses attributs musculaires devant une dame en pâmoison alors qu'il était en route vers l'État de New York. Et pour la première fois depuis qu'il faisait carrière d'homme fort professionnel, il entra dans une véritable colère. Ce fut un télégramme ne prêtant guère à équivoque que Louis Cyr fit parvenir à la *National Police Gazette.* Il y rappelait Fox à ses devoirs et l'intimait de choisir son camp. Le riche propriétaire du journal qui avait pavé la voie de la notoriété à Louis Cyr s'amusa sans doute un peu de l'ultimatum, et la manière du Canadien, rude et franche, dut lui plaire. Fox savait tout des deux hommes, pour les avoir vus à l'œuvre au mieux de leur forme. Il savait surtout que Sandow n'était pas l'homme fort qu'il prétendait être, tout en jouant le rôle à merveille, et que Louis Cyr était l'homme le plus fort qu'avait connu la planète. Aussi, quel que fût le défi, Sandow brillerait par son absence, les prétextes étant, comme toujours, les clauses de ses contrats. Fox savait que pendant que Cyr chercherait une lutte pour l'honneur, Sandow mènerait la sienne pour la sauvegarde de son image, loin de son antagoniste. D'ailleurs, Sandow ignora Louis Cyr autant qu'il le put, surtout lors de sa tournée américaine qui dura, sauf pour quelques interruptions, jusqu'en 1896. Pourtant, David L. Chapman, son biographe, eut cette phrase lapidaire lorsqu'il évoqua la période 1894-1896 de la vie de Sandow : « *The Strongest man in the entire world at that time was a massive French Canadian named Louis Cyr.* » Cela dit, il fit le récit de la vie de Sandow sans la moindre allusion aux nombreux défis que lui lança Cyr. Pour Fox, aussi sympathique qu'il fût à la cause, toujours aussi noble, de Louis Cyr, c'était le New York des années 1890 qui lui dictait le fil des histoires dont raffolaient les New-Yorkais d'alors : celles des communautés juives, chinoises, italiennes, irlandaises, allemandes ; des histoires de fumeries d'opium, de bagarres entre Écossais et Irlandais ; des récits de ségrégations de Noirs encore marqués par un récent passé esclavagiste ; des drames qui se jouaient dans Lower East Side. Cela faisait vendre son journal, en y ajoutant quelques scandales politiques, ainsi que des combats de boxe controversés présentés à Coney Island par un promoteur aussi coloré que véreux, John Y. McKane.

Richard Kyle Fox n'abandonna pas pour autant Louis Cyr, tout en protégeant ses arrières. Plutôt que de lancer la *National Police Gazette* dans une polémique, il se servit d'un quotidien de deuxième ordre, *The Sun*, pour engager les hostilités et en évaluer les effets. Le tout prit l'allure d'une lettre qu'aurait envoyé Louis Cyr à la *National Police Gazette*, mais dont le *Sun* aurait aussitôt obtenu copie, qu'il publia dans son édition du mardi 13 mars 1894 sous le titre : « *Cyr challenges Sandow.* » L'article débutait en ces termes : « Louis Cyr de Montréal, qui se proclame le champion des hommes forts du monde, s'est adressé à la *Police Gazette* hier pour lancer un défi à Eugen Sandow et à tous les autres hommes forts, et a engagé un montant de cinq cents dollars à cette fin. Voici en quoi consiste ce défi… » Suivait un texte rapporté comme étant la lettre rédigée par Louis Cyr, mais qui, pour des raisons évidentes de grammaire et de syntaxe, avait certainement été rédigée par Richard Fox ou par un de ses collaborateurs.

Je vois que Eugen Sandow s'affiche comme le champion des hommes forts du monde. Comment Sandow peut-il se réclamer d'un tel titre lorsque c'est moi qui détiens le record du poids le plus lourd soulevé d'une main et de deux mains, en plus d'avoir soulevé presque 4 000 livres sur mon dos ? Cela m'incite à penser que Sandow manipule son public. J'ai levé d'un bras 273 ¼ livres en Angleterre, où je me suis expressément rendu afin d'y rencontrer Sandow. Une fois de plus, j'ai fait tout ce voyage depuis Montréal afin d'inciter Sandow à m'affronter, pour tout montant entre 1 000 $ et 5 000 $, dans les épreuves suivantes :

– soulever de la main droite et de la main gauche l'haltère le plus lourd ;

– soulever de terre, d'une main et de deux mains, la charge la plus lourde ;

– soulever de terre, d'un seul doigt, la charge la plus lourde ;

– soulever à bout de bras et à deux mains l'haltère le plus lourd par un développement depuis les épaules ;

– fixer au bout d'un bras, et tenir à l'horizontale, à angle droit avec le corps, la charge la plus lourde, qu'il s'agisse d'un haltère ou de toute autre masse de fonte ;

– soulever du sol à l'épaule, d'une main ou à deux mains, et placer cette charge en équilibre sur une épaule, la charge la plus lourde ;

– soulever à l'aide du dos, les mains en appui, la charge la plus lourde à l'aide d'une plate-forme ;

– soulever, à partir de la position à genoux, l'haltère le plus lourd et le développer à bout de bras ;

– soulever à bout de bras, simultanément, les deux haltères les plus lourds, un dans chaque main.

Le vainqueur sera celui qui aura levé le plus grand nombre de livres au total de toutes les épreuves, j'affirme que les exploits de Sandow sont des artifices de théâtre et non des performances d'un homme fort. Je ne suis ni un saltimbanque ni un jongleur, mais un homme de force, disposé en tout temps à mettre l'argent nécessaire à l'enjeu contre tout adversaire, d'où qu'il vienne. Mais je souhaite rencontrer d'abord Sandow (traduction de l'auteur).

Les réactions ne se firent pas attendre, et le *New York Herald* prit la relève. Mais toute l'affaire ressembla aussitôt à un scénario bâclé et sans véritable suspense. Pendant trois semaines, le *Herald* publia quelques articles, reprit la lettre de défi de Louis Cyr, mais cette fois signée par Richard Fox, qui, de plus, se rangea résolument derrière le Samson canadien. Pour donner du sérieux à la démarche, Fox déposa un chèque certifié de 500 dollars, visé par la Park Bank de New York, entre les mains de l'éditeur du *Herald,* ce dernier se portant alors garant de l'enjeu.

Le 9 avril 1894, le *Herald* titra « *The Chance of Sandow's Life*». L'article donnait la parole à Fox et à Charles Sampson, qui en profita pour se lancer dans une critique sévère des agissements d'Eugen Sandow. Quant à Fox, plutôt que de trancher carrément en faveur de Cyr en se fondant sur les prestations de ce dernier en Angleterre, il commença par discuter des mérites des uns et des autres, particulièrement de Sandow, Cyclops et James Kennedy. On pouvait lire ceci en conclusion: «Un homme qui s'y connaît dans ce genre d'athlètes est Richard K. Fox, bien connu dans Broadway et le Strand. Il est un promoteur de sports et veut bien attribuer le titre de champion à celui qui le mérite. Dans ce monde des hommes forts, M. Fox croit qu'il ne peut y avoir qu'un seul champion et il est d'avis que Louis Cyr, le Canadien français, est l'homme qui peut s'approprier ce titre à l'occasion d'une compétition officielle entre hommes forts. Mais en ce moment, M. Fox reconnaît qu'il n'y a que trois hommes susceptibles de s'affronter à New York dans un délai raisonnable. Ce sont Sandow, Sampson et Cyr. Cyclops est en Europe et Kennedy s'est gravement blessé voilà quelque temps» (*traduction de l'auteur*).

Le lendemain, le *Herald* récidiva, publiant les opinions du professeur Attila au sujet de son ancien protégé, Eugen Sandow, et des manœuvres douteuses de Charles Sampson, alors que ce dernier se produisait à Londres. La réaction de ce dernier semblait déjà prête, puisque le *Herald* publia la réplique de Sampson sous la forme d'un télégramme daté du jour même de l'entrevue avec Attila et câblé depuis Cleveland, en Ohio. L'opinion d'Attila était tranchée: «Entre Sandow et Cyr, c'est définitivement Cyr. Il est d'une force hors du commun et réussit à faire avec des haltères ce que nul avant lui n'a jamais réussi. Je dois dire, en toute objectivité, que dans l'éventualité d'une véritable compétition de force entre les deux hommes, Louis Cyr l'emportera de façon décisive sur Sandow» (*traduction de l'auteur*).

Le jour suivant, 11 avril 1894, un dernier article parut dans le *New York Herald*. Coiffé d'un titre plutôt ironique: « *Sandow would rather pose*», le très long texte commençait par citer le télégramme reçu la veille, depuis Milwaukee dans le Wisconsin, et signé par Eugen Sandow. Ce dernier y allait de plusieurs allégations, mentionnant entre autres choses qu'à Londres Louis Cyr avait refusé de l'affronter pour le titre officiel de champion des leveurs de poids lourds et donc, pour la ceinture emblématique. «Il n'a pas osé m'affronter lorsqu'il [Louis Cyr] a pris connaissance de mes records, sachant dès lors qu'il n'était pas à la hauteur» (*traduction de l'auteur*), prétendit Sandow dans le télégramme. Dans le même article, le professeur Attila niait tout ce qu'affirmait Sandow et racontait en détail ce qui s'était dit et passé à Londres, lors de la rencontre dans le bureau de l'éditeur du *Sporting Life*. Il précisait que lui-même et Sandow craignaient Cyr, non seulement à cause du fameux *back lift*, qu'il était le seul au monde à maîtriser, mais en raison de sa puissance dans tous les autres levers. Ce à quoi Richard Fox ajoutait: «Le retrait d'Attila et de Sandow annonçait bien simplement qu'Attila n'avait aucune confiance en Sandow face aux exploits connus de Louis Cyr, ce qui, du même souffle, s'avérait un hommage qu'il rendait à celui-ci. L'œuvre de Cyr, jusqu'à ce jour, est un diamant comparé à une vulgaire pièce de verre pour Eugen Sandow» (*traduction de l'auteur*).

Le mot de la fin revint à Richard Fox. «Sandow utilise aujourd'hui la même stratégie qu'à Londres, afin d'éviter toute rencontre avec Louis Cyr. C'est ce dernier qui est le véritable champion des hommes forts» (*traduction de l'auteur*). Deux semaines plus tard, la *National Police Gazette* livra ce qui ressemblait à un baroud d'honneur. Richard Fox fit la manchette de son propre journal, annonçant qu'il offrait une ceinture de championnat d'une valeur de 2 500 dollars au vainqueur d'une compétition internationale d'hommes forts. Il signa une lettre, la même qui fut attribuée à Louis Cyr par le *Herald*, détaillant les neuf épreuves auxquelles les concurrents devaient se soumettre et termina par ces mots: «Si Sandow ne relève pas ce défi, alors Louis Cyr sera officiellement proclamé le champion, ce dont je me porterai garant» (*traduction de l'auteur*). Dans un autre article publié dans la même édition de la *National Police Gazette*, l'éditeur des sports du journal, William E. Harding, signait le texte suivant : « Pour ce qui concerne l'offre de M. Fox pour une rencontre entre Louis Cyr et Eugen Sandow, ce dernier refuse toutes les propositions qui lui sont faites. Il préfère s'en tenir à ses démonstrations de contrôle musculaire, dont il détient l'exclusivité. Le *New York Herald* a donc renvoyé à M. Fox le chèque certifié de 500 $ qu'il avait déposé en garantie auprès de ce journal. C'est en effet regrettable que le champion de la force et le champion du contrôle musculaire ne puissent s'affronter » (*traduction de l'auteur*).

Alors que Louis Cyr arrivait à New York, afin de s'y produire au *8th Avenue Theater* en compagnie d'un célèbre boxeur du temps, Jake Kilrain, un protégé de Richard Kyle Fox, Eugen Sandow était à des milliers de kilomètres de là, dans le hall de l'hôtel *Hollenback* de Los Angeles, où il s'apprêtait à donner sa première conférence de presse en terre californienne.

Ce n'était pas l'homme fort que les journalistes venaient rencontrer, mais le « roi du spectacle », peut-être même le plus grand mystificateur du siècle. Quoique les deux hommes sillonnèrent les États-Unis pendant quelques années encore, ils ne se trouvèrent jamais en même temps au même endroit, encore moins en présence l'un de l'autre. Lorsque enfin Louis Cyr revint au pays et rentra dans ses terres de Saint-Jean-de-Matha, une surprise de taille l'attendait. L'homme le plus fort du monde dut s'émerveiller, malgré lui, devant une démonstration de force aussi spectaculaire qu'inattendue. Sans effort apparent, une fillette d'un peu plus de sept ans, d'allure plutôt frêle sous une abondante chevelure se répandant jusqu'au milieu du dos, balança au bout de son bras droit tendu un haltère de 56 livres et leva de terre, avec ses deux mains, une charge de près de 300 livres. Âge pour âge, Émiliana Cyr était devenue l'émule de son père et, certainement, l'enfant la plus forte de la planète.

CHAPITRE II

Des records absolus

L'année 1894 fut celle du triomphe du parc Sohmer puisque, le 8 janvier, les Statuts du Québec sanctionnaient une loi concernant le Jardin zoologique de Montréal (nom sous lequel avait été enregistré le parc Sohmer) et permettant «de tenir ouverts au public, tous les jours de l'année, la ménagerie, le musée d'histoire naturelle et le lieu ou jardin avec pavillon établi dans un but de récréation et d'instruction pour l'esprit, de délassement pour le corps, et pour réunion musicale». Cette législation eut un impact considérable sur la vie sociale et culturelle de Montréal, en même temps qu'elle influença la décision de Louis Cyr de renouer avec les propriétaires du parc Sohmer. Le pari qu'avaient fait ces derniers était le bon puisque les journaux de Montréal, notamment le quotidien *La Presse*, soutinrent toutes les promotions du vaste parc, malgré l'opposition que maintenaient encore les gens d'Église.

Pour les propriétaires Préfontaine, Lavigne et Lajoie, le retour de Louis Cyr au parc Sohmer était une affaire aussi incontournable que lucrative. Louis Cyr était le plus célèbre parmi tous les hommes forts, sans compter que les numéros impliquant des spécimens humains exceptionnels par leur taille et leur force étaient à la mode. De plus, Louis Cyr valait à lui seul le prix d'entrée, ce qui était extrêmement rare, tout autant que le caractère authentique de ses exploits.

Quoique les propriétaires du parc fussent prêts à se rendre à toutes les conditions de Cyr, si tant est qu'il en formulât, ce dernier n'était pas encore convaincu que c'était le meilleur choix. Montréal n'était pas l'Amérique et sa notoriété n'y gagnerait pas, du moins selon les apparences de l'époque. Sans compter qu'il n'y avait pas eu une seule ligne publiée à son sujet dans les journaux du Québec en trois ans. Depuis ses combats contre les chevaux, à l'été et à l'automne de 1891, d'autres personnages affublés de pseudonymes tels les « Empereurs de la perche », le « Roi des marcheurs sur fil », « Testo le Samson moderne » avaient dominé cette scène. Et alors que Cyr cherchait par tous les moyens à régler une fois pour toutes l'imbroglio entre lui et Sandow, ce qui lui eût également permis de s'annoncer, sans ambages, comme l'homme le plus fort de la planète, aucun journal du Québec n'avait milité en sa faveur. Il en fut peiné.

Sa réflexion fut menée en solitaire, lorsqu'il faisait le tri des articles publiés dans des journaux américains et franco-américains pour les coller ensuite, par ordre chronologique, dans ses albums.

Ce n'était pas d'argent que Louis Cyr avait besoin, c'était de la reconnaissance incontestable de ses mérites. Déjà, en revenant d'Angleterre, il en avait amassé suffisamment pour être à l'abri du besoin. Au cours des deux années suivantes, il avait encaissé assez de bénéfices lors de ses tournées pour acheter pratiquement la plupart des terres de Saint-Jean-de-Matha. Ses démonstrations de tir de chevaux lui avaient rapporté plus de 10 000 dollars (environ 125 000 dollars d'aujourd'hui) durant la seule année 1894, à quoi s'ajoutait une somme équivalente pour les spectacles de la *Cyr Brothers Specialty Co.* Des obligations et des transports de créances au profit de Louis Cyr s'accumulaient dans l'étude de Me Amédée Dugas, le notaire de Saint-Jean-de-Matha, pour des montants variant de 300 à 1 000 dollars. Pour chacune de ces obligations, Louis Cyr était identifié comme « athlète de Saint-Jean-de-Matha ». Quant à sa ferme, sans être une terre de fortune, elle rendait les meilleures récoltes possibles compte tenu de sa superficie, grâce à la bonne intendance de son beau-père, Évariste alias Évangéliste Comtois.

Mais une fois encore, les augures veillaient. Tôt durant l'hiver de 1895, Louis Cyr reçut une invitation signée par les propriétaires de l'*Austin and Stone's Museum* de Boston. Le ton de déférence était sans équivoque puisqu'on demandait à l'« homme le plus fort du monde » de se produire devant des milliers de personnes durant presque tout le mois de mai.

Lorsque Louis Cyr informa les propriétaires du parc Sohmer de sa décision d'accepter l'offre des Américains, ils ne cachèrent pas leur déception, sauf Ernest Lavigne. Il avait le plus grand respect pour Louis Cyr et s'était toujours affiché comme un de ses fervents admirateurs. Pour sa part, Louis Cyr avait profité de chaque moment de répit, entre deux représentations au parc Sohmer, pour assister avec ravissement aux prestations de l'orchestre que dirigeait de main de maître celui que l'on considérait comme le plus grand musicien de Montréal.

Ernest Lavigne posa un geste dont Louis Cyr garda un touchant souvenir qu'il évoqua ainsi dans ses *Mémoires*: « Ernest Lavigne me connaissait ce talent de violonneux [...] il me fit cadeau d'un joli instrument qui m'accompagna par la suite dans maintes de mes courses. » Lorsque Louis Cyr reprit le train en direction de Joliette, une affaire avait été conclue : non seulement il se produirait pendant les deux premières semaines d'avril au parc Sohmer, mais toute la famille Cyr monterait sur scène, Émiliana comprise. « Little Miss Cyr », ainsi qu'on la présenterait plus tard aux États-Unis, allait dévoiler son prodigieux héritage de force, quelques semaines à peine après avoir célébré son huitième anniversaire.

*

Fait sans précédent dans les annales de la force, les manchettes des journaux ne parlèrent que de la petite fille de Louis Cyr. Entre le lundi 8 avril 1895 et le samedi 20 avril de la même année, les journaux *Le Monde, La Patrie, La Presse,* le *Montreal Daily Herald* et, en septembre, *Le Trifluvien* s'étonnèrent devant les prouesses de cette enfant en robe boutonnée jusqu'au cou, surmontée d'un collet entièrement brodé, qui «jouait avec des haltères alors que les autres jeunes filles jouaient avec des poupées».

Le quotidien *Le Monde* fit ce compte rendu de la première démonstration publique de la petite Émiliana Cyr:

> *Rarement foule plus nombreuse ne s'était assemblée qu'hier soir au Parc Sohmer.*
>
> *La petite fille de Louis Cyr, le champion des hommes forts canadiens, y a fait des tours prodigieux de force. Mlle Méliana* [sic] *Cyr qui n'est âgée que de sept ans, pèse soixante-cinq livres. Dès l'âge de trois ans, sous la direction de son père elle s'exercera à lever des poids toujours de plus en plus lourds. Le Samson canadien lui a enseigné avec soin jaloux l'art de manier des haltères à bras tendu avec autant d'habileté que d'adresse.*
>
> *Hier soir elle a levé de terre un poids de 306 livres avec ses deux mains, puis 154 livres d'une seule main. Sans la moindre difficulté, Mlle Cyr a soulevé de terre, d'un seul doigt, 89 livres, puis à bras tendu un poids de 56 livres et finalement un poids de 33 livres qu'elle a levé au-dessus de sa tête sans effort.*
>
> *Louis Cyr, pour la première fois, a placé la nouvelle* [sic] *haltère de 800 livres sur ses épaules et tenu sa femme en haut d'une échelle sur son menton.*
>
> *Son frère, Pierre Cyr, a exécuté des tours de force vraiment merveilleux.*
>
> *La partie musicale du programme a été remplie avec ensemble et précision par les habiles musiciens sous la direction habile de monsieur Lavigne.*

Pour sa part, dans son édition du 8 avril 1895, le journal *La Patrie* publia ce commentaire: «C'est un vrai petit prodige qui fera sa marque dans les annales des personnes fortes du monde entier.»

Un peu comme ce fut le cas pour Pierre Cyr, on tricha sur l'âge d'Émiliana (certains journaux l'appelaient Méliana), et on exagéra le rôle que Louis Cyr avait joué auprès de la fillette pour le développement de sa force innée. Le journal *Le Monde* publiera quelques jours plus tard que « ses parents la laissèrent s'exercer au maniement de poids, si bien qu'à l'âge de cinq ans, elle levait des poids bien supérieurs à ceux que bien des hommes sont incapables de remuer ».

On s'émerveilla tant devant le phénomène qu'on voulut bientôt en faire la huitième merveille du monde. D'un soir à l'autre, le parc Sohmer présentait les Cyr à guichets fermés, avec Émiliana en tête d'affiche. Ne voulant pas prêter le flanc aux critiques de tous ceux qui, la veille encore, s'étaient opposés aux spectacles du dimanche et à diverses formes de divertissement, Louis Cyr s'empressa de préciser qu'elle ne paraîtrait devant le public que pendant une brève période parce qu'elle devait prochainement entrer au couvent pour y faire ses études.

Mais déjà l'histoire de la fillette prodige s'était répandue aux États-Unis, si bien que, quelques jours à peine après la fructueuse quinzaine au parc Sohmer, la famille Cyr se retrouvait sur la scène du *Music Hall* de Lowell. Le soir du 22 avril 1895, alors qu'Émiliana triomphait une fois de plus, Louis Cyr soulevait 3 500 livres au *back lift*, après avoir résisté pendant plus d'une minute aux efforts combinés des deux chevaux les plus forts des environs. Dans l'article du *Lowell Mail* du lendemain, on pouvait lire que Louis Cyr pesait alors 336 livres. L'article présentait la fillette comme étant « Melinda âgée de sept ans et pesant moins de soixante livres » et lui attribuait un soulevé de terre à deux mains de 333 livres.

Quoique Louis Cyr ait alors mentionné qu'il était hors de question que la petite Émiliana devienne une vedette du spectacle, lui et Mélina remettront de mois en mois la décision d'envoyer leur fille unique au couvent. Pendant un an et demi encore, Émiliana partagea la vedette avec ses parents et son oncle. Son nom finira par être épelé correctement et, sur les affiches, il paraîtra en lettres plus grosses que celui de son oncle, « Peter » Cyr. On la présentera comme « *The child wonder of the Nineteenth Century and the Female Wonder of all Creation*» («L'enfant prodige du xixe siècle et la femme prodige de toute la Création »).

Rien, en 1895, ne s'opposait à ce qu'une enfant de l'âge d'Émiliana Cyr et surtout de son exceptionnel talent se donnât en spectacle plutôt que d'être inscrite à une école. En réalité, l'instruction publique n'était pas obligatoire et la majorité des enfants du Québec, surtout dans les campagnes, ne fréquentaient pas l'école, sauf durant les quelques hivers où ils usaient les bancs des écoles de rang. D'ailleurs, en 1895, les analphabètes représentaient plus du tiers de la population du Québec, soit presque deux fois plus que dans les autres territoires du Canada, une triste réalité qu'avait vécue peu de temps avant Louis Cyr lui-même. Il faudra attendre la Loi 7 (George VI, chap. 13), sanctionnée à la session de 1943, pour qu'obligation soit faite à chaque enfant de fréquenter l'école jusqu'à l'âge de quatorze ans.

Plus d'une fois, Louis Cyr eut à répondre à des questions au sujet de l'avenir de sa fille unique. D'aucuns la voyaient déjà comme une des plus grandes attractions du vaudeville international. Les plus audacieux lui prédisaient une carrière aussi illustre que celle de son célèbre père. Ce dernier était toutefois conscient qu'une telle carrière risquait d'être bien courte pour une jeune femme. Était-ce d'ailleurs ce qu'Émiliana souhaiterait une fois parvenue à l'adolescence ? Sinon, que ferait-elle de ce don de la force dans une société où les femmes subissaient généralement une exploitation éhontée sur le marché du travail ? Sans entrer dans des considérations économiques dont ils ne connaissaient que peu de choses, les Cyr en savaient suffisamment pour vouloir confier Émiliana à une institution d'enseignement qui ferait d'elle une femme instruite.

Le lundi 30 novembre 1896 au soir, Émiliana Cyr, âgée de neuf ans et dix mois, entra au couvent de Saint-Félix-de-Valois. Dans un entrefilet de *L'Étoile du Nord*, on put lire : « Il n'y a aucun doute que cette jeune fille, qui n'est âgée que de dix ans, aimera mieux s'instruire que de paraître sur scène. »

Pourquoi le couvent de Saint-Félix-de-Valois ? Simplement parce qu'il n'y avait pas encore d'institution pour les jeunes filles à Saint-Jean-de-Matha. D'ailleurs, lorsque cette municipalité se dotera finalement d'une telle maison d'enseignement, en 1897, Émiliana Cyr y poursuivra ses études. En attendant, Louis Cyr considérait Saint-Félix-de-Valois comme la jumelle de Saint-Jean-de-Matha, autant par le nom – puisque le saint qui le portait, fondateur de l'ordre de la Très Sainte-Trinité, avait été le compagnon inséparable de Jean de Matha, vers le XIIIe siècle – que par le panorama varié et pittoresque, avec le rempart des Laurentides au nord, de jolies résidences piquées au milieu des champs en culture et des forêts d'érables, de chênes et de noyers, étagées à flanc de coteaux. Lorsque Émiliana Cyr entra dans le couvent pour la première fois, elle dut être impressionnée autant par la remarquable architecture de l'édifice que par la supérieure, sœur Louise du Sacré-Cœur.

Deux ans plus tard, âgée de douze ans, Émiliana Cyr entra au couvent de Saint-Jean-de-Matha, qui avait ouvert ses portes le 2 septembre 1897. Cette maison d'éducation pour jeunes filles, placée sous l'autorité des Sœurs des Saints Noms de Jésus et de Marie, devait elle aussi, durant plus d'un demi-siècle, paver la voie à de nombreuses vocations religieuses, et pour d'autres jeunes filles, telle Émiliana Cyr, à la virtuosité musicale.

*

Pour quiconque prétendait à la notoriété, la ville de Boston représentait un passage obligé. Cela tenait au statut particulier de la capitale de l'État du Massachusetts au sein de l'Union. Boston était à la fois le centre intellectuel des États-Unis et le moteur économique de la Nouvelle-Angleterre. Tous ceux qui fréquentaient la grande agglomération, ouverte sur la baie de Massachusetts, disaient que Boston était la fille aînée de la Londres victorienne et l'enfant chérie de la nouvelle Amérique.

Pour les Canadiens français, la capitale de la Nouvelle-Angleterre était d'autant plus importante qu'elle constituait la tête de pont du mouvement de la Survivance, depuis que la *State House* de Boston avait, le 25 octobre 1881, accueillit les délégations canadiennes-françaises pour leur donner l'occasion officielle d'exposer leurs griefs et de plaider leur cause au sujet de leur place dans les institutions civiles, politiques et éducatives.

La venue de Louis Cyr à Boston fit donc grand bruit dans les rangs des Franco-Américains et suscita une vive curiosité chez les Bostonnais en général. Un petit triomphe pour la Survivance, puisque l'homme le plus fort du monde allait se produire sur une des scènes les plus prestigieuses de l'Amérique : l'*Austin and Stone's Museum.* Fondé en 1883, l'édifice avait la réputation d'être le plus célèbre établissement du genre.

Le samedi 18 mai 1895, Louis Cyr se prêta à un événement publicitaire inhabituel : une démonstration privée à l'intention de la presse bostonnaise. Il fit tant et si bien que dans son édition dominicale du lendemain, le *Boston Sunday Post* publia une illustration de Louis Cyr retenant deux chevaux que fouettaient des palefreniers, pesant, selon le compte rendu, 1 400 livres chacun. On y présentait Louis Cyr comme l'« Homme le plus fort de la terre, celui qui défie le monde entier, de préférence Sandow » (*traduction de l'auteur*). Le *Boston Herald* ne demeura pas en reste et, dès le lundi 20 mai, un millier de personnes avaient pris place dans le prestigieux auditorium qui avait, jusque-là, accueilli des explorateurs et des scientifiques de grande réputation. Ce soir-là, Louis Cyr souleva avec aisance 3 353 livres, soutenant la charge sur son dos pendant plusieurs secondes. La réaction de la foule fut instantanée. Selon le *Boston Herald,* « l'enthousiasme fut tel que le public a littéralement fait trembler l'édifice ».

Il est probable qu'en cet instant même Louis Cyr comprit d'instinct ce qu'on attendait de lui : plus que tout ce qu'il avait accompli durant ces nombreuses années d'exploits de force, autant dire l'impossible. Mais pour la première fois depuis son retour d'Angleterre, il sentait sourdre en lui l'envie d'éprouver, une fois encore, l'état de grâce qu'il avait connu le soir du 19 janvier 1892 sur la scène du *Royal Aquarium Hall* de Londres. Tout comme il avait soulevé l'haltère de 273 ¼ livres à hauteur de légende, il crut le moment venu d'imiter Atlas soutenant le monde. La comparaison n'avait rien de farfelu puisque la charge à laquelle il voulait s'attaquer était, depuis toujours, hors de portée de toute force humaine. Il annonça donc qu'il tenterait de soulever au *back lift* une masse supérieure à 4 000 livres, plus de 2 tonnes impériales. On avait déjà prétendu que Cyr avait réussi à lever une plate-forme de plus de 3 900 livres, mais lui-même n'admettait pas ce chiffre, insistant plutôt sur le fait que les seuls records valables étaient ceux qui étaient authentifiés par un comité de surveillance et par les plateaux d'une balance. Il devait donc soulever près de 400 livres de plus que son meilleur lever, reconnu à 3 655 livres. Mais davantage que les 2 tonnes, cet effort allait l'obliger à franchir le seuil mythique, à flirter avec les limites physiologiques de l'humain, au péril peut-être de sa vie.

Le défi que lançait le surhomme à son double passionna tout Boston pendant près d'une semaine. Le *Boston Herald* publia des réclames illustrant le bâtiment surmonté du drapeau américain devant lequel on distinguait de longues files d'attente. En dessous, une autre illustration, celle de Louis Cyr, l'air impérial avec sa moustache aux pointes lissées et le bouc au menton, les bras croisés sur la poitrine. On y lisait : « LOUIS CYR, l'homme le plus fort ayant jamais vécu, le détenteur de tous les records du monde. »

Le rendez-vous historique de Louis Cyr avec sa tentative de record absolu fut fixé au lundi 27 mai 1895, en matinée. Dans le *Boston Herald* du samedi précédent, on put lire la réponse qu'il fit au correspondant du journal lorsque celui-ci s'informa de ses habitudes alimentaires : « Je mange autant que trois hommes, je consomme en moyenne six à sept livres de viande par jour. Par conséquent, je peux avaler trois livres de steak au cours d'un même repas sans le moindre problème. Par contre, je n'ai jamais touché au tabac ni au moindre alcool » (*traduction de l'auteur*). On y précisait aussi que Louis Cyr pesait environ 315 livres et que Mélina, son épouse, dépassait à peine 100 livres.

Ce fut le défi Cyr qui alimenta une fois de plus les conversations. Les associations canadiennes-françaises de la ville avaient si bien travaillé que nombre de Franco-Américains faisaient déjà la file avant que la vaste enceinte n'ouvrît ses portes. À dix heures, il n'y avait plus une seule place libre dans l'auditorium. On permit à une autre centaine de spectateurs de s'entasser à l'arrière et on en refusa trois fois autant. Lorsqu'on ferma les portes, quelque mille cinq cents personnes attendaient, dans un silence quasi religieux, l'entrée en scène de Louis Cyr.

Le remarquable Cyr a entamé la deuxième semaine d'engagement dans l'auditorium du Austin and Stone's Museum hier matin. Il avait déjà annoncé qu'il tenterait d'établir un nouveau record en soulevant les dix-huit hommes les plus lourds présents parmi les spectateurs.

Lorsque Cyr monta les marches pour se rendre sur la scène, son pas était ferme et il affichait la détermination de celui qui est conscient qu'il va accomplir l'exploit le plus grandiose de sa vie. Cyr jeta d'abord un coup d'œil rapide sur le vaste auditoire, puis son regard s'attarda, ici sur un homme au gabarit imposant, là sur un autre, plus gros encore, et ainsi de suite, jusqu'à ce que dix-huit hommes, tous impressionnants d'allure, vinssent rejoindre le champion sur la scène. Une fois la pesée officielle effectuée, on annonça un poids total de 4 337 livres. Il paraissait inimaginable que tout homme, si puissant fût-il, pût soulever pareille masse. Pourtant c'est avec un sourire aux lèvres que Cyr demanda aux hommes de prendre place sur la plate-forme reposant sur des chevalets de bois.

Puis Cyr prit place sous la plate-forme, le dos rivé contre celle-ci, prêt pour l'effort suprême. Il tendit ses muscles à l'extrême, au point de rupture à ce qu'il semblait. La plate-forme bougea, quitta ses points d'appui, s'éleva. Toute cette charge humaine était maintenant tenue en équilibre sur le dos de Cyr. Une immense clameur monta et n'eût été que le visage de Cyr était devenu cramoisi sous l'effort, il eût rougi devant l'hommage qu'on lui rendait. Cyr

246

salua avec grâce et longuement la foule qui l'acclamait. Lorsque Louis Cyr quittera cette ville, samedi soir prochain, il emportera avec lui le plus prestigieux des records (traduction de l'auteur).

Ce fut en ces termes que le *Boston Daily Globe* rendit compte de l'exploit surréel que Louis Cyr venait d'accomplir. Un exploit tel que, malgré la présence d'un comité de notables et d'un registraire à la pesée, malgré le millier et demi de témoins oculaires, il suscita l'incrédulité et jusqu'à la controverse, bien au-delà de la disparition de Louis Cyr. En fait, jusqu'à l'époque contemporaine.

Il y en eut quelques-uns pour s'interroger le moment précis de la journée du 27 mai 1895 où Louis Cyr s'attaqua à la plate-forme chargée de dix-huit mastodontes. Dans une réclame parue dans le *Boston Sunday Post* du dimanche 26 mai 1895, où le nom de Cyr paraît en énormes caractères, il était écrit: *« Cyr promises a big sensation tomorrow morning at 10:50; full details in local columns of this paper. »* Ce fut l'heure exacte à laquelle Louis Cyr gravit les quelques marches qui le séparaient de son exploit historique.

Le débat porta sur le chiffre de 4000, celui-ci paraissant impossible à atteindre du seul point de vue biomécanique, davantage encore si l'on ajoutait que Louis Cyr soutenait la charge pendant plusieurs secondes. David P. Willoughby, une autorité mondiale en matière d'exploits physiques, auteur d'un volume encyclopédique, *The Super Athletes*, a tenté de trancher le débat. En premier lieu, il avoue son propre scepticisme quant à la façon de faire de Louis Cyr, soit de soulever une charge «vivante» et, comble de la difficulté, de la soutenir pendant une assez longue période. Son analyse lui fait conclure qu'environ 85 % de l'effort provenait des jambes, particulièrement de la zone d'insertion avec les hanches, et que la limite physiologique du *back lift* est mathématiquement fixée à 13,192 fois la charge du développé à deux mains. À sa grande surprise, Willoughby a découvert que, selon cette méthode de calcul, la zone limite de Louis Cyr se situait à 5 605 livres, puisque ce dernier réussissait à pousser à bout de bras, de façon stricte, un poids de près de 425 livres depuis les épaules. Ce qui, dans les faits, rendit impossible une telle tentative de la part de Cyr, ce fut à la fois les limites de la plate-forme qu'il utilisait, les exigences de mise en scène de ses prestations plus théâtrales qu'athlétiques et les atteintes prématurées de la maladie qui allait l'emporter.

*

En ce 27 mai 1895, Louis Cyr avait ébahi tous ceux qui, témoins de l'exploit, allaient le façonner pendant le reste de leur existence, de sorte qu'il ressemblait, des années plus tard, à un récit homérique. Mais Cyr avait tout autant étonné la communauté scientifique. Parmi ceux qui interrogeaient les grands principes d'anatomie et de physiologie appliqués à l'effort musculaire se trouvait un personnage haut en couleur, le Dr Dudley Allen Sargent. Ancien professionnel de cirque, où il se produisait en qualité de gymnaste et d'équilibriste, il devint directeur du gymnase de l'Université Harvard, à Boston, et plus tard un des plus réputés professeurs de culture physique de la même université.

Fasciné par les exploits de Louis Cyr et particulièrement par celui que le Samson canadien venait de réussir à l'*Austin and Stone's Museum,* il se fit annoncer auprès de ce dernier et lui demanda la permission, au nom de la science de l'anatomie, de consigner ses mensurations dans les archives de l'université, expliquant de surcroît qu'elles serviraient à élaborer une échelle comparative de données anthropométriques. La proposition amusa-t-elle Louis Cyr ou, au contraire, le rendit-elle méfiant? Il accepta sans autre commentaire. Mais la démarche, aussi originale que sans précédent pour l'époque, allait permettre de tracer un portrait physique de Louis Cyr rigoureusement exact et historiquement incontestable. Beaucoup avait déjà été écrit au sujet des mensurations de Cyr. On exagéra surtout le volume de ses cuisses et de ses mollets et, presque autant, celui de ses biceps et de ses avant-bras. Si bien que l'on en vint à croire qu'il avait des cuisses de 35 pouces, des mollets de 28 pouces, des biceps de 23 pouces et des avant-bras de plus de 19 pouces. On ajouta des lignes ici et là aux membres, on poussa davantage sur la circonférence de sa poitrine et on se montra très conservateur sur le tour de taille.

Dudley A. Sargent s'entendit avec Louis Cyr au sujet de sa méthode, lui expliquant que toutes les mesures devaient être prises sans qu'il contractât aucune partie de son corps. Il l'informa également que les membres supérieurs et inférieurs allaient être mesurés à l'état de repos, sans la moindre flexion susceptible de faire saillir la masse musculaire. Le profil de Cyr, alors âgé de trente-deux ans, n'en demeura pas moins impressionnant. Un cou de 20 ½ pouces ; le biceps droit à 21 pouces et le gauche à 20 ½ pouces ; l'avant-bras droit à 17 ½ pouces ; le poignet à 8 ¾ pouces ; la poitrine au repos à 56 pouces (exceptionnellement, Sargent nota que la poitrine gonflée de Cyr donnait 60 ½ pouces) ; le genou à 17 pouces ; la cuisse à une ligne des 31 pouces ; le mollet à 20 ½ pouces et la cheville à 10 ½ pouces. Le tour de taille donna 48 pouces. Le Dr Sargent ajouta à ses notes que le poids idéal de Louis Cyr devait se situer quelque part entre 275 et 291 livres, ce qui indiquait assez bien l'approche avant-gardiste de ce physiologiste. Bien entendu, Louis Cyr ne s'astreignit jamais ni à un entraînement ni à un régime alimentaire qui eût pu rendre sa silhouette plus esthétique et sa masse musculaire plus performante. En 1896, en l'espace de quelques jours, il se soumettra à une discipline corporelle qui l'éprouva assez. Survinrent ensuite de nouvelles obligations qui entraînèrent des excès de table et d'inévitables ennuis de santé. Par la suite, son corps s'alourdira progressivement, résultat de désordres pathologiques et d'une hydropisie naissante, jusqu'à dépasser les 350 livres.

*

On fit grand cas du fabuleux soulevé de la plate-forme du 27 mai 1895 de Louis Cyr dans plusieurs journaux américains, mais la presse québécoise n'en souffla mot. Du moins fallut-il plusieurs mois avant qu'on mentionne le fait historique.

La trop longue absence de Louis Cyr de son pays constituait certainement l'explication la plus plausible d'une telle omission. Quant à la *National Police Gazette* de New York, l'exploit de Cyr y fut relaté comme « un autre record pour Louis Cyr ». L'article n'avait rien d'original, pas plus que l'illustration du portraitiste. Un visage plutôt rond, une barbiche touffue et une calvitie prononcée donnaient de Louis Cyr l'impression d'un homme dans la quarantaine. Ce fut la dernière fois d'ailleurs que la *National Police Gazette* fit allusion au défi commandité par Richard K. Fox, toujours propriétaire de la populaire publication. On y écrivait que Fox offrait maintenant 5 000 dollars à quiconque, dans le monde entier, vaincrait Louis Cyr dans une seule épreuve de lever d'haltères. Puis l'article reprenait intégralement le texte du *Boston Daily Globe* du 28 mai 1895. Ce fut aussi le dernier article que la *National Police Gazette* consacra à Louis Cyr. Richard Kyle Fox s'intéressait à des exploits beaucoup plus sensationnalistes, comme ces trompe-la-mort qui franchissaient les chutes Niagara sur un fil de fer ou qui défiaient les Horseshoe Falls, surtout du côté canadien, enfermés dans des tonneaux de survie. On parla notamment de James E. Hardy, un Torontois qui devint à l'été 1896 la plus jeune personne (vingt et un ans) à traverser les célèbres chutes sur un fil. Puis en 1897, on cita Oliver Hilton, originaire de Hamburg, dans l'État de New York, qui aurait traversé les mêmes chutes le 16 septembre 1897, alors qu'il était âgé de dix ans seulement. Il n'existait en fait aucune preuve suffisante d'un tel exploit qui eût pu le faire passer à l'histoire, quoiqu'il fasse partie aujourd'hui des éphémérides des chutes Niagara.

Quant à Eugen Sandow, il avait entrepris une grande tournée américaine, passant des États de l'Ohio, du Missouri et du Nebraska à la lointaine Californie, toujours précédé par le battage publicitaire, aussi extravagant qu'efficace, orchestré par Florenz Ziegfeld. Mais Sandow était maintenant hors de portée de Louis Cyr, même si, en l'espace de quelques jours, la compagnie *Trocadero*, dont Sandow était la grande vedette, et la *Cyr Brothers Specialty Company*, eussent pu se croiser à New York ou à Boston, au printemps 1895. Mais comme Ziegfeld veillait au grain, il eut la sagesse d'éviter toute rencontre fortuite entre les deux organisations dans l'une ou l'autre des villes. Finalement, lorsque le *New York Dramatic Mirror* publia une photo montrant Eugen Sandow, vêtu d'un court maillot, soutenir toute la troupe du *Trocadero* sur ses épaules, soit vingt personnes, dont Florenz Ziegfeld ainsi que son chien favori, Louis Cyr s'en amusa en la voyant. L'illusion était presque parfaite, mais pour toute personne qui s'y connaissait en physiologie du mouvement, le trucage parut évident. Ainsi, la longue quête de Louis Cyr pour rencontrer celui qui représentait la perfection physique, et se réclamait en outre d'une suprématie qu'il ne méritait aucunement, se terminait sur une note de dérision. Ce qui eût pu être la plus grande confrontation de l'époque allait rester dans la mémoire de Louis Cyr comme son plus mauvais souvenir et le hanterait jusqu'à la fin de ses jours.

Louis Cyr, en compagnie de Mélina, d'Émiliana, de Pierre et de quelques artistes de scène, reprit la route de la Survivance, s'arrêtant pour quelques jours aux endroits où les associations canado-américaines étaient les mieux implantées et les plus influentes. Il s'agissait en particulier de l'Union Saint-Jean-Baptiste d'Amérique, de l'Association canado-américaine, de la Société Saint-Joseph, de la Société Jacques-Cartier et des Forestiers franco-américains. Partout, les dirigeants canadiens-français se faisaient un devoir de mobiliser la presse franco-américaine, dont le militantisme faisait dire aux analystes de l'époque que le journalisme franco-américain était davantage une vocation qu'une profession. Parmi ces journaux, ce furent sans doute *L'Étoile* de Lowell, *L'Indépendant* de Fall River, *L'Avenir national* de Manchester et *La Tribune* de Woonsocket qui consacrèrent le plus d'articles à Louis Cyr. Ainsi, un article du journal *Le Peuple*, de West Bay City dans l'État du Michigan, rapporta les propos du directeur de la Société Saint-Joseph, un certain G. Vekeman, immigrant d'Alsace-Lorraine : « Si monsieur Cyr n'avait pour lui que sa force herculéenne, je me serais certainement abstenu, pour laisser à d'autres le soin de lui faire de la réclame. Mais j'aime en lui le gentleman, l'homme de bonnes manières, l'homme moral surtout, qui fait honneur à la race canadienne et qui a fait respecter le nom canadien non seulement sur le continent américain, mais encore dans différentes contrées de la vieille Europe. »

*

De retour au Québec, Louis Cyr s'échina deux mois encore, toujours accompagné de Mélina, d'Émiliana, de son frère Pierre et de huit artistes de la *Cyr Brothers Specialty Company*. Comme des écureuils en cage, ils se produisirent surtout dans les régions de la Mauricie et de Lanaudière, ainsi qu'en témoignèrent les articles de journaux, tel celui du *Trifluvien*, qui épiloguait sur la «vigueur musculaire incompréhensible» de la jeune Émiliana, au sujet de laquelle Louis Cyr «nous assure qu'elle pourrait pareillement soulever 400 livres». Une fois de plus, la morosité avait gagné Cyr en même temps que l'embonpoint. Il pesait maintenant plus de 345 livres. Mettant brusquement un terme à la tournée, lui et sa petite famille renouèrent avec la ferme du rang Saint-Pierre et les grands espaces de Saint-Jean-de-Matha. Le flamboiement des teintes automnales avait cédé la place à la grisaille des premiers jours de novembre lorsque Louis Cyr apprit la triste nouvelle du décès de son père. Pierre Cyr, le troisième du nom, s'était éteint à l'âge de cinquante-six ans. «J'eus cette fois du moins la triste consolation d'accompagner au cimetière sa dépouille mortelle», confia Louis Cyr dans ses *Mémoires*, faisant allusion au décès de sa mère, sept ans plus tôt, dont on lui avait remis le message de deuil quinze jours plus tard, alors qu'il était en tournée à Woonsocket. Peut-être, au pied de la tombe de son père, regretta-t-il tous les silences qu'ils avaient entretenus l'un envers l'autre, mais surtout le père envers le fils, même lorsqu'ils voyageaient ensemble à bord de la «charrette à poches», sillonnant l'arrière-pays en quête d'une modeste notoriété. Mince consolation toutefois : alors qu'il n'y était pas lorsqu'on mit en terre sa sœur aînée, qui avait tant peiné dans les ateliers de filature de Lowell, ni lorsqu'on enterra son grand-père, puis sa mère, cette fois, l'œil rivé sur le cercueil qu'on descendait dans la fosse, il put prier à son aise pour le repos de toutes ces âmes. Entendre aussi leurs voix qui se mêlaient au fond de son être ; celle de sa mère revenant toujours avec la même exhortation : « Et surtout, mon gros Louis, n'oublie pas l'église… » Et celle de son père, qui, à défaut de partager ses états d'âme, se contentait d'un laconique : « Force-toi, mon Louis ! »

*

Sitôt le deuil de son père refoulé, il reprit le chemin des tournées, répondant cette fois aux invitations des centres canadiens disséminés dans les États de New York et de l'Illinois. Ce fut à leur corps défendant que Mélina, la petite Émiliana et son frère Pierre acceptèrent de refaire les malles et de suivre Louis au fil du rail. Le 20 décembre, cinq jours avant la grande fête de Noël, ils étaient à Oswego, ville portuaire de l'État de New York située sur le lac Ontario et dont un canal rejoignait, à Syracuse, le canal Érié, établissant par là une communication entre l'Hudson et le lac Ontario. De cet endroit, la *Cyr Brothers Specialty Company* reconstituée à la hâte, mais réduite en raison des festivités de la Nativité et du Nouvel An, rallia par chemin de fer les villes de Rochester et Syracuse, ainsi que des communautés de moindre taille comme Rome, Utica, Troy, Albany et, plus au sud, Binghamton.

Quittant l'État de New York, Cyr et les siens entreprirent un long périple de 1 200 kilomètres qui leur fit longer les lacs Ontario, Érié et Michigan, jusqu'à Chicago, capitale de l'État de l'Illinois. C'était la ville-champignon type. Étendue sur plusieurs kilomètres le long des rives du grand lac Michigan, ceinturée de nombreux faubourgs, sa population était passée d'à peine quatre mille habitants en 1840, à plus d'un demi-million cinquante ans plus tard. Fondée à l'origine par le père Marquette, son territoire fut français jusqu'au début du XIXe siècle, en fait jusqu'à la cession de la Louisiane par la France aux États-Unis, expliquant l'importance de la communauté de souches française et canadienne-française qui s'y trouvait encore.

À Chicago comme ailleurs, la communauté franco-américaine s'était mobilisée. Avant même l'arrivée de Louis Cyr, *Le Courrier de l'Illinois* lui consacra les gros titres. On permit également que les organismes paroissiaux publient des textes qui n'étaient rien d'autre que de la propagande à peine déguisée, tous élogieux à l'endroit de Louis Cyr.

*

Le temps de deux démonstrations à guichets fermés avait suffi pour que la passion des hommes forts gagnât Chicago. Les deux communautés ethniques, l'une canadienne-française, l'autre germano-scandinave, affichèrent aussitôt leurs couleurs et réclamèrent un « combat des chefs ». Le premier était connu ; l'autre, August W. Johnson, était né à Stockholm, en 1872, il était donc de neuf ans le cadet de Louis Cyr, beaucoup moins lourd, grand technicien des mouvements haltérophiles et connu pour la puissance de ses mains. Mais, pour les besoins de la cause, on grandit sa réputation. Telle une légende urbaine, on voulut tant que les adversaires de Cyr fussent des géants qu'on les auréola au fil du temps et des récits. Dans ses *Mémoires,* Louis Cyr se remémora Johnson comme « un athlète d'une grande réputation et, de fait, l'un des meilleurs hommes que j'aie rencontrés ». En réalité, le Suédois maîtrisait assez bien les levers préconisés en Europe et on lui connaissait quelques bonnes performances, inférieures toutefois aux levers de celui qui avait remporté les honneurs du premier championnat du monde d'haltérophilie, l'Autrichien Wilhelm Türk, dont Louis Cyr avait battu tous les records. Pesant alors 200 livres à peine, Johnson, que l'on surnomma plus tard le « lion de Scandinavie », était le partenaire d'un autre Suédois, Hjalmar Lundin, un homme fort accompli et une attraction du *Ringling Brothers Circus.*

Bien au fait des exploits et de la formidable réputation de Louis Cyr, le Suédois Johnson, porté par toute la communauté germano-scandinave de Chicago, saisit l'occasion et lança un défi à l'hercule canadien. Il déclara sans ambages qu'il contestait que Louis Cyr s'affichât comme le «champion des leveurs poids lourd du monde», précisant qu'un tel titre ne revenait qu'à celui qui parviendrait à soulever les haltères les plus lourds suivant un protocole strict de mouvements codifiés. Mis au courant des déclarations du Suédois, Louis Cyr releva aussitôt le défi. Un homme d'affaires d'origine canadienne-française, Théodore Proulx, proposa à Cyr de le représenter et de négocier, en son nom, les conditions d'une éventuelle rencontre. Les deux hommes s'entendirent.

Dès le lendemain, le samedi 7 mars 1896, le *Chicago Tribune* annonçait qu'il y aurait une rencontre athlétique entre Johnson et Cyr, que la confrontation mettrait à l'enjeu le championnat du monde des levers de poids, qu'une réunion aurait lieu dès midi, ce même samedi, au bureau de Théodore Proulx, 87, Washington Street, que le représentant de Johnson serait un certain Conrad Anderson et que ce championnat pouvait être disputé dans moins d'un mois. L'article précisait que Johnson songeait à un enjeu de 500 dollars, mais que Cyr voulait qu'il soit d'au moins 1 000 dollars. Johnson affirma qu'il soulèverait une charge plus lourde que Cyr à bout de bras, puis en alternance, du bras droit et du bras gauche, à la volée de l'un et l'autre bras, ainsi que de différentes positions et angles. Pour sa part, Louis Cyr se contenta de dire que l'homme qui parviendrait à accomplir les levers les plus lourds, peu importaient les techniques, serait le vainqueur par le cumul des livres. Vers quinze heures, les deux représentants s'étaient entendus sur la date, le lieu et les modalités. La compétition se tiendrait le mardi 31 mars 1896 au *Central Music Hall* de Chicago, à compter de huit heures du soir. L'enjeu était fixé à 1 000 dollars de part et d'autre. Chaque concurrent avait le privilège d'annoncer six épreuves, le vainqueur serait celui qui aurait accumulé le maximum de livres soulevées au terme des douze épreuves.

*

Le premier, Louis Cyr savait qu'il était beaucoup trop lourd et que cet embonpoint allait nuire à l'exécution de certains levers. Il avait de surcroît le souffle court et éprouvait de plus en plus d'étourdissements. À l'occasion, il ressentait des douleurs rénales et constatait des enflures aux membres inférieurs, résultat évident d'une forte rétention d'eau. Son adversaire scandinave, âgé de vingt-quatre ans à peine, était doté d'une qualité musculaire exceptionnelle, due à une saine alimentation et à un entraînement rationnel et assidu. On avait informé Louis Cyr que Johnson levait assez aisément une barre de 300 livres selon une technique en trois temps et qu'il effectuait en démonstration un soulevé d'une main de 475 livres, en utilisant une barre de 1 pouce de diamètre. Théodore Proulx confirma ce fait en assurant à Cyr qu'il avait lui-même été témoin de cet exploit au *Criterion Theater,* où Johnson tenait la vedette depuis près d'un mois. Cela ne sembla pas inquiéter Louis Cyr outre mesure. Il avait déjà accepté que la *Cyr Brothers Specialty Company* se produise durant toute une semaine à Kankakee, petite ville située à environ 70 kilomètres au sud de Chicago. Les Cyr s'attendaient à une réception enthousiaste puisqu'on annonçait partout que la moitié des recettes allait être versée à l'Emergency Hospital de l'endroit. Ce fut, au contraire, devant une salle à demi remplie qu'ils y allèrent de leurs meilleurs efforts, *Le Courrier de l'Illinois* notant au passage que « les recettes n'ont pas été aussi fortes qu'elles auraient dû être, car il y avait bien peu de monde à part de la nationalité canadienne ». Quant au *Kankakee Daily Times,* il souligna que « l'intérêt pour ce genre de démonstration publique, telle qu'effectuée par Louis Cyr et les siens, n'existait tout simplement pas à Kankakee, puisque les gens s'y connaissent peu en prouesses athlétiques de quelque nature » (*traduction de l'auteur*).

Pourtant, ce fut ce modeste journal qui, le premier, révéla la façon dont Cyr entendait s'y prendre pour perdre rapidement du poids ; trop rapidement peut-être. D'abord, Cyr confirma que son poids excédait même 345 livres. Il indiqua aussi que son frère allait l'assister de près dans un entraînement intense qu'il allait entreprendre dès le lendemain, 17 mars, ce qui lui laissait douze jours. Il se proposait de perdre 45 livres durant ce très court laps de temps, 4 livres par jour, soit plus de 10 % de sa masse corporelle. Pour y arriver, il révéla qu'il se passerait dorénavant de porridge au petit déjeuner, éliminerait toute pomme de terre de son ordinaire, mangerait un steak le matin, accompagné d'une tranche de pain et d'une tasse de café, un autre steak le midi, toujours avec une tranche de pain et une tasse de thé, alors qu'au souper il se contenterait d'une portion de viande froide et de quelques verres d'eau. Il prévoyait dormir sept heures par nuit sur un matelas de la plus grande dureté, convaincu que cela contribuerait à durcir ses chairs. Finalement, il insista sur trois périodes quotidiennes d'entraînement, chacune longue d'une heure et demie, avec vingt haltères de différentes grosseurs, à quoi il allait ajouter des sauts sur place, pieds joints, effectués à répétition. Il se flattait, disait-il, de réussir de tels sauts à une hauteur de plus de 3 pieds, en dépit de son volumineux gabarit.

Louis Cyr s'astreignit-il véritablement à ce régime spartiate ? On peut en douter, car ce même 17 mars il se produisit à Manteno, une petite communauté située à un jet de pierre de Kankakee, et le lendemain, 18 mars, il était à Bourbonnais, un centre canadien-français, non loin de la précédente municipalité. S'il se mit à l'entraînement, ce fut au mieux vers le 20 mars. Impossible pour un colosse comme Cyr de risquer une telle perte de poids sans en ressentir des effets secondaires dévastateurs. En réalité, deux jours avant l'affrontement on rapporta qu'il pesait 333 livres, résultat de quelques heures d'entraînement et d'une courte discipline alimentaire.

Durant les deux semaines qui précédèrent la rencontre de Cyr et de Johnson, Théodore Proulx s'avéra plus qu'un simple manager d'occasion. Il révéla des talents certains de promoteur et de publiciste, couplés à l'influence qu'il exerçait au sein de la communauté canado-américaine de tout l'État de l'Illinois. Ce fut Proulx qui mobilisa les grands journaux de Chicago, qui télégraphia des communiqués aux journaux du Québec comme *La Presse*, *Le Monde* et *L'Événement* de la ville de Québec. Sous le titre « Joute d'hercules », un des communiqués mentionnait : « Cette joute restera mémorable dans les fastes de l'histoire de l'athlétisme. » Le même Proulx paya pour des réclames dans tous les journaux canado-américains de la région de Chicago. Contrairement aux usages de la tournée de la *Cyr Brothers*, cette fois les coûts des billets variaient de 50 sous à 1 dollar.

L'offensive médiatique atteignit un point culminant deux jours avant la rencontre. Alors qu'on parlait peu d'August Johnson dans la grande presse de Chicago, à l'exception d'un éloge que lui fit l'*Inter Ocean Journal*, au contraire, le *Chicago Sunday Times-Herald* et le *Chicago Sunday Tribune* n'en avaient que pour Louis Cyr. Le premier des deux textes rapportait que selon « des informations en provenance du quartier général de Louis Cyr, ce dernier aurait réussi, à plusieurs reprises, à soulever plus de trois cent douze livres au-dessus de la tête. Il aurait soulevé une plate-forme chargée de pièces de fonte et dont le poids excédait trois mille six cents livres. Il aurait levé de terre, à deux mains, une charge de mille cent quarante-deux livres et, de la main droite, cinq cent soixante-douze livres » (*traduction de l'auteur*).

Le texte du *Chicago Sunday Tribune* s'étalait sur deux pages et comportait trois illustrations : Cyr accroupi sous une plate-forme sur laquelle s'entassaient des morceaux de fer et des boulets de fonte ; Cyr soulevant de sa main droite, la gauche contre sa hanche, un ensemble de huit sphères reliées par une poignée de métal ; et un dessin du bras droit en flexion de Louis Cyr dont le sous-titre précisait que son biceps mesurait 21 ¼ pouces de circonférence.

Le reste de l'article aura une portée historique. Ce fut en effet le seul texte décrivant les rituels et les façons de s'entraîner de Louis Cyr et la seule fois où ce dernier accepta qu'un journaliste soit présent, à ses côtés, durant un entraînement complet. On y apprenait que le père Bourassa, curé de la paroisse Saint-Louis, à Kensington en banlieue de Chicago, avait mis à la disposition de Louis Cyr une salle de classe, située à l'arrière de l'église, au 11 406 de l'avenue Curtis. Ce fut à cet endroit que Cyr disposa son matériel d'entraînement.

L'article rapportait que Cyr utilisait une large ceinture, qu'il serrait à l'extrême autour de sa taille, et qu'il s'enduisait constamment les mains d'un produit résineux afin de mieux assurer sa prise sur les barres. Cyr disposait également ses haltères dans un ordre précis, auquel il ne dérogeait jamais. Avant d'entamer quelque lever que ce fût, Cyr prenait de profondes respirations, toujours le même nombre, puis s'attaquait à l'haltère en serrant les dents, le regard fixe, comme s'il entrait en transe. L'effort accompli, il respirait bruyamment et s'accordait un temps de repos assez long. Il travaillait en silence, son frère Pierre à ses côtés, qui, lui, s'occupait de ranger les haltères, de préparer le plateau de travail, de disposer les pièces de fonte additionnelles sur la plateforme. L'entraînement préliminaire terminé, Cyr entreprenait la série de levers que les deux athlètes avaient proposés pour la compétition, dans l'ordre de leur déroulement. Une routine qui durait exactement deux heures et qu'il répétait le soir, entre dix heures et minuit. Détail intéressant : le correspondant mentionna que pour le lever à un bras, Cyr parvint à hisser un haltère de 230 livres du bras droit, mais qu'il utilisait les deux mains pour le monter à hauteur d'épaules. Il expliqua que « Cyr prétendait réussir une charge de deux cent cinquante livres le soir du concours et que pour y arriver il projetait d'ajouter de trois à cinq livres par jour à son haltère ». Ce qui indiquait que Louis Cyr était à 43 livres de son record du 19 janvier 1892. L'article faisait également état du poids et des mensurations de Louis Cyr : « Il pèse trois cent soixante livres, sa poitrine a une circonférence de presque soixante-cinq pouces, il a des avant-bras de plus de dix-neuf pouces et des mollets de vingt-neuf pouces et demi. » De telles statistiques relevaient de la pure fantaisie au vu des mesures relevées par le Dr Dudley Sargent, de l'Université Harvard, moins d'un an plus tôt.

En présence du correspondant du *Chicago Sunday Tribune*, Louis Cyr maintint un haltère de 90 livres du bras droit tendu à l'horizontale, souleva d'une main un agrégat de sphères de fonte d'un poids total de 1 000 livres, enleva à la volée des deux bras, simultanément, 135 livres du gauche et 110 livres du droit, puis effectua un développé asymétrique, soit 135 livres et 90 livres par main, en guise de démonstration, levant les deux plusieurs fois « sans effort apparent ». Dans l'ensemble, quoique Cyr parût impressionnant, il était en réalité loin de sa meilleure forme. Si la victoire sur son adversaire suédois semblait assurée, Cyr, pour sa part, n'était plus invulnérable.

*

Le soir du 31 mars 1896, deux mille spectateurs, parmi lesquels Mélina Cyr et la jeune Émiliana, occupaient toutes les places disponibles du *Central Music Hall* de Chicago. Le *Chicago Chronicle* écrira le lendemain de l'affrontement que « ce fut un concours entre nations, parce que la vaste assemblée était divisée en deux clans, ce que démontraient bien les applaudissements que reçurent, à tour de rôle, les deux adversaires ».

On annonça que Cyr et Johnson allaient s'affronter sur douze épreuves, chaque concurrent ayant le privilège d'en présenter six de son choix. On précisa que chacun disposerait également de trois tentatives pour effectuer chaque lever et qu'un comité de six juges, trois pour Johnson, MM. Hallstron, Philips et Boesenwiler, et trois pour Cyr, MM. Barrett, Hoxie et Rowe, trancherait tout litige au sujet de l'orthodoxie des techniques utilisées. Un certain Mortimer Scalan, que l'on semblait tenir pour un homme de grande sévérité et de peu de clémence (« *A much maligned man* », selon le *Chicago Chronicle*), avait été désigné comme arbitre de la rencontre. Toutes les épreuves consistaient en des levers d'haltères, à barres longues et courtes, selon les techniques européennes, sauf pour la douzième. Louis Cyr avait choisi le lever de la plate-forme, chargée de pièces de fer et de fonte.

Le concours débuta à huit heures précises. Ce qui devait être une rencontre historique dégénéra, dès la première épreuve, en une soirée interminable, ponctuée d'un chapelet de contestations et d'un concert quasi ininterrompu d'invectives et de huées en provenance des deux clans. Même chose pour le comité des juges. Ils se contredirent et palabrèrent plus longtemps que les adversaires passèrent de temps à soulever les charges.

Dès la première épreuve, qui consistait à soulever en deux temps, à bout de bras, un haltère à barre longue de 300 livres et plus, Johnson mit deux essais pour conquérir, à la dure, le poids de 301 livres. Cyr répliqua en soulevant aisément 317 ¼ livres. Aussitôt, les trois juges du clan Johnson contestèrent le lever, prétextant que les bras de Cyr ne paraissaient pas parfaitement rigides. Ce à quoi le clan Cyr rétorqua qu'en raison de la morphologie des membres supérieurs de Cyr et surtout, de la masse de ses biceps, une telle géométrie rectiligne se révélait impossible à réaliser. L'arbitre finit par trancher en faveur de Louis Cyr.

Au tour suivant, Louis Cyr présenta son lever à bras tendu à l'horizontale, en utilisant un haltère de 79 livres. Johnson se contenta de 60 livres, utilisant une sphère munie d'une poignée plutôt qu'un haltère.

Johnson annonça un lever d'une barre longue, alternativement de la main droite et de la gauche. Il le rata deux fois et réussit finalement à hisser 185 livres de la main droite et 172 ½ livres de la gauche. Louis Cyr souleva 222 ¼ livres de la main droite, mais le clan Johnson s'opposa une fois de plus. Sans attendre la fin des délibérations, Cyr hissa aisément 215 ¼ livres de la main droite et 192 ½ livres de la gauche.

À la cinquième épreuve, la foule demeura quelque peu stupéfaite avant que les nombreux partisans de Johnson éclatent de joie. L'épreuve choisie par Louis Cyr consistait à soulever de terre à deux mains une étroite plate-forme chargée d'haltères et de pièces de fonte, d'un poids total de 850 livres. Le concurrent, monté sur un échafaudage de fortune, tenait dans chaque main une poignée reliée à une chaîne, elle-même attachée à chaque extrémité de la plate-forme. Ayant réussi le lever, les deux hommes firent porter la charge à 924 livres. À la surprise générale, Johnson leva la charge et Cyr échoua. C'était un poids inférieur à ce qu'il soulevait habituellement de sa seule main droite. Ce fut aussi la première fois de sa vie qu'il concédait une épreuve de force à un autre homme fort. Et comme si ce revers constituait quelque mauvais présage, il soutira l'épreuve subséquente grâce à un verdict controversé de l'arbitre, après que les juges et les spectateurs eurent manifesté bruyamment.

À minuit, le clan Johnson protesta auprès de l'arbitre Scalan, alléguant que Louis Cyr retardait indûment le déroulement du concours. En fait, Cyr s'attribuait de longues périodes de récupération entre les épreuves, considérant qu'aucune règle ne fixait de temps limite à cette fin. Il y eut un autre conciliabule entre les juges, ce qui ajouta au mécontentement de la foule. Plusieurs spectateurs, exaspérés par les trop nombreuses interruptions, quittèrent l'enceinte.

Il était une heure du matin lorsque Louis Cyr entama le huitième tour de douze, un développé strict à deux mains, avec épaulement sans que la barre ne touchât une quelconque partie du corps. Cyr l'emporta par 100 livres et, pour la première fois de la soirée, se donna un coussin de près de 150 livres, ce qui était peu vu le nombre d'épreuves, mais significatif puisque le *back lift* était prévu pour le douzième et dernier tour.

À deux heures du matin, après que Cyr eut arraché la neuvième épreuve à Johnson par quelque 50 livres, ce dernier annonça dramatiquement à l'arbitre qu'il abandonnait le concours. Il motiva son retrait prématuré en invoquant la partialité de l'arbitre, ce qui lui valut les huées de tous les spectateurs encore présents. Louis Cyr accepta la courte victoire avec une grâce apparente. Mais dans son for intérieur, il savait qu'il venait d'être confronté à la triste réalité du possible, lui qui, l'année précédente, accomplissait l'impossible. Il triomphait d'un modeste champion par une marge de 200 livres après neuf épreuves, au total par 2 846 livres contre 2 646 livres.

Les journaux du lendemain ne consacrèrent que quelques paragraphes à un événement qui aurait dû accaparer les manchettes. Le *Chicago Chronicle* se contenta d'un bref compte rendu et d'un tableau incomplet des résultats. Le *Daily Inter Ocean* décria l'extrême lenteur du concours et les trop nombreuses interventions des juges et de l'arbitre. Ce dernier journal commença toutefois son article en précisant que « *Louis Cyr of Canada is champion strong man of the world* ». Cela se révéla une mince consolation pour Cyr, lui rappelant qu'il avait triomphé dans la controverse, sans gloire.

Une fois de plus, les élites canadiennes-françaises du mouvement de la Survivance firent la démonstration de leur influence, mais surtout de leur volonté de maintenir indissociables la mission providentielle, la valeur patriotique et le poids historique de tout exploit attribué à un Canadien français.

Dans son édition du 2 avril 1896, le quotidien *L'Étoile* de Lowell passa outre les résultats et les particularités de la rencontre, s'empressant plutôt de donner à l'événement une résonance très politique, pour ne pas dire raciale.

> *Ils ont d'abord levé des haltères, puis des poids énormes sur leurs épaules. À une heure, Johnson abandonna la partie. Cyr avait levé 200 livres de plus que lui. Johnson avait tous les doigts ensanglantés et était épuisé. Cyr était en aussi bonne condition qu'au commencement.*
>
> *Cyr fut déclaré vainqueur au milieu des applaudissements de l'énorme foule qui s'était pressée dans la salle pour être témoin de cette joute mémorable.*
>
> *Louis Cyr est l'orgueil de sa nationalité, et son triomphe va faire la joie de tous ses compatriotes. Si l'Américain avait été victorieux, les journaux de langue anglaise contiendraient plusieurs colonnes de louanges à son adresse.*
>
> *La race canadienne est vigoureuse et intelligente; il est bon qu'on le sache. Elle n'est pas aussi populeuse que certaines populations, qui ont progressé grâce aux flots de l'émigration, mais elle possède les éléments qui sont nécessaires pour faire une race d'avenir.*

Vint la controverse. Le quotidien *La Presse* publia un communiqué signé du pseudonyme Jean Canadien, dans lequel ce dernier prit durement à parti *Le Courrier de l'Illinois*, qu'il accusa de n'avoir pas donné toute la visibilité qu'il eût fallu à Louis Cyr.

> *Les journaux de langue anglaise de Chicago et de Kankakee, Ill., en général, se sont disputés à qui représenterait le mieux et louangerait*

*le plus le noble but qui a poussé ces messieurs à venir dans la métro-
pole de l'ouest exhiber leur force prodigieuse. Dans tout Chicago, un
seul journal s'est tu ; cette feuille, cependant, aurait dû parler plus
haut que toute autre, car elle se fait gloire de représenter les intérêts
de la race canadienne française de Chicago.*

*Elle s'est bien gardée de souffler mot de la visite de nos distin-
gués compatriotes par crainte probablement d'aider au prestige de
notre race, et de flatter la famille Cyr. Plus tard, honteux et jaloux
de voir la presse anglo-américaine parler si hautement de nos visiteurs,* Le Courrier de l'Illinois, *de crainte que son silence ne
soit mal vu, a publié un article, le 13 mars dernier.*

Dans ce texte, *Le Courrier de l'Illinois* se défendait vigou-
reusement, en établissant que « depuis 28 ans, le *Courrier* a
fait les plus grands sacrifices ; nous avons toujours publié ce
que l'on nous demandait de publier, croyant qu'un jour les
Canadiens le reconnaîtraient ». Le journal avait, ce jour-là,
tracé la démarcation en écrivant que le « *Courrier* ne fera
aucune réclame à titre gratuit. Si les représentations qui ont
été données n'ont pas eu tout le succès financier désiré, à
qui la faute ? ».

De toute évidence, *Le Courrier de l'Illinois* faisait allusion au
succès mitigé de la tournée de la *Cyr Brothers Specialty Company*
dans la région de Kankakee. Ce qui fit conclure à Jean Canadien que « tout ce qui a été publié l'a été comme nouvelles et
à titre gratuit. Cet article [du 13 mars 1896 dans *Le Courrier de
l'Illinois*] n'est autre chose qu'une insulte lancée aux Canadiens français en général et à la famille Cyr en particulier ».

Toutefois, en y regardant de plus près, cette guerre de
mots ne concernait pas véritablement Louis Cyr. Elle était
provoquée par la « crise des paroisses » ou, plus communément, par la difficulté de faire nommer des curés canadiens-
français dans les diocèses où se trouvaient des communautés
de même race.

La conjoncture voulut que Louis Cyr, à son corps défendant, devînt le bras armé d'un important segment de sa race,
dont l'exil aura provoqué la colère, l'inquiétude et la peur
que toutes les formes de rejet n'accélèrent l'assimilation.

*

Alors qu'un nuage de légende flottait toujours sur les tournées de Louis Cyr, sur sa colossale silhouette et sur les exploits dont on le disait capable, lui-même commençait à avoir de sa propre personne une image affaiblie, plus trouble. Il n'inventait plus rien, et la matière première grâce à laquelle s'était forgée la légende, cette force dont il avait marqué sa génération de tant de repères depuis près de quinze ans, au point qu'on la crut éponyme, semblait maintenant s'éroder. C'était comme si le surhomme en lui l'abandonnait peu à peu, le contraignant à devenir un homme parmi tant d'autres. Cela représentait à ses yeux le pire fléau, parce que cela signifiait que le temps des espoirs déçus et du désenchantement était arrivé. À moins de parvenir à retarder cette échéance, de faire taire les symptômes qui se manifestaient de plus en plus fréquemment, de trouver ce point d'appui qui lui permettrait, une fois encore, de soulever le monde, pour paraphraser ce génie de l'Antiquité, en somme de renouer avec l'enchantement.

Louis Cyr décida de demeurer à Chicago, de s'entraîner comme jamais encore il ne l'avait fait, mais cette fois à l'abri des regards publics. Il fit de l'abbé Bourassa, curé de l'église catholique Saint-Louis, son confident et continua de profiter de son hospitalité. En échange, il donna plusieurs représentations au profit de l'église Saint-Louis-de-France et se prêta à autant de rencontres avec des sociétés canadiennes-françaises de Chicago et des environs.

En un mois, Cyr avait perdu une autre douzaine de livres. La balance donnait alors un peu moins de 320 livres. Sentant sa forme d'antan resurgir, il demanda au père Bourassa d'annoncer une soirée spéciale pour le vendredi 8 mai 1896, à la salle Saint-Louis, avenue Curtis, contiguë à l'église du même nom.

Cyr exigea que rien ne fût laissé au hasard, sachant qu'il s'agissait, ce soir-là, de son dernier véritable rendez-vous avec l'histoire. Vingt-cinq hommes, parmi les notables de cette banlieue de Chicago, furent choisis par le père Bourassa pour servir de témoins et attester de ce qu'ils verraient, en signant un affidavit d'authenticité. Parmi ceux-là figuraient les révérends Bourassa et Wimet, les Drs F. A. Magny, L. J. Demers et W. Marchessault, un sieur John Murphy, en présence du protonotaire L. Levy.

Mille personnes virent un géant se dresser devant eux et les initier au phénomène le plus extraordinaire qui leur eût été donné de voir de toute leur vie : l'expression la plus achevée de la force humaine de toutes les époques.

En deux heures et suivant un véritable protocole de mise en scène, Louis Cyr, soutenu par moult prières, vainquit toutes les lois de la physique.

Il enleva au bout du bras droit, puis du gauche, d'un seul mouvement à la volée, un haltère de 188 ½ livres. Sans presque de répit, il épaula, de la main gauche cette fois, une charge de 258 ¼ livres et la poussa lentement au bout de ce bras. Quelques minutes plus tard, il réalisa l'impossible. Soulevant du bras droit un haltère court de 131 ¼ livres, il l'amena à hauteur d'épaule, le poussa lentement à l'horizontale jusqu'à ce que le bras fût à angle droit avec le corps, le maintint en position fixe pendant cinq secondes et le ramena selon la même trajectoire.

L'assistance était encore sous le choc lorsque Cyr épaula deux haltères, le premier de la main droite, pesant 97 ¼ livres, l'autre de la main gauche, d'un poids de 88 livres, puis les fixa à bras tendus, toujours à l'horizontale, pendant presque dix secondes. Ce fut l'ovation.

Cyr était transfiguré. L'ovation durait encore lorsqu'il ramassa un haltère de 162 ½ livres de sa main droite, l'épaula puis le porta à bout de bras. Avec la régularité d'un métronome, il atteignit les dix répétitions. À quinze, le public trépignait. À vingt, il hurlait. Lorsque Cyr, soufflant bruyamment, atteignit la trentaine de reprises, les spectateurs étaient devenus hystériques. À la trente-sixième fois, Louis Cyr savait qu'il avait repoussé les barrières du vraisemblable.

Restait le test qui semblait hors de portée des mortels, hors du temps : soulever à deux mains une charge tout près de la tonne impériale et, d'une main, la demi-tonne. L'effort fit jaillir le sang. Il souleva de quelques pouces les 1 897 livres entassées sur une plate-forme munie d'un harnais, plus qu'aucun humain ne réussira jamais à bouger du sol. Puis, de sa seule main droite, l'autre main en appui sur la cuisse, il éleva à hauteur des genoux 987 livres.

Poussé par la foule, il offrit un dernier lever, le plus inusité, avec une aisance dont tous les spécialistes cherchent encore aujourd'hui à percer le mystère : il mit sur son épaule, sans l'aide des genoux, un baril d'eau et de ciment qu'il avait lesté jusqu'à hauteur de 433 livres.

Louis Cyr avait réussi, le soir du 8 mai 1896, à soulever, au grand total, 14 455 ½ livres, c'est-à-dire 7 ¼ tonnes, en sept épreuves et en deux heures. Il venait ainsi de signer le plus remarquable chapitre de l'histoire mondiale de la force, toutes époques confondues.

L'exploit historique fut connu du grand public cinq jours plus tard, lorsque les quotidiens montréalais *Le Monde* et *La Patrie* en relatèrent les grandes lignes. Ce fut aussi le point d'orgue de la carrière de Louis Cyr, à l'aube de ses trente-trois ans.

*

On ne sut jamais l'impact véritable qu'eurent ces deux mois du printemps 1896 sur la santé de Louis Cyr. Lui-même n'en parla jamais, sauf pour dire qu'il s'était accordé un long repos. Il n'épilogua pas davantage sur son match contre August Johnson, sachant probablement qu'au-delà des apparences, c'est-à-dire d'une certaine mise en scène au profit des journaux de Chicago, il était en méforme. S'en-suivit une période de trente-cinq jours au cours desquels il mit à l'épreuve son organisme au point d'hypothéquer dangereusement sa santé.

Retour à Saint-Jean-de-Matha, dans l'anonymat le plus complet, d'un Louis Cyr éprouvé. Il faudra attendre un article de *La Presse*, paru en août 1896, avant d'apprendre que « notre athlète canadien se déclare complètement remis de la grave indisposition qui l'avait forcé de se retirer de l'arène depuis un certain temps». Plus explicite, *L'Étoile* de Lowell écrivait: «Louis Cyr est complètement rétabli de sa récente maladie qu'il avait contractée par un entraînement trop laborieux, en prévision de sa rencontre avec Johnson, à Chicago, épreuve dont notre puissant compatriote est sorti très facilement vainqueur. »

En réalité, ce ne fut qu'en août 1896 que Louis Cyr se sentit d'attaque et reprit ses tournées en Nouvelle-Angleterre. On apprendra par le journal *Le Monde* qu'après un mois d'engagements à New York, à Boston et à Lowell, Cyr «avait considérablement maigri et qu'il ne pèse plus maintenant que 310 livres, soit 12 livres de moins qu'il y a trois mois ». Une fois de plus, Louis Cyr dut s'accorder un repos forcé de plusieurs jours, ne sachant pas s'il pourrait se rendre à Providence, dans le Rhode Island, dans le cadre d'un engagement de deux semaines au *Columbia Theater*.

Ce fut en octobre que la petite Émiliana Cyr tira sa révérence. À Boston, elle tint à bout de bras sa mère, Mélina, assise sur une chaise pesant 42 livres. Elle souleva du majeur de sa main droite une charge de 105 livres, puis, à deux mains, le fameux haltère de 273 ¼ livres, en y ajoutant deux boulets de fonte, soit un ensemble de 323 livres. *L'Étoile* de Lowell lui rendit un hommage qui fut le dernier de la courte carrière de l'enfant prodige: «Cette enfant de huit ans possède une force physique encore plus remarquable que celle qui a rendu son père fameux. » Deux mois plus tard, Émiliana Cyr entrait au couvent de Saint-Félix-de-Valois.

Pour Louis Cyr, 1896 fut une année d'extase et d'agonie. Il confirma son incontestable suprématie sur la colonie des hommes forts et sur le monde de la force tout court. Il connut aussi une première descente aux enfers.

CHAPITRE 12

La grande aventure du cirque

Lorsque Horace Barré naquit à Saint-Henri-des-Tanneries, le 26 mars 1872, cette communauté de quelque huit mille habitants présentait encore une allure campagnarde, puisque vaches, moutons et chèvres circulaient librement dans les rues de terre, jusqu'au canal. Peu après, on y construisit un aqueduc, des puits publics et des réservoirs d'eau. Ce fut près du pont Victoria, alors qu'il était manœuvre au service de la Grand Trunk Railway, qu'on vit le jeune Horace Barré, âgé d'à peine quatorze ans, soulever par une extrémité un rail de 32 pieds pesant plus de 600 livres, le prendre sur une épaule et le transporter ainsi sur une courte distance. Cette prouesse lui mérita l'entrée au gymnase de Louis Cyr, situé aux limites de Saint-Henri et de Sainte-Cunégonde. Il y fit si bien qu'il devint l'élève de ce dernier. Trois ans plus tard, en 1889, Cyr le mit au test et le défit aisément, non sans se douter qu'un jour Horace Barré deviendrait son émule.

L'adolescent de dix-sept ans était devenu un véritable colosse, dépassant de quelques lignes Louis Cyr et lui concédant moins de 40 livres de poids corporel. Il n'avait ni la technique ni la vivacité d'exécution, encore moins l'ambition d'un Louis Cyr plus jeune, se sentant probablement contraint à évoluer dans l'ombre de son célèbre mentor. Mais il disposait d'une force telle qu'on le reconnut comme le plus imposant des hommes forts de l'époque, après Louis Cyr. D'une puissance exceptionnelle des épaules et des bras, il soulevait plus et développait mieux les haltères à barres longues et courtes que la plupart des hommes forts de grande notoriété. Cela lui valut, dès 1895 et avec l'aide de Cyr, de participer à une tournée dans l'État de New York, avec la troupe de vaudeville *The Flying Jordan's*, puis en 1896 avec la *Sheridan City Sports Burlesque Company*.

Étrangement, le retour d'Horace Barré à Montréal coïncida avec celui de Louis Cyr. Les deux hommes arrivaient de New York. Et tandis que la présence dans la grande ville américaine ne changeait rien à la réputation de Louis Cyr, elle conféra à Barré une première notoriété. Plus étrangement encore, des journaux de Montréal, en particulier *La Presse*, *La Patrie* et *Le Monde*, annoncèrent tous trois le même jour que Louis Cyr et Horace Barré allaient s'affronter pour le titre de champion du monde. Alors que *La Patrie* ne publia que quelques lignes au sujet de cette possible rencontre, *La Presse* et *Le Monde* furent davantage explicites. L'article de *La Presse* présuma que l'affrontement aurait « sans doute lieu au Parc Sohmer, que l'enjeu est de $500 de chaque côté, que cette somme a été récemment déposée au bureau de la *Police Gazette*, à New York et que ce journal s'est aussi engagé à donner au vainqueur de ce tournoi une ceinture ornée de pierres précieuses d'une grande valeur ». Pour sa part, le journal *Le Monde* affirma que « les deux hommes ont déposé chacun une somme de $250 en prévision de leur prochaine rencontre qui aura lieu vers le milieu du mois d'avril. Le gagnant empochera outre le pari de $250 toutes les recettes faites aux portes le soir du tournoi ». Le journal fit aussi mention de ce qu'il prétendit être un commentaire de Louis Cyr : « À propos de sa prochaine rencontre avec Horace Barré, M. Cyr n'en est apparu nullement inquiété. Il compte remporter une victoire de plus et garder son titre de champion du monde. »

Voulait-on faire mousser la réputation d'Horace Barré avec la complicité de Louis Cyr? Était-ce une initiative des propriétaires du parc Sohmer pour attirer, une fois de plus, les foules? Ou encore une tentative de relance de la part de Richard K. Fox de la *National Police Gazette* de New York? Impossible de le savoir. Seuls les propriétaires du parc Sohmer auraient eu tout à gagner dans l'hypothèse où une telle rencontre se serait matérialisée. Ce qui ne fut pas le cas, malgré les quelques articles qui eussent pu laisser croire le contraire.

À Saint-Jean-de-Matha, l'hiver 1897 parut long à Louis Cyr. Provisoirement remis de ses ennuis de santé, il se trouva confronté, une fois de plus, à d'alléchantes propositions, la plus lucrative étant celle d'un grand cirque américain. L'offre était telle que Louis Cyr n'y résista pas. Ce fut Mélina qui s'y objecta. Pour la première fois, elle contestait le choix de Louis; non pas qu'elle s'inquiétât outre mesure pour sa santé, mais elle était contre l'idée de le voir s'abaisser à devenir une créature de cirque. Le second argument de Mélina tenait aux longues séparations que cela imposait: il était hors de question pour elle de tenter pareille aventure, alors qu'elle éprouvait, de manière plus fréquente, les attaques d'une anémie qui allait se révéler chronique, tirant du même coup un trait définitif sur toute autre possibilité de grossesse. Mais alors que le couple s'évertuait à peser le pour et le contre, Pierre Cyr fit part de son intention de mettre fin aux incessantes tournées pour mieux se consacrer à sa famille. D'ailleurs, il avait accepté un travail d'agent de police à Montréal. Ce choix du cadet de Louis Cyr mettait un terme à la *Cyr Brothers Specialty Company*. Fondée à l'automne 1892, la troupe avait donné environ cinq cents représentations dans une centaine de villes et localités de sept États américains, la plupart de la Nouvelle-Angleterre, en quatre ans. Mélina comprit que l'alternative s'offrant à Louis se réduisait au cirque ou à la retraite. Et le confiner à ses terres signifiait pour lui la mort à petit feu.

Deux ans: ce fut ce que demanda Cyr à son épouse; il s'engagea en outre à donner au personnage de l'homme fort de cirque les lettres de noblesse qu'il n'avait jamais eues jusque-là.

De plus, il proposa à Horace Barré de devenir son partenaire, renforçant ainsi l'adage voulant que le Canada et surtout le Québec soient les géniteurs de la race des hommes forts.

*

Le cirque fut une des grandes aventures de l'Amérique du XIX⁰ siècle. Les historiens des grands cirques considèrent que le 3 avril 1793 fut la date à laquelle le cirque fit son entrée aux États-Unis, alors qu'un cavalier anglais, John Bill Rickets, donna des représentations publiques sur une piste de sable, en compagnie d'acrobates, de clowns et de funambules. Ce fut toutefois en 1833 que le cirque conquit véritablement un vaste public, en introduisant le concept de la ménagerie et ses incontournables numéros de dresseurs d'animaux sauvages. La grande vedette de ces années héroïques fut un dompteur de lions du nom d'Isaac Van Amburgh.

Vint l'ère de l'American Big Top, nom populaire désignant les grands chapiteaux, soutenus en plusieurs endroits par d'immenses poteaux, qui, dès 1866, au lendemain de la guerre de Sécession, offrirent le spectacle d'une véritable fourmilière couverte d'immenses toiles, occupant une superficie de 10 à 30 acres. S'amorçait l'âge d'or du grand cirque, qui devint la forme de divertissement la plus populaire de l'histoire du pays. On assista à la prolifération des troupes nombreuses, parmi lesquelles le *United Monster Shows*, le *Great Double Circus*, le *Royal European Menagerie*, le *John Robinson's Circus*, le *Ringling Bros* et, plus tard, le très célèbre *Barnum and Bailey*, surnommé « *The Greatest Show on Earth*». On passa rapidement des modestes caravanes de voitures et chevaux qui couvraient à peine une vingtaine de kilomètres par jour à de véritables convois ferroviaires déplaçant des centaines de personnes et de chevaux, des tonnes d'équipement, des dizaines d'éléphants et de bêtes fauves. Cette révolution se produisit à compter de 1869, lorsque l'Union Pacific et la Central Pacific Railway firent la jonction à Promontory Point, dans l'Utah, permettant ainsi aux grands cirques de parcourir les États-Unis tous azimuts.

Lorsque Louis Cyr quitta Saint-Jean-de-Matha, chargé de ses malles et d'une tonne d'haltères, les dernières neiges recouvraient encore son pays de Lanaudière. Ce fut avec une certaine nostalgie qu'il contempla l'éclat du soleil de printemps, sachant qu'il ne reverrait toutes ces terres que sous la grisaille de novembre. Les adieux furent difficiles. Pour la première fois depuis tant d'années, la séparation avec Mélina impliquait bien davantage qu'une absence de quelques semaines vers les centres canadiens-français de la Nouvelle-Angleterre. Cette fois, le parcours s'annonçait beaucoup plus long et l'issue plus incertaine. Ce n'était plus un défi qui attendait Louis Cyr, c'était l'inconnu. Aussi Mélina lui fit-elle toutes les recommandations possibles, des prières à l'invocation des saints. Dans ses *Mémoires*, Cyr raconta : « Combien de fois, m'apprêtant à revêtir un costume, à la veille de paraître en scène, ne le trouvai-je pas bourré de médailles et de scapulaires, que ma chère compagne de vie y avait cousus au départ. Dans mes malles, c'étaient des livres de prières. »

Dès les premiers jours avec le *John Robinson's Circus*, Louis Cyr déchanta. Ce n'était pas un champion ni même un athlète que la direction du cirque voulait, c'était un phénomène. On n'en avait que pour la démesure, le simulacre, le grotesque. On fit de Louis Cyr l'homme-montagne, le Gargantua moderne, véritable anomalie de la nature aux mensurations hypertrophiées. D'énormes affiches le représentaient soutenant sur ses épaules, sans un quelconque point d'appui, une plate-forme chargée de vingt-cinq hommes, ou encore soulevant avec désinvolture, d'un doigt ou d'une main, des charges invraisemblables. On l'illustra en tenue de spectacle, la taille beaucoup plus fine, les muscles saillants, striés, le présentant comme le « géant de la force » ou encore la « merveille du monde ». Pour attirer les foules, on annonça que John Robinson en personne offrait 25 000 dollars à quiconque parviendrait à égaler un seul tour de force de Louis Cyr. Au passage du cirque dans une ville donnée, on inonda les journaux locaux d'articles publiés des années plus tôt. Par exemple, le *Butte Times*, du Montana, reprit intégralement l'article publié par le *Sporting Life* de Londres en janvier 1892. Écrit au temps présent, le texte faisait la description détaillée des exploits que Louis Cyr avait réalisés au *Royal Aquarium Hall* comme s'il les avait accomplis quelques jours auparavant.

Quoique Cyr fût présenté comme une vedette du *John Robinson's Circus*, les véritables grandes attractions demeuraient les éléphants, les fauves et leurs dompteurs, les chevaux qui caracolaient, le tout sous les coups des sifflets et les claquements des fouets. Dans cet incessant défilé mené par de bruyantes fanfares, Cyr et Barré se confondaient dans une faune bigarrée de personnages plus extravagants les uns que les autres, le colosse de Saint-Henri étant confiné au rôle de faire-valoir du champion des hommes forts. Ils exécutaient quelques jongleries avec des boulets de fonte, soulevaient des hommes à bout de bras, quelques haltères, avant que Louis Cyr ne s'attaquât à la plate-forme chargée d'employés du cirque, parfois d'une quinzaine de spectateurs. Et toujours le maître de piste, muni de son porte-voix, se lançait dans un interminable dithyrambe sur les exploits passés de la « merveille du monde », du « successeur de Samson ».

Le *John Robinson's Circus* couvrait surtout le nord et le centre des États-Unis. Durant cette année 1897, il passa par les États du Wisconsin, du Minnesota, du Dakota du Nord, du Montana, du Wyoming, du Nebraska, de l'Iowa. D'une ville à l'autre, le cirque s'était arrêté à Des Moines, à Omaha, à Lincoln, à Butte comme à Lewinston, à Miles City, à Cedar Rapids et à Jackson. Comptant soixante-treize années d'existence, le *John Robinson's Circus* avait vécu toutes les péripéties de l'existence d'un cirque en Amérique ; il avait vu naître et mourir plusieurs troupes et avait surmonté ses propres tragédies. Partout, le cirque se livrait à un même rituel : une arrivée en gare aux petites heures du matin, une parade, fanfare en tête, avec chariots et ménageries, entre dix heures et midi, le long de la rue principale, suivie de deux représentations par jour, la première à une heure de l'après-midi, l'autre à sept heures le soir, sous un immense chapiteau abritant trois pistes de plusieurs centaines de pieds carrés chacune. Mille personnes, huit cents animaux, des décors somptueux, dont une reproduction en bois et en plâtre du temple de Salomon, constituaient le cœur et l'armature du plus ancien spectacle de la planète.

S'il connut quelques moments heureux durant les mois qu'il passa avec le *John Robinson's Circus*, ce furent des événements presque toujours pénibles que Louis Cyr subit sous les grandes tentes. Les propos qu'il livra au journaliste de *La Presse* Septime Laferrière furent d'une grande sévérité.

> *La vie de cirque est un enfer. Je ne dirai rien des êtres à qui l'on confie la routine du camp : montage des maisons de toile, soins des fauves de toute espèce, exécution de toutes les dures et sales besognes de ces cités ambulantes. Les malheureux qui ont consenti à prendre leur part de tel ouvrage, bien qu'ils forment l'immense majorité du personnel général des grands cirques, comptent pour le moins quatre-vingts pour cent de criminels, de déclassés ou de dégénérés dans leurs rangs. C'est le cosmopolitisme des nations et celui des misères humaines qui se rencontrent là.*
>
> *Parmi ces hommes à tout faire des cirques de quelque importance, il se trouve de véritables brutes, qui devraient plutôt réclamer, dans les cages à barreaux de fer, la place des fauves dont ils semblent avoir volé tous les instincts et toute la brutalité.*

Mais s'il n'y eut pas d'enjeux ni de défis pour le champion du monde des hommes forts, il n'empêche que Louis Cyr fit un début de fortune véritable durant son séjour de plusieurs mois avec le *John Robinson's Circus* : d'abord 750 dollars pendant les premières semaines, puis le double après deux mois. De grandes réclames placées à la vue dans les villes de passage ou encore publiées dans les journaux annonçaient un salaire « jamais encore payé à une vedette du cirque, soit deux mille dollars par semaine » (« *engaged at a salary of $2000.00 per week* »). De toute évidence, de tels montants dépassaient l'entendement à une époque où le salaire hebdomadaire moyen des travailleurs dans les manufactures de textile, dans les ateliers de construction mécanique et dans tous les métiers de la construction était d'une douzaine de dollars, soit environ 625 dollars par année. Montants d'autant plus astronomiques que les hommes forts n'étaient pas particulièrement recherchés dans les grands cirques d'Amérique. On peut donc considérer que Louis Cyr fut le premier homme fort de l'époque à briller au firmament des grandes vedettes du cirque en cette fin du XIXe siècle.

La surenchère n'allait guère tarder : l'engagement de Louis Cyr n'était pas encore terminé que déjà le prestigieux *Ringling Brothers* le recruta, en compagnie d'Horace Barré, pour une bonne partie de l'année 1898. Une offre qu'on lui conseilla aussitôt d'accepter, attendu que nulle vedette ne pouvait véritablement prétendre à ce statut sans qu'elle se fût produite avec le cirque *Ringling Brothers*.

Ce seul nom de *Ringling Brothers* évoquait à la fois une aventure typiquement américaine et la naissance d'un empire. L'aventure était celle de six des sept frères Ringling, Albert Charles, Alfred, John Nicholas, Charles Edward, William Otto et Henry William George, fils d'un fabricant de harnais d'origine allemande, August Rüngeling, qui avait rapidement transformé son nom, dès son arrivée en Amérique, en un « Ringling » plus commode. Commencée à Baraboo, dans le Wisconsin, lieu de naissance des fondateurs du futur empire forain, l'aventure de cette famille franc-maçonne passa par les tribulations des cirques en Amérique. Entre 1870, année des premières représentations d'une modeste troupe dirigée par Albert Charles, et 1884, le petit groupe de cavaliers, de jongleurs et de funambules se transforma en une florissante entreprise de plusieurs dizaines d'artistes, de phénomènes et d'animaux sauvages, qui se déplaçaient à l'aide d'un petit convoi ferroviaire de neuf wagons. Lorsque Louis Cyr et Horace Barré se joignirent au cirque des *Ringling Brothers* en 1898, celui-ci était devenu la plus grande attraction du genre en Amérique, à l'égal du *Barnum and Bailey Circus* ; la mise en commun des deux entreprises en 1907 donnera *The Greatest Show on Earth*.

Véritable cité de toile, de cages, d'installations de haute voltige et d'ouvriers de mille métiers, le *Ringling Brothers Circus* se déplaçait alors à l'aide d'un train de cinquante-six wagons chargés de près de 4 000 tonnes de matériel, long de 5 000 pieds et qui parcourait, en moyenne, 6 000 kilomètres par an. Un seul chapiteau, parmi plusieurs, comptait près de 1 530 000 pieds carrés de toile, sur un ensemble de presque 5 millions de pieds carrés de matériel. Une cité que l'on montait et démontait plus de cent fois chaque année et qui exigeait six heures de travail pour décharger le convoi et douze heures pour monter toutes les installations.

De ce séjour de presque une année avec le *Ringling Brothers Circus*, Louis Cyr confia quelques souvenirs au journaliste Septime Laferrière. On en retenait que les comportements violents et les écarts de langage l'irritaient particulièrement.

> *En cette vieille qualité de roi du Barnum, je ne devais donc rien trouver de quoi me plaindre, et néanmoins, bien rares sont les bonnes impressions que je remporte de cette existence. Sans que j'eusse à me mêler à la troupe des aides, le spectacle de leurs brutalités n'en restait pas moins là sous mes yeux [...]. On joua du poing, du bâton; on s'assomma à coups de piquets de tentes et le sang coula [...]. Et pourtant, le cirque des frères Ringling est censé être l'un des mieux conduits au monde.*
>
> *Quand ce n'était pas de ces scènes sanglantes, c'étaient des concerts de blasphèmes que nous devions subir. Ceux-là, par exemple, qui alors prenaient part à la musique, je m'en chargeais. Plus d'un des blasphémateurs a eu l'occasion de constater que je ne me comptais pas là seulement pour faire reculer des chevaux ou manier des haltères.*

Il évoqua des péripéties diverses, comme ces deux cyclones qui s'abattirent sur les États du Wisconsin et de l'Iowa. Au premier endroit, il raconta qu'« un coup de vent emporta les abris en toile qui protégeaient la ménagerie », ce qui eut pour effet de déclencher un « horrible charivari », c'est-à-dire un concert de hurlements de tous les fauves en cage. Plus tard, la grande tente des spectacles fut abattue au moment où l'on achevait de la fixer, l'incident provoquant un mort et plusieurs blessés. Dans l'Iowa, il décrivit qu'un déluge s'abattit sur la région avec une fureur telle que « les énormes chariots, embourbés jusqu'aux essieux, ne voulaient plus sortir de l'ornière, lorsque nous tentâmes de les traîner à l'abri ; les cages de nos bêtes mugissant leur frayeur persistaient, en dépit de nos efforts, à rester clouées en place, sous la foudre et la pluie ».

Avec le *Ringling Brothers Circus*, la fortune de Louis Cyr s'accrut considérablement, ce qui fit de lui un des hommes les plus riches du Québec de l'époque. Pour autant, l'existence qu'il mena lui fit regretter l'essentiel : la famille, le village, l'église, l'intimité des siens, le son de la langue française.

> *La vie de cirque s'écoulait avec toutes ses heures de mêmes brutalités, sa monotonie d'horreurs toujours les mêmes répétées [...]. C'est ainsi que j'en vins à passer plus de huit mois consécutifs sans coucher sous le toit d'une maison, dans le lit d'un hôtel, celui-là fût-il de dixième ordre. Seul, je n'eusse peut-être pas eu le courage de résister bien longtemps à une telle existence qui nous faisait pour ainsi dire nous oublier nous-mêmes. Mais, par bonheur, presque toujours nous nous rencontrâmes trois ensembles du pays. Horace Barré en était, de même qu'un autre compatriote du nom de Lafleur, qui exécutait dans les échelles des exploits merveilleux. Nous menions la vie en commun ; ensemble à la table, ensemble dans notre coin de la tente, nous causions du foyer, aux heures de loisir...*

Louis Cyr mentionna souvent que « c'était toujours un chagrin nouveau pour moi, chaque fois qu'il m'était impossible d'assister à la messe du dimanche », rappelant tout le zèle mis par ses parents à lui inculquer de solides principes religieux. Sa mère surtout, qui avait tellement insisté pour qu'il n'oubliât jamais l'église. Or, l'époque des cirques ne fut guère propice à de telles fréquentations et lorsqu'un heureux hasard fit que le cirque s'immobilisa un dimanche matin à proximité d'une église, il en fut comblé.

Un fait divers pour tout autre que Louis Cyr. Il devint aussitôt un objet de curiosité pour tous, le curé de la paroisse compris. Or, cet abbé Grandchamp, tel un autre clin d'œil du destin, était originaire de Saint-Gabriel-de-Brandon, autant dire un voisin. Ce jour-là, Louis Cyr fut au cœur de l'homélie que prononça le prêtre : « La première pensée, la pensée d'un des nôtres, champion du monde, a été, en arrivant ici tout à l'heure, de chercher une église. Faites-en toujours autant partout. »

Ce même jour de 1898, Émiliana communia pour la première fois à la sainte table, dans l'église de Saint-Jean-de-Matha. Le père absent n'apprendra la nouvelle que huit mois plus tard.

*

Jusqu'à l'arrivée de Louis Cyr avec les grands cirques américains, la place de l'homme fort était quelque part au milieu de la parade, tenant le rôle du costaud de service. Le monde du cirque n'en avait alors que pour la ménagerie, les clowns, tantôt tragiques, souvent comiques, mais toujours très demandés, et les acrobates incluant les trapézistes et les équilibristes.

Le seul nom de Louis Cyr avait rapidement contribué à changer cette hiérarchie, de telle sorte que la plupart des représentations du *Ringling Brothers Circus* se donnaient à guichets fermés et que les spectateurs réservaient aux numéros de force de Cyr, assisté d'Horace Barré, de véritables ovations. Certes, toute la réclame que l'on fit des exploits de Louis Cyr, tant par l'extravagance que par la démesure, contribua à la popularité de l'« homme-montagne », l'autre aspect étant le défi lancé à tout venant pour la somme de 25 000 dollars, placé bien en vue sur des placards flamboyants. En réalité, Louis Cyr n'avait d'autre choix que de se plier à cette exigence du *Ringling Brothers*, le contrat stipulant bien qu'il devait relever tout défi de quelque provenance.

Du Wisconsin à l'Iowa, du Nebraska au Wyoming, que de périls, alors que le cirque, à coups de porte-voix, de sifflet et de fouet, faisait danser les éléphants, caracoler les chevaux et voltiger les humains. Deux fois par jour, Louis Cyr et Horace Barré exécutaient les mêmes tours : soulever à bout de bras, au rythme de l'orchestre, d'énormes sphères dans lesquelles avaient pris place deux employés du cirque, se glisser sous une immense plate-forme chargée de trente hommes pour la hisser sur leur dos, chacun placé à une des extrémités, jongler avec des haltères, des sphères de fonte, même des spectateurs volontaires, mais toujours en mettant Cyr en évidence. Le maître de piste présentait longuement la « merveille du monde » en provenance du Canada, puis, plus brièvement, celui qui l'assistait, « Horace Barré de France », ainsi qu'on put le lire dans le *St. Louis Post-Dispatch* et le *St. Louis Daily Globe-Democrat.* Il semble bien que ce changement de nationalité de Barré avait été fait de connivence avec le principal intéressé et Louis Cyr.

Outre les côtés rudes du cirque et les horreurs dont Cyr avait été le témoin à de multiples reprises, il exprima clairement l'« impression de dégoût » que lui avait laissée ce qu'il appelait le « défilé des phénomènes ».

Dans le cirque Ringling, il n'en manquait pas de spectacles bien propres à nous faire prendre en pitié notre pauvre humanité […]. C'était le fameux Zoulou, un vieillard, qui montrait, dans le creux de son estomac, le corps d'un enfant, moins la tête, lui émergeant des chairs. C'étaient encore les deux mulâtresses, âgées de trente ans alors, liées ensemble par les muscles abdominaux et qui dansaient des gigues échevelées. Plus loin, c'était un jeune homme de vingt-cinq ans, avec son pied de trente pouces de longueur et dix pouces de largeur, accroché à l'extrémité d'une jambe énorme. Et pour compléter ce dernier tableau, on montrait l'homme à trois jambes, la troisième, placée au bas du dos, lui servant de siège. Puis, venait la naine, haute de trente pouces à peine et, à côté d'elle, un Chinois de huit pieds et demi, flanqué de l'homme montagne, un nommé Harris, qui pesait cinq cent soixante livres. Que sais-je encore ? Il y avait toute une collection de ces horreurs ; pauvres malheureux pour qui la nature avait été cruelle et dont la seule ressource, dans ce bas monde, était d'exhiber leurs affreuses difformités.

À ces visions de misérabilisme s'ajoutaient d'autres inconvénients, comme cette tradition chez les gens de cirque de manger « au bout de la fourche », c'est-à-dire des aliments de fortune ingurgités à la hâte. Sans compter la récréation pour tous qui se limitait au jeu de cartes. Quant aux parades du matin, dans toutes les villes de passage, Louis Cyr y faisait objection, rappelant que « les frères Ringling auraient bien voulu nous exhiber aussi, parmi leurs curiosités, mais ils se heurtèrent toujours à un refus de notre part. Pendant que les autres montaient sur des chariots dorés ou peinturlurés bien souvent de grotesque façon, nous nous promenions, nous, dans des voitures de place, et jamais à la suite du cortège ».

En bout de course, l'aventure des grands cirques dura deux ans. Un temps suffisant pour que le champion des hommes forts du monde, le héros populaire, cédât la place à un forain de réputation, richissime et corpulent. On fit évidemment naître des légendes, là comme ailleurs, au gré de bien des rumeurs et d'articles fantaisistes, jusqu'à prétendre que Louis Cyr arrivait à supporter un énorme éléphant à même une planche qu'on lui plaçait sur l'abdomen, entre autres invraisemblances.

En novembre 1898, sans qu'il eût à tirer à pile ou face, le roi du cirque prit la décision irrévocable de quitter l'univers des grands cirques américains. Louis Cyr mettait fin à un trop long exil.

*

Trois ans presque s'étaient écoulés sans que Louis Cyr n'ait fait valoir au Québec ce don de la force qu'il disait appartenir à la race canadienne-française. Trois années à passer de villes en villages dans une quinzaine d'États américains, à voir son nom placardé à Lebanon, à Penycook, à Suncook, à Manchester, à Nashua, à Summersworth et à Rochester ; à Biddeford, à Brunswick, à Westbrooke, à Burlington, à Waterville et à Augusta ; à Fall River, à Lowell, à Lawrence, à Haverhill et à Salem ; à Woonsocket, à Warren, à Central Falls, à Mainville et à Southbridge ; à North Romydale, à Webster, à Putnam, à Moose Up, à Tapville, à Norwidge, à Willimantic, à New-Hartford, à Waterbury, à West Haven et à Fitchburg ; ajoutons-y autant d'articles de journaux en provenance de

Boston, de Chicago, de Marquette, de Kankakee, de Butte, de Saint-Louis et d'une trentaine de destinations qui faisaient partie de l'itinéraire du *Ringling Brothers Circus.*

Le 1ᵉʳ décembre 1898, Louis Cyr prit un des nombreux trains à bord desquels il passa de l'Arkansas au Missouri, traversa l'Illinois, le Michigan, la Pennsylvanie, l'État de New York, pour finalement entrer au Québec, afin d'y retrouver cette part de lui-même qu'il y avait laissée, en même temps que la mémoire de ce qui fut l'essentiel de sa vie de champion.

Le 15 décembre 1898, le journal *La Patrie* publia les portraits de Louis Cyr et d'Horace Barré, ainsi que deux illustrations les montrant en train de soulever la grande plate-forme chargée de vingt-cinq hommes et de lever conjointement du sol, avec leurs bras, une passerelle sur laquelle avaient pris place douze hommes, une charge d'environ 2 000 livres. L'article mentionnait que « Louis Cyr et Horace Barré étaient de retour parmi nous après une tournée dans les États de l'Ouest ». Fait à souligner, au cours des deux dernières années, hormis la rumeur voulant que lui et Barré allaient se livrer un match, les journaux de Montréal parlèrent davantage d'Horace Barré que de Louis Cyr. Le journal *La Presse,* entre autres, évoqua la présence de Barré à New York avec la *Flying Jordan's Vaudeville Co,* annonça qu'il se rendait à Chicago pour un engagement de deux semaines et, autre rumeur, qu'il « était plus que probable qu'il y affronterait August Johnson pour le titre mondial ». Nouvelle d'autant plus surprenante que le journal *La Presse* savait bien que Louis Cyr avait défait Johnson le 31 mars de cette même année et que, par conséquent, il était le détenteur du titre de champion. Puis, en mai 1897, le quotidien signala le retour de Barré de New York, laissant entendre que ce dernier ne resterait pas longtemps inactif. Dix jours plus tard, le 29 mai 1897, *La Presse* publia un bilan de la tournée de Barré aux États-Unis, mentionnant notamment quelques noms d'adversaires qu'il aurait affrontés et des records qu'il aurait établis. Le texte soulignait que Barré avait voyagé pendant trente semaines avec la *Flying Jordan's Vaudeville Company,* avec « un défi de $500 ouvert à tous les concurrents, les invitant à se mesurer avec lui sur la scène ». L'article ajoutait que « ce défi a souvent été accepté, mais notre athlète canadien est toujours sorti vainqueur de ces rencontres. Parmi ceux qui ont été battus, citons Glenson, champion suédois, rencontré à Chicago ; Williams, rencontré à Brooklyn, et Holt Grace. Ces athlètes jouissaient tous d'une grande renommée, mais ils ont cependant dû céder et baisser pavillon devant la force extraordinaire de M. Barré ». On ne connaît aujourd'hui aucun Glenson qui eût été un champion suédois, ni un Williams ou un Holt Grace qui eussent laissé une marque quelconque dans le domaine de la force. Quant aux records présumément établis par Horace Barré chez le professeur Attila (celui-là même qui fut le gérant d'Eugen Sandow), nul témoignage visuel ou écrit n'en authentifia la réalisation. D'ailleurs, à la fin de l'année 1897, le *New York Clipper Annual,* seule source reconnue en matière de records, publia une douzaine d'exploits de Louis Cyr auxquels la publication conféra la distinction de records du monde. Ce qui signifiait qu'entre 1892 et 1897, Louis Cyr avait établi un total de vingt-cinq records du monde, depuis le lever avec un doigt jusqu'au soulevé de la plate-forme, faisant de lui l'homme le plus fort du monde et, pour l'époque du moins, l'homme le plus fort de tous les temps.

Mais comme la mémoire collective a la faculté de l'oubli, il s'en trouva plusieurs pour chuchoter que tous les records du Samson canadien avaient été réalisés à l'étranger, soit en Angleterre, soit aux États-Unis, mais jamais dans son propre pays. Cela s'avérait juste, car hormis son premier soulevé d'une plate-forme à plus de 3 500 livres, au collège commercial Saint-Joseph de Berthierville le 1er octobre 1888, et sa lutte contre quatre chevaux, le 21 septembre 1891 au parc Sohmer de Montréal, Louis Cyr avait atteint tous les sommets de la force dans trois grandes villes : à Londres en janvier 1892, à Boston en 1895 et à Chicago en 1896.

Ainsi, vers la fin de 1898, le nom de Louis Cyr avait perdu de son attrait au Québec. Cela s'expliquait en partie par le choix qu'il fit de se joindre aux cirques américains, ce qui, aux yeux de ses compatriotes, n'avait plus la moindre valeur patriotique. Si l'épopée londonienne de 1892 avait été unanimement perçue par la presse canadienne-française comme une sorte de revanche symbolique devant l'Histoire, les tournées américaines de Cyr, surtout l'aventure foraine, ne suscitaient plus le moindre intérêt, du seul fait de leur caractère mercantile. Normal donc que l'on doutât quelque peu de la valeur athlétique de Louis Cyr après tant d'absences et de rumeurs, et que l'on s'intéressât à un Horace Barré, plus jeune, à l'image et à la ressemblance de Cyr, que d'aucuns voyaient comme le successeur de ce dernier.

Pourtant, jamais Horace Barré ne défia Louis Cyr, même si des proches de ce dernier le prétendaient faiblissant et même malade. Cela tenait autant au passé des deux hommes qu'à la nature profonde de Barré et à l'amitié qui les liait. Pour Barré, Louis Cyr demeurait son idole, son mentor, son complice même, depuis les longs mois passés ensemble au cirque. Quant à sa nature, il était un être sans grandes ambitions, incapable de prendre quelque initiative qui l'eût démarqué de Louis Cyr, à preuve le fait de se contenter d'imiter les levers de ce dernier sans lui-même se risquer à innover le moindrement. Et si tant est que plusieurs avaient souhaité voir les deux hommes forts s'affronter dans un duel qui eût certainement fait date, pour la plus grande satisfaction des promoteurs, des journaux et du public, on se contenta de l'imaginer sans jamais le réclamer.

Mais au-delà des traits de personnalité et des spéculations sur les deux hommes, Louis Cyr flirtait avec un projet qui allait marquer la tradition des spectacles de la force au Québec, une idée qui était née durant son long séjour avec le *Ringling Brothers Circus*. Étant une des rares vedettes à être admise dans l'intimité des frères Ringling, plus particulièrement de Joseph, le grand manitou des opérations, Louis Cyr put se familiariser avec toutes les facettes de la direction d'un grand cirque, d'autant que ce même Joseph Ringling avait une bonne connaissance de la langue française. De là à échafauder l'audacieux projet d'un cirque bien québécois, il n'y avait qu'un pas à franchir ; un grand pas, certes, mais tout à fait à la mesure des défis que Louis Cyr aimait relever. Lui, plus que tout autre, savait bien que les exploits surhumains, ceux qui lui avaient permis et lui permettaient encore, au vu de sa réputation, de se proclamer le roi de la force, appartenaient définitivement au passé. Nul homme de son époque n'avait autant voyagé, pris autant de risques et mis à l'épreuve à ce point son organisme que Louis Cyr. À l'aube de ses trente-six ans, Cyr sentait qu'un mal inconnu gagnait sournoisement du terrain. Pariant secrètement sur le temps que Dieu lui accordait encore, il entreprit de se lancer à corps perdu dans la nouvelle aventure. Après les pérégrinations à travers les États-Unis, d'autres allaient commencer à travers le Québec.

*

Les intentions de Louis Cyr éclatèrent au grand jour. Il avait mis au point les grandes lignes de son projet. Ce dernier fut rendu public à Joliette le 27 février 1899, et un communiqué, rédigé en exclusivité pour le journal *La Patrie*, parut dans l'édition du même jour du quotidien montréalais.

> *Louis Cyr, le champion des hommes forts du monde, qui a passé l'hiver à Joliette, dans sa famille, a reçu, ces jours derniers, la visite de Horace Barré, son associé. Tous deux ont discuté leurs arrangements pour la prochaine saison. Après avoir considéré les offres des différents cirques, ils ont résolu de les décliner toutes et de jeter, dès maintenant, les bases d'un cirque à eux, avec lequel ils feraient une tournée du Dominion. Voilà qui indique que notre Louis Cyr est doué, en plus de sa force herculéenne, d'un esprit d'entreprise que l'on rencontre assez rarement chez les Canadiens français. Avec nos deux Samsons comme première attraction, le succès de l'entreprise est assuré.*
>
> *Cyr et Barré ont complètement renouvelé leurs tours de force, ayant substitué les haltères humaines* [sic] *aux haltères de métal; la chose a d'ailleurs été expliquée et illustrée déjà dans* La Patrie.

Ce cirque, connu comme le cirque Cyr-Barré, fut la grande fierté de Louis Cyr durant les dernières années de sa vie. « Je ne fais pas montre d'orgueil en disant que le Cirque Louis Cyr eut une vogue aussi grande que les *shows* américains, dans nos districts ruraux. J'attribue cette popularité au fait que les journaux, à la suite de mes prouesses en Europe et aux États-Unis, m'avaient comblé d'éloges ; aussi au fait que mes compagnons de route, musiciens, acrobates et autres, étaient de gais lurons, » commenta Louis Cyr dans ses *Mémoires* de 1908.

Mais quelles que fussent les légitimes ambitions de Louis Cyr pour faire de son cirque un joyau de l'entrepreneurship naissant des francophones du Québec, il dut faire contre mauvaise fortune bon cœur.

> *Mon cirque, très modeste au début, devint de plus en plus considérable chaque année, et chose qui n'est pas à dédaigner, fut aussi une entreprise payante, et je dois dire qu'il était très florissant lorsque le mauvais état de ma santé me força de liquider.*
>
> *J'en fus contrarié, car, vous l'avouerais-je, j'avais de grands projets, eh ! bien oui, je rêvais de faire de mon cirque une institution aussi considérable que les grands cirques américains ; malheureusement le destin, qui jusqu'alors m'avait traité en enfant gâté, vint réduire à néant mes espérances, en me condamnant au repos à un âge où je me sentais encore plein de vigueur et d'énergie.*

L'entreprise foraine ne fit pas l'unanimité, surtout à ses débuts. Selon des témoins de l'époque, il s'agissait d'une pâle imitation des grands cirques américains. On expliqua que les spectacles n'étaient pas des plus affriolants, que Louis Cyr n'y paraissait pas toujours en personne, mais qu'Horace Barré, avec des avaleurs de feu, deux ou trois équilibristes, des magiciens et l'homme à tout faire nommé Rondeau qui jouait aussi le bouffon faisaient suppléance. On décrivit le site comme une grande tente pouvant accueillir de trois à quatre mille personnes, l'endroit étant éclairé par quelques ampoules et surveillé par des gardiens engagés pour l'occasion.

Les intentions des deux associés étaient nobles, à n'en pas douter. Mais malgré toutes les précautions, le fait du cirque demeurait subordonné à certaines traditions, le recrutement du personnel par exemple. « Musiciens et figurants étaient tous de bonne étoffe, expliqua Louis Cyr dans ses *Mémoires*, mais je ne saurais en dire autant des préposés aux tentes. Comme dans les autres cirques, ceux-là se recrutaient un peu partout : rebuts de la société ayant pour seul idéal de se procurer la bouchée de pain à se mettre sous la dent. »

Malgré tout, le cirque Cyr-Barré sut s'imposer dans toutes les régions du Québec, qu'il sillonna durant cinq ans. Il gagna graduellement son pari, sans éléphants, sans félins ni dompteurs, avec la seule virtuosité du corps humain. Sans devenir l'émule du grand Barnum, le premier cirque québécois de l'histoire devint la petite communauté itinérante la plus familière de l'époque pour des dizaines de milliers de Québécois dont c'était le seul divertissement de printemps, d'été ou d'automne. Offrant des performances à la fois acrobatiques et musicales, les troupes du cirque, constamment renouvelées, proposaient des numéros bien rodés où funambules, virtuoses des sauts périlleux et hommes forts enchaînaient des figures invraisemblables et des exercices à risque. La petite bande s'était transformée en troupe ; les quelques numéros, sans mise en scène, lumière ou décor, étaient devenus dans leur ensemble un spectacle générateur de rêve, d'émotion et d'enthousiasme.

En moins de trois mois, on vit des affiches et des réclames du cirque Cyr-Barré dans les régions de Lanaudière, du Centre-du-Québec, du Richelieu, de Québec et du Bas-Saint-Laurent. « La troupe la plus complète d'acrobates qui ait jamais été vue au Canada », pouvait-on lire dans le journal *L'Événement* de Québec. En fait, Louis Cyr avait personnellement investi 9 000 dollars en mise de fonds initiale. Il avait le statut de seul propriétaire, alors qu'Horace Barré avait le titre de gérant en chef. Les deux hommes étaient secondés par un agent général, un contremaître des hommes de tente, un directeur du cirque, un chef du corps de musique, un chef d'orchestre et un contremaître des chevaux.

L'entreprise possédait trente-cinq chevaux, recrutait vingt-cinq acteurs majeurs, soixante-quinze hommes de tente, une fanfare de trente musiciens et déployait un cha-piteau principal de deux mille places assises et d'un millier de places debout.

Le cirque se déplaçait habituellement en train et, à l'oc-casion, en l'absence d'une liaison ferroviaire, en convoi de voitures tirées par des chevaux. À chaque endroit, le cirque défilait en grande parade, avec corps de musique complet à dix heures trente du matin, ouvrait ses portes à sept heures précises le soir et débutait ses représentations une heure plus tard. Les prix étaient fixes, c'est-à-dire 20 cents pour l'ad-mission générale, 25 cents pour les sièges réservés.

Bientôt, plusieurs noms d'artistes devinrent familiers aux oreilles de dizaines de milliers de villageois : les frères Chaput, avec leur pyramide de chaises ; la famille Bédard, qu'on présentait comme les meilleurs équilibristes au monde ; Charlebois, le bouffon le plus comique au monde ; Tom McCarthy, équilibriste et jongleur sur fil de fer ; la famille Mille, spécialisée dans les échelles pyramides ; un certain Francis Cyr, le neveu de Louis, âgé de douze ans, pré-sumé « le plus fort enfant du monde entier » et qui défiait, pour une somme de 500 dollars, quiconque de son âge égale-rait un seul de ses tours de force ; Mlle Bergeron, une contor-sionniste surnommée la « fille-serpent » qui, annonçait-on, « après avoir été minutieusement examinée par les médecins, a été déclarée n'avoir pas d'os » ; la famille McKay, trapéziste. Bien entendu, Louis Cyr était présenté partout comme le « roi des hommes forts du monde entier » et 5 000 dollars étaient offerts en permanence à celui qui pourrait l'égaler dans ses tours de force. On annonçait également que Louis Cyr « retiendra, un chaque bras, les deux plus puissants chevaux du Canada ». L'exploitation du nom de Louis Cyr, nécessaire pour attirer les foules il va sans dire, devait éventuellement provoquer plus de grogne que des spectacles à guichets fermés. À compter de 1902, Cyr n'était que très rarement présent, et pour cause. Dans ses *Mémoires*, il relata pour exemple ce qui s'était passé à Valleyfield lorsque le cirque donnait une représentation au *Patinoir Crystal*.

Je dus, pour satisfaire la foule, répéter mon tour de force des che-
vaux. J'étais malade, je pouvais à peine me tenir sur pieds, mais
on s'était juré de me forcer à accomplir cet exploit, que j'avais dû
laisser de côté depuis quelques jours, et l'on hurlait :
— Les chevaux !… Ho ! Les chevaux !
Et la masse fit chorus avec les forcenés. En dépit des protesta-
tions de ma femme, je m'exécutai, mais le sang me jaillit du nez
et des oreilles. Qu'importe, je tins bon et les deux solides bêtes que
l'on m'avait amenées durent repartir fourbues et vaincues.

Cet incident, qui eût pu être fatal à Louis Cyr, fut le prélude à l'aggravation d'un état de santé qui dégénéra rapidement par la suite et finit par précipiter la liquidation
de l'entreprise.

Premier du genre au Québec, le cirque Cyr-Barré sillonna
l'arrière-pays pendant presque cinq ans et, à quelques exceptions près, il fut accueilli partout par des foules nombreuses,
ainsi qu'en témoignèrent plusieurs journaux. Certes, on
recourut à la propagande et aux habituelles exagérations,
comme d'attribuer des charges fictives à certains haltères
soulevés par Horace Barré et le jeune Francis Cyr. Mais ces
mêmes journaux donnèrent de précieuses indications sur
l'itinéraire du cirque et son rythme de déplacement infernal.
Ainsi, en 1899, le convoi se mit en route le 15 mai, depuis
Saint-Jean-de-Matha, où il donna sa première représentation, puis enchaîna avec Saint-Gabriel-de-Brandon, Joliette,
Saint-Jacques-de-l'Achigan, L'Assomption, L'Épiphanie,
Saint-Henri-de-Mascouche, Saint-Lin, Saint-Jérôme, Sainte-
Thérèse et Sainte-Thérèse-de-Terrebonne. En juin, il monta
le chapiteau à La Prairie, Saint-Rémi, Napierville, Lacolle,
Stottsville, Saint-Jean, Saint-Athanase, Saint-Alexandre, Bed-
ford et West Farnham. En juillet, au fil du rail le long du
Saint-Laurent, le cirque se produisit à Québec, en pleine
rue Saint-Jean, près de la Barrière, au marché Saint-Pierre,
dans Saint-Sauveur, puis à Saint-Michel, à Saint-Thomas, à
L'Islet, à Rivière-Ouelle, à Kamouraska et à Rivière-du-Loup.
Le mois d'août se passa presque entièrement aux avant-
postes de la Gaspésie : à Rimouski, et de là à Sainte-Luce,

Sainte-Flavie, Saint-Octave-de-Métis, Petit-Métis, Sandy Bay, Rivière-Blanche et Matane ; ensuite, le cirque prit un train spécial pour Saint-Joseph-de-Lévis, puis vers le nord, à Lorette, avant de filer vers le Haut-Canada, dans une vingtaine de communautés ontariennes.

Entre 1899 et 1904, le cirque Cyr-Barré fit escale dans plus de trois cents villes et villages, surtout au Québec, un peu en Ontario, donna quelque six cent cinquante représentations devant plus de six cent mille spectateurs et encaissa presque 150 000 dollars (3,5 millions de dollars de 2012) en recettes d'entrées. Tenant compte de la mise initiale de Louis Cyr, l'aventure lui aura fait réaliser un bénéfice net de 25 000 dollars environ. Mais sa portée aura largement dépassé le seul succès financier de l'entreprise.

Dans une étude publiée dans *L'Annuaire théâtral,* en 1988, sur les spectacles de théâtre et de cirque au Québec, l'auteur Jacques Clairoux attribue à Louis Cyr quelques primeurs : il a été le fondateur du premier cirque canadien-français, il a fait accéder au rang de spectacle les tours de force, et il a transformé le spectacle traditionnel des tours de force en une forme moderne d'« athlétisme théâtral ». Partant du spectacle précurseur du cirque, qui, vers 1800, était présenté comme une « variété de nouveautés » et, parfois, une « pièce équestre », Jacques Clairoux attribue à Joseph-Édouard Guibault (1842-1865), propriétaire du jardin Guibault de Montréal, la formation des premiers trapézistes, funambules, contorsionnistes, jongleurs et pantomimes, par la suite engagés dans plusieurs troupes itinérantes. Il attribue également à la popularité du vaudeville et des variétés, exploités par le parc Sohmer, le *Central Museum,* le *Théâtre royal,* le *Royal Museum and Theatorium,* entre les années 1880 et 1890, l'avènement de la formule du cirque telle qu'imaginée et réalisée par Louis Cyr.

Jacques Clairoux conclut : « Louis Cyr a opéré au Québec une véritable révolution du spectacle de la force. De la simple démonstration publique des exploits musculaires, il est passé graduellement à la représentation organisée, au recrutement d'une troupe et finalement à l'élaboration d'un cirque complet. »

Clairoux laisse comme description révélatrice l'image, qui circulait dans tout le Québec de cette fin de siècle, d'un Louis Cyr devenu un héros plus grand que nature : « Bras croisés sur une poitrine qui arborait en tatouage le chapeau national, ses immenses photos farcissaient les endroits publics ; elles ornaient les cafés, les salles de marché, les halls, les gymnases, les salles de billard et les boutiques de barbiers, à côté des vedettes de l'heure et des champions du turf. »

Dans ce contexte, ce qui fut hier le premier cirque à révolutionner la mode au Québec pava la voie au Cirque du Soleil. Un peu plus d'un siècle auparavant, le *Journal de Rimouski* écrivait en 1899 : « La représentation du cirque Cyr-Barré a été superbe. Notre athlète canadien a été accueilli ici avec le plus grand enthousiasme, et a brillamment soutenu sa réputation [...]. Nous souhaitons à ce cirque composé de Canadiens le plus grand succès. »

Le défi visionnaire de Louis Cyr a jeté un pont sur quatre générations, avec un projet qui ne ressemblait alors à aucun autre, de la même façon que le Cirque du Soleil, qui lui aussi est passé d'un siècle à l'autre en révolutionnant le monde du cirque.

Troisième partie
Le crépuscule

Une des affiches du *John Robinson's Circus*, vers 1898, mettant en vedette une illustration d'un Louis Cyr rajeuni, aux muscles saillants, tout en publicisant l'enjeu de 25 000 dollars offert à quiconque affronterait «l'Homme le plus fort de la Terre», ainsi que le salaire hebdomadaire de 2 000 dollars qui lui était versé.

CHAPITRE 13

Le crépuscule d'un héros

L'avènement du cirque Cyr-Barré connut un intermède qui constitua certainement un précédent en matière de couverture médiatique et instaura une mode dans le genre. Le tout se déroula entre le 11 mars et le 4 avril 1899 et contribua à relancer la popularité de Louis Cyr en ce tournant de siècle.

Ce fut le journal *La Patrie* qui devança ses rivaux en lançant la nouvelle qu'un défi de taille attendait Louis Cyr et qu'il était lancé par un certain Otto Ronaldo, d'Allemagne.

L'affaire semblait sérieuse, mais tout autant curieuse. De fait, la lettre de Ronaldo était adressée au rédacteur du sport de *La Patrie*, laissant présumer que lui ou des gens de son entourage connaissaient bien le milieu montréalais et les pratiques journalistiques qui y avaient cours.

Ayant lu dans les journaux de Montréal qu'un nommé Albert Auvray, athlète Français, avait reculé après avoir fait des avances dans le but d'amener M. Louis Cyr à le rencontrer, je lance, à mon tour, un défi à M. Cyr, pour un concours de tours de force dont l'enjeu serait de $500 ou plus, le concours devant être pour le titre *de champion du monde, et devant avoir lieu deux semaines après la signature du contrat.*

Si ceci est agréable à M. Cyr, moi et mon gérant nous nous rendrons à Montréal, afin de déposer l'argent au bureau d'un journal comme garantie de ma bonne foi.

J'aimerais que la rencontre ait lieu au Madison Square Garden [à New York, n.d.a.] *où je suis certain que justice sera rendue à qui de droit. Si M. Cyr prétend être le champion, il ne pourra faire autrement que s'occuper de mon défi. J'attends une réponse immédiate. Mon argent est prêt.*

RONALDO
Champion du monde

Dans une « note de la rédaction » très partisane, le journal *La Patrie* écrivit : « M. Ronaldo s'intitule le champion du monde, et dit que son argent est prêt. Nous croyons pouvoir lui répondre, sans avoir eu le temps de communiquer avec Cyr, qui est à Joliette, que l'argent de notre Samson canadien attend depuis longtemps celui de Ronaldo, ou de tous les autres soi-disant champions et aventuriers du monde. Nous avons notifié Cyr par dépêche de la réception du défi de Ronaldo ; voici la réponse du champion : Je n'ai pas le temps de répondre à tous ces gens-là. Que l'individu fasse un dépôt d'au moins $200, et je le couvrirai en aucun temps. »

Ronaldo semblait détenir de la crédibilité. Outre usurper le titre de champion du monde qu'il ne détenait pas, il revendiquait des victoires européennes aux dépens de Romulus (Cosimo Molino), que Louis Cyr avait croisé à Londres en 1892, de Cyclops (Franz Bienkowski), que Cyr avait défait à Montréal en 1891, de Sébastien Miller, que Louis Cyr avait également vaincu à Montréal en 1891, et surtout de Karl Abs, la gloire allemande. Ce dernier, décédé à peine un an plus tôt (en février 1898), était reconnu comme le père des épreuves de force en Allemagne et, en 1885, on lui avait attribué le titre de champion d'Allemagne après qu'il eut réussi un dévissé à un bras de 242 livres et un développé militaire strict, à deux bras et à deux reprises consécutives, de la même charge. Il devint également le premier Allemand à réussir un jeté à deux bras d'un poids supérieur à 330 livres, toujours en 1885.

Dès lors que l'on ne douta plus du sérieux d'Otto Ronaldo et de sa réputation, les journaux *La Presse* et *La Minerve* firent d'un affrontement potentiel entre les deux hommes leurs choux gras. Ce fut *La Presse* qui prit l'initiative en proposant les bureaux de l'éditeur du quotidien comme lieu de dépôt des garanties monétaires et, le cas échéant, comme endroit des signatures historiques d'un contrat, puisqu'il s'agirait de la première fois que Montréal serait le théâtre d'un championnat mondial entre hommes forts. Le hic toutefois était que Ronaldo posait comme condition à un tel contrat que le concours ait lieu à New York, alors que Louis Cyr exigeait que le match se déroulât à Montréal, déclarant que « c'est faire injure aux gens de Montréal que de croire qu'on ne pourra avoir justice ici ».

Louis Cyr savait ce qu'il faisait et à plus d'un titre. Non pas que New York le dérangeât, lui qui considérait depuis plusieurs années les États-Unis comme sa patrie d'adoption, mais c'était Montréal qui allait lui procurer la vitrine dont il avait besoin pour faire mousser la publicité du cirque Cyr-Barré. Qui plus est, il voulait directement contribuer à la relance des activités du parc Sohmer, dont un des associés, Raymond Préfontaine, avait été élu l'année précédente maire de Montréal. Ce dernier, friand de coups d'éclat et de visibilité personnelle, souhaitait vivement que le parc, dont les activités de septembre à mai se limitaient aux dimanches, devînt l'hôte de « soirées de spectacles spéciaux » de nature différente des programmes réguliers, celles-ci permettant alors au parc d'ouvrir en semaine et de « créer l'événement », selon l'expression connue.

Les spectacles de force étaient l'apanage du milieu ouvrier et Louis Cyr était avant tout le héros du petit peuple. Et ce n'étaient pas les grands bourgeois ni les intellectuels qui franchissaient les guichets du plus grand parc d'attractions de Montréal. Ceux-là, riches Anglo-Montréalais ou propriétaires canadiens-français, fréquentaient les institutions où la culture d'élite était à la mode, milieux littéraire, théâtral ou lyrique, qui n'avaient rien à voir avec les manifestations propres au parc Sohmer, sauf exception. Les propriétaires de ce dernier ne visaient rien de moins que des salles combles dès lors que Louis Cyr était de la partie, sans trop se soucier des enjeux sportifs véritables ou encore de la feuille de route de son adversaire, pour autant que ce dernier affichât une quelconque réputation. Pour cela, les Lavigne, Lajoie et Préfontaine, associés dans l'entreprise, s'en remettaient aux journaux de Montréal, qu'ils considéraient, en règle générale, comme des partenaires, donc des alliés.

La Presse du vendredi 17 mars 1899 publia que le « professeur Otto Ronaldo », arrivé de New York, s'était présenté de bonne heure au bureau du journal, afin de faire part de son sérieux et de poser les conditions d'un éventuel contrat l'engageant à rencontrer Louis Cyr. *La Presse* expliqua que « Ronaldo avait accompagné Sandow pendant trois ans, lors des voyages de ce dernier à travers l'Europe » et ajouta que « Ronaldo était un athlète superbe, conforme sur le modèle de Sandow et Attila ». L'article insista sur les mensurations de Ronaldo, surtout celles de ses biceps, avant-bras et mollets, probablement exagérées, ainsi que sur son poids de 263 livres, ce qui en ferait l'adversaire le plus lourd que Cyr eût jamais rencontré. L'Allemand était âgé d'au moins trente-huit ans, ce qui suggérait que ses meilleures prestations étaient derrière lui. Parmi les conditions formulées par Ronaldo se trouvait celle voulant que « la rencontre ait lieu dans les deux semaines ».

Louis Cyr se présenta aux bureaux de *La Presse* une heure après le départ de Ronaldo. Il insista quant à lui pour que le match fût présenté à Montréal et que Ronaldo déposât le montant de 500 dollars en garantie immédiate, assurant par ailleurs qu'« il pariera $ 5 000 qu'il l'emportera sur Ronaldo dans un concours qui aurait lieu de l'autre côté de la frontière ».

Dès le lendemain, *La Presse, La Patrie* et *La Minerve* confirmèrent que les conditions du match avaient été acceptées par les deux parties, la compétition étant prévue pour le lundi 3 avril 1899 au parc Sohmer. On s'entendit pour six épreuves, dont cinq choisies par Ronaldo, la sixième, le choix de Cyr, étant le soulevé de la plate-forme. On convint également que la victoire serait attribuée au total des livres soulevées au terme des six épreuves. Selon le journal *La Minerve*, dont le compte rendu fut le plus détaillé des trois, les adversaires avaient rencontré les correspondants des journaux, des hommes d'affaires et plusieurs admirateurs, à l'hôtel *Lalonde*, situé au carré Chaboilley. De part et d'autre on fit valoir quelques objections, notamment au sujet du choix de deux épreuves, celle de la plate-forme suscitant de vifs échanges, mais en fin de compte « les deux hommes forts se donnèrent une forte poignée de mains, se promettant une lutte franche et loyale ». En conclusion, Cyr assura à son rival que « s'il était battu il irait finir ses jours sur sa ferme de Saint-Jean-de-Matha », en réponse de quoi Ronaldo affirma qu'« il se retirerait en Allemagne dans le cas d'une défaite ».

En attendant, *La Presse* et *La Patrie* se livrèrent un duel à qui publierait les potins les plus savoureux en marge d'un affrontement devenu le sujet de conversation de l'heure à Montréal. Alors que *La Presse* publiait la copie des deux chèques de 500 dollars chacun, signés par les concurrents, celui de Cyr tiré sur la Banque nationale de Montréal et celui de Ronaldo, sur la Banque Ville-Marie, tout en parlant de « méthodes d'entraînement secrètes du professeur Ronaldo » et en révélant que ce dernier « n'admet absolument personne d'autre que son gérant [il s'appelait Herman Smith et se révéla être le frère d'Otto Ronaldo, *n.d.a.*] dans sa salle d'entraînement », le quotidien *La Patrie* misait sur une visite exclusive au gymnase où s'entraînait Louis Cyr. Cette institution était le gymnase de Jim Dwane, situé au 518, rue Craig. Son propriétaire, personnalité connue dans le domaine des sports à Montréal, était réputé pour ses talents de lutteur et de boxeur, ainsi que pour ses connaissances d'entraîneur, acquises à l'époque au contact de Gus Lambert.

L'article de *La Patrie* s'évertua principalement à rappeler les nombreux records détenus par Louis Cyr, en mentionnant les dates et les techniques utilisées. Mais l'article rappela surtout une dure réalité : « La tâche ardue que s'est imposée

Cyr, soit de réduire 40 livres de son poids. » Épreuve d'autant plus difficile que Cyr devait, une fois de plus, se condamner à une dizaine de jours de jeûne ; deux journées avaient déjà été perdues à cause d'une violente tempête de neige qui s'était abattue sur Montréal.

L'histoire se répétait ; elle ressemblait en tout point à l'affrontement de mars 1896, trois ans plus tôt, avec August Johnson. Cyr pesait 355 livres, tout comme à Chicago. Seulement cette fois, il ne pouvait perdre guère plus que quelques livres symboliques, tout en se livrant à de rares démonstrations publiques, pour les besoins des journaux, entre le 22 mars et le 1er avril 1899. Son corps, tout simplement, n'en pouvait plus d'avoir subi autant de stress musculaire, tandis que de l'intérieur les agressions organiques le minaient.

Ce fut encore *La Presse* qui révéla qu'un malentendu était survenu entre les deux adversaires, prenant aussitôt l'initiative d'offrir les bureaux du journal pour réunir les parties et de proposer le *city editor* de *La Presse*, M. Prince, comme médiateur. L'affaire fit la manchette, le mercredi 22 mars, et s'appropria la une du journal. En réalité, Ronaldo contestait la méthode du cumulatif des livres qui incluait le *back lift*.

— *Ronaldo : Supposons que je vous batte sur les cinq premiers tours et que vous l'emportiez sur le dernier, croiriez-vous pouvoir être déclaré vainqueur ?*

— *Cyr : Je suis prêt à parier $ 200 que vous ne me battrez pas sur les cinq premiers numéros du programme.*

— *Ronaldo : Oh, j'ai quelqu'argent aussi, comme vous pourrez le voir le soir de la rencontre.*

— *Cyr : Si vous insistez tant, c'est que vous êtes faible.*

— *Ronaldo : Nous verrons cela, mais si j'étais faible, je ne serais pas venu à Montréal. J'ai rencontré trop d'hommes forts pour qu'on puisse dire que je suis faible. Il faudrait cependant s'entendre. Si j'ai tort, nous ferons comme vous désirez, mais si j'ai raison, je veux que mes prétentions soient maintenues. Nous désirons en arriver à un compromis.*

— *Cyr : Je ne veux consentir à rien, parce que j'ai droit* [sic]. *Si je n'avais pas raison, je ne discuterais pas.*

— Ronaldo : C'est-à-dire que vous croyez avoir raison, mais vous ne le savez pas. Ce n'est pas que j'ai peur de votre tour de force, mais je ne veux pas perdre mon avantage.

— Cyr : Je suis très fier que vous ayez une si grande confiance en moi. Je n'ai plus rien à dire, et il faudra aller d'après le contrat.

— Ronaldo : Oh, si le contrat l'exige, je me plierai à ce qu'il commande. Mais laissons cela pour le moment et le referee *décidera le soir de la lutte quel est le vainqueur, et il interprétera lui-même le contrat.*

Bien évidemment, le malentendu n'en était pas un. Cela faisait une semaine que le contrat avait été signé par les deux hommes et Ronaldo savait à quoi s'en tenir. D'autant plus que *La Presse* avait publié les détails du contrat dans son édition du 18 mars 1899, les signatures des adversaires et de leurs témoins, ainsi qu'une déclaration de Ronaldo disant qu'il acceptait la proposition de Cyr, c'est-à-dire le soulevé de la plate-forme comme sixième épreuve. Cela permit à *La Presse* de se démarquer davantage de ses rivaux, puisque l'article annonça fièrement que «Louis Cyr s'entraînerait dans une pièce mise par *La Presse* à sa disposition». Le journal envoya un message sans équivoque, notamment au quotidien *La Patrie* : «Contrairement à ce qui a été dit dans une couple de journaux, ce n'est pas chez le professeur Dwane, rue Craig, que Cyr va s'entraîner, mais bien dans les bureaux de *La Presse*, et il va commencer ses exercices cet après-midi même.» Ne se laissant pas distancer, le journal *La Patrie* annonça : «Notre reporter a assisté à une courte séance de l'entraînement de Ronaldo. Il est tenu au secret et ne peut pas dévoiler le poids des haltères dont se sert l'hercule allemand.»

*

La saga quasi légendaire de l'homme le plus fort que l'humanité ait connu jusqu'à cette fin du XIXe siècle allait prendre fin le soir du 3 avril 1899. Le puissant Louis Cyr allait céder le pas à l'autre partie de lui-même, son double, angoissé par ce démon des maladies qui s'agitait en lui.

Une rumeur circula le matin du vendredi 24 mars, que les organisateurs de la rencontre n'eurent d'autre choix que de confirmer : Louis Cyr souffrait d'une indisposition, que l'on expliqua par des accès de toux sévères. Cette « indisposition » força Cyr à surseoir à tout effort physique et même à garder le lit. Pour quelques intimes, parmi lesquels Mélina et Horace Barré, l'état de santé de Louis Cyr était autrement préoccupant : il avait subi une crise d'asthme, des hémorragies nasales lorsqu'il avait voulu augmenter le poids du soulevé de la plate-forme, suivies d'une brève perte de conscience. Il se plaignit en outre d'intenses douleurs aux jambes, lesquelles avaient beaucoup enflé, et de picotements aux doigts et aux orteils, signes avant-coureurs d'un possible diabète sucré.

Le bras de fer entre Cyr et la maladie était amorcé. Le colosse de Saint-Jean-de-Matha n'ayant nulle intention de concéder la partie, il puisa dans ses réserves et, à la surprise de la majorité, se présenta à la salle d'entraînement le mardi suivant, où il exécuta toute la série des tours qui étaient au programme du lundi suivant, ajoutant environ 150 livres au poids soulevé avec son dos, ce qui laissait présumer qu'il approchait du seuil des 3 000 livres. D'évidence cependant, Cyr était – ou du moins paraissait – vulnérable. Il n'avait perdu que 5 livres, autant dire rien, et son embonpoint le gênait visiblement.

Le quotidien montréalais cita Otto Ronaldo, qui se permit ce commentaire : « Cyr fait de trop grands effets pour soulever ses poids, moi, je mets une limite aux poids que je soulève. » Puis il insista sur un aspect crucial de la rencontre du lundi : « Si Cyr soulève un poids moindre que le mien, dans un numéro quelconque, il ne sera rien compté au champion canadien pour ce numéro. » Ronaldo termina l'entrevue en disant qu'« il fera des tours de force d'une façon telle que tout le monde sera pour ainsi dire *referee* ».

Mais toute cette agitation n'était en fait que pour la galerie, car dès le samedi 1er avril, ce fut au tour du journal *La Patrie* d'annoncer « la grosse nouvelle ».

Une nouvelle qui ne manquera pas de créer sensation est que Monsieur le maire Préfontaine a accepté d'agir comme referee, *monsieur Dansereau* [il s'agissait d'Alfred Dansereau, un notable de Montréal, ami de Louis Cyr, n.d.a.] *s'effaçant en faveur de notre premier magistrat et prenant la place de M. Renaud* [le maire de Joliette, n.d.a.] *comme un des trois représentants de Cyr. Cyr invite tous les officiers du concours à se rendre au Parc Sohmer, lundi soir, à sept heures* [le concours devant débuter à huit heures, n.d.a.], *afin de s'entendre sur la parfaite interprétation de chaque clause du contrat et éviter les discussions inutiles au cours du tournoi. Le fait de voir son Honneur le maire Préfontaine, qui s'intéresse au plus haut point à ce concours, accepter de venir en être l'arbitre ne manquera pas de faire taire les rumeurs tendant à dire que l'affaire n'était pas sérieuse. Les soi-disant fins connaisseurs qui regardaient les préparatifs avec une apparente indifférence n'auront certes pas le toupet de mêler le nom du maire dans leurs suppositions absurdes. Ce fait important de voir le premier magistrat de notre ville agir comme premier officier dans ce concours aura peut-être aussi le don de faire sortir les journaux anglais de leur mutisme.*

Dans cette même édition, *La Patrie* exprima une certaine inquiétude au sujet de l'issue de la rencontre. «Il aurait fallu à Cyr des semaines de pratique, car l'adresse compte pour beaucoup dans les tours de Ronaldo, et certes, nos compatriotes ne sauraient demander à Cyr d'accomplir en dix jours, avec la même perfection que Ronaldo, ce que celui-ci exécute depuis des années. Il faut s'attendre à tout», pouvait-on lire. L'article précisait:

Il peut y avoir des accidents, Cyr peut perdre le bénéfice du poids entier levé dans un tour sur un point technique. Son embonpoint, sans diminuer sa force, nuit toujours, dans une certaine mesure, à ses mouvements. Pour un concours de cette importance, il lui aurait fallu un plus long entraînement, et il faut bien se rappeler que même au cours du peu de temps que Cyr a pu consacrer pour se préparer à la présente lutte, il a souffert d'une indisposition qui,

*pour ne pas l'avoir forcé de suspendre indéfiniment son travail,
n'a certes pas contribué à améliorer sa condition.*

Une chose semblait acquise toutefois à la veille de l'affrontement : Louis Cyr ne pouvait – ou alors ne devait – pas perdre. Ce n'était plus l'honneur de l'athlète qui était en cause, mais une multitude d'intérêts, parmi lesquels la notoriété indispensable à la toute nouvelle entreprise qu'était le cirque Cyr-Barré, la rentabilité de ce genre d'événements au parc Sohmer, l'avenir des retombées publicitaires pour les journaux francophones de Montréal, entre autres. Quant aux titres, aux records, si tant est que l'on pouvait accorder foi au peu que l'on en savait, le public n'en avait cure. À Montréal comme partout ailleurs en Amérique, on ignorait ou on faisait semblant d'ignorer les réalités d'un sport naissant, mais sport tout de même, qui définissaient les championnats des poids et haltères en Europe. Par exemple, l'Allemagne, l'Autriche, l'Italie, la Belgique et la Russie avaient entrepris des pourparlers pour créer une Union athlétique mondiale. Ensuite, des athlètes tels Launceston Elliot, d'Angleterre, et Viggo Jensen, du Danemark, étaient reconnus comme champions olympiques depuis la tenue des premiers Jeux de l'ère moderne, à Athènes en 1896, l'année où Louis Cyr éleva les exploits de force à hauteur stratosphérique.

*

La soirée du lundi 3 avril 1899, le programme commença vers huit heures trente du soir par des luttes à bras-le-corps entre des combattants locaux. Une trentaine de minutes plus tard, à l'issue de quelques empoignades et de « roulades sur le paillasson », devait débuter l'événement du jour. Ce fut plutôt une longue attente qui mit à l'épreuve la patience de milliers d'admirateurs de Louis Cyr et valut aux organisateurs des cris de protestation, des huées et, de guerre lasse, des chants populaires entonnés *a capella* par plusieurs manifestants faisant chorus.

Lorsque finalement, vers dix heures, le maire Préfontaine se dirigea vers l'avant de la scène, ce fut pour s'excuser, mais surtout pour expliquer que les juges désignés par chacun des adversaires avaient éprouvé des difficultés à interpréter les clauses du contrat, ce qui fit écrire au reporter de *La Patrie*: « Ceux qui ont rédigé ce contrat méritent qu'on leur élève un monument. Dans une lutte de l'importance de celle d'hier, on aurait dû, pour le moins, faire rédiger le contrat par un homme versé non seulement dans l'athlétisme afin qu'il en comprît tous les termes, mais de plus, versé suffisamment dans la langue anglaise afin d'éviter les phrases baroques comme celles qui abondent dans le célèbre document. »

Pour sa part, *La Presse* se montra plus conciliante, cela s'expliquant par le rôle que ce journal avait tenu durant les deux semaines de l'avant-match, en y allant d'un laconique : « Son Honneur le maire Préfontaine lut, dans les deux langues, le contrat intervenu entre Cyr et Ronaldo. »

Louis Cyr, trente-six ans, paraissant sur scène vêtu d'un costume « rouge feu », reçut une longue ovation. « On sentait que tous les spectateurs considéraient le match qui allait avoir lieu comme un événement national, intéressant tout le pays », écrivit *La Presse*. En fait, seules *La Presse* et *La Patrie* consacrèrent des manchettes à la rencontre, les journaux anglophones de Montréal et d'ailleurs persistant à ignorer l'événement.

Ronaldo suivit Cyr, enveloppé dans une robe de chambre qu'il retira aussitôt. Il fut applaudi par courtoisie, quoique *La Presse* mentionna qu'« il y eut un murmure d'admiration pour ce qui semblait personnifier la grâce dans la force ». Ronaldo portait un maillot rose et une étroite ceinture en cuir doré.

La rencontre elle-même dura moins longtemps que les préliminaires et le temps passé par le maire Lafontaine à lire et à interpréter les clauses contractuelles. Surtout, elle ne passa pas à l'histoire. S'affrontant en cinq des six épreuves, Ronaldo fit généralement preuve de maîtrise, d'équilibre, « de grâce et d'élégance » également, de l'avis des deux quotidiens montréalais, tandis que Louis Cyr parut « terriblement nerveux » et « ignora parfois les lois de l'équilibre ». Il en résulta que dès le premier tour, où les adversaires devaient lever un haltère à deux hémisphères à hauteur d'épaule, sans toucher le corps, puis le pousser doucement au-dessus de la tête, à bras tendus, Cyr échoua au premier essai après avoir failli trébucher tout en laissant échapper l'haltère. Il eut la permission de reprendre l'essai, le contrat ayant prévu que « Ronaldo accordait à Louis Cyr jusqu'à un troisième essai pour chaque tour qu'il ne réussira pas à exécuter la première fois ». L'haltère en question pesait 231 livres, soit 116 livres de moins que le record établi par Cyr en 1896, ou encore à peine les deux tiers de sa meilleure prestation.

Cyr prit 2 livres à Ronaldo à la deuxième épreuve, qui consistait à élever de terre un haltère au-dessus de sa tête, d'un seul bras et d'un seul élan ; 2 ½ livres à la troisième épreuve, où l'athlète devait élever de terre un haltère à hauteur d'épaule, puis le pousser doucement et à bras tendu, sans plier le corps d'aucune manière, un lever inférieur de presque 100 livres à ce que Cyr réussissait aisément à accomplir trois ans auparavant. Puis, au grand soulagement d'un public presque déçappointé, Ronaldo échoua dans sa tentative d'élever au-dessus de sa tête deux haltères, un dans chaque main, pour un total, très modeste, de 222 livres. La cinquième épreuve, qui constituait une sorte de piège pour Louis Cyr en raison de sa méforme évidente, se révéla nulle : chaque adversaire parvint à garder un haltère de 119 livres à bras tendu, puis, tenant l'haltère dans cette position précaire, à se coucher sur le dos pour se relever ensuite. Cyr menait alors le concours par un écart de 226 ½ livres, la quatrième épreuve ayant été marquée à zéro pour Ronaldo. Ce dernier préféra concéder la sixième épreuve, le *back lift*, reconnaissant n'avoir aucune chance de l'emporter sur Cyr et, par le fait même, s'avouant vaincu. « Un triomphe facile ! » titra *La Patrie* le lendemain, 4 avril 1899, ajoutant qu'« une foule immense acclame le Samson canadien ».

Quant à *La Presse*, elle publia une illustration montrant Louis Cyr accomplissant « le tour de force qui lui mérita la victoire », avec, au centre, son portrait en médaillon. Le journal publia également un fac-similé du reçu de 1 000 dollars remis par M. T. Berthiaume, éditeur-propriétaire du quotidien, qui était le dépositaire de l'enjeu. L'entrevue qu'accorda Louis Cyr révéla que «l'appréhension de voir tout crouler par une seule faute, irréparable, l'excita au point de l'aveugler. C'est alors qu'il laissa tomber le poids plutôt que de manquer le tour».

Ce fut toutefois Mélina, l'épouse de Louis Cyr, qui donna l'heure la plus juste en déclarant, immédiatement après la rencontre, qu'elle «pensait bien que son mari abandonnerait maintenant l'arène athlétique où il s'est conquis des lauriers bien gagnés».

*

Peu avant minuit, le soir du lundi 3 avril 1899, Louis Cyr savait qu'il en était au crépuscule de son état de champion des hommes forts de l'univers. Dorénavant, il devait jongler avec les mots, trouver des prétextes, modifier les enjeux, pour sauver les apparences.

Jusque-là, celui qui était issu du terroir, enfant pauvre parti pour l'exil, analphabète, s'était ouvert à la seule force de ses bras les portes de la gloire. Il avait brûlé les planches des plus prestigieuses scènes de Londres, jusqu'à se révéler aux foules de deux continents, d'abord comme un surhomme, puis une célébrité, finalement comme une véritable légende. Mais l'ultime version qu'il laissait de lui-même en ce soir du 3 avril 1899, après qu'il se fut bâti la stature qui en fit peut-être l'athlète le plus réputé du monde, était maintenant celle d'un être condamné par la vie à se battre contre ses propres démons.

*

Le cirque Cyr-Barré profita des retombées journalistiques et du bouche à oreille à la suite de l'affrontement de Cyr et de Ronaldo, quoiqu'il y en eût pour semer des doutes raisonnables à l'endroit tant des mérites véritables d'homme fort de Ronaldo que de la condition physique de Louis Cyr.

La première saison du cirque prit fin de manière grandiose, puisqu'on annonça que la clôture allait avoir lieu le soir du lundi 16 octobre 1899 au parc Sohmer. Mais ce qui devait n'être qu'une dernière représentation foraine se transforma en une sorte de *happening*, à l'occasion duquel, grâce une fois de plus au journal *La Presse*, on découvrit le véritable potentiel de celui qui, depuis toujours, évoluait dans l'ombre de Louis Cyr : son élève et maintenant partenaire dans l'entreprise, Horace Barré.

« Une foule aussi nombreuse que celle qui a assisté à la rencontre Cyr-Ronaldo se pressait hier soir dans le pavillon du Parc Sohmer, pour voir Horace Barré, l'un de nos hommes forts canadiens, destiné à devenir un jour le champion du monde, établir son premier record », écrivit *La Presse*, le lendemain de l'événement. Barré avait réussi à soulever en même temps deux haltères pesant l'un 123 ½ livres, l'autre 133 ½ livres, exploit qui, selon *La Presse*, battait le record que Romulus (Cosimo Molino) avait établi au *Sporting Athletic Club* de Londres le 14 décembre 1892. Fait étrange, on ne fit aucune mention du record absolu détenu par Louis Cyr, en accord probablement avec ce dernier. *La Presse* mentionna que ce « tour de force marquait le premier record du genre qui ait été établi à Montréal », comme si tout autre record, fût-il homologué par le *New York Clipper Annual*, n'eût été que virtuel. Fait tout aussi étrange, Louis Cyr « s'avança alors vers le public et dit que non seulement lui-même, Cyr, pouvait défendre le titre de champion du monde à Ronaldo, mais que Horace Barré était aussi en état de le faire avec succès ». À sa façon, Louis Cyr lançait les grandes manœuvres tout en cachant son véritable agenda ; le temps d'un hiver… et d'un changement de siècle.

Ce qui se passa au cours des deux années suivantes, en 1900 et 1901, ressembla à un scénario vaudevillesque où un héros fatigué, de plus en plus miné par un mauvais état de santé, essayait de s'accrocher à sa gloire passée. Contrairement à ce que l'on aurait pu croire, Otto Ronaldo ne quitta pas l'Amérique pour rentrer dans ses terres germaniques… simplement parce qu'il n'avait jamais véritablement habité en Allemagne. Le Ronaldo en question n'était pas davantage un homme fort authentique, selon la définition qu'en faisait

Louis Cyr. Né en 1859 (il avait donc quarante et un ans) à Trier, une petite ville du Palatinat, région de la Bavière limitrophe des départements français de la Moselle et du Bas-Rhin, Ronaldo avait moins de quatre ans lorsque sa famille émigra aux États-Unis pour s'établir sur une ferme à East Oakland, en Californie. Une enfance américaine donc, sans aucun retour en Allemagne. D'abord acrobate avec une troupe, puis lutteur, il n'aborda les tours de force qu'une fois passé la trentaine. Quant à ses rencontres revendiquées avec d'autres hommes forts tels Miller, Gibbs, Paulson et surtout Karl Abs, le premier haltérophile d'Allemagne, personne ne put en confirmer l'authenticité, ce qui invalidait par conséquent toutes ses prétentions à quelque titre de champion que ce fût.

Ce même Otto Ronaldo venait tout juste de s'assurer un gagne-pain intéressant en devenant le faire-valoir de Louis Cyr, mais dans un rôle très différent de celui que tenait Horace Barré : le champion d'Allemagne, invaincu dans nombre de tournois de force, défiant le champion des hommes forts du monde pour le titre. En prime, le nouveau protégé de Louis Cyr, jouant à merveille son rôle d'athlète allemand venu défier l'Amérique, avait en poche une proposition ferme à laquelle Cyr lui-même lui avait demandé de réfléchir. La réponse de Ronaldo viendra en avril 1901. En attendant, la stratégie était d'asseoir la crédibilité de Ronaldo en tant qu'homme fort et, grâce à la notoriété de Louis Cyr, de contribuer à celle de Ronaldo. Bien entendu, comme toute bonne pièce de théâtre, l'histoire devait se dérouler en deux actes au moins, le dénouement se devant d'être inattendu.

Le premier acte se déroula à Fall River, une ville du Massachusetts située à 75 kilomètres au sud de Boston, à plus de 125 kilomètres de Lowell, et qui formait avec Lowell, Lewiston, Manchester, Nashua, Worcester, Lawrence, Woonsocket, New Bedford et Holyoke la ceinture des Petits Canadas du complexe manufacturier du textile de cette partie de la Nouvelle-Angleterre.

C'est donc à Fall River que se rendirent, séparément, Louis Cyr et Otto Ronaldo durant le mois qui précéda l'ouverture de la deuxième saison du cirque Cyr-Barré. Officiellement, Louis Cyr allait y relever le défi que lui lançait nul autre que… Otto Ronaldo, avec toujours, comme enjeu, des montants de 500 dollars par concurrent et le titre de champion des hommes forts de la planète. De la même manière que le fit le journal *La Presse*, le quotidien *L'Indépendant* publia en détail les arrangements contractuels qui allaient lier les adversaires, révélant que les deux chèques avaient été déposés au bureau du journal. La rencontre fut fixée au mardi 15 mai 1900, dans la grande salle de spectacle de l'Académie de musique de Fall River.

Une heure avant le début du match, « les abords de l'Académie étaient encombrés », selon le compte rendu qu'en fit *L'Indépendant*, ajoutant que « tout faisait prévoir que la salle serait comble ; mais la pluie qui est survenue à ce moment a empêché beaucoup de monde de se rendre. On a sans doute considéré aussi que le prix des sièges était un peu trop élevé, car on a remarqué que ceux de l'orchestre sont presque tous restés inoccupés. Ce sont les places de 50 cents qui se sont le mieux vendues. Lors du lever du rideau, il y avait un millier de personnes dans la salle. On remarquait dans l'auditoire plusieurs dames. C'était évidemment un public canadien-français, bien disposé à acclamer celui qui était considéré comme le champion national. Beaucoup de curiosité aussi pour voir les deux lutteurs […]. Ronaldo a été applaudi quand il est monté sur scène, mais Cyr a reçu une véritable ovation ».

Ce fut la seule ovation que Louis Cyr mérita ce soir-là, les autres applaudissements n'étant provoqués que par le culte que lui vouaient, encore et toujours, ses concitoyens de la Nouvelle-Angleterre, comme on put le lire dans *L'Indépendant*.

> *Comme premier tour il s'agit de prendre ces haltères et les porter au-dessus de la tête au bout des bras, sans toucher à aucune partie du corps. Ronaldo empoigne le poids et le lève d'un trait au milieu des applaudissements. Cyr vient ensuite et essaye le même tour ; mais il est gêné par son embonpoint et les haltères lui retombent sur la poitrine. Il déclare alors qu'il renonce à lever ce poids.*

Il faudra attendre le cinquième tour pour que « l'auditoire qui avait été un peu froid, paraissant désappointé par son héros, éclate alors en applaudissements ». Car, à la stupéfaction générale, le *referee* proclama qu'à la fin de cinq tours, dont Louis Cyr n'avait remporté qu'un seul, « Ronaldo reste avec un avantage de 14 livres ». Il restait l'épreuve du *back lift*, pour laquelle on avait entassé du fer en gueuse jusqu'à 1 995 livres. « Ronaldo tente de soulever ce poids, mais ne peut le faire. Il déclare alors que ce genre de tour de force n'entre pas dans ses attributions. Cependant il veut bien essayer encore et finalement il lève 1 660 livres. » Quant à Louis Cyr, il leva 1 805 livres, juste assez pour provoquer un écart final de 131 livres en sa faveur et remporter le match au total des livres soulevées. Une courte victoire s'il en fut, mais une victoire tout de même qui allait lui permettre de mettre en scène le second acte du crépuscule d'un héros.

Malgré les ambiguïtés, Cyr restait « comme ci-devant le Champion des hommes forts du monde entier », ainsi que l'écrivit *L'Indépendant* dans son édition du mercredi 16 mai 1900. Il pouvait donc toujours disposer de ce titre à son gré et en toute légitimité. Les désappointements manifestes et les doutes exprimés le forcèrent à s'expliquer et, peut-être même, à devancer l'inévitable annonce :

> *Tout le monde sait que j'étais malade. Quand je levais mes poids hier la tête me tournait. Je n'en voyais plus clair. J'ai levé assez pour gagner, mais je n'étais pas assez bien pour me forcer. Simplement pour donner une exhibition. Je m'en retourne au Canada ce soir. Je désire que vous fassiez bien comprendre que c'est la dernière fois que je parais en public et que je n'accepterai plus de défis, d'où qu'ils viennent. Il y a assez longtemps que je suis dans l'arène, j'ai le droit de me reposer.*

En prenant connaissance des propos de Cyr, Ronaldo avait aussitôt réagi ; pour la forme, bien entendu, puisqu'il savait déjà la suite des choses.

Puisque M. Cyr se retire, je réclame le titre de Champion du monde. Je l'ai, du reste, battu à lever des haltères. Je suis prêt à défendre ce titre contre tout venant, pourvu que ce soit un homme connu et qu'il ait de l'argent à déposer.

Rien de tel n'allait se produire. Tout au plus Ronaldo passa-t-il par New York afin de mettre de l'ordre dans ses affaires et de se préparer, en compagnie de son frère, Herman Smith, tantôt manager, tantôt partenaire de lutte et même homme fort de service, à commencer une nouvelle vie… au Québec.

Dans ses *Mémoires,* Louis Cyr donnera une version bien différente de ces événements, d'abord en occultant la part de succès qu'obtint Ronaldo en l'affrontant à son déclin, ensuite en niant le caractère officiel des rencontres.

J'ai eu l'occasion de me mesurer avec Ronaldo, à plusieurs reprises aux États-Unis, je l'ai, à chaque fois, battu. Mais comme ces rencontres n'étaient que des exhibitions, nous les passerons sous silence.

Ces mots venant d'un homme d'honneur équivalaient à un aveu, que Cyr se garda toutefois de formuler de façon plus explicite.

*

Le second acte se déroula entre août et décembre 1900. Les maladies gagnaient du terrain, écourtaient ses nuits, gênaient sa respiration, sapaient ses forces, diminuaient sa résistance. Avec 20 livres de plus, à près de 370 livres, l'embonpoint avait dégénéré en obésité. Les crises d'asthme étaient plus fréquentes et il se plaignait de maux de reins, qu'il qualifiait de « malaise des rognons ». Pourtant, il continuait de s'afficher comme le champion des hommes forts du monde entier, profitant de ce titre pour associer son nom à une campagne de publicité des Vins Saint-Michel, dont les réclames paraissaient régulièrement dans le quotidien *La Presse.* Le texte de la publicité associait « Louis Cyr, le champion des hommes forts du monde entier, au champion des toniques, le Vin St-Michel » et se lisait ainsi : « Pendant mon entraînement pour le concours de tours de force avec Ronaldo, pour le titre de Champion des hommes forts du monde entier, j'ai pris du Vin St-Michel et m'en suis admirablement bien trouvé. C'est certainement le plus puissant tonique pour le sang, l'estomac et les muscles. » Suivait la signature de la main de Louis Cyr. Il s'agissait probablement d'un précédent faisant ainsi de Cyr le premier athlète à prêter son nom à la commercialisation d'un produit, et ce, à compter du 1er mars 1900.

Revenu au Québec et à quelques semaines de la relance des tournées du cirque Cyr-Barré, Louis Cyr refusait toujours de confirmer que le titre de champion des hommes forts était vacant. Au mieux admettait-il du bout des lèvres qu'il était un champion « temporairement retiré ». Mais l'agenda caché de Louis Cyr indiquait bien son intention ferme de garder le titre au Québec, considérant que la suprématie mondiale de la force était la propriété exclusive de la race canadienne-française, tout en se voyant lui-même comme le gardien de ce titre, par droit d'aînesse ou encore par droit coutumier.

Puis, se décidant enfin à admettre qu'il n'était plus en état de retenir en toute légitimité un titre aussi prestigieux, Louis Cyr annonça son « retrait temporaire » et désigna son successeur : Horace Barré. Une fois de plus, le journal *La Presse* prit l'initiative de ce qui allait devenir le « défi des champions ». Dans une longue lettre que publia le quotidien dans son édition du 4 août 1900, Otto Ronaldo défia Horace Barré. Le défi fut accepté, la rencontre aurait lieu au parc Sohmer, Louis Cyr devenait l'entraîneur d'Horace Barré et le journal *La Presse* lança une offensive promotionnelle sans précédent en consacrant vingt-huit articles à cette rencontre entre le 6 août et le 24 novembre 1900, contre les six que publia durant cette même période le quotidien *La Patrie*.

En réalité, rien ne leva véritablement tant la personnalité de Barré, tout nouveau champion du monde qu'il fût, était terne. Quant à Ronaldo, c'était du déjà vu, d'autant plus que *La Presse* écrivit le samedi précédant la rencontre, fixée au lundi 26 novembre, que «Ronaldo avait contre lui son âge avancé, 42 ans… » et que «le champion allemand se prépare en silence ». Les organisateurs du tournoi autant que les dirigeants de *La Presse* prévoyaient sans doute que l'affaire ne ferait pas tout à fait ses frais, puisque le quotidien écrivit : « L'un des représentants de *La Presse,* qui a reçu hier la visite d'un de ses parents de la campagne, a été informé que l'excitation produite par le prochain match Barré-Ronaldo est très grande, et que les campagnes enverront un fort contingent de représentants au tournoi. Avec les prix populaires demandés pour l'admission on peut dire d'avance, en toute certitude, que le Parc Sohmer sera absolument bondé le soir de la rencontre. Le fait que le concours est pour le titre de champion des hommes forts du monde, et le montant qui est en jeu, fait que tout le monde du sport, et le public en général, attend avec impatience le résultat de la lutte. »

Le matin de l'affrontement, on fit quelques vagues, Ronaldo « se croyant certain de battre Barré par 50 à 70 livres », Louis Cyr affirmant que « ce sera encore un Canadien français qui sera demain matin, champion des hommes forts du monde ».

La rencontre eut bien lieu. Chacun des deux adversaires rata complètement deux des neuf tours de force prévus. Sans le lever de la barre à sphères d'un poids de 285 livres lors de l'ultime tour, Horace Barré aurait perdu le titre que lui avait transmis Louis Cyr. Mais plutôt que de se contenter d'une charge moindre, Ronaldo tenta de soulever une barre qu'il savait nettement au-dessus de ses moyens. Il s'inclina par 16 livres au total des neuf épreuves, après avoir détenu une avance de 269 livres. Barré triomphait, l'honneur du Canada français était sauf et deux mille personnes assistèrent au tournoi… « Le petit nombre », mentionna *La Presse.* Le résultat ne fut pas du goût de Louis Cyr, qui s'était bien rendu compte qu'Horace Barré n'avait ni l'expérience ni la combativité d'un véritable champion du monde. D'une force peu commune dans l'ensemble, il n'arrivait pas à maîtriser certaines techniques qui lui eussent permis un maniement plus efficace des haltères à courtes barres. En somme, un champion fort vulnérable.

*

La raison du pire, c'est-à-dire celle de l'argent, entraîna Cyr dans ce qu'il qualifia lui-même d'« un des incidents les plus fameux de ma vie de théâtre », soit une lutte à bras-le-corps avec le géant Beaupré. Ce fut, disait-on, un défi porté par le géant à l'endroit de Louis Cyr, transmis une fois de plus par le journal *La Presse* et manipulé, en coulisses, par les dirigeants du parc Sohmer. Qui d'autre, en ce 8 mars 1901, alors que l'entreprise avait un besoin pressant de garnir ses coffres en ce dernier mois de l'hiver, eût pu imaginer pareil « vaudeville, numéro à sensation ou attraction extraordinaire », au choix, que les promoteurs du plus vaste parc d'attractions du Canada, confrontés, d'une année à l'autre, au rythme accéléré des semaines de la saison d'été et aux temps morts, hormis les dimanches, de la saison d'hiver ?

Louis Cyr accepta le défi du géant Beaupré. Défi sérieux ? s'informa-t-on, pour la forme. *La Presse* rassura ses lecteurs : « Cyr et Beaupré en sont rapidement venus à une entente en ce qui concerne la lutte à bras-le-corps en y ajoutant, chacun, un tour de force de leur choix. » L'article précisa que « le géant, qui n'a jamais soulevé des haltères ni de barres à sphères de sa vie, annonça qu'il soulèverait un brancard ou plate-forme sur lequel seraient déposés des poids inertes. Il ajouta qu'il lèverait ce brancard avec ses mains et ses épaules. Cyr annonça qu'il lèverait avec les reins ».

Le même jour, le journal *La Patrie* ridiculisa l'événement. « C'est décidé ! C'est conclu ! Cyr accepte le défi de Beaupré, et celui-ci est plus anxieux que jamais de montrer au public qu'il est capable de lutter avec un avantage marquant contre quiconque se présentera devant lui [...]. Ce sera, disons-nous, épouvantable, mais par contre, les braves s'amuseront à qui mieux mieux, à la vue de ces deux "corporations" luttant l'une contre l'autre pour l'honneur de la suprématie [...]. Disons tout bas, et ce malgré leur défense formelle, que Cyr essaiera, pour la dernière fois, de briser son fameux record pour lever sur les reins, et que Beaupré transportera, sans l'aide de personne, un piano d'une dimension démesurée. »

Bien entendu, le journal parodiait l'affrontement, puisque ni Louis Cyr ni le géant Beaupré ne pouvaient prétendre à réaliser ces exploits.

La population montréalaise, y compris Louis Cyr, ignorait tout du géant Beaupré, à part son gigantisme, et les journaux ne jugèrent pas à propos de la renseigner. Cela donnait une indication du sérieux que l'on accordait à ce «divertissement de passage».

Le géant s'appelait Édouard Beaupré. Il était né le 9 janvier 1881 dans la paroisse catholique de Saint-Ignace-des-Saules, située à l'est de Willow Bunch, une des plus vieilles communautés francophones de la Saskatchewan.

Aîné des vingt enfants de Gaspard et de Florentine (née Piché) Beaupré, Édouard avait grandi normalement jusqu'à l'âge de trois ans, avant de croître anormalement et d'atteindre, vers dix-sept ans, plus de 7 pieds. Lorsqu'il se présenta devant Louis Cyr, âgé d'à peine vingt ans, il mesurait 8 pieds et 2 pouces, pesait presque 400 livres. Contraint par son anormalité à vivre en marge de la société, Édouard Beaupré décida, dès ses dix-sept ans, de faire des spectacles de cirque dans le circuit des *Freak Shows*, passant du Manitoba aux États du Nord-Est américain. Peu après son affrontement avec Louis Cyr, il fut engagé par le cirque *Barnum and Bailey*, lequel l'exhiba durant l'Exposition universelle de Saint Louis, Missouri, en 1904. Atteint de tuberculose, il succomba à ce mal durant cette même année, à l'âge de vingt-trois ans.

Que s'est-il véritablement passé le soir du lundi 25 mars 1901 ? Le compte rendu qu'en fit *La Presse* dans son édition du lendemain permet, aujourd'hui, de remettre les pendules à l'heure.

> *La lutte à bras-le-corps qui a eu lieu, hier soir, au Parc Sohmer entre Beaupré et Cyr, l'un l'homme le plus gros du pays et l'autre le plus long, a été aussi courte que possible. Cyr a triomphé avec une facilité incroyable, le géant Beaupré n'osant pratiquement porter la main sur lui. [...] Nous n'avons jamais vu un homme aussi timide. Nous nous attendions à voir Cyr l'emporter, mais jamais avec autant d'aisance.*

Cyr a renversé quatre fois son adversaire, mais à deux reprises en dehors du paillasson, ce qui ne fut pas considéré comme valable par le referee. Cyr avait facilement découvert le point faible de son adversaire et le saisit à chaque fois par les reins. La lutte fut grotesque et amusa immensément l'assistance qui se composait, au plus, d'un millier de personnes.

Avec moins de timidité de la part de Beaupré, la lutte eût duré plus longtemps. Elle ne dura, hier soir, que quelques minutes [un sous-titre du journal mentionnait « Le géant est battu en moins de trois minutes »].

Beaupré, s'étant blessé au coude en tombant à côté du paillasson lorsqu'il fut renversé pour la première fois, ne put à la fin accomplir son tour de force...

L'événement fut un échec sur toute la ligne. Il y eut des cris de désapprobation de la part du public et des articles ridiculisant le simulacre de confrontation, encore que le pire ne fut pas la disproportion de la taille respective des adversaires. Un échec pour les organisateurs, certes, qui se retrouvaient tels des cordonniers mal chaussés en constatant avec désespoir que le public avait, avec raison, boudé la farce ; mais un échec surtout pour Louis Cyr, dont la réputation fut singulièrement écorchée. Pour quelqu'un qui avait dénoncé avec véhémence le cynisme des propriétaires de cirque qui exhibaient *ad nauseam* les erreurs de la nature, il venait de goûter aux effets pervers d'une arme à deux tranchants.

*

Durant le mois qui précéda l'ouverture de la troisième saison du cirque, Louis Cyr se rendit à Lowell, dans le Massachusetts, sa ville d'adoption, pour y relever un autre défi que lui lançait... Otto Ronaldo.

En réalité, il s'agissait d'un défi double, soit une rencontre à trois, l'autre adversaire étant Herman Smith, le frère de Ronaldo. On fit tant et plus pour donner à la compétition un caractère exceptionnel, voire unique. Le journal *L'Étoile* de Lowell devint la voix de l'événement, occultant le fait que

Cyr et Ronaldo s'étaient déjà affrontés à deux reprises. Complice, Ronaldo, en entrevue, prétendit qu'il avait dû faire preuve d'ingéniosité pour obtenir ce match avec Louis Cyr, ce dernier se gardant bien de rappeler qu'il s'était retiré de l'arène l'année précédente, à Fall River. « Si mon défi à Louis Cyr était parti de New York ou de Boston, déclara Ronaldo, je n'aurais jamais eu de réponse, mais comme Cyr réclame Lowell comme endroit où il a passé sa jeunesse, il pouvait difficilement refuser ma proposition et a été, en quelque sorte, forcé de l'accepter. Je lui ai fait une faveur en lui accordant son fameux *back lift* (lever sur le dos), mais j'ai quelque chose en réserve pour lui qui va le surprendre. » Dans le même article, *L'Étoile* présentait Ronaldo comme « le fameux Allemand qui a déjà vaincu plus de 45 aspirants au Championnat des hommes forts ». Au sujet du *back lift*, on écrivit que « deux tonnes de fer en gueuse seront transportées de la fonderie sur la scène pour servir pour le fameux *back lift* ».

Le match triangulaire, au sujet duquel Ronaldo et Smith se disaient certains de battre leur adversaire par au moins 175 à 300 livres, devait avoir lieu au Huntington Hall de Lowell.

Tradition oblige, le journal *L'Étoile* devint le quartier général de l'organisation, des négociations, de la médiation, des dépôts de garantie et de la promotion. Louis Cyr, arrivé à Lowell le dimanche 28 avril 1901 et descendu à l'*American House*, se présenta le lendemain, à la première heure, dans les bureaux du quotidien franco-américain, suivi de peu par ses deux adversaires. On avait déroulé le tapis rouge pour les deux Américano-Bavarois en les logeant à l'hôtel *Merrimack*, au coin de Middlesex et de Thorndike, anciennement connu sous le nom de *Richardson Hotel* et dont les cartes postales avaient contribué à faire connaître ses façades vitrées à travers l'Amérique.

Il fut convenu qu'il y aurait un « concours officiel pour lever des poids et haltères pour un enjeu de $ 500 de part et d'autre et le titre de champion de l'Amérique, le vainqueur recevant l'argent déposé comme enjeu – $ 1000 –, tout l'argent perçu à la porte, les dépenses payées et le titre de champion de l'Amérique ». La rencontre aurait lieu le lundi soir 6 mai 1901 au *Huntington Hall* de la cité de Lowell.

Les trois hommes s'entendirent sur onze des douze épreuves, presque à l'image de ce qui s'était déroulé à Montréal; Ronaldo, pour la forme, ne voulut pas accepter le *back lift* de Cyr comme dernière épreuve. Ce dernier insista et, finalement, « consentit à lever sur le dos autant que Ronaldo et son associé gérant Herman Smith ». Il fut entendu également que Louis Cyr lutterait contre chaque adversaire séparément, le total des livres devant seul compter.

Le Louis Cyr qu'une illustration en médaillon d'un article du journal *L'Étoile* montrait dans sa pose coutumière, les bras croisés sur la poitrine, chevelure ondulée encadrant un visage aux traits déterminés, n'était plus celui qui partait de son hôtel, durant les six jours précédant la rencontre, pour parcourir d'un pas rapide ce qu'il appelait « Centraville » et traverser ensuite le Petit Canada, où il avait passé trois années de sa vie, peut-être les plus belles. Cela faisait partie de sa routine d'avant-match, selon la narration qu'il fit lui-même au correspondant du journal. « Il se lève à quatre heures et demie, chaque matin, et après une toilette faite à la hâte il part pour une marche de plusieurs milles », pouvait-on lire dans un article qui fut le dernier à relater les préparatifs du « champion des hommes forts » et qui fut publié le vendredi 3 mai 1901, trois jours avant la rencontre.

Au retour de sa marche, Cyr fait un long exercice avec les poids qui sont dans sa chambre. Il commence d'abord par jouer avec des dumb-bells *de 125, 175 livres, puis s'amuse à balancer sa grosse* bar-bell *de 340 livres, diminuant ensuite graduellement pour terminer avec des poids très légers.*

Le déjeuner s'effectue ensuite et, dit-il, c'est un bon steak, des œufs, du pain et du thé qui en font les frais. L'avant-midi, repos absolu suivi d'un léger lunch, l'après-midi, un peu d'exercice et pour dîner quelque chose de très léger : des œufs, du lait, des toasts, enfin « rien de chargeant », dit-il.

« C'est le soir vers dix heures où je prends mon plus violent exercice, continue-t-il; à dix heures, je prends mes dumb-bells *pour ne les lâcher que quand je suis complètement fatigué. Puis je me mets au lit immédiatement pour me réveiller à quatre heures et*

demie le lendemain et recommencer les mêmes exercices. Si Ronaldo et Smith sortent vainqueurs après un tel travail de ma part eh bien, c'est qu'ils l'auront mérité. »

Nul ne sait si Louis Cyr s'est véritablement soumis à une discipline aussi spartiate. S'il le fit, cela ne dura que cinq jours, puisque, arrivé le 28 avril et se reposant la journée de la confrontation, il ne disposa d'aucune heure de plus. Comme il n'y eut aucun entraînement public, seule comptait la narration qu'il fit. Pourtant il précisa : « Quand je suis arrivé à Lowell, j'étais dans les meilleures dispositions, mes entraînements pour les dernières joutes m'ayant beaucoup aidé. » Or, à l'exception de la « bousculade à sens unique » avec le géant Beaupré, la dernière joute de Louis Cyr remontait à son affrontement avec Ronaldo, le mardi 15 mai 1900, soit un an auparavant, alors qu'il avait annoncé sa retraite athlétique. Mais il y a fort à parier que Cyr voulait témoigner le plus éloquemment possible de son dernier tour de piste.

*

L'homme que Joseph Dextra, un notable de Lowell et le *referee* choisi par Louis Cyr, présenta aux deux mille spectateurs entassés dans le *Huntington Hall* le soir du 6 mai 1901 n'avait qu'une vague ressemblance avec le portrait en médaillon qu'on avait publié de lui dans *L'Étoile*. Le front entièrement dégarni, il était rond comme un bouddha, avec un tour de taille immense, et il se déplaçait avec une certaine difficulté tant ses jambes étaient enflées. D'apparence, il accusait plus quarante-cinq à cinquante ans que les trente-huit qu'il allait célébrer au mois d'octobre. Les Lowellois, qui connaissaient tous leur héros mais ne l'avaient pas vu depuis presque cinq ans, furent certainement étonnés, pour ne pas dire désolés, de le voir aussi gras et mal portant, mais lorsque Joseph Dextra déclama le titre de « champion des hommes forts du monde entier » suivi du nom de « Louis Cyr », la foule se leva d'un bond et lui réserva une longue et bruyante ovation. Ce genre d'accueil dut certainement galvaniser Louis

Les Cyr, Louis, Mélina et son frère cadet, Pierre (3ᵉ à droite debout),
sont en tournée à travers une partie du Canada et de l'est des États-
Unis pendant plusieurs mois par an à compter de 1893.

1

Louis Cyr portant la médaille commémorative du mérite, don des citoyens de Montréal.

La dernière photo de famille connue des Cyr, en 1900. Émiliana (à droite) est âgée de treize ans, pensionnaire au couvent de Saint-Jean-de-Matha, dirigé par la congrégation des Sœurs des Saints Noms de Jésus et de Marie.
MUSÉE LOUIS-CYR, SAINT-JEAN-DE-MATHA

L'unique photo existante du chapiteau du cirque Cyr-Barré vers 1900.
COLLECTION PRIVÉE DE L'AUTEUR

Louis Cyr et Horace Barré, associés dans l'entreprise de cirque du
même nom, en tenue de soirée.
UQAM, SAGD, Fonds Louis-Cyr

4

Une des rares photos de la première des deux résidences de Louis Cyr,
sise dans le rang Sainte-Louise de Saint-Jean-de-Matha. La partie arrière
servait d'entrepôt pour les équipements du cirque Cyr-Barré (vers 1902).
MUSÉE LOUIS-CYR, SAINT-JEAN-DE-MATHA

L'historique chaise berçante de Louis Cyr,
cadeau de la Ville de Montréal et du maire
James McShane, remise à Louis Cyr en 1892,
en hommage à ses exploits en Angleterre.
PHOTO: PAUL OHL

5

Une illustration de Louis Cyr par Albéric Bourgeois
faite le 31 janvier 1908 à Saint-Jean-de-Matha.
ARCHIVES LA PRESSE

Robert Pelletier travaillant au moule
du monument Louis Cyr, en 1970.

Le monument Louis Cyr inauguré
en 1973 et situé dans l'ouest de
Montréal.

Le sculpteur et peintre Michel Binette, mettant une dernière touche à l'œuvre intitulée *Fortissimus*. La création de bronze est coulée au Musée du bronze de Inverness, en 273 exemplaires numérotés, commémorant l'exploit de Louis Cyr accompli le 19 janvier 1892 au *Royal Aquarium Hall* de Londres.

Photo : Patrick Gariup

Cyr puisque, au cours des deux heures suivantes, il puisa dans ses ultimes réserves avec l'énergie du désespoir, ne voulant surtout pas rater sa sortie.

Le grand tournoi qui a fait tant parler les citoyens de Lowell a eu lieu hier soir. Comme la plupart des Lowellois, qui comptent Louis Cyr comme un des leurs, s'y attendaient, le champion des hommes forts du monde l'a encore remporté sur ses adversaires.

On a cependant craint pendant quelque temps que notre compatriote aurait quelque difficulté à vaincre les deux Bavarois. En effet, Otto Ronaldo et Herman Smith ont émerveillé les assistants par l'habileté consommée avec laquelle ils ont levé leurs poids. Quelques-uns de leurs tours, dans lesquels il fallait faire preuve de plus d'agilité que de force réelle, ont été manqués par le champion. À un certain moment de la joute, Smith et Ronaldo avaient une avance de quelque cents livres sur leur adversaire.

Les deux mille spectateurs qui encombraient la salle Huntington attendaient avec impatience le dernier numéro du tournoi, sachant que c'était dans ce tour définitif que se ferait la lutte décisive [...].

On en vint à la levée sur le dos (back lift). *Une plate-forme de 401 livres fut placée sur des tréteaux et on la chargea de 959 livres de fer en gueuse. Smith leva ce poids avec assez de facilité. Par deux fois on remit du fer sur la plate-forme et Smith leva 1 519 et 1 774 livres. Il déclara qu'il gardait ce dernier chiffre comme record et qu'il demandait à Cyr de le battre. On ajouta 465 livres de fer et le champion canadien leva ces 2 239 livres, les soutint même pendant une couple de secondes sur son dos.*

Les applaudissements qui avaient souligné tous les succès des lutteurs, sans distinction, ont de nouveau éclaté et M. Dextra déclara Louis Cyr champion des hommes forts d'Amérique et gagnant l'enjeu de $1 000 déposé avant la lutte.

Ronaldo a refusé de lever sur le dos. Il dit qu'il peut lutter contre Cyr avec les haltères, mais qu'il n'a jamais prétendu le battre sur le back lift.

Victoire équivoque de Louis Cyr imputable au refus surprenant de son plus sérieux rival, Ronaldo, alors que ce dernier avait réussi à soulever 1 660 livres sur le dos à Fall River, l'année précédente. Cyr triomphait donc par la marge de 316 livres, son meilleur lever de la soirée ayant été un développé à deux mains d'une barre à sphères de 275 livres. Ronaldo et Smith soulevèrent un total combiné de 3 358 livres, contre 3 674 livres pour Louis Cyr, ce dernier ayant effectué sept levers contre huit au total pour ses deux adversaires. Ronaldo eût-il réussi un *back lift* de quelque charge au-delà de 400 livres que les deux frères eussent pu revendiquer la victoire. Mais Ronaldo n'eut jamais à expliquer outre mesure son refus, si bien que le triomphe de Louis Cyr, au crépuscule de sa glorieuse carrière, symbolisa la suprématie incontestée qui était sienne depuis vingt ans.

On apprendra ce même jour qu'Otto Ronaldo était devenu le partenaire d'affaires de Louis Cyr et que l'entreprise québécoise serait connue dorénavant comme le cirque Cyr, parfois Cyr-Ronaldo. En outre, Otto Ronaldo, ainsi qu'en fait foi une copie de contrat découverte dans les archives du fonds Louis Cyr, exercerait les fonctions de « gérant et directeur », en remplacement d'Horace Barré. Quant à Herman Smith, le frère de Ronaldo, il se vit proposer un rôle de faire-valoir dans un numéro chorégraphié de lutte à bras-le-corps, avec le même cirque.

En quittant Lowell, Louis Cyr savait qu'il venait de vivre son ultime moment de grâce. Il allait bientôt connaître une autre descente aux enfers.

CHAPITRE 14

Le réveil du vieux lion

À peine un mois après cette ultime confrontation à Lowell, le mal frappa durement Louis Cyr alors qu'il s'apprêtait à reprendre la route avec son cirque remanié.

Il souffrit d'abord d'œdèmes discrets, aux chevilles, aux bras et aux paupières, en même temps que de vives douleurs lombaires et d'une fièvre aussi capricieuse que prolongée. Croyant ces malaises liés à l'épuisement, Louis Cyr garda le lit pendant au moins deux semaines. Non seulement les maux persistèrent, mais il fut pris de céphalées et de troubles digestifs entraînant de fréquents vomissements.

À la fin du mois de juin 1901, Cyr ne tolérait presque plus d'aliments solides, si bien qu'il perdit presque 30 livres. Brutalement, l'œdème se généralisa, prédominant aux jambes, aux lombaires et au visage, au point qu'il se trouva incapable de remuer les jambes, presque paralysées.

Le médecin de Saint-Jean-de-Matha recourut à l'opinion d'un collègue de Montréal. Ce dernier, tout en réservant son diagnostic, évoqua les possibilités d'une forme quelconque de débilité rénale, d'un mal infectieux ou d'une névrite violente attribuable à l'altération de certains nerfs pouvant causer des paralysies du plexus lombaire. Mais la progression fulgurante de l'hydropisie, les douleurs urinaires dont se plaignait Cyr et une pression sanguine en hausse galopante furent autant de symptômes suffisants pour convaincre le médecin que la vie du célèbre malade était en danger et qu'il devait être traité d'urgence par un spécialiste.

L'homme qui sauva la vie de Louis Cyr était un septuagénaire né à Huntington (Hinchinbrock Township), dans les Cantons-de-l'Est, en 1829, de parents irlandais catholiques. Il s'appelait William Hales Hingston: après avoir fait ses études de médecine à l'Université McGill de Montréal, puis perfectionné son savoir médical à Dublin, Londres, Paris, Berlin, Heidelberg et Vienne, il était devenu un des plus célèbres chirurgiens au Canada, avait été élu à la présidence du Collège des médecins et chirurgiens du Québec, à la mairie de Montréal en 1875 et 1876, fait chevalier de l'Empire britannique par la reine Victoria en 1895 et membre du Sénat canadien. En 1868, le Dr Hingston fut le premier chirurgien à tenter l'ablation d'un rein, quoique l'histoire médicale crédita le Dr Gustav Simon, de Heidelberg, de la première néphrectomie réussie.

Le Dr Hingston avait eu l'occasion de découvrir les travaux du père de la néphrologie, le Dr Richard Bright, né à Bristol, en Angleterre, en 1789, en étudiant les nombreux ouvrages écrits par ce dernier, plus particulièrement des études de cas effectuées au Guy's Hospital de Londres et des études concernant les pathologies du rein, publiées à Londres sous la signature du Dr Bright.

Le Dr Hingston avait appris de ces études du Dr Bright qu'il existait une corrélation directe entre des symptômes aigus attribuables à une maladie rénale, la rapidité du diagnostic et du traitement, et une mort imminente en cas contraire. Il ne tarda pas à se prononcer: Louis Cyr souffrait bel et bien de la maladie de Bright, conséquence d'une néphrite aiguë, c'est-à-dire un mal chronique entraînant des affections dégénératives irréversibles des reins. Son pronostic fut alarmant: si rien n'était fait dans les prochaines heures, on assisterait à une élévation rapide du taux de l'urée dans le sang, les œdèmes entraîneraient des troubles circulatoires et respiratoires, et le patient sombrerait dans un coma mortel. Ce serait l'affaire de quelques jours tout au plus.

Le caractère aigu des symptômes confirma également que l'évolution du mal courait sur plusieurs années déjà et que, au mieux, une intervention énergique ne pourrait qu'enrayer temporairement la progression de la maladie, sans toutefois l'éliminer. Il n'existait en réalité aucun traitement médical véritablement actif pour rendre à Louis Cyr sa santé. Le Dr Hingston se trouva confronté à une équation complexe : le rein étant un organe fragile, plus encore lorsqu'il est atteint par le mal de Bright, il fallait éviter le recours à un traitement trop brutal, même s'il y avait urgence.

Le Dr Hingston fit hospitaliser Louis Cyr à l'Hôtel-Dieu de Montréal, fit contrôler quotidiennement le taux d'albumine dans l'urine et le taux d'urée sanguine par litre de sérum. Pour calmer les douleurs néphrétiques, il prescrivit l'ingestion d'extrait d'écorce de sureau noir et de quelques autres infusions connues comme remèdes néphrétiques. Puis, au bout de quelques jours, constatant l'amélioration sensible de l'état de santé de Louis Cyr, il donna l'heure juste à son patient. Il l'informa de la nature récurrente et irréversible du mal dont il était atteint, lui expliqua en quoi consistait l'atteinte rénale, qu'il décrivit comme profonde, et pronostiqua que, dans la meilleure des hypothèses, l'espérance de vie de Louis Cyr était de quelques années. Dorénavant, Louis Cyr lui-même tenait son sort entre ses mains, puisque le plus sévère des régimes alimentaires devenait la base du traitement. Un régime hypochloreux et une élimination progressive et complète de tous les aliments solides, si chers à Louis Cyr, tels les viandes, les œufs, les pommes de terre, les soupes, le pain. Jusqu'à la fin de ses jours, son régime quotidien allait devoir se limiter à l'eau, au lait et à des diurétiques, afin d'aider la sécrétion rénale.

Louis Cyr, qui n'était qu'à l'aube de la quarantaine, demanda au Dr Hingston de ne rien révéler de sa maladie à personne, hormis Mélina. Puis il s'enquit des conséquences du mal de Bright sur sa carrière d'homme fort. Le vieux médecin lui rappela alors que sa condition rénale ne lui permettait plus le genre d'efforts qui lui avait valu la célébrité, sans compter les risques cardiaques et respiratoires, toujours présents. Louis Cyr comprit que c'était une question de vie ou de mort et que, pour l'heure, c'était au Dr William Hales Hingston qu'il devait la vie.

*

Pendant tout un mois encore, Louis Cyr se conforma aux prescriptions du Dr Hingston, renonçant au moins à toute viande, aux œufs, et s'habituant, malgré de fréquentes diarrhées, à l'eau minérale et au lait. Louis Cyr ne se plaignit jamais de la brutale détérioration de sa condition physique. Il perdit davantage de poids, près de 60 livres, vit ses membres s'atrophier et ses chairs devenir flasques, sentit sa force l'abandonner.

Puis le miracle se produisit, tout comme en 1879, alors qu'à l'âge de seize ans, terrassé par la fièvre typhoïde et presque moribond, il avait vaincu le mal et renoué avec le don de la force. En août 1901, sa condition rénale s'étant stabilisée, il quitta sa berçante, laissa sa canne, dont il ne pouvait se passer encore quelques jours plus tôt, rangea le violon que lui avait offert Ernest Lavigne et rejoignit « son » cirque. Il constata qu'il n'avait rien perdu de son immense popularité. À la seule vue de sa silhouette amaigrie, courbée, les populations rurales, partout au Québec, l'ovationnaient autant par respect et admiration que par affection. Tous devinaient que Louis Cyr avait entrepris le plus dur combat de sa vie, contre le plus redoutable des adversaires. Faisant surtout acte de présence, Louis Cyr avait cédé la tête d'affiche aux deux Bavarois, aux acrobates et aux funambules. « La principale attraction du Cirque Louis Cyr, durant la saison de 1901, était la lutte à bras-le-corps entre le fameux Ronaldo, l'Hercule allemand et son compatriote Smith, nota Louis Cyr dans ses *Mémoires*. La plastique irréprochable de Ronaldo et l'agilité étonnante de l'énorme Smith faisaient l'admiration des populations rurales. Ronaldo et Smith ignoraient le français comme j'ignore le chinois, mais ils étaient si bons gaillards, si peu d'allure fantasque, que les *bullies* de village les accueillaient toujours avec des poignées de mains. »

Néanmoins, il manquait l'essentiel au cirque de Louis Cyr : la magie du véritable exploit de force. Certes, Horace Barré était un hercule de grande valeur, mais il ne parvenait pas à convaincre le public qu'il était véritablement le champion du monde. D'ailleurs, Barré, ci-devant champion, était lui aussi devenu le porte-parole des Vins Saint-Michel, engagé par Boivin, Wilson & Cie, seuls agents de ce « tonique miracle » pour l'Amérique du Nord. Mais sans Louis Cyr pour donner du relief aux tours de force mis au point pour le cirque, Barré était à l'image de Ronaldo et Smith : un figurant musclé, quoique hors norme par ses dimensions. Tordre des barres de fer, rompre des chaînes, soulever des poids d'apparence impressionnants demeuraient des prouesses exigeant de la puissance, mais dépourvues de cette fascination qu'opérait Louis Cyr lorsque tout à coup il créait l'illusion d'apesanteur en soulevant une masse de fonte et semblait la faire flotter à bout de bras, ou encore quand il prenait résolument place entre d'énormes chevaux, attestant de ce don qui, croyait-on toujours, était le legs de Dieu. Pourtant, l'homme que l'on se plaisait à comparer à un éléphant, tellement il était gigantesque du torse et des membres, n'était plus qu'un souvenir.

Sans Louis Cyr, l'image de l'homme fort était ramenée à la vision de muscles tendus par l'effort et de visages grimaçants, bien loin des performances inventées, audacieuses, irréelles presque, du phénoménal Mathalois. Son histoire personnelle, déjà émaillée d'invraisemblances, fascinait davantage que son cirque.

Ce fut probablement durant l'hiver 1902 qu'Horace Barré comprit qu'il ne suffisait pas de lever la plus lourde charge pour devenir le champion du peuple car, en dernier ressort et pour bien d'autres raisons, c'était le peuple qui détenait le redoutable privilège de décider qui serait un intouchable et passerait à la postérité. Or, cela faisait déjà vingt ans que le peuple canadien-français, du Québec et d'ailleurs, avait choisi Louis Cyr pour être son roi de la force.

*

Cyr était rentré dans ses terres de Saint-Jean-de-Matha. Jadis, il parvenait sans peine à dormir dix, parfois douze heures de suite ; maintenant, à cause de ses crises d'asthme, il passait une partie de la nuit dans son fauteuil Morris (qui devait son nom à l'industriel anglais William Morris), meuble massif en gros chêne, conçu afin de permettre l'ajustement du dossier mobile à l'aide d'une chaîne dont les maillons s'inséraient dans un crochet.

Ce fut probablement au cours d'une de ses nombreuses nuits d'insomnie que Louis Cyr décida que, faute de revivre la grâce infinie que procurait le coup d'œil depuis sa ferme sur l'immense amphithéâtre naturel qui s'ouvrait au sud, il allait devenir un villageois blotti à l'ombre du clocher de la paroisse.

Dès le 9 mars 1902, devant son ami et notaire de longue date, Me Amédée Dugas, Louis Cyr acheta à Alphonse Saint-Georges une terre située dans le second rang Sainte-Louise, à portée de pas de l'église et du couvent et des terres des Sœurs des Saints Noms de Jésus et de Marie. Neuf jours plus tard, le 18 mars, Louis Cyr se porta acquéreur d'un autre emplacement dans le rang Sainte-Louise, avec la propriété qui y était déjà construite, incluant des dépendances, une fournaise et maints agrès. Cette maison, bâtie dans la plus pure tradition des manoirs de la Nouvelle-Angleterre, reflétait l'architecture préférée de Louis Cyr. Non seulement elle était unique dans son genre de par toute la région, mais elle était aussi la plus vaste demeure du village. De la véranda à la tourelle mansardée du dernier étage, tout y dénotait tant l'élégance que l'originalité. Cyr y retrouvait les façades des grandes maisons bourgeoises de Lowell, de Salem, de Lawrence, une convergence des architectures londonienne et américaine, dont les styles victoriens à l'origine s'étaient accommodés d'attributs décoratifs plus spectaculaires, comme les dentelles de bois qui ornaient au pourtour la grande véranda. En fait, une demeure si vaste qu'elle eût pu devenir une auberge de luxe. Si tant est que l'on s'extasiât quelque peu devant la propriété elle-même, elle devint bientôt une sorte de lieu de pèlerinage pour des admirateurs et des curieux, venus de partout dans l'espoir d'apercevoir Louis Cyr, la pipe aux lèvres, se berçant dans l'immense chaise qui portait maintenant son nom et dont les répliques se trouvaient dans nombre de foyers du Québec.

Aspirant enfin à la quiétude durant la courte rémission de sa maladie, Louis Cyr n'eut de répit que le temps d'un déménagement. Déjà la tourmente reprenait sans que son nom fût épargné.

*

Ce fut Horace Barré qui, sans trop le vouloir, ouvrit les hostilités. Il ne s'accommodait guère de tant de défis « ridicules », des doutes qu'on exprimait, ici et là, au sujet de sa crédibilité de champion, et il en avait un peu contre les décisions de Louis Cyr, qu'il tenait pour celui qui avait déroulé le tapis rouge devant Otto Ronaldo. Sans prendre la peine de prévenir Cyr qu'il allait porter un dur coup au métier d'homme fort, Horace Barré annonça publiquement, par l'entremise de *La Presse*, qu'« il en avait assez ». L'article ne fit pas une grande manchette, mais les mots choisis par Barré, ou du moins ceux qu'on lui prêta, suffirent à semer le doute et à ébranler bien des convictions.

Le matin du 16 avril 1902, les lecteurs de *La Presse* apprirent ceci :

> *Horace Barré, champion des hommes forts du monde, a décidé de se retirer de l'arène du sport où il a brillé d'un si vif éclat. Il nous a déclaré que le métier d'hommes forts a été ruiné par des hommes sans scrupules qui ont spéculé sur la bonne foi des gens pour les tromper. Barré a été profondément indigné de cette manière d'agir et il a décidé de ne plus jamais paraître en public.*

Ces quelques lignes parues ce jour-là dans le quotidien montréalais allaient marquer le déclin de l'âge d'or des tours de force. Au Québec particulièrement, on entretint pendant une quinzaine d'années, de 1905 à 1920, un climat qui ressembla davantage à une foire d'empoigne permanente, à tel point que « le titre de champion du monde des hommes forts ne paraissait autrement que prétentieux », selon une expression de l'historien Serge Gaudreau.

Ainsi, lorsque Horace Barré signifia de la façon que l'on sait son abandon, il eût été de bonne guerre de mettre en jeu le titre que nul ne contesta à Louis Cyr pendant tant d'années. Et il eût été tout aussi opportun que Cyr en appelât à des candidats des deux continents afin que l'on couronnât un champion qui en fût digne. Rien. On préféra que Montréal devînt l'arène des coqs plutôt que la cour des grands. Les médias encouragèrent la mise en scène des « frères ennemis » plutôt que la promotion du mérite. Et au lieu de faire connaître au public d'autres grands noms parmi les hommes forts qui eussent pu légitimement prétendre au titre de Louis Cyr, les quotidiens montréalais optèrent pour la « bataille de Saint-Henri », en référence à ce quartier qu'avait bien connu Louis Cyr et qui avait vu naître Horace Barré et un certain Hector Décarie.

*

L'offensive fut lancée par Hector Décarie (au début, les journaux écrivirent son nom Décary, et le prêtre N. Z. Lorrain qui le baptisa l'écrivit Décarries). La lettre qu'il signa fut publiée dans *La Presse* le 23 avril 1902, une semaine après que ce quotidien eut annoncé le retrait soudain d'Horace Barré.

C'est avec surprise que j'ai vu sur votre journal qu'Horace Barré, le champion des hommes forts du monde, abandonnait son titre, non à un successeur, mais au premier venu à qui il plaira de le réclamer, et sans savoir si ce serait un Canadien. Alors, ne voulant pas que ce beau titre passe à aucune autre race que la nôtre, et ne devienne l'apanage d'un particulier qui excelle plutôt à parler qu'à faire des tours de force, je lance un défi à tout homme ayant des prétentions au titre de champion. J'aurais bien aimé me rencontrer avec M. Barré, dans un

*concours de tours de force, afin que lui et le public fussent en
mesure de juger si je pourrais porter le titre conquis par Cyr, il y a
déjà de longues années. Comme Barré s'est retiré de l'arène, je ne
saurais le défier et je n'ose le faire, car on croirait que c'est pour
me faire de la réclame, vu que je n'ai donné aucune preuve de
ma force, mais j'aimerais à me mesurer avec quelqu'homme fort
connu, afin de montrer au public qu'il y a encore des hommes
forts au Canada.*

HECTOR DÉCARIE

Ce fut cette lettre qui fit se croiser les destins d'Hector
Décarie, alors un illustre inconnu, et du légendaire Louis
Cyr, le « lion devenu malade et vieux ». Il faudra quatre
années de duperies, de controverses et d'événements lou-
foques pour que l'« invraisemblable » rencontre ait lieu,
pour le meilleur et le pire des réputations en cause. Quatre
années qui saperont le restant des forces de Louis Cyr et
précipiteront sa fin.

Né à Saint-Henri le 27 mars 1880, de Jean Évangéliste
Décarie, un charretier de profession ne sachant pas signer
son nom, et de Lucie Fichaud, Hector Décarie était issu
d'une famille de dix enfants, quatre garçons et six filles, dont
il était l'avant-dernier. La fierté légitime du père était de
raconter à qui voulait l'entendre que l'ancêtre de sa lignée,
Jean Décarie, arrivé en Nouvelle-France en 1643, avait eu
cinq enfants parmi lesquels l'aîné, Paul, eut comme parrain
et marraine Paul Chomedey de Maisonneuve, le fondateur
de Ville-Marie (Montréal), et Jeanne Mance, la cofondatrice
de l'Hôtel-Dieu de Ville-Marie (Montréal).

Quoique d'un gabarit plutôt modeste, 5 pieds et 7 pouces,
et d'un poids variant entre 165 et 190 livres, Hector Décarie
possédait, même adolescent, une force au-dessus de la
moyenne. Réputé pour sa technique et sa vitesse d'exécution au bras de fer (lutte au poignet), il s'imposa dès l'âge
de treize ans dans son milieu à Saint-Henri, puis, quelques
années plus tard, en 1900 et 1901, contre les meilleurs du
Québec, notamment un dénommé O. Chapeleau, de Montréal, dont *La Presse* fit grand cas en août 1901.

Lorsque parut la lettre dans *La Presse* du 23 avril 1902, Hector Décarie n'avait rien fait d'autre avec des poids et haltères que de s'entraîner sous l'œil vigilant de son frère aîné, Arthur, un très prospère tavernier de Saint-Henri, tout comme son autre frère Adélard et tout comme Hector allait lui-même le devenir quelques années plus tard. Opportuniste à souhait, Arthur Décarie voulut profiter du vide que laissait Horace Barré en quittant la scène des tours de force pour lancer son frère sur la route de la notoriété et en tirer des bénéfices pour son entreprise. Cela fut confirmé par la belle-fille d'Hector Décarie, Éva Clément, veuve Décarie, veuve Kearney, lors d'une rencontre-entrevue avec l'auteur de ces lignes le 20 septembre 2003. Décrivant Hector Décarie, son beau-père, comme « un homme doux, peu loquace, incapable d'imposer son point de vue de peur de contredire son épouse [Flore, dite Flora Grégoire], fumeur invétéré de cigare [il se levait la nuit pour fumer] », Mme Éva Clément présenta également Hector Décarie comme « un homme sans la moindre malice, plutôt mou, sans grandes ambitions autres que d'imiter son frère Arthur en devenant propriétaire d'une taverne, qui n'affichait volonté et caractère que lorsqu'il forçait et qui ne prenait aucune initiative sans le consentement d'Arthur, parce que ce dernier était bien riche et que ce qu'il disait c'était comme la parole du Bon Dieu… ». À ces propos, Mme Clément ajouta qu'Hector Décarie « n'avait jamais voulu décoller de Saint-Henri, ne se sentant véritablement à l'aise que dans un quadrilatère de deux kilomètres carrés, entre les rues Courcelles, Notre-Dame et du Couvent ».

L'histoire ne retint que peu d'événements de la vie d'Hector Décarie, à part la soirée de gloire surfaite du 26 février 1906. L'auteur E.-Z. Massicotte, dans une notice biographique qu'il fit d'Hector Décarie, écrivit que « de 20 à 25 ans, Décarie remporta une série de victoires retentissantes tant au Canada qu'aux États-Unis et en Europe ». Il ajouta dans le même texte qu'« au moment de sa rencontre historique avec Cyr, il venait de remporter une série de 30 victoires consécutives contre les plus célèbres champions des quatre coins du monde». Or, entre 1901 et 1906, Hector Décarie ne rencontra que trois adversaires : Otto Ronaldo (le 18 mai 1903), dont des allégations de trucage du match furent révélées par *La Presse* au lendemain de la rencontre ; un certain J. E. Rousseau de Québec (le 25 janvier 1904), un athlète de niveau inférieur, dans ce qui fut qualifié de «match anormal» ; et Albert Auvray (le 5 décembre 1904), un mystificateur belge, dénoncé en Europe et luttant en Amérique sous le nom de Jackson. Plus tard, le même Auvray, se présentant comme le «professeur Albert Auvray», se fit le porte-parole publicitaire du Vin Saint-Lehon, à l'exemple de Louis Cyr et d'Horace Barré.

*

On ne saura jamais quel rôle Louis Cyr joua en faveur d'un match entre Hector Décarie et Otto Ronaldo, rencontre fixée au lundi 18 mai 1903 au parc Sohmer. Entre-temps, un mois avant cette confrontation, le 15 avril 1903, Louis Cyr vendit à Jean Bazinet, de Saint-Jean-de-Matha, la ferme qu'il avait acquise de son beau-père Comtois en 1890, mettant un terme à une aventure terrienne qu'il n'avait jamais souhaitée, sinon pour faire plaisir à Mélina.

La rencontre entre Décarie et Ronaldo eut bel et bien lieu au parc Sohmer, mais n'apporta ni nouveauté ni ambiance particulière à la programmation et au lieu. Les quelques titres de *La Presse* et de *La Patrie* voulurent faire croire à une attraction spectaculaire, du genre de celles que les organisateurs concoctaient pour l'ouverture de la saison estivale. Moins de deux mille spectateurs assistèrent à un match «entremêlé de discussions», selon le compte rendu de *La Presse*, qui nota aussi les absents notoires, tels Louis Cyr et Horace Barré. Les deux hommes s'affrontèrent en neuf tours de force. Décarie rata deux tours, Ronaldo trois, refusant de tenter un quatrième. Hector Décarie totalisa 1 415 ½ livres, une avance de 370 livres pour l'espoir canadien-français. Ce soir-là, la plus lourde barre soulevée à deux mains par Décarie fut pesée à 236 livres, soit une demi-livre de moins que celle de Ronaldo et de presque 40 livres inférieure à ce que Louis Cyr avait levé d'un seul bras en 1892.

Le lendemain, *La Patrie* écrivit : « Hector Décarie fait honneur aux Canadiens français, il bat Ronaldo à plate couture et devient champion du monde. » Pour sa part, *La Presse* rapporta que « Décarie triomphe par 369 livres », mais ajouta qu'elle connaissait des « détails intéressants concernant un contrat secret ». En réalité, ce que révélait *La Presse* permit de conclure à la tricherie pure et simple et venait corroborer les motifs invoqués par Horace Barré pour justifier son abandon de la compétition.

> *Nous venions d'écrire le rapport que l'on vient de lire, lorsque nous avons reçu la visite de Herman Smith, entraîneur de Ronaldo. Il avait sur la figure une expression ennuyée. « J'ai quelque chose à vous dire, nous dit-il à mi-voix. Vous savez que la rencontre d'hier soir était arrangée. J'ai là sur moi des papiers pour le prouver. Il était entendu que Ronaldo devait donner à Décarie la chance de le battre. Ce dernier devait gagner par 54 livres […]. »*
>
> *Smith tira alors de sa poche une feuille de papier à lettre du* London House, *et nous fit lire un contrat privé par lequel il était entendu que les recettes devaient être divisées également en deux parts. Ronaldo devait recevoir 50 pour cent et Décarie 50 pour cent. Il était stipulé que Ronaldo devait laisser gagner Décarie. Le document portait la signature des deux hommes qui se sont mesurés hier soir. « Si je vous dis ces choses, nous dit Smith, c'est que nous avons été joués par Décarie. Il nous a dit qu'il avait fait un pari de $100 et il devait nous en donner la moitié. Après la rencontre, il a déclaré que ce n'était qu'un* bluff *et qu'il n'avait pas fait de pari. Il faut cependant qu'il nous donne les $50 qui nous reviennent. Vous savez que nous sommes des professionnels et que nous travaillons pour de l'argent. Nous voyions là l'occasion de faire quelques dollars, mais nous avons été joués et trompés par un jeune homme qui en est à ses débuts. Il a de plus fait fi du contrat. »*

Voulant éclaircir une affaire plutôt compromettante pour Hector Décarie et son entourage, *La Presse* demanda des explications à ce dernier et à son frère Arthur, qui agissait comme son gérant. Hector Décarie ne fit aucune déclaration et laissa le soin à son frère aîné, comme il le fera presque toujours au fil des années, et comme il le fera avec Louis Lavigueur, son futur gérant, d'interpréter les faits. Ce fut donc Arthur Décarie que *La Presse* cita.

Il est bien vrai qu'il y avait un contrat secret. Ronaldo vint me trouver et me demanda si je ne ferais pas un match entre lui et mon frère. Je répondis que oui, et je lui demandai ses conditions. Il se déclara prêt à laisser gagner mon frère par 54 livres, pourvu que nous lui abandonnions 75 pour cent des recettes. Je refusai. Il demanda alors 60 pour cent. Je refusai encore. Il me demanda alors de payer ses frais de pension à Montréal pendant les deux semaines qu'il passerait avant le match. Je refusai de nouveau et je lui dis que ce que je voulais c'était un match sérieux et qu'à cette condition-là nous le prendrions pour la moitié des recettes. Il ne voulut pas entendre parler d'un match sérieux. Voyant que telles étaient ses intentions, je feignis de me rendre à ses désirs et je signai un contrat lui accordant ce qu'il demandait, mais me réservant cependant de lui causer quelque surprise. Ronaldo passa alors une nuit à arranger le programme de tours. Mon frère devait en manquer un certain nombre et lui un certain nombre. Finalement mon frère devait gagner par 54 livres. J'acceptai le tout, me promettant de ne pas tenir compte du contrat et de ne faire qu'à notre guise.

Le reste des explications fut un véritable salmigondis mêlant des histoires de paris dont on devait partager la somme, les tours que les deux hommes devaient manquer et dans quel ordre, les dépenses engagées pour la location du parc Sohmer, le coût d'impression des placards publicitaires, bref, tous les ingrédients de la magouille.

À l'heure où tous les dérapages semblaient permis, pourvu qu'ils fussent sources de profits pour la clique du parc Sohmer et les sous-traitants de cette entreprise d'attractions, il eût été de bon ton de révéler l'existence de plusieurs hommes forts qui eussent mérité qu'on les invitât pour disputer au grand jour, et selon des règles équitables, le titre de champion du monde des tours de force.

*

Tout commença lorsque Horace Barré, peu après avoir fait de l'esclandre avec l'annonce de son retrait, nia le tout trois mois plus tard, mais en précisant qu'il n'avait aucunement l'intention de reprendre son titre de champion du monde.

En réalité, Horace Barré s'installa dès lors aux premières loges, fourbissant toutes les armes nécessaires à la reconquête d'un titre qu'il savait facilement à sa portée.

La controverse était lancée et Louis Cyr, dont l'état de santé s'était passablement amélioré et pour qui les tracas de son cirque étaient maintenant choses du passé, se manifesta, à la grande surprise de plusieurs. Ce fut *La Patrie* qui donna la parole à Louis Cyr.

M. Louis Cyr, le champion des champions des hommes forts du monde entier, celui dont les records n'ont jamais été dépassés ni même égalés par aucun champion, nous adresse une communication très importante relative au défi qu'a lancé Hector Décarie à tous les hommes forts du monde. Louis Cyr prétend qu'il s'est retiré de l'arène depuis tantôt trois ans, et il ne désire aucunement être obsédé par tous ces défis d'hommes forts. Il a passé son titre à Horace Barré qui l'a défendu contre Ronaldo, et il n'a plus à y voir. En réalité, le titre ne lui fait pas grand-chose, car les exploits qu'il a accomplis parlent plus hautement de ses capacités que toutes autres choses. « Si mes records sont abaissés, je n'aurai qu'à m'incliner respectueusement devant mon supérieur. Jusqu'ici, je suis l'homme le plus fort du monde, dit-il, et je suis convaincu que j'y resterai tant que je vivrai. »

Dès le lendemain, coïncidence ou pas, un nouveau texte parut dans *La Presse*. Le journal publia, « à la demande de Louis Cyr », une lettre adressée à ce dernier par un certain J. E. Rousseau, se proclamant le « champion du Québec ». Comme elle était datée du 14 décembre et expédiée depuis la ville de Québec à Saint-Jean-de-Matha, il était pour le moins exceptionnel qu'elle parût dès le 17 décembre dans le quotidien montréalais. Dans la meilleure des hypothèses, en supposant que Louis Cyr avait fait usage du télégraphe à Joliette, la parution eût été possible entre le 21 et le 23 décembre. De toute évidence, Louis Cyr tenait à ce que cette lettre devînt d'intérêt public.

Monsieur,

Ayant vu dans un journal de samedi dernier un petit entrefilet à propos du défi lancé dernièrement par Hector Décarie, de Montréal, et comme j'ai relevé son défi, je tiens à me justifier vis-à-vis de vous, car ce monsieur m'a l'air de vouloir s'approprier un titre que vous détenez encore après l'avoir si glorieusement gagné. Laissez-moi vous dire que si jamais je me rencontre avec Descaries [sic], et que je sois victorieux, je n'oserais me proclamer le champion de l'univers, ni même du Canada, car je reconnais en vous et Barré deux hommes supérieurs; je me crois votre suivant, car je ne laisserai ni [sic] souffrir de laisser traîner impunément ce que vous avez conquis par beaucoup de travail [...].

Vous avez vu sans doute le défi d'Hector Descaries [sic] dans les journaux du 25 novembre. J'acceptai le défi par l'entremise de M. Henri Cloutier qui entra immédiatement en pourparlers avec lui. Descaries [sic], pensant que je ne voudrais pas le rencontrer en déposant $200, lança un défi pour ce montant, lequel montant j'ai déposé à La Presse, *avec le programme de mes tours de force. Alors M. Descaries [sic], voyant qu'il n'avait d'autre chose à faire que de déposer ses $200 et couvrir mon dépôt, ne voulut pas accepter de lever sur les reins, et pour les conditions d'accorder la victoire à celui qui aura levé le plus de livres, refusa et proposa le système ridicule des points [...]. M. Descaries [sic] peut être très fort, je veux bien le croire, mais il n'est pas un homme assez fort encore, et assez sérieux, pour défendre le titre de Cyr et de Barré, et je ne crois pas me vanter en me proclamant après vous et Barré celui qui mérite de défendre ce que vous avez gagné de gloire pour le Canada [...].*

J. E. ROUSSEAU

Les flatteries de Rousseau furent à l'égal de ses véritables aptitudes, dont il avait fait quelque étalage ici et là, à Québec et à Montréal. Un peu plus d'un mois après que *La Presse* eut publié sa lettre, il se mesura à Hector Décarie, dans une rencontre que le même quotidien montréalais qualifia de « désappointement général ». Le seul fait mémorable fut que le match eut lieu au *Monument national*, situé sur le boulevard Saint-Laurent de Montréal, au sud de la rue Sainte-Catherine. Érigé entre 1891 et 1894 par l'Association Saint-Jean-Baptiste de Montréal, l'endroit représentait aux yeux du Québec entier le pôle de la culture canadienne-française et contribuait largement au développement des grandes pratiques scéniques montréalaises.

Le soir du 25 janvier 1904, les promoteurs avaient réussi à attirer trois mille personnes selon *La Presse* (en 1904, son théâtre avec puits d'orchestre ne comptait que 1 620 places), en leur promettant qu'elles allaient assister à la « bataille du Québec » et à une tentative d'Hector Décarie pour éclipser le record de soulevé à un bras de Louis Cyr.

La rencontre se révéla une nouvelle supercherie.

Puis arriva le coup bas. Aussitôt que Décarie fut proclamé vainqueur, on lui remit une médaille commémorative en or, le geste démontrant bien le peu qu'on pensait de J. E. Rousseau. La remise faite, « un des amis de Décarie » (que *La Presse* ne nomma pas) lut au nom de ce dernier un défi à Louis Cyr. Un « expert désintéressé » (que *La Presse* n'identifia pas davantage) eut cette réaction :

Ce défi à l'ancien champion me paraît être non seulement un manque de tact, mais une grave erreur. C'est de l'amour-propre mal placé. Tout le monde sait que Cyr s'est retiré, qu'il est malade et sous les soins d'un médecin, qu'un effort le tuerait. Alors à quoi bon un défi ? De plus, Cyr insisterait, comme c'est son droit, pour lever sur les reins, et Décarie a refusé obstinément ce tour de force lors de son match avec Rousseau. Il ne saurait donc y avoir d'entente. De plus, même en supposant que Cyr et Décarie s'entendraient pour un match qui exclurait le tour consistant à lever avec le dos, alors ce serait un match handicap. Cyr concédant d'avance

4 300 livres, ce qui est son record, et Décarie ou tout autre ne pour-
rait, dans un match handicap, gagner le titre de champion. Ce
défi gâte le crédit de la victoire remportée hier soir par Décarie.

Louis Cyr ne perdit rien de la controverse, tel un politi-
cien à l'affût du moindre écart d'un adversaire. Dès le lendemain matin, en s'assurant bien que le tout puisse arriver à
temps pour l'édition du même soir, il fit remettre à l'éditeur
de *La Presse* un billet médical signé de la main du Dr William
Hingston et daté du 25 janvier, journée de la compétition.

À qui de droit,
Je soussigné, pratiquant à Montréal, certifie que Mr Louis Cyr
est sous mes soins depuis le 9 de ce mois, qu'il a été depuis le 9 de
janvier, et qu'il est encore actuellement incapable de vaquer à ses
occupations ordinaires ou même à aucun travail ou occupation
quelconque, pouvant rapporter bénéfice.
Nom de la maladie, albuminurie.
Cause de la maladie, non constatée.
Durée probable de la maladie à compter de ce jour, très indéfinie.
Signature du médecin,
DR WILLIAM HINGSTON

La note du médecin était accompagnée d'une déclaration
de Louis Cyr qui disait en substance qu'«il lui était impossible de relever tout défi, de Décarie ou celui d'aucun autre
athlète», mais qu'il faisait une proposition qui devait les
satisfaire tous : «Mes records sont là, et je donnerai $100 à
Décarie ou tout homme fort qui pourra répéter un seul de
mes records établis depuis 1895. Tous sont les bienvenus et
s'ils veulent parier un plus fort montant, ils seront encore
les bienvenus.»

CHAPITRE 15

Le dernier acte

En 1904, Saint-Henri-des-Tanneries ne se priva pas de faire mousser les mérites de « son champion du monde » ni de prendre parti dans la vente des billets et l'organisation des paris. On placarda les magasins de tabac, les pharmacies, les kiosques à journaux, les restaurants, les confiseries, les hôtels, les auberges et les tavernes à la grandeur de la localité, depuis la caserne 24 des pompiers en passant par la maison Champagne, le magasin Lamy, les boutiques de thé et de vin, les boulangeries, boucheries, salons de barbier, imprimeries, fournisseurs de charbon et d'huile à lampe, entrepreneurs de pompes funèbres, bref, à travers les soixante-cinq commerces installés rue Notre-Dame et les quarante-neuf rue Saint-Jacques.

Les quotidiens *La Presse* et *La Patrie* s'étaient mobilisés. *La Presse* avait présenté la rencontre comme emblématique du championnat du monde : « Ce qui donne une si grande importance à ce match, c'est que celui qui en sortira vainqueur sera reconnu comme le meilleur homme du pays, et recevra le titre de champion du monde. Ce champion devra défendre son titre à tous les 6 mois, de sorte que tous nos hommes forts pourront s'essayer tour à tour. Celui qui pourra passer victorieux à travers plusieurs de ces concours gardera un nom dans l'histoire du sport de notre pays, qui sera difficile à éclipser. » Pour le quotidien *La Patrie*, les deux hommes « concourront pour établir des records et pour conquérir si possible le championnat du monde détenu depuis près de vingt ans par notre gloire nationale, Louis Cyr ».

On en mit tant que le public, une fois encore, fut dupe. On oublia que l'adversaire de Décarie était le même Albert Auvray, maintenant âgé de presque quarante-trois ans, qui avait défié Louis Cyr avant de s'éclipser ; le même Albert Auvray qui courait les aubaines en Amérique en déguisant la vérité et qui, se vantant de cent victoires, n'en avait remporté aucune. On en fit tellement qu'Albert Auvray fut traité avec tous les égards dus au statut de champion qu'il n'était pas, jusqu'à lui offrir quelque partie de chasse dont il se vanta d'être revenu « avec 4 lièvres et 3 perdrix », à Montréal, Boston, New York, Chicago et Saint Louis.

Le match eut lieu au parc Sohmer, le soir du lundi 5 décembre 1904. *La Presse* y était allée d'une prédiction en affirmant que « ce sera une rencontre sensationnelle » et que « le *Parc Sohmer* sera rempli d'une foule comme il s'en est rarement vu dans cette immense enceinte ; il y en aura de la ville et des campagnes ; on verra également ceux qui ont une réputation métropolitaine, et ceux qui font l'orgueil de leur paroisse ». Voulant s'assurer de toute la crédibilité voulue, le quotidien obtint la collaboration du Dr Joseph-Pierre Gadbois, considéré à juste titre comme « la meilleure autorité de Montréal » en matière de « jeux athlétiques » incluant la lutte gréco-romaine et la lutte libre, à titre de correspondant spécial. Ami de Louis Cyr, instigateur de la création du Club athlétique canadien (CAC), le Dr Gadbois fut, avec George Washington Kendall, un des promoteurs les plus en vue d'Amérique du Nord.

Quatre mille personnes selon *La Presse*, trois mille selon *La Patrie*, assistèrent à la victoire d'Hector Décarie par six points contre cinq. Auvray développa, c'est-à-dire « poussa lentement et sans secousse au bout des bras », 200 livres, ce que rata Décarie. Mais ce dernier poussa quinze fois de suite, du bras droit, un haltère de 139 livres, ce que refusa de tenter Auvray. Après cinq tours, il y avait égalité. Décarie avait inscrit un lever d'un bras, les deux pieds joints, sans autre mouvement du corps durant l'élévation de l'haltère. Il souleva 151 ½ livres. Auvray échoua. Décarie fut déclaré vainqueur.

Mais le public ne perdit pas au change ce soir-là, car une surprise de taille l'attendait.

Immédiatement après la décision, Louis Cyr fut appelé à dire quelques mots, et avec un tact dont il est maître, il adressa ses félicitations au nouveau champion. Donnant la main à Décarie : « Vous avez remporté, dit Cyr, un triomphe bien mérité ; vous venez de gagner un des plus beaux concours que j'aie jamais vus. Je suis fier de votre victoire, parce que vous êtes Canadien. En restant dans vos mains, le championnat reste dans mon pays. »

Puis s'adressant à la foule : « Laissez-moi vous dire, messieurs, que j'ai parcouru le monde en tous sens, et je dois vous dire que je n'ai jamais vu un homme du poids de M. Décarie avoir une force aussi extraordinaire. » Louis Cyr finit ce petit bijou de discours, en lançant à Hector Décarie un défi au nom de son protégé, Horace Barré.

« J'ai confiance à Barré, dit Cyr, et je suis prêt à mettre mon propre argent sur sa tête. Je mettrai n'importe quel montant jusqu'à mille dollars sur ses chances de succès. Je n'ai pas de jalousie, car si M. Décarie réussit à battre mon ami Barré, je serai le premier à le féliciter. »

Dans l'euphorie, les journaux tout autant que le public ramenèrent leur vision du monde au microcosme que constituait Montréal, car n'était alors champion du monde des tours de force qu'un Canadien français issu d'un milieu où bien des trottoirs étaient encore en bois, les rues en terre et, aux extrémités de l'île, toujours éclairées au gaz. Il semblait impensable que vingt athlètes au moins d'une dizaine de pays d'Europe et une douzaine d'autres d'Amérique eussent pu, ce même soir du 5 décembre 1904, vaincre aisément Décarie et Auvray ; beaucoup plus difficilement Horace Barré. Ils n'auraient en tout cas jamais vaincu le Louis Cyr d'antan, entre 1890 et 1897. C'est probablement ce que Cyr eût aimé dire en épilogue ce même soir, mais les démons qui le hantaient l'en empêchèrent. Cependant, il envoya un message très clair dès le lendemain de la rencontre du parc Sohmer. Il le fit par une lettre qu'il fit parvenir simultanément aux journaux *La Presse* et *Le Canada*. De toute évidence, Cyr, de son vivant, n'accepterait jamais de partager le trône de la force, dont il se réclamait encore.

Vous admettrez avec moi, M. le rédacteur, et une foule d'amateurs que j'ai rencontrés, hier, m'ont appuyé en prétendant que le total de livres, arrachées, dévissées et développées, etc., peuvent seules donner la mesure exacte de la force d'un individu.

Quelques amateurs prétendront peut-être que la méthode des points est en vigueur en France et en Belgique. Je n'en doute aucunement, mais au Canada, en Angleterre, aux États-Unis, en Irlande, où les forts pullulent, il n'est pas à ma connaissance que pareil système ait été jugé digne de diriger un tournoi. Le public, qui désire avant tout voir le maximum d'efforts d'un athlète, ne sera jamais satisfait par le système de points, tel que mis en vigueur dans le dernier tournoi Auvry [sic] vs Décarie. Dans mes voyages nombreux dans tous les pays, jamais je n'ai dû me soumettre à pareil système. Le grand tournoi de l'Aquarium de Londres avait été dirigé par le système de total de livres. M. Richard K. Fox, de la Police Gazette, de New York, a toujours exigé que les concours organisés sous les auspices de son "journal" fussent réglés par le total de livres. Enfin, tous les hommes que j'ai rencontrés ne m'ont jamais imposé de système de points, mais se sont toujours déclarés au contraire partisans du total de livres, seul et véritable moyen de reconnaître la supériorité musculaire d'un homme sur un autre. Le public canadien a toujours préféré la méthode que j'ai suivie dans tous mes concours, et je la considère toujours comme la plus digne d'être pratiquée et encouragée.

LOUIS CYR
Champion du monde, aujourd'hui retiré de l'arène.

Il fit parvenir une autre correspondance à *La Patrie*, dans laquelle il donna nombre d'exemples dans le but de démériter le système par points, concluant que par cette méthode « le plus faible remporte sur le plus fort ». Détail intéressant : il signa la lettre de son nom suivi de « champion des hommes forts de l'univers entier ».

*

Le mardi 31 janvier 1905 fut une journée bien spéciale dans la vie de Louis Cyr. Celle dont il avait peu parlé en public, mais qu'il chérissait d'autant plus qu'elle était l'enfant unique du couple, célébrait son dix-huitième anniversaire. Un mois plus tôt, Émiliana Cyr en avait terminé avec ses études au couvent de Saint-Jean-de-Matha. Voilà qu'après avoir été décrite comme l'« enfant prodige de la force » ou même la « femme la plus forte de l'univers », Émiliana Cyr s'était vu décerner les meilleures notes en littérature et, surtout, en musique et en chant. De *Faust*, elle chantait « L'air des bijoux », d'après l'œuvre de Charles François Gounod. Des extraits aussi de *La Juive*, de Jacques-François Halévy, ainsi que l'*Ave Maria* de Gounod. Au piano, elle interprétait *L'Élégie*, opus 24, de Gabriel Fauré, ainsi que plusieurs compositions religieuses.

Louis et Mélina Cyr avaient organisé une grande réception dans l'immense propriété, voisine du couvent qu'avait fréquenté Émiliana au cours des neuf dernières années. Une fois l'adresse lue par Camélia Turgeon, une amie d'Émiliana et fille d'un notable de Saint-Jean-de-Matha, le Dr Turgeon, ce dernier présenta à la jeune fille et à Louis Cyr un de ses collègues, le Dr Zénon-Maxime Aumont. Cette rencontre allait changer radicalement la vie de la jeune Émiliana.

Zénon-Maxime Aumont informa Louis Cyr qu'il était un de ses plus fervents admirateurs, l'ayant vu à l'œuvre, lui expliqua-t-il, vers 1886, alors que Cyr avait donné une démonstration de tours de force au collège de L'Assomption. Il était alors un jeune pensionnaire âgé d'à peine treize ans. Aumont se réclama également d'une illustre ascendance, puisque sa mère, Zoé Laurier, et Carolus Laurier, de Saint-Lin, père de sir Wilfrid Laurier, le Premier ministre du Canada, étaient cousins germains, leurs ascendances se rejoignant à partir de Charles Laurier dit Cottinault, par le mariage de ce dernier à Saint-François-de-Sales-de-l'Île-Jésus en 1771.

Louis Cyr comprit que le parti était intéressant, certainement digne du rang des Cyr dans la société, et que les fréquentations, tout en respectant les convenances, ne seraient pas longues. Aumont avait une pratique établie de médecine familiale à Montréal et des relations. En demandant Émiliana en mariage, il proposait à Louis Cyr de venir s'établir à Saint-Jean-de-Matha, de devenir son médecin personnel, et plus encore si tel était le souhait de Cyr. Enfin, il promit de lui donner rapidement une descendance.

Le mariage entre Émiliana Cyr, mineure, et le Dr Aumont, de quatorze ans son aîné, fut fixé au mois de janvier 1906. Décision prématurée où l'amour prenait le pas sur la raison ? Le contraire plutôt. Louis Cyr voulait régler les affaires de famille avant que ne se jouât le dernier acte. Le Dr Aumont, quant à lui, et l'avenir allait le démontrer sans équivoque, devenait partie liée à une belle fortune, dont il n'ignora aucun détail sitôt sous le même toit familial.

*

Cela faisait quatre ans que Louis Cyr n'avait pas mis les pieds dans les Petits Canadas de la Nouvelle-Angleterre, en fait depuis son dernier affrontement avec les deux frères, Ronaldo et Smith. Durant ces quelques années, les causes des Franco-Américains avaient progressé à pas de géant, tellement qu'au dire de certains observateurs, les premières années du xxᵉ siècle représentent l'âge d'or de l'histoire franco-américaine.

L'invitation que reçurent Louis Cyr, son épouse, sa fille Émiliana et sa nièce Roseanna, la fille de Pierre Cyr, à peine âgée de onze ans et qui semblait avoir pris la relève de sa cousine Émiliana à titre d'«enfant la plus forte du monde», arriva à point nommé.

Louis Cyr fut donc l'invité d'honneur du dix-neuvième concert et bal annuel de l'Union canadienne-française, qui fut présenté le lundi 6 mars 1905 à l'*Opera House* de Claremont, dans l'État du New Hampshire.

L'annonce de la présence de Louis Cyr fit du bruit. On vint des villages voisins, depuis Charlestown jusqu'à Cornish Center. Un train spécial amena des invités de Newport, situé à une vingtaine de kilomètres de Claremont. On en parla dans les journaux de Manchester, de Concord, de Nashua, de Keene et, bien entendu, de Lowell et de Lawrence. Ce fut comme si Louis Cyr était ressuscité d'entre les morts.

Les deux mille personnes ovationnèrent tous ceux qui portaient le nom de Cyr. D'abord Roseanna, qui leva d'un doigt la charge de 125 livres et se montra digne d'être présentée comme l'émule d'Émiliana Cyr. Puis vint cette dernière, dont l'éclatante performance lyrique et l'*oratorio* non moins remarquable de plusieurs extraits d'opéra lui valurent une pluie d'éloges. Le public réclama alors Louis Cyr sans répit, jusqu'à ce que le héros de la soirée montât sur scène, probablement au désespoir de Mélina et d'Émiliana. Louis Cyr ne sut résister à la tentation. Faisant fi des conséquences, il retira sa veste et se mesura aux haltères disposés sur la scène. Il dut certainement se surprendre lui-même lorsqu'il enleva d'un seul mouvement, à la volée, le poids de 165 livres; ce qui était supérieur à tout ce qui avait été accompli par quiconque au cours des cinq années précédentes à Montréal. Puis il leva simultanément deux haltères à bout de bras, 125 livres de la main droite et 100 livres de la gauche; rien à voir avec ses exploits personnels, mais mieux que tout ce qu'il eût imaginé faire à peine quelques semaines plus tôt. Et il s'attaqua au *back lift*, comblant le vaste auditoire en soulevant une plate-forme chargée des onze hommes les plus lourds de l'assistance: un total de 2 600 livres.

De l'ovation qu'il reçut, Louis Cyr imagina une renaissance, une nouvelle consécration. Sa force, croyait-il, l'habitait de nouveau.

*

L'écho du passage de Louis Cyr à Claremont atteignit le Québec, en particulier Montréal, résultat du grand rayonnement de tous les faits et gestes associés à la Survivance. Et une fois encore, on fit d'une démonstration qui se voulait dépourvue de toute signification, certainement du point de vue de Louis Cyr, un symbole éloquent de l'esprit et des valeurs canadiennes-françaises. Peut-être Cyr, quoique toujours favorable à la cause elle-même, ne réalisa-t-il jamais la part qu'on lui attribua en matière de nationalisme et d'idéologie, ni même le rapport que firent les élites de la Survivance entre la fréquence de ses visites dans les centres canadiens-français et ce qui parut alors comme un acte d'allégeance avoué.

En tout état de cause, le simple fait que Louis Cyr eût soulevé un haltère, peu importait le poids, avait suffi à lancer les hostilités. Et ce fut le quotidien *La Patrie* qui s'empara de l'affaire pour la mener pratiquement de bout en bout. Au début, l'on crut évidemment à une supercherie, lorsque le mardi 6 juin 1905 le quotidien montréalais lança, en manchette : « Quel est donc le champion du monde ? Hector Décarie, le plus méritant, s'adresse à l'univers. Qui relèvera son défi ? » Tout y était, depuis un texte aux relents promotionnels jusqu'à la « lettre ouverte à Cyr et Barré », accompagnée d'un encart où Hector Décarie se réclamait du « titre de champion homme fort de l'univers, titre que je possède avec droit depuis près de deux ans ». Ce dernier texte portait la signature originale d'Hector Décarie, de son frère Arthur et de Raphaël Ouimet, le rédacteur du sport de *La Patrie*, dont le conflit d'intérêt se manifesta au grand jour au fil des mois.

La lettre ouverte de Décarie était datée du lundi 5 juin, veille de la publication. Elle était adressée à Raphaël Ouimet lui-même, et le ton n'admettait guère d'équivoque.

Veuillez, s'il vous plaît, m'accorder un peu d'espace dans votre journal pour pouvoir me justifier vis-à-vis de ces deux CÉLÉBRITÉS CANADIENNES, dont l'une est attaquée par la maladie, et l'autre (protégée de la première), demeure invisible. Vous devinez déjà, M. le rédacteur, de qui je veux parler. Où donc est CYR ?

Où se trouve BARRÉ ? Voilà la question que je vous pose, ainsi qu'aux nombreux lecteurs de votre journal. Personne ne répond. Eh bien, vous les trouverez comme deux JOHN se baladant dans les rues de Montréal en me méprisant et se proclamant encore champion du monde. L'un se base sur ses vieux records qu'il n'a peut-être jamais établis, et qu'aucun Canadien peut se vanter d'avoir vu exécuter car je suppose qu'il est plus facile d'aller les établir à l'étranger ; l'autre, plus modeste que le premier, se contente de se proclamer champion dans les annonces du Vin St-Michel. À propos de ce vin, je me permettrai de dire que j'en fais moi aussi usage. Je le trouve non seulement bon pour le dos et les reins, mais je trouve aussi qu'il donne de l'énergie au cœur, et la preuve, c'est que je suis toujours PRÊT À DÉFENDRE CE TITRE contre tous venants et je ne crains pas non plus, lorsqu'il s'agit de défendre notre nationalité, d'accepter les défis qu'on me lance que ce soit d'un lion ou d'un tigre, et je ne crains pas de déposer des centaines de dollars pour démontrer ma bonne foi. Qu'est-ce que c'est que $1 000 lorsqu'il s'agit de la ruine de notre race ?

Le défi lui-même était accompagné d'une somme de 500 dollars, remise à Raphaël Ouimet, et les conditions mentionnaient que « le concours devait s'entreprendre à Montréal, qu'un avis de six semaines devait se donner entre adversaires, que l'arbitre devait être un citoyen de Montréal ou de la banlieue, que l'adversaire de Décarie devait s'engager à exécuter quatre ou cinq tours de force à la manière de celui-ci, que le match serait décidé d'après la méthode de points, c'est-à-dire qu'un point serait alloué au vainqueur de chaque tour et que l'enjeu serait de $300 à $1 000 ».

En comparant les structures syntaxiques de l'article du journal et de la lettre attribuée à Hector Décarie, on peut y déceler plusieurs similitudes et conclure qu'un même auteur a rédigé les deux textes, probablement Raphaël Ouimet lui-même. Par ailleurs, selon l'entrevue réalisée avec Mme Éva Clément veuve Décarie (le 20 septembre 2003), Hector Décarie n'aurait jamais engagé 500 dollars à titre personnel, pour la bonne raison qu'en 1905 il était employé, à modeste salaire, dans la taverne de son frère Arthur. C'était donc ce dernier qui commanditait son cadet, tout comme Richard K. Fox l'avait fait, à compter de 1891, pour Louis Cyr.

La réponse ne se fit pas attendre. Dès le vendredi 9 juin 1905, *La Patrie* titra : « Le défi de Décarie est accepté. » Reconnaissant que le journal s'était fait l'« intermédiaire du jeune prodige », *La Patrie* claironna fièrement que « l'audacieux défi lancé par l'hercule canadien-français, à toute la phalange des hommes forts des deux continents, vient de produire ses effets ». *La Patrie* publia la réponse de Louis Cyr dans un encart semblable au défi de Décarie. La lettre de Cyr, en provenance de Saint-Félix-de-Valois, était datée du mercredi 7 juin 1905, le lendemain de la publication du défi.

On me communique à l'instant un article paru dans La Patrie *de mardi, 6 juin, dans lequel M. Hector Décarie cherche à jeter du discrédit sur ma réputation, vieille de vingt ans. Je trouve tout au moins étrange que ce jeune homme sans vergogne et sans réputation établie, ose se permettre de vouloir faire planer le doute sur mes records, dont la preuve a été bel et bien établie, tant en Europe qu'en Amérique. Pourquoi aussi profiter du moment où je suis en tournée avec mon cirque pour m'attaquer personnellement et, en outre, envoyer un défi à M. Horace Barré, qui, en ce moment, est obligé de remplir un contrat de quatre mois ?*

Le moment est donc bien mal choisi pour organiser un match ; mais que M. Décarie soit assuré qu'au mois d'octobre prochain, je serai prêt à couvrir son enjeu en faveur de M. Barré qui, j'en suis certain, saura vaincre sans difficulté et donnera à ce jeune présomptueux une leçon assez complète pour qu'il regrette d'avoir signé des articles dictés par des gens intéressés dans le seul but de nuire à des athlètes dont la vie sportive est sans taches.

Que M. Décarie se le tienne pour dit, je ne répondrai plus à ses attaques, aussi ridicules que malveillantes, ayant à m'occuper d'affaires beaucoup plus sérieuses que des élucubrations qu'on pourrait lui suggérer d'écrire de temps en temps, mais au mois d'octobre prochain, je le répète, je couvrirai son enjeu, si le concours doit se faire d'une manière juste et royale, comme il convient à des gens d'honneur.

LOUIS CYR

Dès novembre 1905, Décarie jeta de l'huile sur le feu, faisant parvenir lettre après lettre au journal *La Patrie*. Et le quotidien montréalais ne se privait pas de vanter les mérites du «merveilleux athlète que nous connaissons tous». Mais ce fut à compter de la mi-décembre que cette polémique, qui jusque-là amusait plus qu'elle n'était prise au sérieux, changea de registre et ressembla davantage à de la provocation. Le jeudi 14 décembre 1905, *La Patrie* écrivit que «Louis Cyr attaqué par Décarie répond d'une manière catégorique», tout en posant la question: «La bombe éclatera-t-elle enfin?» Dans une lettre expédiée depuis Saint-Jean-de-Matha, Louis Cyr évoquait une fois de plus que, «depuis cinq ans, c'est-à-dire depuis que le médecin m'a conseillé d'abandonner l'arène athlétique, je n'ai absolument pas pris part à aucun tournoi». Puis il interpella Décarie de la façon la plus énergique:

Eh bien, M. Décarie, laissez-moi vous dire que malgré la maladie qui me minait depuis près de quatre ans, je n'ai nullement perdu de la force que je possédais et je me crois même encore capable de faire la leçon à tous les «braillards» de votre calibre. Vous avez dû en avoir la preuve si vous avez assisté à l'une des deux séances que j'ai données au Parc Sohmer dernièrement.

J'admets que vous êtes fort, mais je n'admettrai jamais que vous puissiez avoir le toupet de me défier comme vous le faites. Si j'avais pensé un seul instant que M. Barré ne se serait pas occupé de l'honneur que je lui conférais il y a deux ans, jamais je ne lui aurais abandonné mon titre que, du reste, je puis reprendre sans qu'il m'en coûte.

Deux jours plus tard, *La Patrie* publia une des nombreuses lettres fielleuses que signait Hector Décarie. Cette fois, le ton était devenu irrévérencieux.

Dans cette lettre, Hector Décarie narguait Louis Cyr jusqu'à dire: «Quant à moi, malgré que l'on vous qualifie de Lion et malgré votre réputation et vos prétentions, je n'ai pas plus peur d'un Lion de votre espèce que d'un agneau inoffensif.»

Prenant l'acharnement de Décarie pour du harcèlement, en apparence du moins, Louis Cyr rétorqua une nouvelle fois par l'entremise de *La Patrie*. Il ironisa en écrivant dans sa lettre datée du 20 décembre 1905 qu'il réclamait « encore une fois l'hospitalité de vos colonnes dans votre estimable journal, afin de répondre à la 142ᵉ lettre de M. Décarie ». Plus loin, il souligna que « c'est très facile de faire la lutte à un homme quand on ne se sert que de sa plume et de son encre ». Puis, Cyr y alla de sa charge la plus vicieuse depuis que les deux hommes avaient engagé leur bataille épistolaire :

> *Des petits poissons comme vous, j'en mange tous les vendredis et je ne tiens pas à avoir une indigestion en avalant tous les jours de la semaine les plats indigestes que vous me servez depuis plusieurs semaines.*

Louis Cyr n'attendit pas l'arrivée du Nouvel An pour prendre une décision que l'on put croire suicidaire. Dans une étrange mise en scène à laquelle s'associa le Dr Aumont, un télégramme fut expédié au journal montréalais le samedi soir 31 décembre 1905, à minuit moins le quart, depuis Saint-Jean-de-Matha. Il était signé par Louis Cyr.

> *Vous pouvez annoncer officiellement que j'accepte le défi de Décarie et défendrai mon titre de champion dans n'importe quel genre de concours, pourvu toutefois que le dit concours ait lieu le ou vers le 20 de février. De plus, je poserai comme condition qu'un pari de ($ 1 000) mille dollars soit fait par Décarie comme enjeu de la rencontre. Ce faisant, je prouverai après que le vieux Louis Cyr est encore aujourd'hui l'homme fort d'autrefois.*
>
> LOUIS CYR
> *Saint-Jean-de-Matha, 31 décembre 1905*

Le journal *La Patrie* annonça la nouvelle en primeur dans son édition du jeudi 4 janvier 1906, en titrant : « Le championnat du monde. » La presse anglophone resta muette et les autres journaux francophones, à l'exception du *Canada*, n'y allèrent que d'entrefilets.

À Saint-Jean-de-Matha, les Cyr célébrèrent le mariage d'Émiliana et du Dr Zénon-Maxime Aumont dans la plus stricte intimité. Hormis la volée de cloches en ce lundi 8 janvier 1906, on ne sut rien de la cérémonie ni d'une quelconque mondanité ultérieure. Alors que *L'Étoile du Nord* avait souligné la célébration du dix-huitième anniversaire d'Émiliana, elle ne consacra pas la moindre ligne au mariage.

*

Cinquante personnes, triées sur le volet, avaient été invitées à assister à l'annonce d'une «grande nouvelle» à l'hôtel *Riendeau* de Montréal, le samedi 13 janvier 1906. Louis Cyr y était, en grande tenue, coiffé d'un haut-de-forme et d'un élégant manteau doublé de fourrure au col et aux manches. Il était accompagné de son gendre, le Dr Aumont. Hector Décarie y était aussi, cigare aux lèvres, également vêtu du dernier cri, en compagnie de son frère Arthur, son employeur, commanditaire, publiciste et gérant. L'homme qui avait convoqué cette réunion était nul autre que Raphaël Ouimet, le rédacteur au sport de *La Patrie*; il était entouré d'importants commerçants de Montréal, tous annonceurs bien en vue du quotidien.

Ce fut Ouimet qui annonça: «Louis Cyr et Hector Décarie se rencontreront le lundi, 26 février 1906, dans un concours de tours de force pour le titre de champion du monde, dans le grand pavillon du Parc Sohmer, également pour un pari de $500 chaque côté, en huit épreuves, quatre proposées par Cyr et quatre par Décarie, d'après le système des points, le vainqueur recevant 65 pour cent des recettes nettes, et le perdant, 35 pour cent. Au cas où la rencontre serait déclarée nulle, les deux concurrents sépareront à parts égales.» Le contrat, qui comprenait onze articles, parmi lesquels la nomenclature des tours de force de chacun, mentionnait que «Cyr et Décarie alterneraient dans l'exécution des épreuves, que chacun aurait droit, pour chaque tour, à trois essais successifs pour chaque fois qu'il augmentera la masse d'un poids et que le *referee* sera choisi deux jours avant la rencontre, entendu qu'il aura pleins pouvoirs et que toutes ses décisions seront finales».

Au correspondant de *La Presse*, Louis Cyr déclara : « Il y a six ans que vous m'avez enterré, mais vous verrez le 26 février que je suis bel et bien ressuscité. » Dans le même article, on mentionna que « Hector Décarie n'a pas été très expansif ». *La Patrie* rapporta que Cyr était arrivé à Montréal « par voie du *Pacifique Canadien* » et que « le vieux lutteur est tout d'abord fort peiné de constater que son protégé, Horace Barré, ne se soit pas décidé à défendre son titre avec plus d'énergie ». Le journal cita ainsi Louis Cyr : « Ce n'était pas à moi à revenir dans l'arène, après six années d'absence. Mais puisque je suis attaqué, je vais me défendre et si je suis défait par mon jeune rival, j'aurai au moins la satisfaction d'avoir accompli bravement mon devoir. »

Peu s'en fallut toutefois pour que l'« événement athlétique de l'année » tournât bien court. Le lundi 29 janvier, *La Presse* annonça en primeur que Louis Cyr avait eu un « grave accident et qu'il s'était fait une lésion à un muscle du bras gauche en levant un poids énorme ». Le quotidien publia également une photographie très récente de Cyr, attribuée au photographe J. A. Dumas, dont le studio était situé à l'angle des rues Sherbrooke et Saint-Denis, à Montréal. On pouvait voir un Louis Cyr en maillot de corps sans manches, les bras croisés sur la poitrine dans cette pose si familière, les traits passablement gonflés par l'hydropisie, le front dégarni, le visage glabre sauf pour la moustache. L'article révélait que « l'accident s'était produit alors que le vétéran tentait de soulever sur les reins un poids de 3 920 livres, qu'il était sous les soins du Dr Edgar Turgeon et qu'il devait garder un repos absolu pendant plusieurs jours ».

Nouvelles ou rumeurs ? Au profit de qui et de quoi ? Louis Cyr ne confirma ni n'infirma rien. On le traitait de nouveau de « champion », on alléguait qu'il soulevait des haltères et des tonnes de fonte dignes de ses plus grands exploits. Se blessa-t-il vraiment ? S'entraîna-t-il pendant autant d'heures, ce qu'il n'avait encore jamais fait, même durant sa pseudo-préparation pour le match avec August Johnson en 1896 ?

On pourrait penser que non, mais ce ne serait que conjectures. La légende finit par l'emporter.

*

La réclame allait bon train et le public était de plus en plus convaincu du sérieux de la rencontre de championnat, lorsque la voix d'Horace Barré se fit entendre. Note discordante d'un concert jusque-là bien orchestré, celui que Louis Cyr avait désavoué parce qu'il n'avait pas su porter dignement le titre de champion des hommes forts du monde fit comme le spectre de Hamlet et vint hanter son mentor. Dans son édition du mardi 20 février 1906, à quelques jours seulement d'un rendez-vous que l'on voulait historique, *La Presse* écrivit : « Jaloux de voir qu'il a été mis de côté parmi les champions, Horace Barré a résolu de s'imposer à l'attention publique. À cet effet, il a demandé et obtenu la permission de paraître vendredi prochain [le 23 février] au Parc Sohmer, avant la lutte entre Eugène Tremblay et Jos Acton, rien que pour prouver qu'il n'est pas mort. » Le journal prêta d'ailleurs à Barré des propos pour le moins étonnants :

> *Je vais lever des poids comme le public n'en a jamais vu lever à Montréal. J'invite les amateurs, les connaisseurs, à venir constater de leurs yeux que je battrai ce soir-là tout ce qui s'est déjà fait à Montréal jusqu'ici. S'il y a des saints Thomas parmi les hommes forts du pays, je les invite à venir soulever ou lever s'ils en sont capables, les poids que je lèverai ce soir-là.*

La Presse récidiva trois jours plus tard, écrivant qu'un « Louis Lavigueur, de la Canadian Vinegar Company [le même homme qui devint le gérant d'Hector Décarie, *n.d.a.*], offrait de fournir la balance et de peser lui-même les poids qui serviront à établir les records de Barré ». La réplique de Barré fut publiée en ces termes : « Vous pourrez dire à M. Lavigueur qu'il apporte sa balance, et qu'il pourra s'asseoir dessus s'il le veut, peser tous mes poids et faire tout ce qu'il voudra [...]. Je vais lever plus pesant que Cyr, Ronaldo,

Décary [*sic*] ou Auvry [*sic*] n'ont jamais levé de leur vie ! Que m'importe qui vienne… Je n'ai peur de personne. »

Le même soir, Horace Barré fut au rendez-vous et, assis au premier rang, Louis Cyr, Hector Décarie, Arthur Décarie, entre autres. Louis Lavigueur procéda à tous les examens et, aidé du chef de police Benoît, de Montréal, soumit les haltères au test de sa propre balance. À la surprise générale, Horace Barré réussit un dévissé du bras droit de 275 livres et rata de quelques pouces un jeté à deux bras d'un haltère de 322 livres, après que plusieurs témoins eurent affirmé que Barré avait réussi le même lever à cinq ou six reprises durant la journée.

Les journaux manquèrent clairement de *fairplay* à l'égard de l'impressionnante démonstration de Barré, sans compter que la prestation de l'ex-associé de Louis Cyr remettait carrément les pendules à l'heure quant au mérite du présumé championnat du monde qu'on allait tenir quarante-huit heures plus tard sur la même scène. *La Patrie* ignora tout simplement l'événement et *La Presse* n'y consacra que quatre paragraphes, perdus au milieu d'un long article consacré au match de lutte entre Eugène Tremblay et Jos Acton. Personne ne s'enquit des commentaires de Cyr et de Décarie, qui eussent été bien embarrassés, le cas échéant. Mais pour l'heure, Barré n'avait aucune valeur marchande. Seules comptaient les recettes d'une rencontre que l'on voulait historique, mais qui n'en eut jamais les mérites tant elle fut médiocre. Il n'y eut que quelques fabulateurs pour l'avoir présentée différemment.

*

De Saint-Jean-de-Matha à Saint-Félix-de-Valois, puis en train jusqu'à Montréal en passant par Joliette, Louis Cyr, accompagné du Dr Aumont, arriva à la gare Viger, se rendit au parc Sohmer, où il assista à la remarquable prestation d'Horace Barré, puis au domicile montréalais de son gendre, au 719, rue Sainte-Catherine Est. On peut imaginer que le beau-père confia à son gendre, admirateur de la première heure d'un Louis Cyr alors invincible, qu'Hector Décarie eût fait long feu dans un concours avec Barré. Et il dut penser tout bas que lui non plus, malade et vieillissant qu'il était, n'eût pu tenir tête à celui qui avait toujours évolué dans son ombre. Peut-être pensa-t-il aussi qu'il avait bien manœuvré jusqu'au bout, en limitant le nombre des épreuves, en choisissant des tours qui semblaient hors de portée des moyens de Décarie et en gardant son tour fétiche, le *back lift*, comme point d'orgue de ce championnat, qui, ailleurs qu'à Montréal, n'avait aucune valeur.

On eût espéré que la magie opérât une dernière fois, que le nom de Louis Cyr, déjà promis à la légende, eût attiré un énorme public, pour ainsi consacrer le dernier acte de la plus brillante carrière d'un homme fort, toutes époques confondues. Mais Louis Cyr appartenait au passé et Hector Décarie n'avait ni l'envergure ni le panache pour prétendre à la succession, quelle que fût la mise en scène finale que Cyr lui-même avait prévue.

Quatre mille personnes avaient pris place dans le vaste pavillon du parc Sohmer dès huit heures, le soir du lundi 26 février 1906. Les organisateurs en attendaient huit mille. En septembre 1891, Louis Cyr, seul, en avait attiré dix mille. L'attente du début fut interminable, les contestations trop fréquentes, les temps de récupération des deux adversaires trop longs, les levers trop modestes et le résultat final absolument prévisible. Ce soir-là, en dépit des apparences, il y eut clairement un maître et un élève, et le dernier ne surpassa pas le premier, quoique ce soir-là Hector Décarie acquît une réputation surfaite qui le fit accéder à la postérité, simplement parce qu'il passa trois heures sur la même scène qu'un homme d'une autre génération, vénéré comme une icône par son peuple.

Ce fut le quotidien *La Presse* qui, de tous les journaux, publia le compte rendu le plus critique des événements de cette soirée.

Il fut un temps où le nom de Louis Cyr faisait l'orgueil des Canadiens français et l'admiration autant que l'étonnement des étrangers. Il fut un temps où ce nom fit le tour du monde, universellement acclamé. Il fut un temps où Louis Cyr fut le héros des Canadiens français, le Samson des hommes forts, le prototype de la force humaine.

Hélas, ce temps n'est plus. Louis Cyr, vaincu par les ans, n'est plus que l'ombre de lui-même, un reste de sa gloire passée, une relique de sa force d'autrefois. Après l'exhibition d'hier soir, l'Hercule qui étonna le monde est tombé de son piédestal et nos Canadiens se demandent, la tête basse, pourquoi ils ont été appelés à ce match.

À l'appel de Louis Cyr et de Décarie, dont les noms firent tant de fois courir les foules, ils étaient accourus pour voir se disputer le championnat du monde. Ils étaient au nombre de quatre mille, anxieux de voir cette lutte immortelle entre ces deux hommes qui s'étaient annoncés à son de trompe comme les deux champions de l'univers. Ils étaient venus de la ville et des campagnes car ce n'est pas tous les jours que l'on voit en présence les deux hommes les plus forts du monde.

Le match arrivé, les quatre mille personnes accourues pour voir des merveilles virent lever des poids très ordinaires.

Au commencement, le public ne savait que penser. Il attendit patiemment, espérant toujours quelques merveilles dans les tours suivants, mais les tours de force merveilleux ne vinrent pas.

La soirée se déroula, monotone, variée seulement de quelques morceaux de musique qui furent réellement la plus belle partie du programme. Chaque concurrent faisait alternativement SON tour de force et gagnait SON point, puis concédait le tour de l'autre. Le public trouvait ces concessions trop fréquentes. Il aurait voulu voir un essai, un effort quelconque. Il cherchait à admirer un déploiement de force humaine, un effort d'énergie, quelque chose pour justifier sa présence là plutôt qu'ailleurs… Mais il fut désappointé.

Les résultats du concours furent à ce point modestes qu'ils eussent été battus par une bonne cinquantaine d'athlètes de force européens et américains. Hector Décarie porta un poids de 171 livres à deux mains à l'épaule et le « leva en soldat », c'est-à-dire en le développant sans que le corps ne vînt à angle. Il fut déclaré vainqueur malgré des fautes de technique. Le record de Louis Cyr, réalisé en 1892, excédait cette charge de 102 ¼ livres ! Louis Cyr parvint à jeter des deux mains un haltère à sphères de 288 livres, 60 livres de moins que son propre record de 1896. Décarie n'essaya même pas de lever la charge. Décarie dévissa à un bras, à cinq reprises, un haltère de 151 livres, Louis Cyr ne parvenant à répéter le lever qu'à quatre reprises, lui qui avait poussé au bout du bras droit 162 ½ livres à trente-six reprises ! Et ainsi de suite pour deux autres tours jusqu'au *back lift*. La plate-forme fut chargée à hauteur de 2 879 livres de pièces de fonte en gueuse, un fardeau que Louis Cyr avait levé plus de mille fois durant sa carrière et qui concédait 1 500 livres à sa poussée historique de 1897. Il parvint à hisser la charge. Décarie, dont on avait vanté les aptitudes pour cette épreuve, en prétendant qu'il levait « facilement » plus de 3 500 livres, fut impuissant à faire bouger la plate-forme, et il le demeura pour le reste d'une carrière plus controversée que glorieuse.

Le match fut déclaré nul, au désespoir de la majorité des spectateurs. « Les acclamations patriotiques et sympathiques d'une foule amie », ainsi que *La Patrie* avait décrit le parterre de « financiers, d'avocats, de juges, de députés, de politiciens, d'échevins, toute la pléiade de figures très connues et que l'on rencontre tous les jours sur la rue », manifestèrent bien différemment.

La foule qui s'attendait à tout autre résultat fut naturellement quelque peu désappointée et quelques braillards commencèrent alors à montrer les dents. Mais quand M. Cyr, accompagné de l'arbitre, eut expliqué d'une façon satisfaisante la raison d'un tel dénouement, les bruyants spectateurs s'apaisèrent et les récriminations firent aussitôt place aux applaudissements frénétiques.

M. Cyr ne craignit pas de dire qu'il avait lutté bravement et qu'il avait fait tout son possible sous les circonstances.

« Je reconnaissais en Décarie, ajouta-t-il en terminant, l'un des hommes les plus forts que j'aie rencontrés depuis que je suis dans l'arène. Aussi, il me fait plaisir de lui concéder mon titre de champion des hommes forts de l'univers, titre qu'il saura défendre je l'espère avec autant de succès que je ne l'ai défendu moi-même. »

Le journal *Le Canada* mentionna dans un texte sans éclat que « Louis Cyr s'est illustré dans le tournoi d'hier en battant deux des records officiellement reconnus dans toute l'Europe » (il s'agissait de records français établis par Pierre Bonnes lors d'un tournoi en Europe, mais dont les charges étaient très inférieures à ce que Louis Cyr avait réalisé à Chicago, Illinois, en 1896). Le journal ajouta que « les amis de Décarie assurent que leur homme aurait mieux fait si la maladie n'était venue diminuer ses forces au dernier moment ».

Les journaux anglophones, *The Montreal Daily Star*, *The Gazette* et *The Montreal Daily Herald*, furent très critiques à l'endroit de cette rencontre. Dans un de ces journaux, *The Montreal Daily Herald*, on put lire que « plusieurs spectateurs protestèrent en criant que Louis Cyr avait délibérément refusé d'aller au bout de ses efforts, que le match était arrangé, surtout après que Cyr eut déposé l'haltère de 151 livres après l'avoir levé à quatre reprises sans difficulté » (*traduction de l'auteur*). *The Gazette* écrivit : « Louis Cyr, ayant compris que les huées s'adressaient également à lui, expliqua qu'il savait bien qu'avec le passage des ans ses forces étaient au déclin et qu'avec ce résultat nul il n'avait maintenant d'autre choix que de se retirer définitivement. »

Pour sa part, *The Montreal Daily Star* ne ménagea personne en titrant : « *Décarie and Cyr are even, cries of fake were heard.* » Cela équivalait à une sanction très sévère de toute la presse anglophone de Montréal, dont la somme des critiques, ajoutée au ton éditorial défavorable du quotidien *La Presse*, sonnait pratiquement le glas des concours de tours de force dont s'étaient enorgueillis, depuis 1891, les dirigeants du parc Sohmer.

À sa façon, Louis Cyr avait obtenu ce qu'il voulait : il avait joué le dernier acte en tenant le rôle du héros vieillissant qui s'effaçait sans jamais avoir connu la défaite. Certes, il avait franchi la ligne du risque et il aurait pu mourir en plein effort, mais le rideau tomba sur un événement qui n'eut d'autre mérite que celui d'avoir montré à quelques milliers de personnes à quoi pouvait ressembler l'homme que l'on tenait toujours pour l'héritier de Samson et qui avait déjà un pied dans la tombe.

De cette rencontre qui avait nourri des chroniqueurs et des conteurs en mal de sensations, jusqu'à paver la voie de la notoriété à un Hector Décarie qui n'eut guère d'autres mérites, Louis Cyr n'en pensa que peu. Une trentaine de lignes au plus dans les *Mémoires*, où il rappela : « À cette époque je n'étais plus dans l'arène depuis quelque temps déjà. Sentant les premières atteintes de la maladie qui devait interrompre si brusquement ma carrière d'athlète, j'avais cédé mon titre de champion à Horace Barré qui à cause de ses engagements n'avait pas pu se rencontrer avec Décarie, c'est pourquoi ce dernier s'était adressé à moi. »

Ce fut sur cette note diplomatique que Louis Cyr, le roi de la force, tira sa révérence.

CHAPITRE 16

Le roi de la force entre dans la légende

Sitôt le concours du parc Sohmer terminé, ce fut vers Lowell, sa ville d'adoption, que Louis Cyr se rendit, et de là dans les bureaux du journal *L'Étoile*, pour annoncer qu'«il préparait une grande tournée des États-Unis et des principales villes de l'Angleterre, mais qu'en attendant il donnera une grande représentation à Lowell vers la mi-avril et qu'il est tout probable que M. Hector Décarie sera invité à cette représentation.»

Le 16 avril 1906, la «troupe Cyr-Décarie», ainsi qu'on nomma les participants à la «séance athlétique», fit salle comble à l'Association catholique de Lowell. Louis Cyr y fut présenté comme l'attraction principale et Hector Décarie, comme un «jeune montréalais qui a fait ses preuves».

Le journal *L'Étoile* mentionna que «Cyr et Décarie étaient prêts en tout temps à rencontrer qui que ce soit pour les tours de force, moyennant un enjeu raisonnable». La troupe devait se rendre par la suite à Lawrence, Nashua, Derry et Manchester. «Coup de sensation, nota l'article, celui qui distingue Louis Cyr entre tous les hommes forts, il leva treize hommes sur une plate-forme placée sur deux tréteaux.»

La troupe se rendit bien à ces quelques endroits, mais n'entreprit ni une grande tournée des États-Unis, sauf pour une dernière sortie en juillet, à Wayagamug, près de Petoshy dans l'État du Michigan, ni une tournée en Angleterre. Cela ne devait être qu'un rêve, le dernier de Louis Cyr. Il restait toutefois quelques comptes à régler à Montréal, notamment un défi qu'avait lancé Horace Barré aux deux hommes qui s'étaient affrontés le soir du 26 février 1906 au parc Sohmer et qui était resté sans réponse. Barré récidiva et « offrit de battre Cyr et Décarie ensemble le même soir ». Les réponses conjointes de Cyr et Décarie furent publiées dans l'édition de *La Presse* du 18 mai 1906. Louis Cyr ne fut pas tendre envers celui qu'il considérait comme un ami de longue date. Il le fustigea proprement : « Vous craignez véritablement de vous mesurer avec moi et alors je vous conseillerais de renoncer à un titre qui ne vous a jamais appartenu et qui vous discrédite aux yeux des sportsman [*sic*] spécialement. » Le texte de Décarie n'était guère plus généreux : « Voilà la manière d'agir de ce colosse qui voudrait être qualifié de champion. Allons donc, pauvre Barré, votre réponse est ridicule. Vous nous arrivez avec une proposition tout à fait insignifiante et injuste. Soyez plus logique et moins nerveux. »

Dès le lendemain, samedi 19 mai 1906, onze hommes s'entassèrent dans le bureau de l'éditeur de *La Presse* : outre l'éditeur lui-même, se trouvaient présents Louis Cyr, Hector Décarie, Horace Barré, Arthur Décarie, frère d'Hector, le Dr Aumont, gendre de Louis Cyr, le Dr Joseph-René Gadbois, autorité en matière de «jeux athlétiques », Raphaël Ouimet, rédacteur du sport de *La Patrie*, et trois «connaisseurs », E. O. Saint-Père, Albert Laberge et Georges Kennedy. La discussion fut, selon le compte rendu qu'en fit *La Presse*, «longue et orageuse ». Système de points contre système du total des livres, nombre de tours avec barres courtes et longues contre tours spécialisés tel le *back lift*, jusqu'à d'interminables discussions sur une formule nouvellement à l'essai en Europe, soit un match en deux soirs avec douze tours à l'enjeu. On discuta tout le matin, on alla dîner et on reprit le débat durant une partie de l'après-midi. « Cela ne me convient pas » furent les mots les plus fréquemment prononcés par les uns et les autres. Malheureusement, ce furent aussi, en quelque sorte, les mots d'adieu de Louis Cyr.

Ce fut la fin d'une grande époque, la fin du règne incontesté de la force par un homme qui domina tous les autres. Ce fut le crépuscule de l'ère Louis Cyr.

*

Entre deux crises d'asthme, Louis Cyr passait de longues heures à compléter ses précieux *scrapbooks*. Chaque article témoignait d'un jalon de sa vie et pavait la voie de l'épopée légendaire qui fut la sienne. Parmi les derniers articles qu'il découpa et colla avec soin, il y avait celui du *Lowell Courier-Citizen* du 28 mars 1906 qui titrait : « *Louis Cyr comes home* », dénotant bien le sentiment d'appartenance qui liait Cyr à Lowell. L'article évoquait qu'à Lowell, « le nom de Louis Cyr suffisait à lui seul à faire lever d'un bloc le tout *Petit Canada* » et que bien des récits à son sujet se racontaient encore « dans le salon de barbier de Joe Dextra », ce dernier étant présenté comme un des managers de Louis Cyr lors de ses tournées en Nouvelle-Angleterre. L'article se terminait en décrivant « la commotion que créa Louis Cyr en déambulant le long de la rue Merrimack ». Un autre article du *Lowell Courier-Citizen* le présenta comme « *Lowell's strong man* », autre preuve des liens étroits que Cyr avait tissés avec la capitale américaine du textile. Le texte fit l'énumération de ses exploits, en exagéra quelques-uns et alla jusqu'à dire que sa rencontre au parc Sohmer avec Hector Décarie avait attiré dix-sept mille personnes ! Mais ce fut la maladie de Cyr que l'on retrouvait en filigrane du début à la fin de l'article : Cyr qui n'avait pris aucun aliment solide depuis plus de quatre ans, qui buvait jusqu'à 2,5 gallons de lait par jour, qui n'avait pas touché à une goutte d'alcool depuis vingt ans, qui ne parvenait pas à dormir au-delà de quatre heures du matin, qui, très occasionnellement, fumait un cigare, quand sa condition respiratoire le lui permettait, etc.

Toutes les deux semaines, Cyr se rendait à Montréal en compagnie de son gendre, le Dr Aumont. Ce dernier lui avait recommandé de suivre des traitements aux bains Laurentien, destinés, disait-il, à traiter la maladie de Bright et l'hydropisie. Toutefois, la maladie progressait et Louis Cyr recommençait à perdre du poids. Entre novembre 1906 et fin janvier 1907, il avait maigri de 40 livres.

Gustave Lambert, le vieil ami de Louis Cyr, l'hôtelier qui fut à ses heures lutteur et pugiliste, avait profité des fêtes de Noël et du Nouvel An pour rendre visite à son frère Joseph, maire de Saint-Guillaume-d'Upton, dans le comté de Drummond. Établi aux États-Unis depuis plusieurs années, à Norwich Town, dans l'État du Connecticut, Lambert avait eu vent de plusieurs rumeurs au sujet de l'état de santé de Louis Cyr. Il se rendit à Saint-Jean-de-Matha et trouva son ancien protégé affreusement pâle, le souffle court, la voix éteinte. Louis Cyr lui confia qu'il pesait moins de 270 livres. Dans un entretien que Lambert eut avec un correspondant de *La Presse* dès son retour à Montréal, il rapporta que lui et Louis Cyr avaient « brassé » beaucoup de souvenirs, évoquant notamment la rencontre de Cyr et de Michaud, à Québec en mars 1886. Lambert précisa que Louis Cyr avait éprouvé beaucoup de chagrin en apprenant le décès de David Michaud, survenu au cours du mois d'août 1905 à Vancouver, la même année que celui de Raymond Préfontaine, alors en mission à Paris.

Le même jour, le 19 février 1907, le Dr William Hingston décéda à Montréal et Louis Cyr, d'abord secoué par de violentes crises d'asthme, fut victime de complications rénales foudroyantes. « Louis Cyr est mourant », pouvait-on lire dans l'édition de *La Presse* du mardi 26 février 1907.

Mais la dernière heure de Louis Cyr n'était pas encore arrivée. Quoique le mal fût incurable, ce que Cyr savait bien, il lutta comme seul le champion qu'il restera jusqu'à la fin pouvait le faire. Trois semaines plus tard, il quitta le lit, sachant toutefois qu'il ne bénéficiait que d'un sursis, les médecins étant d'avis qu'il avait déjà franchi la limite extrême d'espérance de vie de tous ceux qui étaient atteints du mal de Bright.

Le 15 mars 1907, accompagné de son gendre, Louis Cyr se rendit à Montréal pour y suivre de nouveaux traitements et s'adonner à des bains turcs. Les deux hommes étaient les invités du capitaine de police Bourgeois, un cousin de Louis Cyr et son compagnon de jeunesse de Saint-Cyprien-de-Napierville. Interrogé par un correspondant de *La Presse* à la sortie des bains Laurentien, le Dr Aumont déclara que «les bains turcs permettraient à l'organisme de M. Cyr d'éliminer toutes les impuretés qu'il a actuellement dans le corps et que ce traitement, combiné au régime de lait et d'eau de Vichy, achèvera la guérison du champion». Le docteur fut également d'opinion que «le climat de l'hiver canadien est défavorable au champion. Il lui faudrait un climat plus chaud». Le même jour, *La Patrie* précisa: «M. Cyr est accompagné de son gendre, M. le docteur Z.-M. Aumont, qui ne le quitte pas depuis une couple de mois. Tous deux resteront à Montréal durant quelque temps, puis iront ensuite passer une partie de l'été à Hot Springs, Arkansas.»

Louis Cyr connaissait les vertus de cet endroit, que fréquentaient les riches de ce monde. Il y avait séjourné pendant une quinzaine de jours en 1898.

*

Le 8 février 1908 fut certainement une date mémorable dans les annales du sport autant que du journalisme, au Canada et dans le monde. Ce fut ce jour que le quotidien *La Presse* publia la première tranche des «Mémoires de Louis Cyr, l'homme le plus fort du monde». Le journal rappela que «chaque samedi, à partir de la semaine prochaine [15 février 1908], on pourra revivre quelques-uns des épisodes de sa vie mouvementée et suivre ainsi M. Cyr, où, encore tout enfant, il s'imposait par sa vigueur extraordinaire à ses compagnons de classe, jusqu'à l'heure où, devenu le champion incontesté du monde, il va prendre à Saint-Jean-de-Matha un repos bien mérité».

Arthur Berthiaume, le secrétaire de la rédaction à *La Presse*, avait pris l'initiative de cette publication après avoir constaté que les *Mémoires* du lutteur français Paul Pons (1864-1915), un des athlètes les plus remarquables d'Europe, dont les exploits furent surtout accomplis au *Casino de Paris* et au *Théâtre des Folies Bergère*, avaient suscité un grand intérêt outre-Atlantique. Les deux envoyés « spéciaux », le journaliste L. Septime Laferrière et le dessinateur Albéric Bourgeois, se rendirent donc à Saint-Jean-de-Matha avec mission de constituer un « document historique ».

Huit jours durant, en sa superbe résidence de Saint-Jean-de-Matha où il vit en gentleman farmer, *Monsieur Cyr, pièces justificatives en mains pour l'édification de ses visiteurs plutôt que pour l'évocation de ses souvenirs, a raconté sa vie par le menu aux deux représentants de* La Presse *qui étaient allés l'interviewer. C'est cette relation sténographiée avec le plus grand soin et transposée depuis en écriture ordinaire qui, avec le plein consentement de Monsieur Cyr donné sous sa signature, constitue les Mémoires de l'homme le plus fort du monde.*

L'arrivée des deux hommes se fit le lundi 27 janvier 1908, durant une tempête de neige. Ils avaient franchi la quinzaine de kilomètres qui séparaient Saint-Félix-de-Valois du lieu de résidence de Louis Cyr « en voiture sous l'ouragan ». Laferrière et Bourgeois étaient descendus à l'hôtel de Saint-Jean-de-Matha, d'où ils avaient communiqué avec Cyr par téléphone.

Huit jours plus tard, Septime Laferrière prit les dernières notes sténographiées du récit que lui avait fait Louis Cyr. Il termina le texte qu'il avait intitulé « Une semaine chez M. Cyr » par ces mots :

Je ne l'oublierai pas notre dernière soirée ! À minuit sonnant, nous terminons notre tâche. Alors, à travers toute une série de chambres merveilleusement disposées, des murailles desquelles nous regardent les portraits de tous les Samsons modernes, notre hôte nous conduit à la cave :

Tenez, dit-il, avec dans la voix un quelque chose qui vibre. Et il soulève au-dessus de sa tête la lampe à pétrole qui a éclairé notre marche : ce sont là, entassés, les formidables haltères qui ont fait reculer, en Europe comme sur notre continent, tant d'adversaires devant lui. Il a voulu que notre adieu du départ soit aussi pour ces instruments de sa gloire.

Louis Cyr avait approuvé le texte de Laferrière en signant l'illustration que fit de lui le dessinateur Bourgeois. Pendant quarante-deux semaines, la vie de Louis Cyr fut lue comme un roman par plus de cent vingt mille fidèles du quotidien montréalais. On découpait les pages, on les faisait lire à d'autres, on les rangeait comme autant de pièces de collection. Ce récit, quoique incomplet, remua bien des mémoires ; on donna libre cours à moult anecdotes, on tira le limon pour pétrir la légende. Des souvenirs plus grands que nature pour tous ceux qui avaient côtoyé Louis Cyr, ne fût-ce que pendant un court moment. Pierre-Athanase Saint-Pierre, prêtre, raconta : « À l'automne de 1888, il y a exactement 57 ans, vint à Roxton Falls Louis Cyr qui faisait ajouter à son nom, imprimé sur sa photographie : *The strongest man on earth that has beaten all the records.* » Il décrivit un Louis Cyr « jouant avec deux boulets de 40 et 45 livres comme une fillette jouant aux osselets… entraînant le tonneau à fleur au centre du théâtre ; de ses doigts fait une pince, l'attire à lui, appuie le bord supérieur sur sa poitrine […] de sa main droite, il empoigne le bord inférieur, il lève le tonneau et le pose sur son épaule, d'une seule main ! ». L'abbé Israël Courtemanche, pour sa part, raconta sa rencontre avec Louis Cyr à bord du *Chambly*, trajet durant lequel il « tira au poignet » avec lui. Le curé eut, selon son récit, « le peu banal compliment que lui, Cyr, n'avait jusque-là jamais éprouvé autant de résistance, et que si le vaincu du moment avait eu de l'entraînement, il n'aurait pas été l'inférieur de Cyr ».

La légende courait déjà. En prenant connaissance des *Mémoires* de Louis Cyr, publiées dans *La Presse* depuis quelques semaines, la revue *Culture physique*, de Paris, annonça sa mort, orna la page couverture d'une photographie de l'« athlète

Louis Cyr » et lui consacra trois pages entières, en énumérant ses principaux exploits. Il fallut que les journaux de Montréal publiassent des démentis, comme le fit *La Patrie* en titrant : « Louis Cyr n'est pas encore mort », précisant dans l'article que « le champion des hommes forts du monde coule des jours heureux et bourgeois à Saint-Jean-de-Matha » afin de rassurer les nombreux admirateurs de Cyr à la suite de cette méprise.

Entre le 22 et le 25 novembre 1908, Louis Cyr découpa et colla dans son précieux *scrapbook* le dernier article consacré à ses *Mémoires*. Ce texte ne mentionnait pas « À suivre samedi prochain » et il vit pour la dernière fois la signature « pour copie authentique » de L. Septime Laferrière, l'homme qui était devenu sa mémoire.

Louis Cyr ne sut jamais la place que lui réserva le professeur Edmond Desbonnet, fondateur de la culture physique en France, de l'*Haltérophile Club* de Paris et pionnier des premiers championnats internationaux de poids et haltères, dans son ouvrage *Les Rois de la force*, publié à Paris en 1911. Ce même Desbonnet, qui en 1906 avait décrit Louis Cyr comme « le vrai type du colosse sans méthode et sans entraînement raisonné », se ravisa à tel point qu'il classa Cyr comme un « sur-athlète », le qualifiant de « demi-dieu de l'athlétisme », sans jamais avoir rencontré l'homme. Glanant au hasard dans les journaux de l'époque et enjolivant les récits qu'on lui avait faits de Louis Cyr, il consacra douze pages de son livre à celui qu'il nomma, avec Apollon (Louis Uni) pour l'Europe, « roi des athlètes ». De Louis Cyr, il écrivit en préambule :

> *Quel est l'amateur de notre génération qui, depuis quelque vingt ans, n'a pas entendu souvent prononcer le nom de Louis Cyr, comme un des champions du monde des hommes forts. Louis Cyr, né de parents français, est un Canadien dont les prouesses ne se comptent plus. De haute taille, aussi large que haut, des bras et des jambes comme des piliers de cathédrale, cet homme semble né pour soulever des fardeaux, et en effet, dès son plus jeune âge, Cyr se livre aux exercices de force, ce qui le rend encore plus athlétique.*

Celui qui pour la première fois se trouve en face de Louis Cyr éprouve la surprise que ressentirait un boulevardier en se trouvant, au coin d'une rue, nez à nez avec un éléphant.

Le professeur Desbonnet venait de poser les fondations sur lesquelles allait s'élever la légende de Louis Cyr sur l'autre continent, là où Cyr défia, seul, toutes les réputations de l'Europe réunies, sans qu'un seul hercule n'osât se mesurer à lui.

L'année 1912 qui s'amorçait allait marquer les vingt ans d'un règne qui avait commencé, le soir du 19 janvier 1892, au *Royal Aquarium Hall* de Londres. Ce soir-là, la force de toutes les époques fut symbolisée par un nom : Louis Cyr. Et durant des années, ce nom devint indissociable de tous les exploits et les records qui avaient toujours semblé hors de portée d'un être humain. Mais Louis Cyr voyait la chose différemment.

Aurais-je pu faire mieux ? Je le crois, car je n'employais jamais toute ma force dans mes exhibitions, me réservant toujours quelques livres dans chaque tour pour augmenter mes records, si quelqu'un les avait égalés. Ceci, toutefois, n'est qu'une opinion, et maintenant qu'il m'est impossible de paraître dans l'arène, j'aurais mauvaise grâce de discuter mes records tels qu'ils sont, du reste, je n'ai pas à en rougir.

Ce furent les derniers mots qu'on put attribuer officiellement à Louis Cyr. Son image, ses propos furent sans cérémonie et sans prétention, quoiqu'il fût, au sens noble du terme, un être hors du commun.

*

1912, la dernière année de Louis Cyr, fut à la fois tragique, exaltante et prémonitoire. L'hiver fut interminable pour le grand malade, qui passait ses journées entre le lit, la chaise Morris et la berçante jumbo. Ses seuls contacts avec le monde extérieur lui venaient par l'entremise de *La Presse*, journal qu'il recevait depuis plusieurs années et dont la tradition d'abonnement sera perpétuée par sa fille Émiliana au moins jusqu'en octobre 1930.

Ce fut donc dans les éditions des 15 et 16 avril 1912 que Louis Cyr apprit que le *Titanic*, navire de la ligne White Star, le plus long, le plus large, le plus lourd et le plus puissant vaisseau de la planète, réputé insubmersible, avait sombré dans l'Atlantique Nord, entraînant dans la mort mille six cent un des deux mille cent quatre-vingts passagers et membres d'équipage. Ce fut la plus grande tragédie de l'histoire maritime du monde.

Il y eut également des Jeux olympiques à Stockholm, en Suède, qui durèrent cinq semaines, à compter du 6 juillet. Ils eussent mérité un meilleur sort dans les journaux du pays, mais le manque d'intérêt et manifestement de culture empêcha que l'on reconnût les cinq victoires canadiennes, dont le doublé du nageur Hodgson. Des Jeux qui marquèrent le renouveau du sport et méritèrent enfin leurs lettres de noblesse et une place au titre de premiers Jeux modernes. La tragédie suivit le triomphe du plus grand athlète du premier demi-siècle, lorsque l'Amérindien James (Jim) Francis Thorpe, double vainqueur du décathlon et du pentathlon, fut injustement dépossédé de ses médailles d'or. Et même si les épreuves de poids et haltères, auxquelles on allait donner sous peu le nom d'haltérophilie, retirées du programme des Jeux olympiques depuis 1904, n'apparaissaient toujours pas à celui des Jeux de 1912, on fit un grand pas en avant lorsque, le 15 juillet 1912, à l'hôtel *Continental* de Stockholm, les délégués de l'Autriche, de la Belgique, de la Bohême, du Danemark, de l'Angleterre, de la Finlande, de la France, de l'Allemagne, de la Hongrie, de l'Italie, du Portugal et de la Russie approuvèrent la création de l'*Internationaler Weltverband für Schwerathletik* (International World Federation for Strength Athletics), l'organisme précurseur de la Fédération internationale d'haltérophilie.

En août, la grande horloge du temps marqua les semaines, puis les jours pour Louis Cyr. La maladie ne lui accordait plus que de très brefs répits. Son organisme, miné par tant de luttes, ne répondait plus aux traitements. Le seul espoir fut que le cœur lâchât rapidement, afin d'éviter à Louis Cyr une longue et douloureuse agonie. Mais ce cœur n'abandonna pas facilement. Pendant deux mois encore, en août et en septembre, il battit suffisamment pour permettre au grand malade de voir défiler la vie qu'il avait menée à la force de ses bras, et qui avait fait de lui le plus illustre personnage de la race des hommes forts.

*

On ne sut jamais pourquoi Louis Cyr quitta Saint-Jean-de-Matha le samedi 6 octobre pour aller s'établir à la résidence montréalaise de son gendre, au 719, rue Sainte-Catherine Est. Peut-être voulait-il accorder un répit à Mélina, dont la santé était elle aussi de plus en plus fragile. Peut-être voulait-il se soustraire à cette curiosité populaire qui, aux derniers moments, devenait généralement morbide. Ou encore était-ce parce que le Dr Zénon-Maxime Aumont se sentait plus à l'aise dans sa propre maison pour administrer les soins palliatifs requis par l'état critique de son beau-père. En tout état de cause, l'information fut publiée par le journal *La Patrie* dans son édition du 7 octobre, qui rappela que « notre compatriote, qui a toujours habité la campagne depuis une vingtaine d'années, s'en vient vivre parmi nous ».

On ne sut pas davantage pourquoi le photographe J. N. Laprès, dont le studio était situé au coin de Sherbrooke et de Saint-Denis, à Montréal, fut requis quelques jours avant la mort de Louis Cyr pour photographier ce dernier. Presque chauve, glabre, il avait un regard qui exprimait autant la résignation que la volonté farouche de s'accrocher dignement aux derniers moments de sa vie.

Le mercredi 6 novembre, le Dr Aumont informa les proches de la fin imminente de Louis Cyr. Mélina et sa mère, Odile Desroches-Comtois, quittèrent précipitamment Saint-Jean-de-Matha pour se rendre au chevet du mourant. Le vendredi 8 novembre, Louis Cyr reçut les derniers sacrements et n'eut, par la suite, que de très rares moments de lucidité.

À la vue de son mari agonisant, Mélina fut si profondément affectée qu'elle dut à son tour prendre le lit. Cette situation lui évita d'être témoin d'un autre drame. Le samedi 9 novembre, peu après huit heures du matin, en pénétrant dans la chambre du moribond, Odile Desroches-Comtois, âgée de soixante-douze ans, fut foudroyée par une syncope. Afin de ne pas aggraver l'état de faiblesse de Mélina, on décida d'« expédier ses restes mortels le soir même à Saint-Jean-de-Matha » sans en informer sa fille.

La ronde des hommages posthumes avait commencé dans les journaux. Ce même samedi, le *Montreal Daily Witness* décrivit un Louis Cyr agonisant, incapable du moindre mouvement, tout en évoquant, avec les exagérations de circonstance, les étapes de sa glorieuse carrière. Le journal lui attribua, entre autres, un lever de 347 livres d'un seul bras. Dans l'édition du dimanche 10 novembre, *Le Nationaliste* rappela que « le champion canadien est à la dernière extrémité et ne sera peut-être plus quand on lira ces lignes ». Ne cédant à quiconque au chapitre de la surenchère des exploits, l'article affirma que « quinze mille personnes avaient trouvé place dans l'immense salle de l'*Aquarium Hall* de Londres » (l'endroit n'avait que cinq mille places) et que, durant sa tournée en Angleterre, Louis Cyr « poussa même une pointe jusqu'en Allemagne, après des démonstrations dans la plupart des villes d'Angleterre, d'Écosse et d'Irlande » (en réalité, six villes d'Angleterre et du pays de Galles).

Ils étaient dix adultes et deux enfants, le plus jeune âgé d'à peine deux ans, au chevet de Louis Cyr durant le matin du dimanche 10 novembre 1912. Il y avait Émiliana, sa fille unique, le Dr Zénon-Maxime Aumont, son gendre, leurs deux enfants, Gérald, six ans dans treize jours, et Valmore, deux ans, les quatre frères, Pierre, Jean-Baptiste, Napoléon et Léon, les deux sœurs, Marie Malvina et Odile, accompagnées de leurs maris, Moïse Hébert et Émilien Perron. À midi et quart, la vie rendit Louis Cyr à la mort, et celle-ci le rendit à la légende. Il était âgé de quarante-neuf ans et un mois.

*

La mort de Louis Cyr fit les manchettes de nombreux journaux du Canada, des États-Unis, de l'Angleterre et de la France. *La Presse, La Patrie, Le Canada, Le Nationaliste, Le Devoir, The Gazette, The Montreal Daily Herald, The Montreal Daily Witness* publièrent de longs articles et autant de photographies de l'illustre disparu. On fit allusion à tous ses exploits et à d'autres, fictifs. On lui inventa des adversaires. On ajouta des pays, tels que la France, l'Italie (où il n'était d'ailleurs jamais allé), à son itinéraire déjà fort impressionnant. On spécula sur sa fortune, « ramassée grâce à la simplicité de sa vie », affirma *La Patrie*, qui titra : « L'ex-champion des hommes forts du monde entre dans la légende. » Le quotidien *Le Devoir* emprunta « la biographie qui va suivre à l'intéressant petit livre de notre confrère E.-Z. Massicotte intitulé : *Athlètes canadiens-français* », pour présenter à ses lecteurs les exploits réels et fictifs du Samson canadien. Le journal souligna également qu'« Hector Décarie apprit avec peine la nouvelle du décès de son aîné dans ce genre de sport ». Le quotidien *La Presse* publia en mortaise la « photographie de J. N. Laprès, prise quelques jours avant sa mort », selon le bas de vignette, des notes biographiques, qui évoquaient notamment les voyages de Cyr avec différents cirques, et attribua à un Louis Cyr mourant les mots ultimes : « Que c'est donc malheureux de se séparer », destinés à Mélina, son épouse (il faut se rappeler que cette dernière était alitée depuis deux jours et ne pouvait donc pas être au chevet de son mari).

Les journaux anglophones insistèrent sur la maladie de Bright, le *Montreal Daily Herald* alléguant que Cyr « souffrait de ce mal depuis quinze ans, période au cours de laquelle il passa ses nuits dans sa chaise Morris ». Le *Montreal Daily Witness* précisa que Louis Cyr était décédé des suites d'une « néphrite chronique » et que sa belle-mère, Mme Évangéliste Comtois (Odile Desroches), avait succombé sur les lieux à une « défaillance cardiaque ». Le même quotidien émit l'opinion que Louis Cyr avait amassé une « véritable fortune » et révéla qu'en « juin 1912, il s'était porté acquéreur d'un pâté immobilier dans l'est de la ville de Montréal pour vingt-cinq mille dollars [575 000 dollars de 2012] et qu'il détenait des participations financières dans d'autres acquisitions immobilières ». Le quotidien *The Gazette* reprit le même propos et ajouta que « sa maison de Saint-Jean-de-Matha était un véritable musée, étalant une précieuse collection d'objets souvenirs et une quantité de trophées, de médailles et de ceintures ».

La nouvelle de la mort de Louis Cyr traversa les frontières du Québec. On l'annonça à Edmonton, dans *Le Courrier de l'Ouest*, à Windsor, dans *The Evening Record*, dans le *Toronto Globe*, dans le *London Free Press*, à Shediac, dans le *Moniteur acadien* ; puis à New York, à Saint Louis, à Chicago, à Boston, à travers le réseau des journaux franco-américains du mouvement de la Survivance. Sa photo parut en Angleterre, en France, en Allemagne. Des rumeurs veulent qu'elle ait circulé à Moscou, à Saint-Pétersbourg, jusqu'en Australie. Partout on lui inventa une vie, des exploits, une légende.

*

Tous les journaux montréalais publièrent la même information au sujet des funérailles de Louis Cyr :

Les funérailles de Louis Cyr auront lieu, jeudi matin, à 8 hrs 30, à Saint-Jean-de-Matha. Le corps partira mercredi matin de chez le docteur Aumont, 719 rue Sainte-Catherine Est, pour prendre le train de Joliette, à la gare Viger.

Que se passa-t-il au cours de la journée et de la soirée du lundi 11 novembre 1912 ? On ne sut jamais qui prit l'initiative de remettre en question les dernières volontés de Louis Cyr, qui étaient pourtant très claires et connues, notamment de son gendre, le Dr Zénon-Maxime Aumont.

Le 17 novembre 1906, dans l'étude du notaire Amédée Dugas, Louis Cyr avait établi son testament en trois points : il avait fait de Mélina, son épouse, sa légataire universelle, il avait nommé cette dernière exécutrice testamentaire et il avait précisé toutes les dispositions concernant ses funérailles en ces termes : « Je veux qu'après mon décès mon corps soit inhumé dans le cimetière de la paroisse de Saint-Jean-de-Matha, que mon corps soit placé dans un cercueil en métal ou doublé en métal avec double tombe en pin ou cèdre et ensuite déposé dans le terrain spécialement réservé pour ma famille et qu'il soit placé sur ma tombe un monument d'une valeur de cent cinquante piastres. Je veux aussi qu'il soit chanté pour le repos de mon âme un service de première classe, le corps présent et un autre service au bout de l'an après mon décès et qu'il soit chanté cinquante grandes messes autant que possible dans le cours de l'année après mon décès. »

Tout au contraire, on annonça dans *La Presse* du mardi 12 novembre 1912 qu'« à une réunion des parents de Louis Cyr tenue hier soir, il a été décidé que les funérailles de l'ancien champion des hommes forts auront lieu jeudi, à 8 hrs 30, à l'église Saint-Pierre. Cyr sera inhumé au cimetière de la Côte-des-Neiges ».

Le jeudi 14 novembre 1912 fut une journée affreuse. La pluie mêlée de neige durait ainsi depuis deux jours et elle n'avait cessé de tomber lorsque la dépouille de Louis Cyr fut placée dans le corbillard qui se dirigea aussitôt vers l'église Saint-Pierre-Apôtre, située à l'angle de Dorchester et de la rue de la Visitation, non loin de la résidence montréalaise du Dr Aumont. Cette église n'était pas la moindre du diocèse de Montréal. Elle fut la première église paroissiale construite sous l'autorité de Mgr Ignace Bourget, évêque de Montréal (il posa la première pierre le 29 juin 1851) et fut considérée comme un modèle du néo-gothique dans le diocèse, en même temps que la première œuvre religieuse d'importance de l'architecte Victor Bourgeau.

Ce fut dans l'imposante nef de plus de 120 pieds de longueur, flanquée de grandes arcades et de hautes fenêtres ornées de verrières, que prirent place des dizaines de notables et des centaines d'admirateurs de Louis Cyr. Des dizaines d'autres se trouvaient dans les galeries-corniches qui couraient sous l'« imposante voûte d'ogives à nervures », alors qu'un impressionnant chœur composé de chantres des principales églises de Montréal, sous la direction du maître de chapelle J. A. Waylan, entamait la messe harmonisée de Gounod, accompagné à l'orgue par Mlle M. L. Laurier.

La cérémonie religieuse fut célébrée par le père Turgeon, de la congrégation des Oblats, et l'absoute fut donnée par le père Tourangeau, curé de la paroisse. Il y avait tellement de fleurs que le cercueil était à peine visible. Le représentant de *La Presse*, R. Rouillard, avait noté les noms d'une centaine de personnalités présentes, parmi lesquelles Hector Décarie et son frère, Arthur. Mais il sembla qu'Horace Barré était absent.

Vers onze heures du matin, l'immense cortège, devant lequel marchait une délégation de la garde de la Société Saint-Jean-Baptiste, prit la direction du cimetière Notre-Dame-de-la-Côte-des-Neiges. Selon le certificat d'inhumation, « Louis Noé Cyprien Cyr, bourgeois, époux de Mélina Comtois, décédé le dix du mois courant âgé de quarante-neuf ans et un mois, dans la paroisse de Saint-Pierre, fut inhumé le 14 novembre 1912 ». Le document portait les signatures du Dr Zénon-Maxime Aumont, des frères de Louis Cyr, Pierre, Napoléon et Léon, de ses beaux-frères, Moïse Hébert fils et Omer Perron, ainsi que de l'abbé A. Guindon.

En réalité, le corps de Louis Cyr ne fut pas mis en terre ce jour-là, mais déposé dans le charnier du cimetière de la Côte-des-Neiges, ainsi que l'indique le registre des inhumations du mois de novembre 1912, où le nom de Louis Noé Cyprien Cyr, numéro 7785, portait la mention « charnier 21/1/13 ».

Il faudra une requête pour exhumation et inhumation auprès de la Cour du Québec pour mettre fin à l'errance du corps du défunt. Le 20 janvier 1913, l'honorable juge Guérin rendra le jugement autorisant la requérante, en l'occurrence dame Émilina (*sic*) Comtois (il s'agissait de Mélina), à prendre toutes les dispositions pour que « le corps de feu Cyprien Noé alias Louis Cyr » ait enfin une sépulture définitive dans le cimetière de Saint-Jean-de-Matha. Une mention au registre des sépultures de la paroisse indique qu'« un lot fut vendu à madame Louis Cyr le 11 novembre 1912 pour le montant de dix dollars », mention biffée et remplacée par le nom de « Gilbert Comtois » le même jour. Une autre mention indique la vente du même lot, pour le même montant, cette fois en date du 23 avril 1913. Mais aucun document administratif ne mentionne l'arrivée du cercueil, soit à la gare de Joliette, soit à son lieu de repos final, à Saint-Jean-de-Matha. Seul le monument funéraire surmonté d'une croix de pierre et gravé, entre autres, du nom de Louis Cyr se dresse en mémoire du plus grand héros populaire du Québec à Saint-Jean-de-Matha.

Ici repose Louis Cyr
Champion des hommes forts

En vingt-trois ans de vie publique, Louis Cyr avait parcouru l'Angleterre, le pays de Galles, le Canada, depuis la Nouvelle-Écosse jusqu'au Manitoba, et vingt États américains, en « charrette à poches », en bateau et en train, sur une distance totale de plus de 80 000 kilomètres. Il avait donné quelque deux mille cinq cents représentations de tours de force, s'était produit plus de mille fois dans divers cirques, y compris le sien, avait effectué près de deux mille levers de la plate-forme pour un total de presque 3 000 tonnes, lutté plus de cinq cents fois contre des paires de chevaux, soulevé près de deux mille fois, de son bras droit, un haltère d'au moins 250 livres et autant de fois, à deux bras, des haltères à barres longues de plus de 300 livres, sans compter tous les tours de force qu'il avait imaginés et pour lesquels, chaque fois, il devenait un pionnier. Il fut l'homme des 5 000 tonnes levées et des mille chevaux vaincus ; le fils du terroir était devenu le premier roi de la force.

CHAPITRE 17

Visions d'artistes

La mémoire de Louis Cyr a été perpétuée. Ses exploits tout autant. On en fit une légende. Avec les années, la part de folklore finit par creuser l'écart entre le personnage réel et le héros. On l'imagina à l'égal de l'Hercule mythologique et du Samson biblique.

Ainsi, un siècle et demi après sa naissance, Louis Cyr, défiant le temps, existe puissamment dans l'imaginaire collectif du peuple québécois. Plus encore, il demeure, aux yeux de la communauté mondiale de la force, celui qui a changé à jamais la représentation que l'on se faisait de la force physique.

Son premier chantre fut l'auteur, compositeur et interprète Jean-Pierre Ferland, qui a remporté de nombreux prix (Prix d'interprétation en Pologne, Grand Prix au Festival du disque de Montréal et Grand Prix de l'Académie Charles-Cros, entre autres). Jean-Pierre Ferland chanta *Louis Cyr* en Belgique, en Suisse et en France. En 1967, les Parisiens découvrirent le surhomme devenu un géant dans cette chanson dont voici un extrait:

M'écouteriez-vous si je vous disais
Qu'il était plus fort qu'une paire de taureaux
Qu'il venait à bout quand il le voulait
D'un cheval sans licou lancé au galop
Qu'il croquait du verre sans cracher de sang
Qu'il pouvait lever de terre un char de ciment

D'autres créateurs suivirent. Notamment dans le domaine des arts visuels. Sculpteurs, peintres, dessinateurs firent revivre Louis Cyr. En tête de file, un homme aux multiples talents : Robert Pelletier. Diplômé de l'École des beaux-arts de Montréal, Robert Pelletier créa le monument de Louis Cyr qui se trouve aujourd'hui dans l'ouest de Montréal, dans Saint-Henri, à proximité du quartier de la Petite-Bourgogne. Une statue de bronze pesant près de 900 livres (410 kilos), coulée en trois parties à la fonderie d'art Vandevoorde de Longueuil, montée sur un piédestal de granit noir. Entreprise en 1967, l'œuvre fut achevée en 1970 et inaugurée le 13 juin 1973. Le sculpteur avait réalisé des dessins préparatoires à partir de photographies de Louis Cyr. Au final, une œuvre d'exubérance caractérisée par des volumes exceptionnels. Mais surtout un monument dont le symbolisme évoque l'importance de la mémoire vive du patrimoine historique québécois.

Un deuxième monument de Louis Cyr est érigé à Saint-Jean-de-Matha, sa seconde patrie. Coulée dans un moule d'argile et de ciment, l'œuvre fut créée par le sculpteur Jules Lasalle et inaugurée en 1983. Le même Jules Lasalle allait réaliser dans les années suivantes des monuments de Jackie Robinson, Marguerite Bourgeoys, Maurice Richard (érigé au parc Jacques-Cartier de la Ville de Gatineau), Robert Bourassa (devant le Parlement de Québec) et Jean Béliveau.

En 1997, Bryan Perro, enseignant, homme de théâtre et romancier, créa une pièce de théâtre, œuvre allégorique inspirée de la dernière rencontre athlétique de Louis Cyr en 1906, au parc Sohmer de Montréal. La pièce, intitulée *Fortia Nominat Louis Cyr*, présentait un héros plus grand que nature, qui affrontait, dans ses souvenirs et avec sa seule force physique, tous ceux qui menaçaient son peuple et s'en prenaient à « une époque qu'il avait forgée de ses mains ».

Puis en mai 2003, le sculpteur de renommée internationale Michel Binette, reconnu pour ses œuvres figuratives classiques, entreprit d'incarner dans le bronze un Louis Cyr en pleine action. Partant d'une échelle anatomique établie selon les mensurations de Louis Cyr en 1892, il ramena celles-ci aux dimensions réduites de l'œuvre haute de 45 centimètres. Le bronze, coulé au Musée du bronze d'Inverness, commémore l'exploit de Louis Cyr accompli le 19 janvier 1892 au *Royal Aquarium Hall* de Londres. Il avait, ce soir-là, réussit un développé à un bras de 273 ¼ livres (124,2 kilos).

En 2004, le compositeur, parolier, peintre et écrivain Marcel Lefebvre réalisa un triptyque, sanguine et huile sur papier Canson, en hommage à trois exploits de Louis Cyr : le tir des chevaux, le lever d'un haltère de 273 ¼ livres et le soulevé d'une plate-forme chargée de 4 337 livres (1 971 kilos).

En 2006, le réputé et regretté peintre québécois Claude Le Sauteur découvrit l'édition originale de la biographie de Louis Cyr. Inspiré par la démesure de l'homme, il décida de le rendre sur toile grand format et de lui donner une place de choix dans sa galerie des grands personnages, parmi lesquels le curé Labelle, qu'on surnommait « le Roi du Nord », Menaud, maître-draveur tiré du roman de Félix-Antoine Savard, Jos Montferrand, entre autres. Ces personnages rendaient bien l'histoire, le patrimoine, les contes et les légendes du Québec. Tous plus grands que nature. Tous faisant partie de l'imaginaire collectif.

Le Sauteur, élève de Jean-Paul Lemieux à l'École des beaux-arts, figure importante de la peinture moderne au Québec et admis à l'Académie royale des arts du Canada, signait, avec cette fresque consacrée à Louis Cyr, sa dernière grande œuvre. Il l'avait terminée juste à temps pour l'exposition au Musée de Charlevoix à la Malbaie qui s'était ouverte en juin 2007. Le temps de poser fièrement devant la représentation puissamment colorée et vaguement cubiste d'un Louis Cyr au sommet de sa force, dressé à mi-chemin entre la vérité et la légende.

Quatrième partie
La succession

Cent ans après le décès de Louis Cyr, un successeur
s'annonce : Zydrunas Savickas, de la Lituanie.
Photo : Marc-André LeTourneux

CHAPITRE 18

Louis Cyr au cinéma

Le thème de la force a été largement exploité par l'industrie cinématographique mondiale. L'histoire du cinéma fait état de nombre de productions, principalement italiennes et américaines, qui ont exploité les héros de l'Antiquité et les personnages bibliques.

De fait, entre les années 1950 et 1970, Hollywood et la Cinecittà ont lancé de véritables franchises autour des mythes d'Hercule, de Samson, de Maciste, d'Ursus, de Goliath, des gladiateurs de la Rome antique, avec comme dénominateur commun la force physique surhumaine. Entre 1960 et 1964 seulement, le cinéma italien réalisa le quart de sa production générale avec des films du genre péplum, se constituant à coups de dizaines de millions de dollars un faux univers olympien, tout en déformant à volonté les récits historiques et mythologiques. Pour peu que le héros soit fort et charismatique, les distorsions de l'histoire ou de la légende importaient peu. Le film de genre a tiré avantage du mythe universel de la force et a tenu, pendant près de trois décennies, une place de premier plan au cinéma mondial, à la fois par la consécration de stars musclées et par la réussite au *box-office*.

Les producteurs, fabricants du star-système, avaient compris que le thème de la force était intarissable, la démesure étant le catalyseur de l'imaginaire.

Pourtant, si le cinéma mondial a exploité avec ferveur le péplum classique avec ses invraisemblances et ses vedettes aux muscles hypertrophiés, il est passé à côté de la dimension historique de la force. Celle-ci a transcendé les époques, produit de véritables phénomènes de la génétique, attestés par des exploits hors du commun.

Le cinéma québécois a justement créé ce précédent. Commémorant le centième anniversaire de son décès (en 2012) et le cent cinquantième de sa naissance (en 2013), le septième art a ouvert ses portes à Louis Cyr. Événement sans pareil pour le cinéma que de consentir de telles ressources pour reconstituer toute une époque et porter à l'écran les prouesses de l'homme le plus fort de tous les temps.

L'honneur revient à Christal Films, à son chef de direction Christian Larouche et au réalisateur Daniel Roby de faire revivre en son, lumière et couleurs les grands moments de la vie d'une figure dominante du patrimoine populaire de l'Amérique française.

Présenté comme un drame biographique inspiré du récit de la vie de Louis Cyr, le long métrage de fiction montre celui-ci comme un prodige de la nature, un symbole identitaire qui, au-delà de ses triomphes, a mené un rude combat contre son analphabétisme, le héros de tout un peuple et la première star internationale du Québec.

Dotée d'un des budgets les plus importants de l'histoire du cinéma québécois, soit près de 9 millions de dollars, l'ambitieuse production compte cent trente-deux rôles, près de cinq cents costumes d'époque qui ont nécessité plusieurs mois de recherches et de confection, des prouesses de transformation physique du personnage principal, plus d'une vingtaine de sites de tournage et quantité d'effets spéciaux.

Le 1er octobre 2012, Antoine Bertrand, l'interprète de Louis Cyr, disait : « Il fallait qu'il y ait un jour un film qui se fasse sur Louis Cyr. Je trouve que c'est important parce que Louis Cyr commande un devoir de mémoire. Pour ce qu'il a accompli, mais aussi pour ce que ses exploits représentent pour le Québec. Il a été le meilleur au monde à une époque où les Québécois étaient considérés comme des porteurs d'eau. Il a donné une première fierté au Québec. »

Pour sa part, Daniel Roby, le réalisateur de ce film historique, a dit: «Le cinéma québécois a rarement illustré le Québec à la fin du xixᵉ siècle. Ce genre de travail, très précis et rigoureux, a été l'affaire d'une direction artistique de grande expérience pour laquelle rien n'a été laissé au hasard dans le travail de reconstitution. »

Louis Cyr est entré de plain-pied dans la modernité. Par la chanson, la peinture, la sculpture, le cinéma. Son historicité tout autant que sa légende sont perpétuées. Il a une place de choix au panthéon des surhommes. Et s'il est tenu pour acquis que la société canadienne-française valorisait à l'extrême, jadis, la force physique, les sociétés modernes s'entendent sensiblement pour reconnaître les exploits de force parmi les grandes manifestations de culture populaire.

CHAPITRE 19

La course au titre de l'homme le plus fort du monde

Hormis les légendaires Hercule et Samson, issus de récits mythologiques et bibliques, peu d'hommes s'imposèrent dans l'histoire de l'humanité par le seul attribut de la force physique. Le nom de Louis Cyr arrive en tête de cette très courte liste. Et quoique l'on tente d'inventer un personnage qui soit encore plus démesuré que la stature hors du commun qui était la sienne, l'analyse critique de ses exploits, couplée aux performances virtuelles que les spécialistes de la biomécanique et de la génétique peuvent admettre à titre de probabilités, démontre que Louis Cyr pourrait bien être l'homme le plus fort de tous les temps.

Il le fut certainement, toutes époques confondues, jusqu'à sa mort. Il le demeura, malgré l'avènement d'hommes dotés d'une force explosive, mais dont les exploits se réduisaient à un nombre limité de levers. Parmi ces hommes, Arthur Saxon, de son véritable nom Arthur Hennig, né à Leipzig, en Allemagne, en 1878. Il réalisa plusieurs records aux haltères entre novembre 1904 et 1906, notamment un dévissé à un bras de 335 livres, au *South London Palace* de Londres. Un autre fut Hermann Görner, né à Haenichen, en Allemagne, en 1891. En juillet 1920, il souleva du sol aux genoux près de 800 livres des deux mains et 663 livres, de la même façon, de la main droite.

Mais aucun homme n'était encore parvenu à exceller autant avec des haltères, selon un code d'exécution strict, qu'avec des objets lourds tels des tonneaux, des enclumes, des pierres de formes diverses, des plates-formes chargées de fonte ou d'humains. Louis Cyr fut à cet égard un cas unique.

Puis, à compter de 1920, l'haltérophilie devint un sport à part entière, grâce à son retour aux Jeux olympiques. Il y eut une Fédération internationale, un matériel norma- lisé, des règlements communs à tous les pays, des mouve- ments de moins en moins nombreux, finalement ramenés à deux techniques, l'avènement de méthodes scientifiques d'entraînement bonifiées par de nombreuses découvertes de la médecine, de la physiologie, de l'ergonométrie et de la psychologie. Si bien qu'aux yeux des sociétés modernes, l'haltérophile superlourd incarnait dorénavant les limites de la puissance humaine. En 1970, on prétendit que l'homme le plus fort du monde et peut-être de tous les temps était le Russe Vasilii Alexeev, le premier à franchir la barrière des 1 320 livres (600 kilos) au total du développé à deux mains, de l'arraché et de l'épaulé-jeté. Mis en perspective, les exploits d'Alexeev se ramenaient à trois mouvements d'haltérophilie, sans que sa force eût été autrement testée. Et elle ne le fut jamais, sauf dans l'enceinte de l'haltérophilie.

Celui toutefois qui mérite de partager la suprématie de la force humaine avec Louis Cyr est un Américain du nom de Paul Anderson. Né à Toccoa, dans l'État de Georgie, en octobre 1932, Anderson réalisa les levers les plus lourds de l'histoire moderne de la force brute. Il fut champion du monde d'haltérophilie en 1955, médaillé d'or aux Jeux olym- piques de Melbourne en 1956, poussa depuis les épaules à bout de bras 565 livres, un exploit inégalé à ce jour, fut le pre- mier homme à dépasser la barrière des 1 000 livres en flexion de jambes, le premier à soulever plus de 800 livres de terre selon les normes de la dynamophilie, le premier à réussir un développé, couché sur un banc, de plus de 600 livres.

Puis, au cours de la seconde moitié du XXᵉ siècle, la force humaine devint l'affaire de la science et des laboratoires de médecine sportive. Les stéroïdes anabolisants, découverts en 1940, furent progressivement utilisés à compter de 1950. Les produits de la testostérone, connus depuis 1935, furent administrés à des haltérophiles vers 1952. Quant à l'hormone de croissance, découverte en 1944, elle se répandit dans les salles d'entraînement vers 1980. Dès lors, il devenait possible de générer des effets multiplicateurs chez des sujets génétiquement favorisés et, surtout, d'accroître les performances de haut niveau au cours de quelques mois, au pire de deux ou trois ans. Par exemple, un programme d'utilisation combinant plusieurs produits dérivés de l'hormone de croissance (HG) permit d'influencer directement la masse musculaire, la fréquence des entraînements et les charges utilisées par cycle d'entraînement. Il suffit aujourd'hui d'un protocole médicalement prescrit pour provoquer une augmentation nette de 2 à 5 % de la performance en moins de trois mois. Mathématiquement, les effets combinés de plusieurs produits, autant stéroïdes, corticostéroïdes qu'hormones de synthèse, couplés à d'autres, peuvent entraîner une hausse des rendements de force de l'ordre de 40 % au cours d'une période de deux ans.

Pendant les années 1970, une race d'hommes forts modernes dotés de connaissances scientifiques et d'une panoplie de ressources chimiques de stimulation reprirent le flambeau porté par Louis Cyr. Il s'agissait de relancer la course au titre de l'homme le plus fort du monde.

*

Ce fut en 1977, aux studios Universal de Californie, que prit forme la version moderne des concours de force devant couronner, annuellement, l'homme le plus fort de la planète. Un concept, le *World's Strongest Man* ᴹᴰ, propriété de la firme internationale de promotion et de gestion des carrières de vedettes du sport IMG (International Management Group), fut développé en fonction d'auditoires internationaux de télévision par un des vice-présidents d'IMG, M. Barry Frank.

Au cours des six premières éditions du WSM, dix hommes forts de diverses disciplines, neuf Américains et un Européen, s'affrontèrent dans plusieurs épreuves allant du bras de fer au pliage de barres de fer. Un colosse de l'État du Wisconsin, William Kazmaier, né en 1953, remporta trois fois le titre en jeu et fut considéré comme l'homme le plus fort du monde de la décennie. Il avait aussi été le premier dynamophile à réussir plus de 2 400 livres (1 091 kilos) au total des épreuves de la flexion de jambes, du développé couché au banc et du soulevé de la force.

Au cours des années suivantes, l'événement devint international. Il se déplaça sur les continents, passant de la Nouvelle-Zélande en Europe, de l'Afrique du Nord à l'Afrique du Sud, de la Scandinavie à l'Asie de l'Est. Le Dr Douglas Edmunds, d'Écosse, un ancien champion des Highland Games, mit sur pied l'International Federation of Strength Athletes (IFSA), donnant ainsi à ce concours une allure de sport extrême et consacrant par l'usage l'expression « athlète de force ».

En trente-cinq ans, quelque deux cent hommes forts venant principalement des pays scandinaves, du Royaume-Uni, de l'Europe de l'Est, des États-Unis, du Canada, des Pays-Bas, de l'Europe de l'Ouest, exceptionnellement de l'Océanie et de l'Afrique du Sud, ont participé à cette classique émission télévisée se voulant l'ultime concours pour déterminer la suprématie de la force.

Les épreuves sont nombreuses, interchangeables d'une année à l'autre, soumises à des impératifs autant télévisuels que proprement athlétiques. Difficile dans un tel contexte d'établir une base comparative ; plus encore de reconnaître officiellement des records. Néanmoins, entre 1977 et 2003, les Scandinaves ont remporté treize fois le titre. Deux Islandais, Jon Pall Sigmarsson et Magnus Ver Magnusson, l'ont remporté quatre fois chacun. Sigmarsson, véritable réincarnation d'un dieu viking, est décédé le 16 janvier 1993 durant une session d'entraînement. Il était âgé de trente-trois ans. Son successeur, Magnus Ver Magnusson, fut reconnu comme le maître des épreuves de force, doublé d'aptitudes athlétiques exceptionnelles.

On ne l'attendait pas vraiment. Il concédait 20 kilos (44 livres) aux athlètes de force internationaux, lesquels faisaient osciller la balance à près de 150 kilos (330 livres) en moyenne. Entre sa première compétition de force dans son pays natal, la Pologne, et sa première participation au *World's Strongest Man*, il avait pris 32 kilos (70 ½ livres) de muscles. À sa deuxième présence à ce concours qui jouissait d'une diffusion télévisée planétaire, il remporta le premier de ses cinq titres (2002, 2003, 2005, 2007, 2008), un record absolu.

Dans plus de cent pays, les aficionados de la force n'en avaient que pour Mariusz Pudzianowski. On l'affubla de quelques surnoms : Super Mariusz, Dominator, The Machine. En Pologne, Mariusz Pudzianowski devint l'équivalent d'une *rock star*. Il devint aussi le premier millionnaire du monde moderne de la force.

Doté d'un physique de champion culturiste, doublé d'une force explosive, d'une endurance et d'une résistance hors du commun, Mariusz Pudzianowski avait surtout une rare qualité : le charisme. Il crevait les écrans et, du fait, dominait psychologiquement ses adversaires. Tellement que, pour le commun des mortels, Mariusz Pudzianowski était la réincarnation du modèle de l'homme le plus fort du monde.

Mais cela n'était qu'apparence. L'image allait céder à la substance. Car dans les faits, Louis Cyr a aujourd'hui un authentique successeur en la personne d'un surhomme lituanien. Ce dernier est à écrire un nouveau chapitre de l'histoire de la force.

CHAPITRE 20

Zydrunas Savickas, l'homme le plus fort du xxᵉ siècle

« Il ne peut y en avoir qu'un » est la phrase souvent utilisée lorsque des experts débattent de la question de l'homme le plus fort de la planète. Débat incessant lorsqu'il s'agit de définir la force elle-même.

En fait, la force peut être de diverses formes : statique, explosive, dynamique, fonctionnelle. Elle doit pouvoir mesurer les aptitudes : à soulever la charge la plus lourde du sol au-dessus de la tête, à deux bras, à un bras ; à déplacer la charge la plus lourde par traction en fonction de distances définies et d'un temps chronométré ; à déplacer les charges les plus lourdes par préhension des mains en fonction de distances définies et d'un temps chronométré ; finalement, à transporter des objets hétéroclites pesant entre 113,5 kilos (250 livres) et 147,5 kilos (325 livres), en série de trois à cinq, en fonction de distances définies et d'un temps chronométré, entre autres.

C'est à partir de cette équation, à laquelle il faut ajouter la longévité d'une carrière, le nombre et la qualité des concours, celui des victoires obtenues et des records établis,

que l'on pourra assurément déterminer le véritable successeur de Louis Cyr et, en même temps, l'homme le plus fort
du XXe siècle.

*

La Lituanie est le pays de multiples renaissances. Un des
trois États baltes, la Lituanie est située sur la rive orientale de
la mer Baltique. «Que fleurisse l'unité » est la devise de cette
minuscule république d'Europe du Nord, qui comptait jadis
une importante communauté juive à laquelle s'ajoutaient
quantités de Russes et de Polonais.

Une Lituanie éprouvée également, puisque intégrée à la
Pologne, puis à l'Empire russe, occupée par l'Union soviétique après avoir été occupée par l'Allemagne durant la
Seconde Guerre mondiale, et dont l'indépendance n'est
venue que le 11 mars 1990.

C'est dans la Lituanie absorbée par l'Union soviétique
qu'est né, le 15 juillet 1975, Zydrunas Savickas. À Birzai plus
précisément, une petite communauté d'à peine 15 000 habitants, située dans la partie nord du pays.

Un phénomène génétique à n'en pas douter. Dès l'âge de
quatorze ans, il entre dans des concours de force réservés
aux adultes. Il participe à sa première compétition officielle
d'épreuves de force en 1992, alors âgé de dix-sept ans. En
1997, il remporte ses premières victoires. En 1999, il devient
l'homme le plus fort de Lituanie.

Le 28 juillet 2001, aux îles Féroé, les ligaments croisés de
ses genoux cèdent. Deux chirurgies et neuf mois de réhabi-
litation plus tard, Zydrunas Savickas monte sur la deuxième
marche du podium du *World's Strongest Man*. Presque un
miracle alors qu'on avait prédit la fin de sa carrière.

Le reste du parcours d'athlète de force de Zydrunas Savickas
tient de la légende. Entre 2005 et janvier 2013, il participe
à cent dix compétitions d'épreuves de force et en remporte
quatre-vingt-dix-huit. Du jamais vu tant en nombre de participations qu'en résultats. Sur l'ensemble de son parcours de
compétiteur, Savickas a participé à ce jour à cent quatre-vingt-

douze compétitions, a remporté cent dix-neuf victoires, est monté trente-deux fois sur la deuxième marche du podium, entre 1992 et 2013, en plus de remporter dix-sept titres mondiaux et quatre titres européens. Au cours de ces vingt années, il a concouru dans trente-cinq pays contre quelque deux cent vingt-cinq adversaires. En date du 1er janvier 2013, il avait établi et détenait cinquante-six records du monde dans onze épreuves de force différentes. En comparaison, Bill Kazmaier, Jon Pall Sigmarsson, Magnus Ver Magnusson et Mariusz Pudzianowski ont participé, au total des quatre, à cent soixante compétitions et remporté conjointement cent une victoires, vingt-quatre titres mondiaux et dix titres européens. Ensemble, ils ont détenu dix-neuf records du monde.

Le roi de la force du xxe siècle est connu. Le statut de Zydrunas Savickas est incontestable. Une carrière d'athlète de force unique dans les annales du siècle avec des résultats hors du commun.

Il faut des exploits qui subissent l'épreuve du temps et l'expression unanime de toute une génération pour reconnaître, parmi la race des champions, celui que l'on couronnera de manière incontestée, comme on le fit avec Louis Cyr. La somme des exploits de Savickas mène à une telle consécration. En vingt ans d'épreuves de force, Zydrunas Savickas est devenu le premier humain à tirer, pousser, soulever plus de 1 000 tonnes. Un exploit mythique.

En mai 2007, l'éditeur de la revue *The Journal of Physical Culture*, le Dr Terry Todd, et Jan Todd, deux sommités du monde de la force, membres du corps professoral de l'Université du Texas, publiaient un texte coiffé du titre *Strongest of the Strong* (le plus fort parmi les forts) en concluant : « Ce n'est pas tous les jours qu'il nous est donné de voir en action celui que l'on reconnaîtra un jour peut-être comme l'homme le plus fort de l'Histoire. » Il s'agissait bien évidemment de Zydrunas Savickas.

Le Dr Douglas Edmunds d'Écosse, fondateur avec l'historien David Webster, OBE (*Order of the British Empire*), des épreuves de force modernes en 1975, avait déjà dit en mars 2007 que « le roi de la force était, sans l'ombre d'un doute, Zydrunas Savickas », et qu'il fallait déjà le reconnaître comme « l'homme le plus fort de sa génération ».

Le 15 septembre 2012, l'auteur de ces lignes reçut un texte signé du Dr Bill Crawford, docteur en médecine, membre émérite de la Confrérie des leveurs de pierres et un des plus éminents analystes du monde de la force. Intitulé *La Cape de Superman*, le texte, véritable poème épique, se lit ainsi : « La Cape de Superman n'est que rarement transmise d'une génération à l'autre en dépit des exploits méritoires d'authentiques champions de la force. Mais Zydrunas Savickas, le superman lituanien, est probablement la réincarnation de Louis Cyr dont il a hérité du don de la force. Ce don unique qui consiste à défier les lois de la physique humaine, à réaliser ce qui paraît irréalisable et qu'il faut absolument voir pour le croire. »

Le 3 octobre 2012, le docteur Terry Todd répondait à la question suivante, à savoir qui est, selon son point de vue d'expert, l'homme le plus fort du XXe siècle : « Je crois qu'au vu de tout ce dont j'ai été témoin au cours des quarante dernières années, Zydrunas Savickas pourrait prétendre au titre de l'homme le plus fort de l'histoire moderne. La force surhumaine de Louis Cyr est légendaire, d'autant plus que ce dernier n'a jamais bénéficié des avantages des sciences de l'entraînement physique, de la nutrition, ni des équipements sophistiqués aujourd'hui disponibles. Les exploits de Savickas et de Cyr sont dans une classe à part. Le premier est définitivement le successeur du célèbre Canadien. »

Le président de IronMind Enterprises et éditeur de la revue *Milo*, qui fait autorité au sein de la communauté internationale de la force, Randall J. Strossen, Ph. D., est d'avis que « l'homme qui a imposé une telle suprématie en matière de force au tout venant depuis deux décennies, est certainement l'homme le plus fort de l'histoire moderne. Cet homme est le surhomme lituanien Zydrunas Savickas. »

Quant à la présidente de l'American Strongman Corporation, Dione Wessels, elle considère Zydrunas Savickas comme « l'athlète de force du siècle par excellence, le champion suprême de la force parmi tous les autres champions ».

Le chef de la direction de la Strongman Champions League, Marcel Mostert, est catégorique. À la tête de la plus grande organisation internationale d'épreuves de force, avec des cellules dans une vingtaine de pays dont la Chine, il affirme : « Je suis d'opinion que Zydrunas Savickas est l'homme le plus fort à avoir vécu. Pour avoir été le témoin direct de ses exploits au cours des dix-sept dernières années, je le qualifie de maître incontesté des hommes forts, toutes époques confondues. »

Au moment de célébrer les cent cinquante ans de la naissance de Louis Cyr, le surhomme lituanien est aujourd'hui reconnu comme l'homme le plus fort du xxe siècle. Si Louis Cyr incarne toujours le mythe universel de la force, Zydrunas Savickas est devenu son digne successeur.

Zydrunas Savickas
l'homme le plus fort du xxe siècle[*]

Pays d'origine	Lituanie
Année de naissance	1975
Nombre d'années de compétitions de force	20 (1992-2013)
Nombre total de compétitions combinées de force (*strongman* et dynamophilie)	232 (1992-2013)
Nombre total de podiums (record)	206 (89 %)
Nombre total de victoires (record)	146 (62 %)
Nombre total de compétitions en *strongman* (record)	192 (1992-2013)
Nombre total de podiums (*strongman*) (record)	165 (86 %)
Nombre total de victoires (*strongman*) (record)	119 (61 %)
Titres de champion du monde (*strongman*) (record)	16 (entre 2003 et 2013)
Titres en championnats internationaux (*Europe's Strongest Man* et Strongman Champions League)	7

[*] Entre 2004 et 2013, Zydrunas Savickas a été couronné champion du monde par toutes les organisations internationales accréditées pour tenir des compétitions de championnats du monde de la force : World's Strongest Man/IMG ; International Strength Athletes Federation ; Arnold Strongman Classic ; Fortissimus World Strength ; World Strongman Federation et Strongman Champions League.

Nombre de records du monde établis en carrière (*strongman*) (record)	56 (entre 2004 et 2013)
Nombre d'épreuves de force pour lesquelles Savickas détient (ou a détenu) des records du monde (record)	12
Nombre de compétitions Strongman par un athlète de force entre 2008 et 2013 (record)	66
Nombre de podiums réalisés entre 2008 et 2013 (record)	66 (100 %)
Nombre de victoires par un athlète de force entre 2008 et 2012 (record)	58 (87 %)
Nombre de records du monde établis entre 2008 et 2013 (record)	36 (63 % de l'ensemble des records du monde)
Pourcentage de victoires par rapport au nombre de compétitions disputées (record)	90,5 % (de mars 2008 à janvier 2013)

Les dix de la force extrême (XXᵉ siècle)

Rang	Nom	Pays d'origine	Taille	Poids
1	Zydrunas Savickas*	Lituanie	1,91 m	175 kg
2	Mariusz Pudzianowski	Pologne	1,84 m	135 kg
3	Jon Pall Sigmarsson †	Islande	1,91 m	130 kg
4	Magnus Ver Magnusson	Islande	1,91 m	132 kg
5	Geoff Capes	Angleterre	1,97 m	150 kg
6	Bill Kazmaier	États-Unis	1,91 m	150 kg
7	Youko Ahola	Finlande	1,87 m	125 kg
8	Magnus Samuelsson	Suède	2,01 m	156 kg
9	Svend Karlsen	Norvège	1,88 m	137 kg
10	Derek Poundstone	États-Unis	1,85 m	145 kg

* Zydrunas Savickas est toujours actif.

† Décédé le 16 janvier 1993 à l'âge de trente-trois ans au cours d'un entraînement.

Nombre de compétitions d'épreuves de force	Nombre de victoires	Nombre de titres majeurs	Nombre de records du monde
192	119	23	56*
59	42	11	4
39	25	10	4
42	20	8	4
29	21	6	3
21	14	5	7
27	18	6	3
55	24	3	2
57	17	3	3
29	12	6	7

C

Annexes

Ascendance de Louis (Cyprien Noé) Cyr*

PREMIÈRE GÉNÉRATION

JEAN SIRE   **MARGUERITE RIMBAULT**
Né circa 1655   Épouse   à Grand-Pré, Acadie
à Saint-Éloi-de-Dunkerque,
Flandre française

DEUXIÈME GÉNÉRATION

LOUIS SIRE   **MARIE-JOSÈPHE MICHEL**
Né en 1690 à   Épouse   Décédée
Grand-Pré, Acadie   (23 mai 1712)   le 30 novembre 1773
Décédé le 22 juin 1757,
à Québec

TROISIÈME GÉNÉRATION

PAUL SIRE   **MARGUERITE DAIGLE**
Né en 1690 à   Épouse   **DITE DAIGRE**
Grand-Pré, Acadie   (12 novembre 1753)   Née en 1733 à
Décédé   Saint-Charles-de-Bellechasse
le 15 septembre 1798   Décédée le 26 février 1758
à L'Acadie, Haut-Richelieu   à Saint-Charles-de-Bellechasse

                                                MARIE-URSULE DUBOIS
                           Épouse   Décédée
                      en secondes noces   le 13 septembre 1798
                                              à L'Acadie, Haut-Richelieu

QUATRIÈME GÉNÉRATION

PIERRE-PAUL SIRE   **FRANÇOISE PELLERIN**
Né le 4 mai 1756 à   Épouse   Née en 1748
Saint-Charles-de-Bellechasse (28 octobre 1782) à Saint-Grégoire-de-Nicolet
Décédé le 14 juin 1809   Décédée le 12 mars 1809
à L'Acadie, Haut-Richelieu   à L'Acadie, Haut-Richelieu

---

* Établie en collaboration avec la Société historique du Haut-Richelieu, les services d'archives des municipalités de Bécancour, de Sainte-Hélène-de-Bagot, de la banque de données du Programme de recherches en démographie historique de l'Université de Montréal (PRDH-1621-1899) et des Archives nationales du Québec.

PIERRE CYR
Né en 1783 à L'Acadie,
Haut-Richelieu
Décédé le 4 mai 1875
à Napierville

Épouse

MARIE GAMACHE
Décédée le 8 janvier 1820
à L'Acadie, Haut-Richelieu

APPOLINE BROUILLET

Épouse
en secondes noces

SIXIÈME GÉNÉRATION

PIERRE CYR
Né en 1808 à
Saint-Cyprien-de-Napierville
Décédé le 25
décembre 1883 à
Saint-Cyprien-de-Napierville

Épouse
(20 novembre 1832)

EUPHROSINE GIRARD
Décédée le 20 mars 1894
à Napierville

SEPTIÈME GÉNÉRATION

PIERRE CYR
Né le 29 mars 1839 à
Saint-Cyprien-de-Napierville
Décédé le 15 novembre
1895 à Montréal

Épouse
(2 octobre 1860)

**PHILOMÈNE BERGER
DITE VERONNEAU**
Née le 14 janvier 1844 à
Saint-Cyprien-de-Napierville
Décédée le 11 avril 1888
à Sainte-Hélène-de-Bagot

Épouse
en secondes noces
(28 février 1889)

PHILOMÈNE THIBODEAU

HUITIÈME GÉNÉRATION

**CYPRIEN NOÉ
DIT LOUIS CYR**
Né le 10 octobre 1863 à
Saint-Cyprien-de-Napierville
Décédé le 10 novembre
1912 à Montréal

Épouse
(16 janvier 1882)

**MÉLINA COMTOIS
DIT GILBERT**
Née le 11 février 1863
à Saint-Jean-de-Matha
Décédée le 28 octobre 1917
à Saint-Jean-de-Matha

MARIA ÉMILIANA CYR
Née le 31 janvier 1887 à Sainte-Cunégonde
Décédée le 6 février 1935
à l'hospice Saint-Jean-de-Dieu, Montréal

Chronologie des exploits de force publics de Louis Cyr entre 1878 et 1906

Septembre 1878

Au moulin de Saint-Athanase, région de Saint-Jean-sur-Richelieu, Cyprien Noé Cyr, âgé de quatorze ans et onze mois, déplace 15 minots de grain (environ 900 livres anglaises) sur une distance de 15 pieds.

Les sacs de grain furent entassés sur une porte d'écurie placée sur son dos.

Le même jour, Cyprien Noé Cyr soulève, par la flèche, une « voiture de Saint-Jean », véhicule monté sur une structure de fer, d'un poids d'environ 1 100 livres.

Mai 1883

À Lowell, dans le Massachusetts, devant plus de quatre mille personnes massées dans un endroit surnommé la *Dumb*, Louis Cyr, âgé de dix-neuf ans, soulève de terre jusqu'aux épaules une pierre pesée officiellement à 517 livres. L'exploit est resté inégalé à ce jour.

Mai 1884

Au *Mechanic's Hall*, situé au 204, rue Saint-Jacques à Montréal, Louis Cyr donne la première démonstration publique de tours de force dans la métropole. L'événement est organisé par Gustave (Gus) Lambert, originaire de Saint-Guillaume-d'Upton.

Louis Cyr lève 450 livres du majeur de la main droite et exécute son premier *back lift* officiel, à l'aide d'une plateforme chargée de quinze hommes, pour une charge de 2 465 livres.

17 avril 1885
À la salle du Marché de Valleyfield, Louis Cyr charge un tonneau de farine de 216 livres sur son épaule, d'une seule main et d'un seul mouvement. Cyr réussit son premier développé à un bras en public. L'haltère pèse 210 livres.

Il s'agit de la plus lourde charge soulevée à un bras par un humain à cette époque.

17 mars 1886
À la salle Jacques-Cartier, située à l'étage de la halle Jacques-Cartier, à Québec, Louis Cyr défait David Michaud dans une rencontre de tours de force pour le titre de l'homme le plus fort du Canada. Cyr effectue un *back lift* de 2 371 livres.

1er octobre 1888
Au collège commercial Saint-Joseph de Berthierville, Louis Cyr réussit un lever record de 245 livres du majeur de la main droite et un *back lift* record de 3 536 livres (charge de fonte additionnée à une charge humaine).

12 novembre 1889
À la salle de l'hôtel de ville de Saint-Henri, Louis Cyr défait Horace Barré dans un concours de tours de force.

Louis Cyr établit un record pour le développé à un bras, avec un lever de 265 livres du bras droit.

Il effectue un *back lift* de 2 378 livres contre 1 816 livres pour Barré.

5 décembre 1890
Dans les bureaux de la *National Police Gazette* de New York, en présence du propriétaire-promoteur Richard Kyle Fox,

d'un comité d'observateurs et de journalistes de New York, Louis Cyr effectue :
- un développé du bras droit de 232 livres ;
- un soulevé à un doigt de 484 livres ;
- un épaulement d'un baril chargé à 251 livres ;
- un bras droit tendu à l'horizontale pendant cinq secondes avec 102 livres ;
- un *back lift* d'une plate-forme chargée à 3 337 livres.

11 février 1891
En démonstration à Nashua, dans le New Hampshire, Louis Cyr effectue un *back lift* de 3 755 livres (record).

2 mars 1891
En démonstration au *Lyceum Hall* de Lewiston, dans le Maine, Louis Cyr soulève 516 livres du majeur de la main droite. Il effectue également un *back lift* de 3 790 livres (nouveau record).

21 septembre 1891
Au parc Sohmer de Montréal, Louis Cyr retient pendant cinquante-cinq secondes deux paires de chevaux de la King Express Company, pesant au total 4 800 livres.

L'exploit demeure sans précédent.

26 octobre 1891
Au *Lyceum Théâtre* de Montréal, Louis Cyr défait les hommes forts européens Cyclops (Franz Bienkowski) et Sandowe (Irwing Montgomery), en effectuant tous leurs tours de force et les siens, sans que les deux hommes réunis puissent égaler les marques de Cyr.

14 novembre 1891
Débuts de Louis Cyr en Angleterre.

Au *South London Music Hall* de Londres, Louis Cyr effectue un développé du bras droit de 242 livres et un *back lift* de 2 336 livres (charge humaine).

16 novembre 1891
Au *South London Music Hall* de Londres, Louis Cyr effectue un *back lift* de 3 246 livres (charge de fonte et charge humaine).

8 décembre 1891
Au *South London Music Hall* de Londres, Louis Cyr, d'une position à genoux, développe un haltère de 170 livres à six reprises du bras droit.

Il effectue un *back lift* de 3 452 livres.

6 janvier 1892
Au *Grand Theatre* de Liverpool, Louis Cyr effectue un *back lift* de 3 547 livres.

15 janvier 1892
Au *Royal Aquarium Hall* de Londres, Louis Cyr développe, en succession, du bras droit, des charges de 242 livres, 252 livres et 265 livres.

Il développe à deux mains un haltère à barre longue de 268 livres à deux reprises consécutives.

De la position à genoux, il développe du bras droit, dix fois de suite, un haltère de 174 livres.

19 janvier 1892
Au *Royal Aquarium Hall* de Londres, Louis Cyr passe à l'histoire avec les exploits suivants :
  - développé du bras droit d'un haltère de 273 ¼ livres (record absolu) ;
  - développé à deux mains d'un haltère à barre longue de 301 livres (il bat la marque mondiale de l'Autrichien Wilhelm Türk) ;
  - volée d'un haltère de la main droite, d'un seul mouvement : 174 livres (record) ;
  - extension d'un haltère à barre longue de 104 ½ livres des épaules jusqu'à la position tendue à l'horizontale pendant dix secondes (record) ;
  - épaulement d'un baril de ciment pesant 314 livres d'un seul mouvement et d'une seule main (record) ;

- soulevé du majeur de la main droite d'une charge de 551 livres (record) ;
- *back lift* d'une charge humaine de 3 655 livres.

30 janvier 1892
Au *Royal Albert Hall* de Londres, Louis Cyr effectue, depuis la position à genoux, un développé du bras droit d'un haltère de 174 livres à seize reprises consécutives (record).

4 avril 1892
Au *Lyceum* de Montréal, Louis Cyr réussit, de la position à genoux, à maintenir à l'horizontale, du bras droit, un haltère de 104 livres tout en développant simultanément de la main gauche un haltère de 80 livres à vingt reprises consécutives (record).

Cyr effectue un épaulement en un seul mouvement du bras droit d'un baril de ciment de 288 livres. Il réussit un bras tendu à l'horizontale, avec un haltère de 80 livres, pendant cinq secondes.

7 septembre 1892
À Lowell, dans le Massachusetts, Louis Cyr réussit un lever d'une charge de 558 livres du majeur de la main droite, constitué de l'agrégat d'un haltère de 234 livres, de son frère, Pierre Cyr, pesant 168 livres et d'un spectateur pesé à 156 livres (record absolu).

14 novembre 1892
Au *Huntington Hall* de Lowell, dans le Massachusetts, Louis Cyr réussit un développé à deux mains (sans épaulement) d'une charge de 403 livres, constituée d'un haltère à barre longue de 235 livres, auquel se suspendit son frère, Pierre Cyr, pesant 168 livres (record). Cyr effectue un *back lift* de 3 301 livres (charge humaine).

16 février 1893
Au *Washington Street Opera House* de Rome, dans l'Illinois, Louis Cyr inaugure le tir des chevaux en démonstration

publique, à l'occasion de la tournée de la *Cyr Brothers Specialty Company*.

Il effectue ce tour de force à plusieurs centaines de reprises durant sa carrière.

22 avril 1895

Au *Music Hall* de Lowell, dans le Massachusetts, Louis Cyr effectue un *back lift* de 3 500 livres (charge humaine).

27 mai 1895

À 10 h 50 du matin, dans l'auditorium de l'*Austin and Stone's Museum* de Boston, dans le Massachusetts, Louis Cyr effectue un *back lift* historique de 4 337 livres (record absolu).

Il devient le premier humain à soulever pendant plus de cinq secondes une charge supérieure à 4 000 livres.

Juin 1895

Le Dr Dudley Allen Sargent, professeur émérite de culture physique de l'Université Harvard de Boston, prend les mensurations anthropométriques officielles de Louis Cyr :
- cou : 20 ½ pouces ;
- biceps droit : 21 pouces ;
- biceps gauche : 20 ½ pouces ;
- avant-bras droit : 17 pouces ;
- poignet : 8 ¾ pouces ;
- poitrine (repos) : 56 pouces ;
- poitrine (gonflée) : 60 ½ pouces ;
- cuisse droite : 31 pouces ;
- genou : 17 pouces ;
- mollet droit : 21 pouces ;
- cheville : 10 ½ pouces ;
- tour de taille : 48 pouces ;
- poids corporel : 324 livres.

31 mars 1896

Au *Central Music Hall* de Chicago, dans l'Illinois, une compétition de tours de force pour le titre de champion du monde

L'œuvre grand format de Louis Cyr, partie des personnages légendaires du Québec, réalisée par le regretté peintre Claude Le Sauteur en 2006.

Photo : Hélène Leclerc

Monument Louis Cyr de l'artiste Jules Lasalle
inauguré en 1983 et situé à Saint-Jean-de-Matha.
Photo : Hélène Leclerc

Antoine Bertrand en jeune Louis Cyr sur le plateau de tournage en septembre 2012.

PHOTO : SÉBASTIEN LÉTOURNEAU / CHRISTAL FILMS

Antoine Bertrand en Louis Cyr à son arrivée à Londres en 1891, sur le plateau de tournage du Vieux-Montréal en octobre 2012.

PHOTO : PAUL OHL

L'Islandais Jon Pall Sigmarsson, considéré comme la plus grande légende de la force des vingt dernières années. Vainqueur à quatre reprises du titre de l'Homme le plus fort du monde, il est décédé prématurément en 1993, à l'âge de 33 ans. Il eut droit à des funérailles nationales en Islande.

Collection David Webster

Entre 2002 et 2008, l'image de marque de l'athlète de force par excellence projetée par les réseaux de télévision a été celle de Mariusz Pudzianowski, de la Pologne.

PHOTO : RANDALL J. STROSSEN, IRONMIND

Derek Poundstone, le champion américain des épreuves de force, est devenu en 2008 le premier homme au monde à soulever la pierre Louis Cyr (530 livres) à une hauteur de 36 pouces.

PHOTO : JOCELYN GAGNÉ

Zydrunas Savickas, de la Lituanie, a éclipsé tous les records de force des temps modernes entre 2005 et 2013.
PHOTO : MARC-ANDRÉ LETOURNEUX

Recordman absolu du soulever du billot, Zydrunas Savickas a amélioré à quinze reprises le record du monde de cette épreuve. Depuis 2008, il a poussé ce record à 484 livres (220 kilos).
PHOTO : MARC-ANDRÉ LETOURNEUX

Au cours de deux décennies de compétitions internationales,
Zydrunas Savickas a établi 56 records du monde.
PHOTO : MARC-ANDRÉ LETOURNEUX

Portant haut le trophée Louis Cyr, œuvre originale du sculpteur Michel Binette, Zydrunas Savickas est consacré l'homme le plus fort du XXe siècle et digne successeur de Louis Cyr.

PHOTO : MARC-ANDRÉ LETOURNEUX

des hommes forts met aux prises August W. Johnson, de Suède, et Louis Cyr.

Cyr remporte la compétition au total des livres par 2 846 contre 2 646. Johnson abandonne à la neuvième épreuve. Louis Cyr avait accepté de ne pas inscrire le *back lift* parmi les épreuves.

8 mai 1896

À la salle Saint-Louis, avenue Curtis, à Chicago, dans l'Illinois, Louis Cyr réalise une série d'exploits historiques, inégalés jusqu'à ce jour :

- à la volée, en un seul mouvement, du bras droit et du bras gauche, un haltère de 188 ½ livres (record) ;
- développé du bras gauche d'un haltère de 258 ¼ livres ;
- bras droit tendu à l'horizontale avec un haltère de 131 livres pendant cinq secondes (record) ;
- en crucifix (croix de fer), un haltère de 97 ¼ livres de la main droite et de 88 livres de la main gauche, simultanément, pendant dix secondes (record) ;
- de la main droite, épaulement et développé d'un haltère de 162 ½ livres à trente-six reprises consécutives (record) ;
- soulevé de terre à deux mains d'une charge combinée de 1 897 livres (record) ;
- soulevé de terre, de la main droite, d'une charge combinée de 987 livres (record) ;
- épaulement de la main droite d'un baril de ciment pesé à 433 livres (record).

Un total de 7 ¼ tonnes (14 455 ½ livres) en sept épreuves réussies en deux heures.

15 mai 1899

Mise en route de la première saison du cirque Cyr-Barré.

Entre le 15 mai et le 22 août 1899, le cirque se produira à Saint-Gabriel-de-Brandon, Joliette, Saint-Jacques-de-l'Achigan, L'Assomption, L'Épiphanie, Saint-Henri-de-Mascouche, Saint-Lin, Saint-Jérôme, Sainte-Thérèse-de-Terrebonne, La Prairie, Saint-Rémi, Napierville, Lacolle, Stottsville, Saint-Jean,

Saint-Athanase, Saint-Alexandre, Bedford, West Farnham, Québec, Saint-Michel, Saint-Thomas, L'Islet, Rivière-Ouelle, Kamouraska, Rivière-du-Loup, Rimouski, Sainte-Luce, Sainte-Flavie, Saint-Octave-de-Métis, Petit-Métis, Sandy Bay, Rivière-Blanche, Matane.

3 avril 1899
Au parc Sohmer de Montréal, une compétition de tours de force pour le titre de champion du monde des hommes forts met aux prises Otto Ronaldo, d'Allemagne (et des États-Unis) et Louis Cyr. Cyr remporte la compétition au total des livres, par 866 livres contre 636 ½ livres, Otto Ronaldo ayant abandonné au terme de la cinquième épreuve. Louis Cyr a, du même coup, décliné le *back lift*.

15 mai 1900
À l'Académie de musique de Fall River, dans le Massachusetts, une compétition de tours de force pour le titre de champion du monde des hommes forts met aux prises pour une deuxième fois Otto Ronaldo et Louis Cyr. Cyr remporte la compétition au total des livres. En retard de 14 livres après cinq épreuves, Louis Cyr réalisa 1 805 livres au *back lift* contre 1 660 livres pour Ronaldo, un écart final de 131 livres en faveur de Louis Cyr.

25 mars 1901
Au parc Sohmer de Montréal, Louis Cyr rencontre Édouard Beaupré, dit le « géant Beaupré » (8 pieds et 2 pouces, 370 livres), dans ce qui devait être une lutte à bras-le-corps.

Renversé en moins de trois minutes, Beaupré, blessé au coude, concède l'épreuve.

6 mai 1901
Au *Huntington Hall* de Lowell, dans le Massachusetts, une compétition de tours de force, présumée pour le titre de champion des hommes forts d'Amérique, met aux prises Otto Ronaldo et Herman Smith (frère de Ronaldo), tous deux d'Allemagne et des États-Unis, contre Louis Cyr.

Louis Cyr remporte la compétition au total des livres par 3 674 livres contre 3 358 livres pour Ronaldo et Smith, après que Ronaldo eut refusé d'effectuer un *back lift*.

Louis Cyr réussit un *back lift* de 2 239 livres.

6 mars 1905

À l'*Opera House* de Claremont, dans le New Hampshire, en démonstration à l'occasion du dix-neuvième concert et bal annuel de l'Union canadienne-française, Louis Cyr effectue une volée du bras droit d'un haltère de 165 livres et réussit un *back lift* de 2 600 livres.

Louis Cyr était atteint depuis cinq ans de la maladie de Bright.

26 février 1906

Le lundi 26 février 1906, au parc Sohmer de Montréal, une compétition de tours de force, présumée pour le titre de champion du monde des hommes forts, met aux prises Hector Décarie, de Saint-Henri, et Louis Cyr.

Le contrat prévoit que la rencontre s'effectuera en quatre épreuves choisies par chaque concurrent, la victoire étant déterminée par le système du total des points, chaque épreuve remportée allouant un point au concurrent.

Le résultat fut nul, chaque adversaire ayant marqué quatre points.

Louis Cyr réussit un jeté à deux mains de 288 livres, un développé du bras droit, de la position assise, d'un haltère de 151 livres à quatre reprises consécutives et un *back lift* de 2 879 livres.

Ce fut la dernière prestation publique de Louis Cyr. Il était âgé de quarante-deux ans et quatre mois.

Sources

L'œuvre documentaire sur Louis Cyr s'appuie sur un corpus historique inédit, constitué au cours de dix années de recherches. Il s'agit :

- de recherches généalogiques auprès de la Société de généalogie canadienne-française, de la Société historique du Haut-Richelieu, de plusieurs registres de souches généalogiques acadiennes ;
- de recherches d'archives auprès des municipalités et des paroisses de Montréal, Québec, Saint-Cyprien-de-Napierville, Napierville, Saint-Rémi, Sherrington, Sainte-Marguerite-de-Blairfindie, Sainte-Hélène-de-Bagot, Saint-Guillaume-d'Upton, Bécancour, Sainte-Cunégonde, Saint-Henri-des-Tanneries, Saint-Jean-de-Matha, Saint-Félix-de-Valois, Joliette, L'Assomption, Saint-Alexis-de-Montcalm, Lowell (États-Unis), Lawrence (États-Unis), Londres (Royaume-Uni) ;
- de recherches d'archives auprès de l'Université du Québec à Montréal, de l'Université Laval (Québec), de l'Université du Québec à Trois-Rivières, de l'Université de Sherbrooke, du Séminaire de Saint-Hyacinthe, du

diocèse de Montréal, du Lowell National Historical Park (Lowell, Massachusetts), du Boott Cotton Mills Museum (Lowell, Massachusetts), de la Lowell Historical Society, du Boston and Maine Railways, du Merseyside Maritime Museum (Liverpool, Royaume-Uni) ;

- de la constitution d'une banque de 351 articles parus dans 74 journaux, dont 21 du Québec, 2 d'autres provinces, 45 des États-Unis et 6 de Grande-Bretagne, entre le 24 juin 1885 et le 14 novembre 1912 ;

- de la constitution d'une banque de données sur les étapes migratoires des Canadiens français vers les États de la Nouvelle-Angleterre, entre 1840 et 1900, ainsi que sur les conséquences sociopolitiques et économiques afférentes ;

- de la constitution d'une banque de données sur l'historique des jeux athlétiques de force, l'évolution des activités des poids et haltères, l'évolution de l'haltérophilie au début du XXe siècle, le développement des grands cirques américains et les biographies d'hommes forts des XIXe et XXe siècles ;

- d'une analyse corrélative entre les récits oraux, certains écrits concernant Louis Cyr, les *Mémoires* de Louis Cyr publiés par tranches en 1908 dans le quotidien *La Presse* et les faits tels que rapportés par les journaux de l'époque ;

- de la constitution d'un fonds de documents judiciaires, notariés et administratifs en provenance des Archives nationales du Québec, de la Cour Supérieure du Québec, des bureaux d'enregistrement de Montréal, de Joliette et de Napierville ;

- de pièces de correspondance, d'archives et d'artefacts en provenance de la succession Cyr ;

- de la constitution d'une banque iconographique de plus de deux cents photos d'archives, de documents inédits et d'illustrations ;

- de la constitution d'un fichier de personnes-ressources, parmi lesquelles une dizaine d'historiens et une quinzaine de champions internationaux de force en provenance des États-Unis, de la Pologne, de la Norvège, de la Suède, de la Lettonie, de la Lituanie, de l'Ukraine, de l'Islande et de la Russie.

Remerciements

Lors de la parution de la première édition de ce livre, en mars 2005, j'ai remercié chaleureusement les dizaines de personnes du Québec et d'ailleurs qui avaient gracieusement consenti à offrir de l'expertise et du temps au profit de cette biographie. J'avais alors mentionné que certaines contributions avaient été au-delà de toute attente.

Au moment de terminer ce travail, je réitère ces remerciements, puisque sans la contribution de toutes ces personnes, il aurait été impossible de mener l'œuvre un pas plus loin, de la mettre au goût du jour, bref, de l'actualiser.

Je remercie très sincèrement Johanne Guay, vice-présidente du Groupe Librex, pour l'appui qu'elle a donné à ce projet ; Jean Baril, directeur des communications, pour sa complicité et ses précieux conseils ; Romy Snauwaert, éditrice du projet, pour sa disponibilité et sa vigilance.

D'un projet à l'autre, l'estime que je porte à Lise Levasseur ne cesse de grandir. Consciencieuse, disponible aux heures impossibles, elle est devenue, au fil des années, une ressource indispensable de mon parcours littéraire.

Ariane, ma petite-fille, a été le témoin privilégié de ce cheminement. Elle a fièrement porté les couleurs de *Fortissimus* et je lui exprime ma très grande affection.

Hélène Leclerc, déjà profondément impliquée dans la préparation de l'œuvre originale, a, cette fois, pris l'essentiel des travaux en main. Et c'est justement d'une main de maître qu'elle a revisité les archives et l'iconographie. Son implication dans cette démarche a été totale, elle a veillé, entre autres choses, au respect du calendrier de rédaction et a préparé le manuscrit final. Cette œuvre est donc autant la sienne que celle de l'auteur.

Table des matières

Suivez les Éditions Libre Expression sur le Web :
www.edlibreexpression.com

Cet ouvrage a été composé en ITC New Baskerville 11,5/13,65
et achevé d'imprimer en avril 2013
sur les presses de Imprimerie Lebonfon, Val-d'Or, Canada.